안중근 자료집 제13권

한국인 집필 안중근 전기 Ⅲ

편역자 신운용(申雲龍)

한국외국어대학교 사학과 졸업
한국외국어대학교 대학원 사학과 졸업(문학박사)
한국외국어대학교 사학과 강사
(사)안중근평화연구원 책임연구원

편역자 최영갑(催瑛甲)

성균관대학교 유학동양학과 졸업
성균관대학교 대학원 동양철학과 졸업(문학박사)
성균관대학교 유학동양학부 겸임교수

안중근 자료집 제13권
한국인 집필 안중근 전기 Ⅲ

1판 1쇄 펴낸날 | 2016년 03월 26일

기 획 | (사)안중근평화연구원
엮은이 | 안중근 자료집 편찬위원회

총 괄 | 윤원일
편역자 | 신운용·최영갑

펴낸이 | 서채윤
펴낸곳 | 채륜
책만듦이 | 김미정·김승민·오세진
책꾸밈이 | 이현진·이한희

등 록 | 2007년 6월 25일(제2009-11호)
주 소 | 서울시 광진구 자양로 214, 2층(구의동)
대표전화 | 02-465-4650 | 팩스 02-6080-0707
E-mail | book@chaeryun.com
Homepage | www.chaeryun.com

책값은 뒤표지에 있습니다.
ISBN 979-11-86096-29-1 94910
ISBN 978-89-93799-84-2 (세트)

이 책은 '안중근 의사 전집 발간 연구사업'으로 서울특별시의 인쇄비 지원을 받아 만들었습니다.

안중근 자료집 제13권

한국인 집필 안중근 전기 Ⅲ

(사)안중근평화연구원

채륜
CHAE RYUN

발간사 _ 하나

안중근 의사의 삶과 교훈

'안중근의사기념사업회'에서는 2004년부터 역사, 정치, 경제학자들과 일본어, 한문 번역 전문가들을 모시고 안중근전집발간위원회(위원장: 조광 교수, 고려대학교 명예교수)를 구성하여 안중근 의사와 관련된 자료를 모아 약 40여 권의 책으로 자료집을 발간하기로 하였습니다. 안중근 자료집 발간의 참뜻은 100년 후 안중근 의사가 오늘 우리에게 요구하는 시대정신을 확인하고 실천하는 계기를 만들자는 것입니다. 이를 위해 자료집 발간에 앞서 역사적 안중근과 오늘의 안중근정신을 확인하고 연구할 필요가 있다는 것을 자료집 발간위원들과 정치, 경제, 역사, 인권 등 여러 분야의 전문가들이 제언하고 동의하였습니다. 이에 따라 우리 사업회에서는 안중근 의사 의거와 순국 100주년을 준비하면서 10여 차례의 학술대회를 개최하였습니다. 특히 2008년 10월 24일에는 한국정치학회와 공동으로 한국외국어대학교에서 "안중근 의사의 동양평화론"을 주제로 학술대회를 하였고, 의거와 순국 100주년에 안중근 의사의 정신을 실천하기 위한 방안을 모색하는 국제학술대회를 개최하고 지속적으로 안중근 의사의 뜻을 실현하기 위한 연구 사업을 위해 노력하고 있습니다. 2004년 이후 학술대회 성과를 묶어 안중근 연구 총서 5권으로 이미 출판하였습니다. 특히 안중근 의사의 의거와 순국 100주년을 맞아 남북의 동포가 함께 개성과 여순감옥에서 안중근 의사를 기억하며 남북의 화해와 일치를 위해 노력하기로 다짐한 행사는 참으로 뜻깊은 사건이었습니다.

역사를 기억하는 것은 역사적 사실로부터 미래를 지향하는 가치를 확인하는 것입니다. 일본 제국주의의 잔혹한 식민지 통치와 2차 세계대전의 잔혹한 역사적 잘못에 대해 이미 일본 국민과 학자들도 비판과 반성을 통해 동아시아 국가들과 화해를 시대적 가치로 제시하고 있습니다.

그럼에도 불구하고 한국현대사학회가 중심이 된 교과서포럼과 교학사 역사교과서 논쟁에서 보여준 식민지근대화론을 주장하거나 이에 동조하는 학자들, 특히 국사편찬위원장을 역임한 이태진 교수, 공주대학교 이명희 교수, 권희영 한국학중앙연구원 교수, 안병직, 박효종, 이인호, 유영익, 차상철, 김종석 교수 등이 보여준 언행은 비판받아 마땅하다고 생각합니다.

특히 "정신대는 일제가 강제동원한 것이 아니라 당사자들이 자발적으로 참여한 상업적 매춘이자 공창제였다."(교과서포럼 이영훈 교수), "그 시기(일제강점기)는 억압과 투쟁의 역사만은 아니었다. 근대 문명을 학습하고 실천함으로써 근대국민국가를 세울 수 있는 '사회적 능력'이 두텁게 축적되는 시기이기도 하였다."(박효종 교수)고 주장하며 분명한 사실조차 왜곡하려는 현대사학회와 교과서포럼의 구성원들에게 진심으로 안타까움을 넘어 인간적 연민을 갖게 됩니다.

안중근 연구 사업은 안중근 자료집이 역사적 사실에 한정되지 않고 우리 역사와 함께 진화하고 발전하기를 바라는 자료집 발간에 참가하는 위원들과 우리 사업회의 소망이 함께하고 있습니다. 2009년 안중근 의사 의거 100주년을 맞아 자료집 5권을 출판한 이후 많은 어려움으로 자료집 발간이 지체되는 것을 안타까워한 서울시와 서울시의회 의원들의 지원으로 자료집 완간을 위한 계획을 수립하게 되었습니다. 앞으로 순차적으로 40여 권의 자료집을 3년여에 걸쳐 완간할 것입니다.

저는 지난 85년부터 성심여자대학교(현재 가톨릭대학교와 통합)에서 〈종교의 사회적 책무〉라는 주제로 20여 년간 강의를 했습니다. 강의를 하면서 학생들로부터 새로운 시각과 신선함도 배우고 또한 학생들을 격려하며 자극하기도 했습니다. 새 학년마다 3월 26일 안중근 의사 순국일을 맞아 〈안중근 의사의 삶과 교훈〉을 학생들에게 강의하고 안중근 의사의 자서전, 공판기록 등 그와 관련된 책을 읽고 보고서를 제출토록 과제를 주고 이를 1학기 학점에 반영했습니다. 학생들은 누구나 숙제를 싫어하지만 학점 때문에 내 요구에 마지못해 응했습니다. 그런데 학생들의 보고서를 읽으면서 저는 큰 보람을 느끼곤 했습니다. 그중 큰 공통점은 거의 모든 학생들이 "안 의사에 대해서는 어린 시절 교과과정을 통해 일본의 침략자 이토 히로부미(伊藤博文)를 사살한 분 정도로만 알고 있었는데 그분의 자서전을 읽고는 그분의 투철한 신념, 정의심, 교육열, 사상, 체계적 이론 등을 깨달았고 무엇보다도 우리 민족의 선각자, 스승임을 새삼 알게 되었다"고 고백했습니다.

그렇습니다. 우리에게 귀감이 되고 길잡이가 되는 숱한 선현들이 계시지만 안중근 의사야말로 바로 지금 우리 시대에 우리가 되새기고 길잡이로 모셔야 할 스승이며 귀감입니다.

그러나 스스로 자신을 낮추며 나라와 겨레를 위해 목숨까지 바친 안 의사의 근본정신은 간과한 채 거짓 언론과 몇몇 무리들은 안 의사를 형식적으로 기념하면서 안 의사의 삶을 장삿속으로 이용하기만 합니다. 참으로 부끄럽고 가슴 아픈 일입니다. 그뿐 아니라 나라를 빼앗긴 피눈물의 과정, 일제의 침략과 수탈을 근대화의 계기라는 어처구니없는 주장을 감히 펼치고 있는 이 현실, 짓밟히고 삭제되고 지워지고 조작된 역사를 바로 잡기 위한 역사학도들의 피눈물 나는 노력과 뜻있는 동지들의 진정성을 아직도 친일매국노의 시각으로 훼손하고 자유당 독재자 이승만, 그리고 유신체제의 군부독재자 박정희 등 이들의 졸개들이 으쓱거리고 있는 이 시대는 바로 100년 전 안중근 의사가 고민했던 바로 그때를 반영하기도 합니다.

역사와 국가공동체 그리고 교회공동체의 모든 구성원들은 조선 침탈의 원흉 이토 히로부미를 안 의사가 제거하였다는 업적과 동양 평화와 나라의 독립을 위하여 헌신하시고 제안한 방안들을 얼마나 지키려 하였는지, 일본의 한국병탄(倂呑)에 동조하거나 협력하였던 외국인 선교사들을 거부하고 직접 하느님의 뜻을 확인하려하신 그 신앙심에 대하여 진심으로 같이 고백하였는지 이제는 깊게 반성하여야 합니다. 확인되지도 않는 일본인들 다수가 안 의사를 존경하는 것처럼 호도하고 안 의사의 의거의 정당성을 일본과 그에 협력하였던 나라들에게 당당하게 주장하지도 않았으면서 그 뜻을 받들고 있는 것처럼 때가 되면 모여서 묵념하는 것이야말로 역사를 모독하고 안 의사를 훼손하고 있다는 것도 이 기회에 함께 진심으로 반성하여야 합니다. 심지어 안 의사 연구의 전문가인 양 온 나라에 광고하면서 진정한 안 의사의 의거의 정당성과 사상과 그 생각을 실현하려는 방안을 하나도 제시하지 않고 있는 사람들의 속내를 과연 무엇이라고 해석하여야 합니까?

안중근 자서전의 공개과정과 내용

안중근은 의거 후 중국 여순 감옥에 갇혀 죽음을 앞두고 자신의 삶을 되돌아보면서 〈안응칠 역사〉를 기술하였습니다. 아직 원본은 발견되지 않았지만, 1969년 4월 일본 동경에서 최서면 씨가 한 일본인으로부터 입수한 〈안중근 자서전〉이라는 필사본과 1979년 9월 재일동포 김정명(金正明) 교수가 일본 국회도서관 헌정연구실 '7조청미(七條淸美)' 문서 중에서 '안응칠 역사'와 '동양평화론'의 등사 합본을 발굴함으로써 더욱 명료해졌습니다(신성국, 의사 안중근(도마), 지평, 36~37, 1999).

우리 안중근의사기념사업회와 (사)안중근평화연구원에서는 안중근 자료집 발간과 함께 안중근 자서전을 새롭게 번역하여 출간할 계획입니다. 〈안중근 자서전〉은 한자로 기록된 문서로 한글번역 분량은 신국판 70여 쪽에 이르지만 해제를 덧붙여야하기에 그 두 배에 이를 것입니다. 안 의사는 감옥생활 5개월 동안 감옥에서 유언과 같은 자서전 〈안응칠 역사〉를 집필한 뒤 서문, 전감, 현상, 복선, 문답 등 5장으로 구성된 〈동양평화론〉의 서문과 전감은 서술하고 나머지 3개장은 완성하지 못한 채 순국하셨습니다.

안 의사는 자서전에서 출생과 성장과정(1879~1894) 등 15세 때까지의 회상을 서론과 같이 기술하고, 결혼, 동학당(東學党)과의 대결, 갑신정변(1894), 갑오농민전쟁(1895)에 대한 청년시절 체험을 얘기하고 있습니다. 이어 그는 19세 때인 1897년 아버지와 함께 온 가족이 세례 받게 된 경위와 빌렘(J. Wilhelm, 한국명: 홍석구)신부를 도와 황해도 일대에서 선교에 전념하던 일을 증언하면서 특히 하느님 존재 증명방법과 그리스도를 통한 구원론, 각혼, 생혼, 영혼에 대한 설명, 하느님의 심판, 부활영생 등의 기본적 교리를 천명하고 있습니다. 이 증언을 통해 우리는 그의 돈독한 신앙과 19세기 말엽의 교리체계를 이해하고 확인할 수 있습니다.

안 의사는 빌렘신부를 도와 선교에 힘쓰면서 교회공동체나 주변의 억울한 사람들을 만나면 그들의 권리나 재산을 보호하기 위하여 스스로 위험을 감수하고 앞장섰습니다. 우리는 신앙인으로서 청년 안중근의 열정과 정의심을 몇 가지 사례를 통해 확인할 수 있습니다. 당시 서울의 세도가였던 전 참판 김중환(金仲煥)이 옹진군민의 돈 5천 냥을 빼앗아간 일이 있었는데 이를 찾아주기 위해 서울까지 가서 항의하고 꼭 갚겠다는 약속을 얻어내기도 했습니다. 또 다른 일은 해주 병영의 위관 곧 오늘의 표현으로는 지방군부대 중대장 격인 한원교(韓元校)가 이경주라는 교우의 아내와 간

통하여 결국 아내와 재산까지 빼앗은 횡포에 대해 법정투쟁까지 벌이면서 사건을 해결하려 했으나 결국 한원교가 두 사람의 자객을 시켜 이경주를 살해한 일을 회상하면서 끝내 한원교가 처벌되지 않는 불의한 현실을 개탄하였습니다. 안중근 의사의 이와 같은 정의감과 불의한 현실적 모순에 대한 그의 고뇌와 갈등을 우리는 여러 대목에서 확인할 수 있습니다. 이 자서전을 읽을 때마다 우리는 19세기 말 당시의 상황과 안중근 의사의 인간미를 새롭게 깨닫고 그의 진면목을 대하게 됩니다.

선교과정에서 안 의사는 무엇보다도 교육의 필요성을 절감하고 빌렘신부와 함께 뮈텔(G.Mutel, 한국명: 민효덕)주교를 찾아가 대학설립을 건의하는데 두 번, 세 번의 간청에도 불구하고 뮈텔은 “한국인이 만일 학문을 하게 되면 신앙생활에 좋지 않을 것이니(不善於信敎) 다시는 이러한 얘기를 꺼내지 말라”라고 거절했습니다. 고향으로 돌아오는 길에 안 의사는 뮈텔의 이러한 자세에 의노를 느끼며 마음속으로 “천주교의 진리는 믿을지언정 외국인의 심정은 믿을 것이 못된다” 하고 그때까지 배우던 프랑스어를 내던졌다고 술회하고 있습니다. 특히 교회공동체와 사제에게 가장 성실했던 신앙인 안 의사는 1907년 안 의사의 독립운동을 못마땅하게 여기며 독립투쟁을 포기할 때에만 비로소 성사생활을 할 수 있다면서 성사까지 거부했던 원산성당의 브레 사제(Louis Bret, 한국명: 백류사) 앞에서 당당하게 신앙을 증거하고 끝까지 독립운동을 지속했습니다. 당시 대부분의 선교사들이 일제에 영합하는 정교분리의 원칙에 따라 독립운동을 방해하고 반대하였음에도 불구하고 해외에서 무장투쟁을 펼치며 마침내 이토 히로부미를 주살하였습니다. 여기서 우리는 선교사의 한계를 뼈저리게 느끼며 하느님과의 직접적인 관계를 생각하셨던 안 의사의 신앙적 직관과 통찰력을 엿볼 수 있습니다. 특히 프랑스 사제들의 폐쇄적 자세와 인간적 한계를 극복한 성숙한 신앙인의 결단과 자세는 우리 모두의 귀감이며 사제와 주교 때문에 신앙이 흔들리는 우리 시대의 많은 형제자매들에게 안 의사는 참으로 든든한 신앙의 길잡이입니다.

일본의 침략이 노골화되자 안 의사는 가족과 함께 이주할 계획으로 상해를 방문했고 어느 날 성당에서 기도하고 나오던 길에 우연히 르각(Le Gac, 한국명: 곽원량) 신부를 만나 깨우침을 얻게 됩니다. 안 의사의 계획을 듣고 르각 신부는 프랑스와 독일의 국경지대인 알자스 지방을 예로 들면서 많은 이들이 그 지역을 떠났기에 다시는 회복할 수 없게 되었다고 설명하면서 만일 조선인 2천만 명이 모두 이주계획을 가지고 있다면 나라가 어떻게 되겠느냐 하면서 무엇보다도 ①교육 ②사회단체돕기 ③공동협심 ④실력양성을 해야 한다고 강조했습니다. 이에 안 의사는 진남포로 돌아와 돈의학교를 인수하고 야학 삼흥학교를 설립하여 후학을 위해 교사로서 봉사했습니다. 삼흥(三興)이란 국사민(國士民), 곧 나라와 선비와 백성 모두가 흥해야 한다는 그의 교육이념이기도 합니다. 또한, 안 의사는 국채보상운동에도 안창호와 함께 참여하고 스스로 사업도 하였으나 일본인들의 방해로 실패하게 됩니다.

그 후 1907년 정미 7조약으로 군대가 해산되고 경찰, 사법권 등 국가 권력이 일본에게 넘어가고 고종이 강제 퇴위를 당하자 일본의 한국의 보호와 동양 평화에 대한 주장이 한국을 일본의 식민지로 병탄하려는 의도라고 확신하고 독립군에 투신합니다. 독립군 시절 일본군인과 상인 등을 포로로 잡아 무장해제한 후 돌려보낸 일화는 유명합니다. 엄인섭 등 독립군들은 일본인 포로 2명을 호송하기도 어렵고 번거로우니 제거하자고 주장했으나 안중근은 독립군은 스위스 만국공법(萬國公法)을 지켜야 한다고 주장하며 공법에 따라 포로들을 관리할 수 없다는 이유로 이 둘을 석방했습니다. 이 일로 인해 위치가 노출되어 독립군부대는 일본군의 급습을 받고 완전히 괴멸되었습니다. 안 의사는 1달 반 동안 쫓기면서 여러 차례 죽을 고비를 넘깁니다. 이러한 과정에서 동행했던 2명의 동지들에게 세례를 베풀었고 죽을 고비마다 안 의사는 하느님께 전적으로 의탁하며 기도와 신앙으로 살아날 수 있었다고 기록하고 있습니다.

미완의 원고 〈동양평화론〉

이후 안 의사는 독자적으로 독립운동을 전개하다가 1909년 연추의 김씨댁 여관에서 11명의 동지들과 함께 대한독립의 결의를 다지며 자신의 손가락을 잘랐습니다. 안 의사는 이를 정천동맹(正天同盟)이라 했습니다. 하늘을 바로 세우고, 하늘 앞에서 바르게 살겠다는 서약이며 봉헌이었습니다. 그리고 이토 히로부미의 러시아 방문 소식을 접하고 그를 응징하기로 동지들과 계획하고 마침내 1909년 10월 26일에 하얼빈에서 침략자 이토 히로부미를 주살(誅殺)하였습니다. 이토 히로부미의 주살에 대하여 안 의사는 15가지의 죄상을 주장하였습니다. 그러나 그 근본적인 죄과에 대해 대한국의 독립국으로서의 지위 보장에 대한 명백한 약속 위반과 동양평화를 해치는 주범으로서 온 세상을 기만 죄로 죽음이 마땅하다고 주장하였습니다. 동양의 평화를 이루는 구체적인 방안들을 안 의사는 자신의 미완성의 원고인 동양평화론에서 제시하였습니다. 동양 삼국의 제휴를 통하여 평화회의 체제를 구성하고 상공업의 발달을 촉진하여 삼국의 경제적인 발전을 도모하고 이의 지원을 위하여 공동은행의 설립과 삼국연합군대의 창설과 교육을 통하여 백인들의 침략을 견제 대비하여야 진정한 세계평화를 유지할 수 있다고 제안 주장하였습니다. 어느 한 나라의 군사 경제적인 발전만으로는 평화와 발전이 불가능하다는 것을 안 의사는 간파하고 있었던 것입니다. 한나라의 강성함은 필히 주변국들과의 불화의 원인이 되므로 연합과 연대를 통하여 공동의 발전과 평화를 유지하기 위한 다자간 협력 체제와 이를 위한 국제기구의 필요성에 대해 안 의사는 강력한 소신을 가지고 있었던 세계 평화주의자였습니다. 국제적인 갈등의 해결 방법들을 제안한 안 의사의 생각을 읽으면 오늘 우리에게 부여되어있는 과제들을 돌아보게 됩니다. 분단의 해소를 통한 통일을 모두가 염원하고 있지만 그 구체적인 과정을 실천하기에는 아주 많은 난관을 우리 스스로 만들어 가고 있는 현실을 직면하게 됩니다. 남과 북의 대립, 그에 앞서 치유되지 않고 있는 지역, 계층 세대 간의 갈등과 반목이라는 부끄러운 현실 속에서 안 의사의 자서전을 대할 때마다 죄송스러움과 한계를 절감하게 됩니다.

신뢰를 지킨 빌렘사제

안 의사는 대한독립군 참모중장으로서 거사의 정당성과 이토 히로부미의 죄상을 밝히는 의연한 주장에도 불구하고 여순 감옥에서 일제의 부당한 재판을 통하여 사형을 선고받고 죽음을 앞두고 두 동생들을 통하여 뮈텔주교에게 성사를 집전할 사제의 파견을 요청하였습니다. 그러나 뮈텔주교는 '안 의사가 자신의 범죄를 시인하고 정치적인 입장을 바꾸도록' 요구합니다. 곧 독립운동에 대한 잘못을 스스로 시인해야만 사제를 파견할 수 있다고 이를 거절합니다. 더구나 여순의 관할 주교인 술래(Choulet)와 일본 정부의 사제 파견에 대한 동의가 있었음에도 불구하고 뮈텔주교의 입장은 완강하였습니다. 이에 빌렘신부는 스스로 뮈텔주교에게 여순으로 간다는 서신을 보내고 안 의사를 면회하여 성사를 집전하고 미사를 봉헌하였습니다. 이 일로 뮈텔주교는 빌렘신부에게 성무집행정지 조치를 내렸으나 빌렘신부는 뮈텔주교의 부당성을 바티칸에 제소하였고 뮈텔주교에게는 공식적 문서를 통하여 주교의 부당한 명령을 지적하고 죽음을 앞둔 신자에게 성사를 집행하는 것은 사제의 의무이며 권리임을 강조했습니다. 바티칸은 성사집행이 사제로서의 정당한 성무집행임을 확인하였습니다. 그러나 뮈텔과의 불화로 빌렘은 프랑스로 돌아가 안중근을 생각하며 여생을 마쳤습니다.

〈동양평화론〉의 저술을 마칠 때까지 사형 집행을 연기하기로 약속한 일본 법원의 약속 파기로 순국을 예견한 안 의사는 동생들에게 전한 유언에서 나라의 독립을 위하여 국민들이 서로 마음을 합하고 위로하며 상공업의 발전을 위하여 힘써 나라를 부강하게 하는 것이 독립의 초석임을 당부하시고 나라가 독립되면 기뻐하며 천국에서 춤을 출 것이라고 하였습니다. 사실 현재 우리나라는 부강해졌고 국민들의 소득수준은 높아졌습니다. 그러나 부의 편중으로 가난한 사람들은 점점 늘어가고 일자리가 없는 사람들의 수는 정부 통계로도 그 수를 짐작하기가 어려운 실정입니다. 그런데 국론은 분열되어 있고 정책은 일관되게 부자들과 재벌들을 위해 한 쪽을 향해서만 달려가고 있습니다. 상식이 거부되고 있는 현실입니다. 안 의사가 다시 살아나 설득을 하신다면 과연 이들이 안 의사의 말씀에 귀를 기울이겠습니까?

역사는 반복이며 미래를 위한 창조적 길잡이라고 했습니다. 오늘도 안중근과 같은 의인(義人)을 박해하고 괴롭히는 또 다른 뮈텔, 브레와 같은 숱한 주교와 사제들이 엄존하고 있는 이 현실에 대해 후대에 역사는 과연 어떻게 평가하겠습니까?

십인십색이라는 말과 같이 사람의 생각은 늘 같을 수만은 없습니다.

그러나 함께 생각하고, 역사의 삶을 공유하는 것이 우리의 도리이기에 이 자료집을 만들어 우리시대 미완으로 남아있는 안중근 의사의 참뜻을 실현할 것을 다짐하고 후대 역사의 지침으로 남기려 합니다.

자료집 발간을 위해 도와주신 박원순 시장님과 서울시 관계자분들 그리고 서울시의회 새정치민주연합 전 대표 양준욱 의원님, 임형균 의원님에게 진심으로 감사드립니다. 10년을 넘게 자료집 발간을 위해 한결같은 마음으로 애쓰고 계시는 조광 교수님, 신운용 박사, 윤원일 사무총장과 자료집 발간에 참여하고 계시는 편찬위원들과 번역과 교정에 참여해 주신 모든 분들, 출판을 맡아준 채륜의 서채윤 사장님과 직원분들 모두에게 감사와 위로의 인사를 드립니다.

안 의사님, 저희는 부끄럽게도 아직 의사님의 유해를 찾지 못했습니다. 아니, 잔악한 일본인들이 안 의사의 묘소를 아예 없앤 것 같습니다. 그러나 이 책이 그리고 우리 모두의 마음이 안 의사를 모신 무덤임을 고백하며 안 의사의 열정을 간직하고 살기로 다짐합니다. 8천만 겨레 저희 마음속에 자리 잡으시어 민족의 일치와 화해를 위한 열정의 사도가 되도록 하느님께 전구해 주십시오.

안 의사님, 우리 겨레 모두를 돌보아주시고 지켜주소서.

아멘.

2016년 3월

안중근의사기념사업회, (사)안중근평화연구원 이사장

함 세 웅

발간사 _ 둘

"역사를 잊은 민족에게 미래는 없다."

역사는 현재를 살아가는 우리에게 거울과 같은 존재입니다. 우리는 지나온 역사를 통해 과거와 현재를 돌아보고 미래를 설계해야 합니다. 암울했던 일제강점기 우리 민족에게 빛을 안겨준 안중근 의사의 자료집 출간이 더욱 뜻 깊은 이유입니다.

107년 전(1909년 10월 26일), 만주 하얼빈 역에는 세 발의 총성이 울렸습니다.

전쟁에 몰입하던 일제 침략의 부당함을 전 세계에 알리고 나아가 동양의 평화를 위해 동양 침략의 선봉에 섰던 이토 히로부미를 안중근 의사가 저격한 사건입니다. 안중근 의사의 하얼빈 의거는 이후 수많은 독립운동가와 우리 민족에게 큰 울림을 주었고, 힘들고 암울했던 시기를 분연히 떨치고 일어나 마침내 조국의 광복을 맞이하게 했습니다.

그동안 독립 운동가들의 활동상을 정리한 문집들이 많이 출간되었지만, 안중근 의사는 뛰어난 업적에도 불구하고 관련 자료가 중국과 일본, 러시아 등으로 각각 흩어져 하나로 정리되지 못하고 있었습니다.

이번에 발간되는 『안중근 자료집』에는 안중근 의사의 행적과 사상, 그 모든 것이 집대성되어 있습니다. 이 자료집을 통하여 조국의 독립과 세계평화를 위해 일평생을 바친 안중근 의사의 숭고한 희생정신과 평화정신이 대한민국 전 국민의 가슴에 깊이 아로새겨져 우리 민족의 미래를 바로 세울 수 있는 밑거름이 될 수 있기를 기원합니다.

2016. 3

서울특별시장 박 원 순

발간사 _ 셋

역사 안에 실재하는 위인을 기억하는 것은 그 삶을 재현하고 실천하는 것입니다.

지금 우리 시대 가장 존경받는 분은 안중근 의사입니다.

특히 항일투쟁기 생존했던 위인 중 남북이 함께 기억하고 있는 유일한 분이기도 합니다.

그것은 "평화"라는 시대적 소명을 실천하자는 우리 8천만 겨레의 간절한 소망이 담긴 징표라고 저는 생각합니다.

안중근 의사는 20세기 초 동양 삼국이 공존할 수 있는 평화체제를 지향했고 그 가치를 훼손하고 힘을 앞세워 제국주의 질서를 강요하는 일제를 질타하고 이토 히로부미를 주살했습니다.

안중근 의사 의거 100년이 지난 지금 중국대륙에서 새롭게 안중근을 조명하고 있습니다. 그것은 100여 년 전 동양을 위협했던 제국주의 세력이 다시 준동하고 있다는 증거이며 안중근을 통해 공존의 아름다운 가치를 회복하자는 다짐입니다.

안중근 의사는 동양평화론을 저술하기 전에 "인심단합론"이라는 글을 남기셨습니다.

지역차별과 권력 그리고 재력 등 개인과 집단의 상대적 우월을 통해 권력을 행사하거나 집단을 통제하려는 의지를 경계하신 글입니다. 그런 행위는 공동체를 분열하고 해체하는 공공 악재가 되기 때문에 이를 경계하라 하신 것입니다.

해방 이후 지난 70년 우리 사회는 끊임없는 갈등과 분열을 경험하고 있습니다. 이런 상황을 문제로 인식하고 해결하려는 의지를 공동체가 공유하기보다 당연한 결과로 받아들이며 갈등과 분열을 사회 유지 수단으로 이용하고 있습니다.

사회구성원으로 살아가는 한 개체로서 인간은 자신의 의지와 관계없이 역사와 정치 이념의 영향을 받게 됩니다. 안중근 의사는 차이를 극복하고 서로 존중하는 공동체 유지 방법을 "인심단합론"이라 했습니다. "동양평화"는 그를 통해 이루어지는 결과입니다.

우리 사회는 민주화와 경제화 과정에 있습니다.

미완의 제도들은 갈등의 원인으로 작용하고 있으며 아름다운 공동체를 위해 많은 문제를 해결해야 한다는 것을 모두 알고 있습니다.

오늘은 어제의 결과이며 미래의 모습입니다. 지난 역사와 그 안에 실재했던 우리 선열들의 가르침은 우리에게 많은 지혜를 알려 주고 있습니다. 그 중에도 "안중근"이 우리에게 전하려는 "단합"과 "평화"는 깊이 숙고하고 논의를 이어가야 할 우리 시대 가치입니다.

안중근 의사의 독립전쟁과 공판투쟁 등 그분의 모든 행적을 담은 자료를 모아 자료집으로 만들어 우리 시대 자산으로 삼고 후대에 전하는 일에 기꺼이 동참해 오늘 작은 결실을 공동체와 함께 공유하게 되었습니다. 앞으로 이보다 더 많은 자료를 엮어 발간해야 합니다. 기쁜 마음으로 함께 결실을 거두어 낼 것입니다.

안중근 자료집 발간을 통해 많은 분들이 안중근 의사의 나라의 독립과 민족의 자존을 위해 가졌던 열정과 결단을 체험하고 우리 시대 정의 실현을 위해 헌신할 것을 다짐하는 계기가 되기를 바랍니다.

10년이 넘도록 안중근 자료집 발간을 위해 애쓰고 계시는 안중근의사기념사업회, (사)안중근평화연구원 이사장 함세웅 신부님과 임직원 여러분들에게 진심으로 존경과 감사의 인사를 드립니다.

서울특별시의회 새정치민주연합 전 대표의원

양 준 욱

편찬사

안중근은 1909년 10월 26일 하얼빈에서 대한제국의 침략에 앞장섰던 이토 히로부미를 제거해서 국가의 독립과 동양평화에 대한 의지를 드높인 인물이다. 그에 대한 연구는 한국독립운동사 연구에 있어서 중요한 부분을 이루고 있으며, 그의 의거는 오늘날까지도 남북한 사회에서 적극적 의미를 부여받고 있다. 안중근의 독립투쟁과 그가 궁극적으로 추구했던 평화에 대한 이상을 밝히는 일은 오늘을 사는 우리 연구자들에게 공통된 과제이다.

안중근이 실천했던 일제에 대한 저항과 독립운동은 5백 년 동안 닦아온 우리 민족문화의 특성을 가장 잘 나타내주고 있다. 조선왕조가 성립된 이후 우리는 문치주의를 표방하며 문민(文民)들이 나라를 다스렸다. 그러나 개항기 이후 근대 우리나라 사회에서는 조선왕조가 유학사상에 바탕한 문치주의를 장려한 결과에 대한 반성이 일어나기도 했다. 문치주의로 나라는 이른바 문약(文弱)에 이르게 되었고, 그 결과로 나라를 잃게 되었다는 주장이 제기된 것이었다.

그러나 조선왕조가 표방하던 문치주의는 불의를 용납하지 않고 이욕을 경시하면서 정의를 추구해 왔다. 의리와 명분은 목숨만큼이나 소중하다고 가르쳤으며, 우리의 정통 문화를 지키는 일이 무엇보다도 중요함을 늘 일깨워주었다. 이러한 정신적 경향은 계급의 위아래를 떠나서 삼천리강산에 살고 있던 대부분의 사람들의 심중에 자리잡은 문화적 가치였다. 그러므로 나라가 위기에 처했을 때, 유생들을 비롯한 일반 농민들까지도 의병을 모두어 침략에 저항해 왔다. 그들은 단 한 번 무기를 잡아본 적이 없었다. 그렇다 하더라도 우리나라에 대한 상대방의 침입이 명분 없는 불의한 행위이고, 사특한 움직임으로 규정될 경우에는 유생들이나 농민지도자들이 의병장으로 일시에 전환하여 침략에 목숨을 걸고 저항했다. 일반 농민들도 군사훈련을 받지 않은 상태임에도 불구하고 자신의 몸을 던져 외적의 침입에 맞서고자 했다.

그러나 엄밀히 말하자면, 글 읽던 선비들이 하루아침에 장수가 될 수는 없었던 일이며, 군사훈련을 받지 않은 사람을 전선으로 내모는 일은 살인에 준하는 무모한 행동으로 비난받을 수도 있었으나 이러한 비난은 우리 역사에서 단 한 번도 일어나지 않았다. 그 까닭은 바로 문치주의에서 강조하던 정의와 명분은 사람의 목숨을 걸 수 있을 만큼 소중한 것으로 보았기 때문이다.

우리는 안중근에게서 바로 이와 같은 의병문화의 정신적 전통이 계승되고 있음을 확인하게 된다. 물론 전통시대 의병은 충군애군(忠君愛君)을 표방하던 근왕주의적(勤王主義的) 전통이 강했다. 안중근은 전통 유학적 교육을 통해 문치주의의 향기에 접하고 있었다. 그는 무인(武人)으로서 훈육되었다기보다는 전통적인 문인(文人)으로 교육받아 왔다. 또한 안중근은 천주교 입교를 통해서 유학 이외의 새로운 사조를 이해하기 시작했다. 안중근은 전통적 근왕주의를 뛰어넘어 근대의 세례를 받았던 인물이다. 그의 혈관에는 불의를 용납하지 않고 자신을 희생하여 정의를 세우고자 했던 의병들의 문화전통과 평등이라는 가톨릭의 정신이 흐르고 있었다. 이 때문에 안중근의 생애는 전통적인 의병이 아닌 근대적 독립운동가로 규정될 수 있었다.

안중근은 우리나라의 모든 독립운동가들에게 존경의 대상이 되었다. 그는 독립운동가들에게 '역할 모델(role model)'을 제공해 주고 있다. 그의 의거는 한국독립운동사에 있어서 그만큼 큰 의미를 가지고 있었다. 그렇다면 해방된 조국에서 그에 관한 학문적 연구도 본격적으로 착수되어야 했다. 그러나 안중근에 관한 연구는 다른 독립운동가에 비교해 볼 때 체계적 연구의 시기가 상대적으로 뒤늦었다. 그 이유 가운데 하나는 『안중근 전집』이나 그에 준하는 자료집이 간행되지 못했던 점을 들 수도 있다. 돌이켜 보건대, 박은식·신채호·안창호·김구·이승만 등 주요 독립운동가의 경우에 있어서는 일찍이 그분들의 저작집이나 전집들이 간행된 바 있었다. 이러한 문헌자료의 정리를 기초로 하여 그 독립운동가에 대한 본격적 연구가 가능하게 되었다. 그러나 안중근은 아직까지도 『저작전집(著作全集)』이나 본격적인 『자료집』이 나오지 못하고 있다. 이로 인하여 안중근에 대한 연구가 제한적으로밖에 이루어지지 못하고 있다. 그리고 안중근에 대한 본격적 이해에도 상당한 어려움이 따르게 되었다.

물론 안중근의 『자서전』과 그의 『동양평화론』이 발견된 1970년대 이후 이러한 안중근의 저술들을 중심으로 한 안중근의 자료집이 몇 곳에서 간행된 바도 있다. 그리고 국사편찬위원회 등 일부 기관에서는 한국독립운동사 자료집을 간행하는 과정에서 안중근의 재판기록을 정리하여 자료집으로 제시해 주기도 했다.

그러나 안중근에 대한 연구 자료들은 그 범위가 매우 넓다. 거기에는 안중근이 직접 저술하거나 집필했던 문헌자료들이 포함된다. 그리고 그는 공판투쟁과정에서 자신의 견해를 분명히 제시해 주고 있다. 따라서 그에 대해 알기 위해서는 그가 의거 직후 체포당하여 받은 신문 기록부터 재판과정에서 생산된 방대한 양의 기록들이 검토되어야 한다. 또한 일본의 관인들이 안중근 의거 직후 이를 자국 정부에 보고한 각종 문서들이 있다. 여기에서도 안중근에 관한 생생한 기록들이 포함되어 있다. 그리고 안중근 의거에 대한 각종 평가서 및 정보보고 등 그와 그의 의거에 관한 기록은 상당 분량에 이른다.

안중근 의거 직후에 국내외 언론에서는 안중근과 그 의거에 관해 자세한 내용을 경쟁적으로 보도하고 있었다. 특히 국내의 주요 신문들은 이를 보도함으로써 의식 무의식적으로 문치주의적 의병정신에 동참하고 있었다. 안중근은 그의 순국 직후부터 우국적 언론인의 탐구대상이 되었고, 역사학자들도 그의 일대기와 의거를 연구하여 기록에 남겼다. 이처럼 안중근에 관해서는 동시대를 살았던 독립운동가들과는 달리 그의 행적을 알려주는 기록들이 무척 풍부하다.

앞서 말한 바와 같이, 개항기 이래 식민지강점기에 살면서 독립을 위해 투쟁했던 주요 독립운동가들의 전집이나 자료집은 이미 간행되어 나왔다. 그러나 그 독립운동가들이 자신의 모델로 삼기 위해 노력했고 존경했던 안중근 의사의 자료집이 전집의 형태로 간행되지 못하고 있었다. 이는 그 후손으로서 안중근을 비롯한 독립 선열들에게 대단히 면목 없는 일이었다. 따라서 안중근 전집 내지 자료집의 간행은 많은 이들에게 대단히 중요한 과제로 남게 되었다.

이 상황에서 안중근의사기념사업회 산하에 안중근연구소가 발족한 2005년 이후 안중근연구소는 안중근 전집 내지 자료집의 간행을 가장 중요한 과제로 삼았다. 그리하여 2005년 안중근의사기념사업회 안중근연구소는 전집간행을 준비하기 시작했다. 그 과정에서 안중근연구소는 안중근 연구를 필생의 과업으로 알고 있는 신운용 박사에게서 많은 자료를 제공받아 이를 중심으로 하여 전집 간행을 위한 가편집본 40여 권을 제작하였다. 그리고 이렇게 제시된 기본 자료집에 미처 수록되어 있지 못한 별도의 자료들을 알고 있는 경우에는 그것을 제공해 달라고 연구자들에게 요청했다. 한편, 『안중근 자료집』에는 해당 자료의 원문과 탈초문 그리고 번역문의 세 가지를 모두 수록하며, 원문의 교열 교감과 번역과정에서의 역주작업을 철저히 하여 가능한 한 완벽한 자료집을 간행하기로 의견을 모았다.

안중근의사기념사업회에서는 안중근연구소의 보고에 따라 그 자료집이 최소 25책 내외의 분량에 이를 것으로 추정했다. 또한 자료집 간행이 완간되는 목표 연도로는 안중근 의거 100주년에 해당되는 2009년으로 설정했다. 안중근의사기념사업회는 이 목표를 달성하기 위해 백방으로 노력했다. 그러나 안중근 자료집의 간행이라는 이 중차대한 작업에 대한 국가적 기관이나 연구재단 등의 관심에는 큰 한계가 있었다. 안중근의사기념사업회는 정리비와 간행비의 마련에 극심한 어려움을 겪고 있었다. 이 어려움 속에서 안중근 의거와 순국 100주년이 훌쩍 지나갔고, 이 상황에서 안중근의사기념사업회는 출혈을 각오하고 자력으로라도 『안중근 자료집』의 간행을 결의했다. 자료집을 순차적으로 간행하기로 하였다.

이 자료집의 간행은 몇몇 분의 특별한 관심과 노력의 소산이었다. 먼저 안중근의사기념사업회, (사)안중근평화연구원 이사장 함세웅 신부는 『안중근 자료집』 간행의 비용을 마련하기 위해 많은 노력을 기울였다. 무엇보다도 이 자료집의 원사료를 발굴하여 정리하고 이를 번역해서 원고를 제공해준 신운용 박사의 노고로 이 자료집은 학계에 제시될 수 있었다. (사)안중근평화연구원 부원장 윤원일 선생은 이 간행작업의 구체적 진행을 위해 수고를 아끼지 않았다. 안중근의사기념사업회의 일에 깊은 관심을 가져준 여러분들도 『안중근 자료집』의 간행을 학수고대하면서 격려해 주었다. 이 모든 분들의 선의가 모아져서 2010년 5권이 발간되었으나 더 이상 진척되지 못하고 있었다. 여러 어려움으로 자료집 발간이 지체되는 것을 안타깝게 여긴 박원순 서울시장님과 서울시의회 새정치민주연합 전 대표 양준욱 의원님과 임형균 의원님을 비롯한 서울시의원님들의 지원으로 자료집 발간 사업을 다시 추진하게 되었다. 이 자리를 빌려 서울시 역사문화재과 과장님과 관계자들 서울시의원님들에게 심심한 감사의 인사를 드린다. 앞으로 이 자료집은 많은 분들이 도움을 자청하고 있어 빠른 시간 내에 완간될 것이라 생각한다. 이 자료집 발간에 기꺼이 함께한 편찬위원 모두의 마음을 모아 안중근 의사와 순국선열들에게 이 책을 올린다.

광복의 날에
안암의 서실(書室)에서
안중근 자료집 편찬위원회 위원장
조 광

『한국인 집필 안중근 전기 Ⅲ』 해제

신운용*

목차

1. 머리말
2. 민족운동 세력의 인식
3. 대한제국 황실·정부와 민간 부일세력
4. 부일세력의 반응
5. 맺음말

1. 머리말

안중근의거에 대한 국내의 인식과 반응은 공문서·국내 신문 등에서 확인할 수 있다. 이외에 근현대 인물들이 남긴 글도 반드시 검토해야 할 대상이다. 이 점에서 『한국인 집필 안중근 전기』 Ⅰ·Ⅱ에서 수록하지 못한 의거 전후의 기록인 황현의 『매천야록』·정교의 『매천야록』에 실려 있는 안중관계 기록과, 『국민휘보(民国 彙報)』(1913年 第1卷 第1期)에 실린 박은식의 「삼한의군 참모총장」·송상도의 『기려수필』 중 「안중근전」 처럼 많이 알려진 인물들이 남긴 사료를 이 책에 실었다. 뿐만 아니라, 조희제와 같이 비교적 알려지지 않은 인물의 안중근 기록을 이 책에 수록하였다. 뿐만 아니라, 1945년 이후의 기록이라고 할 수 있는 안중근 딸 안현생이 1956년 『실화』에 실은 「안중근 딸 안현생 수기」와 1963년에 출간된 안학식의 『안중근의사전기』 중 재판 관계 기록을 제외한 전기도 함께 수록하였다. 이처럼 이 책은 박은식 이외 국내에서 활동하거나 국권회복 이후 간행된 안중근 기록으로 엮어졌다.

---

* (사)안중근평화연구원 책임연구원.

물론 이들의 기록이 안중근에 대한 새로운 사실을 제공하지 않는 점은 분명하다. 하지만 이들은 일제라는 구조 속에서 국내외의 신문자료를 중심으로 목숨을 걸고 안중근의 생애와 의거를 재구성하였다는 점에서 역사적 가치가 있다고 하겠다.

특히 안현생의 기록은 안중근의거 이후의 안중근일가의 생활상과 안중근묘지가 국권이 회복 되었던 1945년까지 존재했었다는 사실을 확인할 수 있다는 점에서 가치가 있다. 그리고 안학식의 『안중근의사전기』는 『안응칠역사』가 발견되기 전인 1963년에 간행되었음에도 『안응칠역사』와 비슷한 기술을 하고 있다는 점에서 대단히 의미가 있다. 물론 안학식이라는 인물은 어떤 분인지 거의 연구되어 있지 않다. 앞으로의 과제이다.

이외에 이병기 보현산인 등이 안중근기 기록을 남기었나, 여러 가지 사정으로 이 책에 수록하지 않았다. 하지만 1948년 3월에 나온 영화각본인 김춘광의 『안중근사기』, 1946년 8월에 간행된 이병기의 『안중근선생전』과 1948년에 1월에 출간된 「의사 안중근」 등의 기록도 국권회복 직후의 한국인들의 안중근 인식과 관심을 엿볼 수 있다는 점에서 앞으로 검토되어야 할 자료들이다.

그런데 이들이 국내외에서 이런 글을 뿐만 아니라 『안중근관계 자료』의 역사적 배경을 이해할 필요가 있다. 이들의 기록은 적어도 안중근의거에 대한 국내의 인식과 맥을 같이하기 때문이다. 이러한 의미에서 국내의 안중근 인식을 민족운동 세력의 인식, 대한제국 황실, 정부와 민간 부일세력, 부일세력의 반응을 중심으로 살펴보고자 한다.

2. 민족운동 세력의 인식

1909년 10월 26일 안중근의거는 일본어 신문인 『경성신보(京城新報)』와 『조선신문(朝鮮新聞)』에 호외로 보도됨으로써 처음으로 국내에 전해졌다.[1] 안중근의거가 국내에 알려지자 한국의 일본인들은 순종황제에게 "도일사죄(渡日謝罪)하라"고 요구하였고, 심지어 순종황제를 동경으로 이거시키고 대한제국을 병탄하라고 주장할 정

---

1 국사편찬위원회, 「헌기 제2130호」, 『한국독립운동사』 자료 7, 1977, 120쪽; 『朝鮮新聞』, 「驚倒すべき一大悲報 伊藤公爵暗殺さる」, 1909年 10月 27日字.

도로 광분하였다.[2]

1909년 10월 26일 오후 6시 대한매일신보사에 한인이 이토를 처단했다는 소식이 전해졌다. 이에 양기탁·신채호 등 『대한매일신보』의 사원들이 축하연을 베풀어 그 기쁨을 나누었다.[3] 그러나 이때 이미 인쇄를 완료하였기 때문에[4] 『대한매일신보』는 1909년 10월 27일자 하얼빈 전보로 「이등 총 맞았다」라는 기사를 통하여 안중근의거를 국내에 소개하였다.

이러한 대한매일신보사 인사들의 안중근 인식은 안중근재판과 여순형무소에 수감되어 있던 그의 행적에 관한 보도에서도 그대로 드러난다. 즉, 대한매일신보사는 1909년 11월 21일자 「이등살해ᄒᆞᆫ리유」, 1910년 2월 23~24일자 「안즁근 우덕슌 량씨의 심문에 ᄃᆡᄒᆞᆫ 답변」을 『대한매일신보』에 게재하는 등 안중근의거의 당위성을 대변하면서 공판의 정확한 상황을 집중적으로 보도하였다. 『대한매일신보』가 해외의 한인들처럼 직설적이고 적극적으로 안중근의 의거를 옹호하는 보도태도를 취한 것은 아니었다.

하지만 당시 대한매일신보사 인사들은 안중근의거를 빌려 자신들이 하고 싶던 이야기 즉, 반일독립 쟁취라는 시대적 열망과 정당성을 주창할 수 있었던 것이다. 예컨대, 『황성신문』이나 『대한민보』는 안중근을 '흉도'로 매도하였다.[5] 이와 달리, 『대한매일신보』는 「안중근씨의 공판」·「안중근소식」·「안씨의 기서」 등의 제목을 붙여 안중근의거를 보도하면서도 그를 흉도라고 기술한 사례가 한 건도 없었다.

더욱이 안중근의 순국 이후 일제의 탄압이 가중되는 상황에서도 『대한매일신보』는 1910년 3월 30일자의 기사에서 안중근에게 '의사'라는 호칭을 부여했다.[6] 이러한 사실에서도 대한매일신보사 인사들의 안중근에 대한 인식을 엿볼 수 있다. 이와 같이 『대한매일신보』가 안중근의 법정투쟁을 집중적으로 보도함으로써 안중근에 대한 국내의 인식을 호전시키는 동시에 당시 한국인의 반일투쟁 의식을 고취시키는 데 일조하였다는 것은 평가할 만한 것이다.[7]

---

2 국사편찬위원회, 「헌기 제2142호」, 『한국독립운동사』 자료 7, 122쪽.
3 국사편찬위원회, 「헌기 제2074호」, 『한국독립운동사』 자료 7, 90쪽.
4 국사편찬위원회, 「헌기 제2074호」, 『한국독립운동사』 자료 7, 90~91쪽.
5 『황성신문』 1909년 11월 28일자; 『대한민보』 1909년 11월 14일자, 참조.
6 『대한매일신보』 1910년 3월 30일자, 「안씨수형후민정」.
7 안중근의거 이후에도 『대한매일신보』에 의병이라는 용어가 계속 등장한다. 이러한 사실에서 같은 의병인 안중근에 대한 대한매일신보사 인사들의 내면적 인식을 엿볼 수 있다. 반면에 유근(柳瑾)이 황성신문사 사장으

한편, 『황성신문』은 1909년 10월 27일자 「이등피해(伊藤被害)」라는 기사로 안중근의거를 보도하였다. 그러나 『황성신문』은 『대한매일신보』와 달리, 안중근의거를 적극적으로 보도하지 않았다. 오히려 『황성신문』은 10월 27일 「조위이공(弔慰伊公)」이라는 기사로 이토의 죽음을 애도하였다. 이는 이미 부일(附日)로 경도된 『황성신문』의 성격을 드러낸 것이다.

이러한 황성신문의 부일성향은 황성신문사 사장 유근이 제국신문사 사장 정운복과 함께 "이토 장례식에 참석하기 위해 11월 1일 일본으로 향하였다"[8]는 기사에서도 알 수 있다. 그리고 안중근의거 이후 이와 같은 언론계의 부일성향은 『경남일보』의 경우에서 보듯이 지방의 언론으로 확대되어 갔다.[9]

안중근의거에 대한 언론보도는 한국 전체를 환영과 경악, 탄식과 우려의 상태로 몰아넣기에 충분했다.[10] 당시 한국인들은 안중근의거를 고종황제의 폐위 등 일제의 악행에 대한 보복으로 여겨 대체로 통쾌하게 받아들였다.[11] 안중근의거를 부정적으로 본 뮈텔 주교조차도[12] 안중근의거를 접한 당시 한국인들의 반응에 대해 "안중근의 이토 처단을 정당한 복수로 여겨 모두 기뻐하고들 있다"[13]고 기록할 정도였다. 민씨 일파는 일제에 의해 처참하게 죽은 명성황후의 원한을 안중근이 풀어주었다는 점에서 안중근의거를 높이 평가하였다.[14] 이처럼 대다수의 한국인들은 안중근의거를 일제의 만행에 대한 당연한 귀결로 여겨 크게 환영했다.[15] 뿐만 아니라 안중근의

로 온 이후 『황성신문』은 의병을 폭도, 안중근과 이재명을 각각 살인자와 흉악범이라고 하였다(정교 저, 『대한계년사』(조광 편·김우철 역주, 한국학술진흥원, 2004), 57쪽, 참조).

8 정교 저, 『대한계년사』, 33쪽. 황성신문 사장 유근이 이토 장례식에 참석하기 위해 일본에 갔는지는 정확히 알 수 없다. 그러나 1909년 11월 16일자 『대한매일신보』에 제국신문사 사장 정운복과 김환이 신문단 대표로 일본에 있다는 내용이 실려 있으나 유근에 대한 기사는 보이지 않는다. 이로 미루어 보건대 유근의 일본행은 좌절된 것 같다.

9 『慶南日報』 1909년 11월 5일자, 「伊藤公輓詞」; 『경향신문』 2005년 3월 4일자, 「총독 기관지에 내놓고 日찬양」.

10 국사편찬위원회, 「경비 제288호」, 『한국독립운동사』 자료 7, 87~90쪽.

11 국사편찬위원회, 「헌기 제2139호」, 『한국독립운동사』 자료 7, 120~121쪽.

12 최석우, 「安重根의 義擧와 敎會의 反應」, 『교회사연구』 9, 1994, 108~113쪽.

13 뮈텔, 『뮈텔 주교 일기』 4, 한국교회사연구소, 1998, 413~414쪽.

14 국사편찬위원회, 「헌기 제2293호」, 『통감부문서』 7, 1999, 262쪽.

15 이와 같은 반응은 『대한매일신보』 1910년 3월 30일자의 「안씨ᄉᆞ형후민정」에도 잘 드러나 있다. 즉, "지난 이십육일에 안즁근씨가 려슌감옥에서 ᄉᆞ형집행을 당ᄒᆞᆷ은 다아ᄂᆞᆫ 바-어니와 그 죽은 뒤에 일반 민정은 개연ᄒᆞ야 셔로 칭찬하여 왈 의ᄉᆞ의 표쥰이라 회한ᄒᆞᆫ 츙신이라 ᄒᆞ며 심지어 ᄋᆞ동주졸ᄭᆞ지라도 모다 칭숑ᄒᆞ니 일노인ᄒᆞ야 보건ᄃᆡ 한국 인민의 일반 의향을 가히 알겟다고 일인들도 찬탄ᄒᆞᆫ다더라."

거는 일제의 억압 속에서 신음하고 있던 당시 한국인에게 독립에 대한 희망을 품을 수 있던 기회가 되었던 것이다.

그러나 안중근의거를 기뻐만 할 수 없었다. 당시의 많은 한국인들은 헤이그밀사사건 이후 한일신협약을 강제당한 경험을 떠올리며 일제가 안중근의거를 강경책의 구실로 악용하지 않을까 하는 우려의 시선으로 안중근의거를 바라보고 있었다. 때문에 황현의 표현대로 한국인들은 대체로 침묵 속에서 조심스럽게 정세를 관망하고 있었던 것이다.[16] 그 이유는 당시의 국내 상황에서 찾을 수 있을 것이다. 즉, 1907년 7월 23일 「신문지법」의 공포에 의한 일제의 언론탄압, 1909년 7월 12일 「한국사법 및 통감사무 위탁에 관한 각서」에 의한 일제의 한국사법 및 감옥 사무의 장악, 1909년 9월 1일 남한대토벌작전 실시에 따른 일제의 의병활동탄압, 부일분자들의 이토 추도분위기 확산이라는 상황 속에서 당시 한국인들은 안중근의거를 드러내 놓고 환영할 수 없었기 때문이었다.

이런 분위기 속에서 안중근이 회원으로 참여했던 서북학회의 안중근의거에 대한 반응과 배일성향은 일제를 자극하기에 충분하였다.[17] 때문에 일제는 서북학회를 안중근의거의 국내 배후로 지목하였다.[18] 그리하여 일제는 안창호·이갑 등 서북학회의 간부들을 체포하여[19] 탄압을 가하는 등 국내 반일세력을 진압하는 수단으로 안중근의거를 악용하였다.[20]

그러나 서북학회 회원들은 국제적 호소를 통하여 안중근의거를 빌미로 국내 독립운동세력을 탄압하는 일제의 정책에 맞서려고 하였다.[21] 이들은 안중근의거에 대한 지지를 표출하면서 어떠한 희생을 감수하더라도 순종황제가 직접 도일하여 조문하

16 황현은 안중근의 의거에 대한 국내의 반응을 다음과 같이 기술하였다. "이 소식이 서울에 알려지자 사람들은 감히 소리 내어 통쾌하다고 말하지 못하였지만, 만인(萬人)의 어깨가 모두 들썩하였으며, 저마다 깊은 방에서 술을 따라 마시며 서로 축하하였다"(신운용·최영갑 편저, 「매천야록 중 안중근 기사」, 『한국인 집필 안중근 전기 Ⅲ』(안중근 자료집 13), (사)안중근평화연구원, 2016, 45쪽).

17 국사편찬위원회, 「헌기 제288호」, 『한국독립운동사』 자료 7, 89쪽.

18 『朝鮮新聞』 1909年 10月 31日字, 「注目スベキ西北學會」.

19 안중근의거를 듣고 안창호는 매우 기뻐하였다고 한다(국사편찬위원회, 「고비발 제345호」, 『한국독립운동사』 자료 7, 106쪽). 그리고 서북학회 총무 이갑은 안중근의 의거를 쾌거라고 여기기보다 그로 인하여 한국의 장래에 미칠 영향을 우려했던 것 같다. 즉, "伊藤公의 兇變事件을 이야기했더니 그 때 李甲은 難處한 일이 되었다. 東洋平和를 위해 또 我國을 위해서도 不利하다고 말하고 其他는 한마디도 말하지 않았다"(국사편찬위원회, 「경비 제293호」, 『한국독립운동사』 자료 7, 151~152쪽).

20 국사편찬위원회, 「헌기 제2096호」, 『한국독립운동사』 자료 7, 154쪽.

21 국사편찬위원회, 「헌기 제2148호」, 『한국독립운동사』 자료 7, 124쪽.

는 치욕을 막아야 한다고 역설하였다.[22] 이처럼 서북학회는 한국 황제가 안중근의거를 직접 일본에 사죄할 수 없다는 국내의 여론을 대변하였던 것이다.[23]

이와 같은 반응은 안중근의 출생지 해주 주민들이 안중근의거를 듣고 그 기쁨을 표출하는 등 안중근의 지역적 기반인 서북지방민들에게서 두드러지게 나타났다.[24] 이를테면 안중근을 위한 변호비 모금 열의에 대해 일제의 대한정책의 첨병노릇을 하던 『경성신보(京城新報)』는

> 기보(旣報) 안중근의 변호료 지급이 어렵다는 것은 바로 동지들의 궤계(詭計)로 사실은 전혀 그와는 반대이다. 당국이 정지한 바에 따르면 배일동지가 동인(同人)에 경주하는 동정은 대단하여 금일에 이르기까지의 갹출금은 칠만원의 거액에 달한다고 한다. 돈을 갹출한 사람은 경성에 오히려 적고 서북방면에 많다. 게다가 이 금액의 처분에 대해서는 단순히 동인의 신상을 위해서만 지불하지 않고 금후 동지의 비밀비로도 충당할 것이라는 내의가 있었다고 한다.[25]

라고 보도하였다. 서북지방에서 이처럼 많은 금액이 모였다고 하는 것은 이 지역 사람들의 안중근에 대한 인식이 어떠했는지를 여실히 보여주고 있는 하나의 증거인 것이다. 또한 이는 개화적이고 항일운동에 대한 열의가 높았던 서북 지역의 정치적 성향을 반영하는 것이기도 하다.

안중근의거로 모아진 자금은 러시아령의 경우에서 보듯이 이후 독립운동가들이 독립투쟁을 지속할 수 있는 물적 기반이 되었다는데 큰 의미가 있다.[26] 또한 서북지방의 안중근에 대한 갈채와 경모 열기는 익명의 인사가 평양에서 관동도독부 고등법원장 앞으로 협박편지를 보냈다는 기록에서도 확인된다.[27] 즉, 그 내용은 "공판은 사설재판에 지나지 않으며 외국인 변호사를 허가하지 않은 것은 재판장의 사감(私

---

22 국사편찬위원회, 「경비 제3509호의 1」, 『한국독립운동사』 자료 7, 93쪽.
23 『朝鮮新聞』 1909年 10月 29日字, 「宣教師の態度」.
24 국사편찬위원회, 「경비발 제353호」, 『한국독립운동사』 자료 7, 111~112쪽.
25 『京城新報』 1910年 2月 6日字, 「安重根への醵出」.
26 日本 外交史料館, 「朝鮮人狀況報告」, 『在西比利亞』 第3卷(不逞團關係雜件 - 韓國人ノ部, 문서번호 : 4.3.2, 2-1-2).
27 『滿洲日日新聞』 1910年 2月 24日字, 「法廷へ脅迫」.

感)에서 나온 것"[28]이라는 것이다. 이는 당시 한국인들의 안중근재판에 대한 입장을 살필 수 있는 중요한 사료이다.

한편, 국내의 의병들도 안중근의거에 적극적으로 부응하였다. 즉,

> 이토공 암살의 급보가 한인간에 전해지자 배일당은 박수갈채를 보내어 공의 조난을 경축하고 혹자는 차제에 소네(曾禰)통감을 암살해야 한다고 절규하여 광태를 보이고 있으므로 통감저(統監邸) 내외를 엄중히 경계하고 있다.[29]

이와 같이 의병들은 이토를 처단한 안중근에게 갈채를 보내는 동시에 소네 아라스케(曾禰荒助) 통감을 처단해야 한다고 절규하는 등 독립투쟁 의지를 대내외에 천명하였다. 이에 따라 일제는 경계태세를 더욱 강화하면서 안중근의거로 자극받은 의병의 반격에 긴장하며 사태를 주시하였다.

주지하다시피, 일제는 의병을 소탕하기 위해 1909년 9월 1일부터 '남한폭도대토벌작전'을 전개하였다. 때문에 국내 의병의 활동무대는 점점 좁아지고 있는 상황이었다. 이러한 시기에 안중근의거는 김경식(金景植)의 경우에서 보듯이[30] 국내의병들에게 독립운동의 서광이었으며 본받아야 할 대일투쟁의 모범이었다. 뿐만 아니라, 안중근의거 이후 블라디보스토크 지역에 한인이 급증하였다는 사실에서도 알 수 있듯이, 국내 독립운동가들은 러시아령을 대일투쟁의 본거지로 재인식하기에 이르렀다.[31]

국내 종교계는 안중근의거를 놓고 상반된 시각과 반응을 보였다. 즉, 천주교·개신교 등 외국 선교단의 안중근의거에 대한 공식적인 입장은 대체로 부정적인 것이었다.[32] 예컨대, 평양주재 미국 장로파 선교사 미국인 S. 모우피트는 "장로교 교인이 안중근의거에 간여했다면 그것은 장로교의 오명"[33]이라고 안중근의 의거를 악평하다. 또한 천주교의 뮈텔 주교는 "안중근은 천주교 신자가 아니라고 하면서 그의 유해를 가족들에게 돌려주지 않은 일제의 처사를 당연한 일"[34]이라고 하여 안중근의거 자

---

28 『大阪朝日新聞』 1910年 2月 24日字, 「韓人の脅迫狀」.
29 『朝鮮新聞』 1909年 10月 28日字, 「排日黨の狂態」.
30 국사편찬위원회, 「헌기 제2252호」, 『통감부문서』 7, 236쪽.
31 『朝鮮新聞』 1909年 11月 11日字, 「浦鹽と韓人」.
32 『朝鮮新聞』 1909年 10月 28日字 「宣教師弔意訪問」.
33 국사편찬위원회, 「헌기 제2178호」, 『한국독립운동사』 자료 7, 127쪽.
34 뮈텔, 『뮈텔 주교 일기』 4, 414~415·453쪽.

체를 부정하였다.

이와 같이 외국인 선교사들이 안중근의거에 대해 부정적인 시각을 갖게 된 원인은 그들의 한국 선교정책에 기인하는 것으로 생각된다.[35] 그들은 정치적 사건에 관여하지 않는다는 소위 정교분립의 원칙을 내세우면서 일제와 일정한 협력체계를 구축하는 속에서 자신들의 교권을 유지 확대하려고 하였던 것이다.

이에 반하여, 상당수의 국내 천주교 신자들은 안중근의거를 찬양하였다. 즉,

> 천주교 선교사는 금회의 흉변은 유독 한국을 위해서만 아니라 동양 급 구주의 장래를 위하여서도 행복하다고 기뻐하고 가해자를 위하여 기도하자고 신도를 교사한 듯한 소문이 있다.[36]

이와 같은 분위기 속에서 안중근의거를 부정적으로 보았던 빌렘 신부조차 그의 가족을 위로하기도 하였다.[37] 특히 안중근의거를 긍정적으로 보았던 천주교 세력은 안중근의 순국일을 기해 기도회를 명동성당에서 개최하여 그의 명복을 빌고 의거의 뜻을 드높였다. 즉,

> 흉한 안중근은 드디어 어제 26일 여순감옥에서 사형에 처해졌을 터이지만 경성 불국교회당에서는 안이 처형시간이라고 여겨진 때 안을 위해 요조식(遙弔式)을 거행했다고 한다. 안의 교부 빌렘은 신천에서 그 유족을 찾아 위문할 참이라고 한다.[38]

뿐만 아니라, 이들은 교계차원에서 허락을 받지 못하였으나 안중근의 유족을 위

---

35 윤선자, 「안중근의 계몽운동」, 『한국근대사와 종교』, 국학자료원, 2002, 232~243쪽.

36 국사편찬위원회, 「고비발 제348호」, 『한국독립운동사』 자료 7, 109쪽.

37 빌렘 신부는 안중근의거에 대해 전적으로 동의한 것 같지 않다. 즉, 그는 1910년 3월 8일 안중근을 면회하는 자리에서 "너의 這般의 兇行이야말로 전연 誤解에서 나온 것으로서 그 犯한 罪惡은 天地가 다 용서하지 않을 바"라고 안중근의거를 악평하였다(국사편찬위원회, 「보고서」, 『한국독립운동사』 자료 7, 534쪽). 하지만 3월 11일 면회 이후 안중근에 대한 인식이 변하기 시작하여 1912년 무렵에는 안중근의거를 적극 옹호하였다. 즉, 그는 "이토가 죽은 것은 잘 된 일이다"라고 하면서 안중근의거를 "안중근의 목적은 너무나 등한시되던 한국문제에 국제적 관심을 이끌어내는 데 있다"고 평가하였다(윤선자, 「'한일합병'전후 황해도 천주교회와 빌렘 신부」, 『한국근대사와 종교』, 224쪽).

38 『朝鮮新聞』 1909年 3月 27日字, 「安處刑と教會」.

해 의연금 2천환을 모으기도 하였다.[39] 이렇게 모아진 의연금 중에서 평양의 안 신부(드망즈 플로리아노(Demange Florian), 1895~1938)[40]가 100원을 안중근의 두 동생 정근·공근이 체류하고 있던 여순으로 보내어 변호비용으로 충당하도록 하였다.[41]

이와 같이 천주교 지도부와는 달리, 일단의 국내 천주교 교인들은 안중근 추도미사를 행하였다. 더욱이 이들은 유족을 위해 의연금을 모집하는 등 공개적으로 안중근의거를 지지하였다. 이는 천주교 내에 민족의식과 독립정신을 안중근과 함께 공유하던 세력이 존재하였음을 의미하는 것이다. 즉,

> 한국 경성 중도(中都) 황토현(黃土峴) 23통 변영현(卞榮峴) 중도 경현(鏡峴) 천주교 선교사 프랑스 귀화인 안신부(安神父) 즉 안세화(安世華) 두 사람은 안이 구금되었을 당시부터 안을 위해 팔방 분주하여 변호 기타에 관해서 열심히 진력 중이라고 한다 .[42]

여기에서 안중근의거를 적극적으로 호응한 천주교 인사는 변영현과 안 신부를 주축으로 한 세력이었음을 알 수 있다.[43]

그런데 그동안 천주교 측의 안중근과 그의 의거에 대한 인식은 주로 『뮈텔주교일

---

39 『대한매일신보』 1910년 4월 1일자, 「잇나업나됴사」.

40 안세화 신부는 1895년 프랑스 로렌지방에서 태어났다. 1898년 신학교 졸업 후 신부가 되어 1898년 10월 6일 한국에 도착하였다. 그는 1906년 10월 『경향신문』창간을 주도하였고 1911년 6월 26일부터 1938년 2월 9일 임종하는 날까지 대구교구 초대교구장으로 활동하였다(한국가톨릭대사전편찬위원회 편, 『한국가톨릭대사전』 4, 한국교회사연구소, 2000, 1956~1958쪽).

41 이는 다음에서 엿볼 수 있다. 즉. "2·3일전 평양에서 온 안중근의 종제 안명근이 400원 정도를 휴대하고 있다는 것은 당시 두동생 공근·정근 등의 상상에 지나지 않고, 실제로 여분의 돈을 갖고 있지 않아 마차비도 곤란할 정도였는데 15일 전보환(電報換)으로 평양의 선교사 안신부로부터 100원을, 친적으로부터 100원을 송부 받았다고 한다."(신운용 편역, 「1910년 2월 16일(향리에서 송금)」, 『재만 일본 신문 중 안중근 기사Ⅱ-만주일일신문』(안중근 자료집 16), (사)안중근평화연구원, 2014, 176쪽). 이러한 맥락에서 김세화 신부가 경영하고 있던 『경향신문』의 「안중근의수형집힝은」(1910년 3월 28일자)이라는 기사에서 안중근이 의사로 표현된 배경을 이해할 수 있을 것이다.

42 신운용 편역, 「1910년 2월 2일(안의 옹호자)」, 『재만 일본 신문 중 안중근 기사Ⅱ-만주일일신문』(안중근 자료집 16), (사)안중근평화연구원, 2014, 105쪽.

43 변영현에 대해 정확히 알려진 것은 없으나 안세화 신부와 함께 안중근 변호비 모금활동을 한 것으로 보아 천주교 교인으로 추정된다. 그리고 안세화 신부에 대해 3월 12일자 『만주일일신문』은 다음과 같이 전하고 있다. 즉, "안신부의 인물 기자는 또한 대단히 배일사상을 고취하고 있다는 하는 경성 안신부라는 사람에 대해 확인한 바, 안은 본명이 프로안 도벤치유라고 하며, 1875년 파리에서 태어난 자로 올해 35세, 10년 전 한국에 와서 열심 전도에 종사하고 있는 유위의 인물이라고 한다"(신운용 편역, 「1910년 3월 12일(홍신부의 담화)」, 『재만 일본 신문 중 안중근 기사Ⅱ-만주일일신문』(안중근 자료집 16), (사)안중근평화연구원, 2014, 218쪽).

기』·『경향신문』·『조선교구통신문』 등 천주교 상부층에서 작성된 사료를 중심으로 연구되어 왔다. 그 때문인지 천주교 고위층의 인식을 마치 천주교 전체가 안중근의 의거를 부정적으로 본 것처럼 평가를 내리고 있고, 일반적으로도 그렇게 받아들이고 있는 것 같다.[44] 이러한 연구의 영향으로 안중근과 그의 의거를 부정한 천주교 측의 태도는 분명 반민족적임에도 불구하고 여전히 그것을 반성하지 않고 있다는 지적이 나오기도 하였다.[45]

하지만 위에서 살펴보았듯이, 일제와 부일세력의 폭정 속에서도 안중근의거를 긍정적으로 인식하는데 머물지 않고 실천적으로 그의 구명과 추모를 위해 진력한 천주교 세력이 있었음을 상기해 둘 필요가 있다. 이러한 점에서 천주교 세력이 안중근과 그의 의거를 전적으로 부정하고 비판하였다는 일방적인 주장은 수정되어야 한다. 말하자면 안중근의거에 대한 천주교측의 반응을 보다 구조적이고 계층적으로 파악해야 천주교 세력의 안중근의거에 대한 인식을 정확히 이해할 수 있다는 것이다.

그리고 안중근을 '지사(志士)'라고 칭하면서 그의 의거를 "애국열정에서 나온 것"[46]이라고 주장한 기독청년회원의 경우에서 보듯이, 개신교신자들 중에 안중근을 추종한 세력이 존재하고 있었다는 사실도 지적되어야 한다. 이처럼 일단의 개신교 신자들도 안중근의거를 일제와 부일파들의 폭압정치 구조 속에서 한국인들을 독립투쟁으로 인도하는 한줄기의 서광으로 받아들였던 것이다.

이러한 개신교 신자들의 안중근 인식은 개신교 학생들의 집단행동으로 표출되기도 하였다. 예컨대, 당시 일제는 이토의 추도회에 참석하지 않는 학생에 대해 시험점수를 감하겠다는 협박을 하여 학생들을 이토 추도회에 강제로 동원하였다.[47] 이러한 분위기 속에서 개신교 학교인 이화학당의 여학생들은 어쩔 수 없이 이토 추도행사에 참여하였다. 그러나 종교상의 이유를 내세워 이토를 향해 머리를 숙이는 행위를 끝내 거부였다.[48] 이는 이들이 안중근의거를 지지한다는 의사를 간접적으로 표출하

44 최석우, 「安重根의 義擧와 敎會의 反應」, 109~113쪽; 노길명, 「安重根의 가톨릭 信仰」, 『교회사연구』 9, 29쪽; 윤선자, 「'한일합병'전후 황해도 천주교회와 빌렘 신부」, 241쪽.

45 안천, 『신흥무관학교』, 교육과학사, 1996, 45~53쪽.

46 국사편찬위원회, 「경비 제3494호의 1」, 『한국독립운동사』 자료 7, 92쪽.

47 국사편찬위원회, 「경비 제3638호의 1」, 『한국독립운동사』 자료 7, 45쪽.

48 이는 다음에서 확인된다. 즉, "一昨日 장충단 追慕會에서 市內 各學校 生徒 參列到着順에 의해 梅洞普通學校를 第一로 祭壇前面에 整列한 순서대로 예배를 행하였는데 오직 늦게 참회한 西小門外 梨花學校의 女生徒만은 제단 앞에 참렬하였을 뿐 예배를 촉구하였으나 종교상의 신념으로 결국 예배를 행하지 않았다.

였다는 의미에서 높이 평가할 만하다.

한편, 공자교회(孔子敎會)와 같은 유생 일파가 사죄단 파견을 주장하기도 하였다.[49] 그러나 안중근의 이토 처단으로 정국이 불안한 상황 속에서 안중근의거를 어느 누구보다 직접적인 행동으로 호응했던 세력은 유생들이었다. 안중근의거를 기회로 의병으로 추정되는 유생 5인이 연서하여 "일본의 대한 정책에 반대한다"[50]는 내용의 격문을 각국 영사관에 보내어 안중근의거를 지지하면서 일제의 대한정책의 부당성을 선전하였다. 뿐만 아니라, 유생 황현은 『매천야록(梅泉野錄)』에 안중근의거와 부일파의 반민족적 행위를 상세히 기록하였다.

국내에서 누구보다도 안중근의거에 열광한 세력은 청년학생들이었다. 조선 총독부 경무총장 아카시 겐지로(明石元二郎)의 명령을 받아 1911년 7월 7일 구니토모(國友) 경시가 「불령사건(不逞事件)에 의해 얻은 조선인(朝鮮人)의 측면관(側面觀)」라는 문건을 작성하였다. 여기에서 안중근의거에 대한 청년학생들을 비롯한 한국인의 반응이 어떠했는지를 엿볼 수 있다. 즉,

> 자객으로서 우선 안중근이 있고 그 후 이재명이 있다. 이 이 두사람 중 전자는 청년학생의 뇌리에 통렬하게 깊이 각인되어 있는 상태이나 후자는 그들에게 심히 등한시되고 있는 것 같다. 실로 안중근의 회엽서는 도처의 불평자의 가택에서 발견되지 않는 곳이 없고 저명한 배일자 안태국(安泰國) 등의 무리와 같은 자는 중근의 사진을 복사하여 벽에 걸어놓고 존숭의 뜻을 표하였다. 불평자간의 선배만이 이와 같겠는가 그 나머지에 있어서도 그 존숭은 남자만에 그치는 것이 아니라 경신 여학교 졸업생 홍은희(洪恩喜)와 같은 여자는 안중근의 초상을 명함 형태로 만들어 일상 회중에 넣고 본다. 현재 이들의 불령자간에 불려지는 안중근 창가가 있다.[51]

덧붙여 말하면 同校는 감리교를 信奉하는 자이다"(『京城新報』 1909年 11月 5日字, 「學童禮拜を拒絶」). 그러나 이화학당의 여학생들이 이토 추모예배를 거절했다는 기록은 事實無根이라는 일제의 기록도 있다(국사편찬위원회, 「경비 제3638호의 1」, 『한국독립운동사』 자료 7, 45~46쪽). 따라서 이 부분은 좀 더 정밀한 검토가 요구된다.

49 국사편찬위원회, 「전보」, 『한국독립운동사』 자료 7, 28쪽.

50 이는 다음에서 엿볼 수 있다. 즉, "京城에서 儒生 등은 五名의 連書로 統監政治를 攻擊하고 伊藤公을 誹謗하는 檄文을 낭독하고 각국 영사관에 배포한 것이 발견되었다고 한다"(『京城新報』 1909年 10月 29日字, 「儒生の檄文配布」).

51 日本 外交史料館, 「不逞事件ニ依ッテ得タル朝鮮人ノ側面觀」, 『在內地』 第1卷(不逞團關係雜件 - 韓國人ノ部, 문서번호 : 4.3.2, 2-1-4).

위의 인용문에서 알 수 있듯이 안태국 등의 독립운동가뿐만 아니라 당시 많은 한국인들은 안중근을 흠모하고 닮고 싶어 하는 마음에서 그의 사진을 소장하였다. 특히 홍은희라는 경신 여학교 졸업생은 안중근 사진을 늘 가슴에 품고 다닐 정도로 그를 숭상하였다. 이와 같이 그는 학생들을 비롯한 당시 한국인들의 마음속 깊이 자리 잡고 있었다.

뿐만 아니라 1938년 10월 17일 당시 강원도 춘천의 춘천 공립중학교 학생 수십 명이 비밀결사 상록회(常綠會)를 조직하였다. 상록회의 학생 회원들은 한민족이 지금과 같이 곤궁한 원인을 일본에 나라를 빼앗긴 결과로 인식하고 안중근을 자신들이 숭배하고 본받아야 할 독립운동의 표상으로 삼았던 것이다.[52] 이는 일제의 대한정책이 실패하였음을 의미할 뿐만 아니라 한국의 반일독립투쟁사에 안중근이 정신적 지주로 작동되어 왔음을 증명하는 것이다.

그러한 이유로 일제는 안중근 사진의 발매를 중지시키는 등 그의 영향력을 차단하는데 혈안이 되었다.[53] 그러나 일제가 이를 중지시켰다고 해서 그를 본받으려는 열망을 한국인의 마음에서 제거할 수 없었다. 예를 들면 박기병(朴淇秉)이 안중근의 사진 1매를 구해 조기현(趙基鉉)에게 주었고 이를 다시 사진사 김영교(金永敎)가 30매를 복사하여 밀매하다가 발각당한 사건이 1926년 1월 17일자 『조선일보』에 보도되기도 하였다.

또한 안중근을 숭상하는 마음과 이토에 대한 증오심을 표현한 노래 즉, 창가(唱歌)가 당시 유행하였다고 하는 기록이 일제의 사료에 남아있다. 이러한 사실에서도 당시 한국인들의 안중근관을 엿볼 수 있다. 그것을 소개하면 다음과 같다.

> 노청 두 나라를 지날 때 / 앉으나 서나 드리는
> 저희 기도를 살펴주소서 / 주예수여 이 기도를 들어주소서
> 동쪽 반도 대제국을 / 우리 바라는 대로 구해주소서
> 오호라! 간악한 늙은 도적이여 / 우리 2천만을 죽이지 못하리라
> 금수강산 삼천리를 소리 없이 빼앗아 / 흉악한 수단을 쓰더니

---

52 朝鮮總督府, 「中學校內秘密結社件檢擧ニ關スル件」, 『昭和十四年思想ニ關スル情報綴』. 독립기념관 소장.

53 『朝鮮新聞』 1910年 3月 31日字, 「安重根の繪葉書」.

이제야 너의 명줄을 끊었구나 / 너도 이제 한 없으리
갑오독립을 선언하고 / 을사조약을 맺었더라
이제 네가 북으로 가더니 / 너도 몰랐으리
덕을 닦으면 덕이 오고 / 죄를 지으면 죄가 온다
너만 아니라고는 생각 말지어라 / 너의 동포 5천만을
하나하나 이렇게 / 나의 손으로 죽여 보이리라[54]

이 노래를 통하여 당시 한국인들은 일제의 한국 침략사를 뇌리에 새기며 안중근이 이토를 처단했듯이 일제를 섬멸하리라는 의지를 다졌을 것이다. 그리고 이 노래의 내용 중에 "예수여 이 기도를 들어주소서"라는 구절을 보건대, 이는 기독교 계통의 세력에 의해 작가(作歌)되어 유행하였던 것으로 추정된다. 특히 이 노래는 구명운동을 적극적으로 펼친 안세화 신부를 중심으로 한 천주교 세력의 작품일 가능성도 배제할 수 없다.

이외에도 안중근을 주제로 한 노래는 『불령사건(不逞事件)에 의해 얻은 조선인(朝鮮人)의 측면관(側面觀)』 중에 수록되어 있는 안중근의거를 최초로 소개한 작자미상의 『근세역사(近世歷史)』에 '首陽山은 蒼蒼하고'로 시작되는 안중근 숭모시(崇慕詩) 한 수가 기록되어 있다.[55] 이는 사건 당시 국내에서 최초로 만들어져 널리 애용되던 안중근 찬양가라고 할 수 있다. 이 노래를 통하여 당시의 한국인들은 '독립'이라는 희망을 되살렸으며, 대일투쟁의식을 고취시켰다.

그리고 안중근을 예찬하는 내용을 담고 있는 『근세역사』가 1910년 3월 26일 순국한 지 불과 3주 만인 1910년 4월 15일에 국내에서 출판될 만큼 한국인들에게 안중근은 한민족의 우상과 같은 존재로 부상하였다. 이를 통하여 당시 국내의 안중근 숭모 열기가 얼마나 대단하였는지를 또한 엿볼 수 있다. 『근세역사』에 투영된 국내의 안중근 숭상열기를 일제는

이(『근세역사』: 글쓴이)는 흉행자 안중근의 행동을 기술한 사본으로 불령자간에 애독된

54 日本 外交史料館, 「不逞事件ニ依ッテ得タル朝鮮人ノ側面觀」, 『在內地』 第1卷; 『동아일보』 1995년 2월 13일자, 참조.

55 정현기 편역, 「근세역사」, 『한국인 집필 안중근 전기 Ⅰ』(안중근 자료집 11), (사)안중근평화연구원, 2014, 12쪽.

것이다. 서중에 위박을 당하나 끝내 자백하지 않고 종용히 죽음에 임했다고 허구의 사실을 게재하여 칭양하고 있다. 더욱이 각 교도의 강정도 역시 이 사본을 본받는데 있다. 빈번하게 안중근을 칭찬하고 근세역사라고 제목을 붙여 불손한 문자를 사용한 것은 흉도의 의중을 헤아릴 만한 하나의 자료인 것이다.[56]

라고 기록하였다. 이와 같이 일제의 반식민지로 전락한 한국의 현실 속에서 학생들을 비롯한 당시 한국인들은 『근세역사』를 읽고서 독립운동의 좌표를 설정하였을 것이다. 특히 '교도(敎徒)의 강정(强情)'이라는 표현에서 알 수 있듯이, 이것은 천주교나 개신교 등 종교계통에서 학생들을 교육시키기 위한 교재로 사용되었을 가능성이 높다. 『대한매일신보』의 기사 중에 "텬주교회 목ᄉ 법국인 모씨는 안즁근씨의 젼귀를 편즙ᄒ는 즁이라더라"라는 내용이 보인다.[57]

이로 보건대, 필시 『근세역사』는 천주교에서 출판한 것일 개연성이 매우 높다. 이를테면 『근세역사』 중에는 다음과 같이 천주교 측에서 썼음을 짐작케 하는 내용이 있다. 즉, "17세에 천주교의 세례를 받은 뒤로는 행동하는데 천주교를 잘 지켰다. 그는 한국 천주교 역사에서 평소에 하느님을 열심히 믿던 신자들도 어려움(難)을 맞아 권세(官)의 협박을 받으면, 살기 위해 하느님(天主)을 모른다고 뒤돌아서서 제 갈 길만을 찾는 일들을 볼 수 있으니 서글프지 않을 수 없는 일이라고 하였다. …… 안중근 씨는 영성(靈性)이 높아 보통이 넘는 터이므로 음식을 먹는 것이나 우렛소리같이 코를 골면서 자는 것이나 평상시와 다름없이 호탕한데 모두 놀랐다. …… 40일간 봉재기간 천주교 신자로서의 절개를 지키고 기도만을 올리니 안중근 씨의 지성은 하늘에 이른 듯 그 용모를 바로 볼 수 없을 만큼 성스러워 보였다."[58] 또한 『근세역사』의 저자에 대해 여러 가지 상황을 고려해 본 결과, 가장 열정적으로 안중근의 구명운동을 펼친 프랑스 출신 안세화(安世華) 신부를 중심으로 한 천주교 세력의 작품일 것으로 추정된다.[59]

국내외에서 이러한 안중근에 대한 숭모 열기는 안중근을 숭모하는 청년들이 삼

56 日本 外交史料館, 「不逞事件ニ依ッテ得タル朝鮮人ノ側面觀」, 『在內地』 第1卷.
57 『대한매일신보』 1910년 3월 29일자, 「안씨젼귀편즙」.
58 정현기 편역, 「근세역사」, 위의 책, 4·7·11쪽.
59 최서면은 『근세역사』의 저자를 안중근 가계 내의 인물로 추정하고 있다. 『동아일보』 1995년 3월 13일자, 참조.

삼오오 모여서 비밀리에 안중근 추모회를 개최하는 등 그의 순국 순간에도 이어졌다.[60] 이와 같이 국내의 한국인들은 제한적이기는 하지만 안중근의거를 찬양하고 그를 독립투쟁의 사상적 상징이자 본받아야 할 위인으로 받들고 있었던 것이다.

3. 대한제국 황실 · 정부와 민간 부일세력

한인(안중근)이 이토를 처단하였다는 소식이 10월 26일 오후 국내에 전해졌다. 이 소식을 식사 중에 들은 고종은 숟가락을 떨어뜨릴 정도로 놀라 약을 먹고 침전에 들었다.[61] 순종 또한 이 사건이 미칠 파장 때문에 고종 이상으로 우려와 두려움 속에서 어찌할 바를 몰랐다.[62]

이러한 충격에 휩싸인 순종의 안중근의거에 대한 인식을 일제는 다음과 같이 전하고 있다. 즉,

> 一. 兩國의 親交를 破함은 恒常 愚昧한 徒輩로부터 나온다.
> 一. 伊藤太師와 如히 溫厚하고 篤德한 者가 없다.
> 一. 伊藤은 우리 國事를 爲하여 盡瘁한 것은 偉大하다.
> 一. 우리나라를 指導하고 太子를 輔育하는 恩人이다. 恩人을 我國人이 暗殺한다는 것은 大耻辱이다 云云.[63]

이처럼 안중근의거에 대한 긍정적인 평가와는 정반대로 한국 황실은 안중근의거를 부정적으로 인식한 반면, 이토를 한국의 은인으로 칭송하였다. 또한 엄비(嚴妃)는 비탄에 겨워할 정도로 일본 동경에 있던 황태자의 미래를 걱정하였다. 고종도 이토를 처단한 사람이 한인이 아니기를 바랐고 한인이라고 하더라도 이토의 '진의'를 이해하지 못하는 해외 유랑자의 소행일 것이라고 여겼다.[64] 그리고 상식(常食)을 폐한

60 『대한매일신보』 1909년 4월 1일자, 「은근훈츄도」.
61 『朝鮮新聞』 1909年 10月 28日字, 「太皇帝の深憂」.
62 국사편찬위원회, 「경비 제3479호의 1」, 『한국독립운동사』 자료 7, 71쪽.
63 국사편찬위원회, 「경비 제297호」, 『한국독립운동사』 자료 7, 82쪽.
64 국사편찬위원회, 「경비 제3479호의 1」, 『한국독립운동사』 자료 7, 72쪽.

도쿄의 황태자는 김응선을 하얼빈에 파견할 것과 일본 황실에 조문친전(弔問親電)을 보낼 것을 황실에 요청하기도 하였다.[65]

이러한 황실의 반응은 1907년 고종의 헤이그 밀사파견사건으로 한일신협약을 강제로 체결당한 경험에 기인하는 것으로도 볼 수 있다.[66] 말하자면 당시 한국인들은 안중근의거를 핑계로 일제가 대한강경책으로 나와 결국 대한제국을 병탄하지 않을까 하는 두려움에 싸여 있었다. 이와 같은 당시의 분위기는 안중근의거에 대한 한국 황실의 부정적인 반응이 반영된 것으로 해석될 수도 있다.[67]

한국 황실은 설사 안중근의거와 같은 독립투쟁이라 할지라도 황실의 안녕과 질서를 파괴하는 어떠한 정치적 행위도 용납할 수 없었다. 이러한 점에서 한국 황실은 안중근의거를 민족의 독립과 유지발전이라는 시각에서 접근하기보다는 황실보존이라는 관점에서 인식하고 있었던 것이다.

그리고 대한제국 정부는 1909년 10월 27일 대책회의를 열고서 각의에서 황족 1명을 선정하여 칙사로 파견하고, 이토 장례식 당일 통감부의 식장의 순종 참배를 결정하였다.[68] 그 다음날에 "諡號를 贈할 것, 葬具를 贈할 것"[69]을 추가하여 결의하기로 하였다. 특히 이토의 죽음을 듣고 통곡하였으며 궁(宮)의 일실(一室)에 폐거(閉居)하기까지 한 인사도 있었다.[70] 그리고 대한제국 정부는 28일부터 30일까지 3일간 각 학교, 상점, 조시(朝市), 연예장(演藝場)에 휴업명령을 내려 이토의 죽음을 추모하도록 하였다.[71]

이토가 제거된 정국에서 이와 같은 반응을 보였던 대한제국의 황실과 정부는 크게 세 가지의 문제에 봉착하였던 것 같다. 즉, 첫째, 안중근의거의 진상을 파악하는 것,[72] 둘째, 안중근의거로 야기될 일제로부터의 외교적 공세를 막아내는 것,[73] 셋째,

65 국사편찬위원회, 「경비 제3422호의 1」, 『한국독립운동사』 자료 7, 67쪽.
66 국사편찬위원회, 「경비 제3432호의 1」, 『한국독립운동사』 자료 7, 69쪽.
67 국사편찬위원회, 「헌기 제2102호」, 『한국독립운동사』 자료 7, 96~97쪽.
68 국사편찬위원회, 「경비 제3429호의 1」, 『한국독립운동사』 자료 7, 68쪽.
69 국사편찬위원회, 「전보 제20호」, 『한국독립운동사』 자료 7, 70쪽.
70 국사편찬위원회, 「경비 제3422호의 1」, 『한국독립운동사』 자료 7, 67쪽.
71 국사편찬위원회, 「헌기 제2082호」, 『한국독립운동사』 자료 7, 75쪽.
72 국사편찬위원회, 「경비 제3422호의 1」, 『한국독립운동사』 자료 7, 67쪽.
73 안중근의거로 인해 야기될 외교문제를 우려한 당시 한국인들의 표정은 다음의 인용문에서도 확인된다. 즉, "日本은 此機會에 있어서 密使事件과 如히 國運問題를 提出하여 다시 國論에 刺擊을 주어 再次 피를 보는 不幸을 招來하는 일이 없겠는가 嗚呼라 我國 運挽回의 때는 언제 있겠는가 云云하고 長歎息하였다"(국사편찬위원회, 「경비 제3432호의 1」, 『한국독립운동사』 자료 7, 69쪽). "侍臣들도 頃者 秘語를 말하기를

일본에 있는 황태자의 신변안전문제를 일제로부터 보장받는 것으로[74] 정리할 수 있다.

첫 번째 문제를 해결하기 위하여 순종황제는 칙사(勅使) 시종원경(侍從院卿) 윤덕영(尹德榮)을, 고종황제는 총관(摠官) 조민희(趙民熙)를, 이완용(李完用), 일본인 나마시마(鍋島) 참여관(參與官), 시마이(島居) 통역관(通譯官)과 동행케 하여 하얼빈에 파견하도록 하였다.[75] 이에 이들은 이토의 유해가 안치되어 있는 군함 추율주(秋律洲)에 승선하려고 하였다. 그러나 일제는 한국인의 도선은 위험하다는 핑계를 들어 이들의 군함 승선을 거절하였다.[76] 이 문제는 진상만 확인하면 그리 큰 문제는 아니었을 것이다.

그러나 두 번째, 세 번째 문제는 한국 황실 측에서 볼 때 그리 간단한 사안이 아님이 분명하다. 한국 황실은 이러한 문제를 해결하는데 가장 효과적인 방법을 황실이 나서서 이토의 죽음에 대해 최대한의 조의를 표하고 적어도 표면적으로는 안중근의거에 정당성을 부여하지 않는 데서 찾은 것 같다. 이러한 선상에서 안중근의거로 야기될지도 모를 한국 병탄이라는 최악의 상황을 한국 황실은 모면해 보려고 하였던 것이다.[77]

이러한 맥락에서 두 번째 문제를 해결하기 위해 순종은 1909년 11월 4일로 이토의 장일(葬日)이 결정됨에 따라, 황실에서는 의친왕(義親王)을 조문사로 특파하기로 결정하고 관보에 이를 발표하였다.[78] 이에 의친왕은 10월 28일 순종과 고종에게 걸가알현(乞暇謁見)을 하고 30일 아침에 일본국왕에게 줄 친서를 휴대하고 출발할 예정이었다.[79] 그리고 한국 황실은 장의비로 3만 원과 유족조위금 10만 원을 증정하겠다는 뜻을 일본정부에 전하였다.[80] 그러나 일제는 의친왕을 파견하는 것은 과중한 일이라고 거절하면서 황실인사가 아닌 고위관료의 파견을 요구하였다.[81] 또한 장의비

日本은 반드시 機會에 반드시 무슨 抗議를 하여 올 것이라고 國難이 焦眉에 迫頭한 것으로 憂慮하는 자가 있다"(국사편찬위원회, 「경비 제297호」, 『한국독립운동사』 자료 7, 82쪽).

74 국사편찬위원회, 「경비 제3422호의 1」, 『한국독립운동사』 자료 7, 67쪽.

75 국사편찬위원회, 「전보 제117호」, 『한국독립운동사』 자료 7, 66쪽.

76 국사편찬위원회, 「전보」, 『한국독립운동사』 자료 7, 23~24쪽.

77 『朝鮮新聞』 1909年 11月 11日字, 「哈爾賓事件と韓人の外交術」.

78 국사편찬위원회, 「전보」, 『한국독립운동사』 자료 7, 25쪽.

79 국사편찬위원회, 「경비 제291호」, 『한국독립운동사』 자료 7, 30쪽.

80 국사편찬위원회, 「전보」, 『한국독립운동사』 자료 7, 25쪽.

81 국사편찬위원회, 「전보 제23호」, 『한국독립운동사』 자료 7, 27쪽.

3만 원은 무례하다고 하여 거절하였다.[82]

그런데 일제가 이처럼 의친왕을 거부한 이유는 무엇보다도 의친왕의 반일성향 때문이었다고 할 수 있다. 즉 이토는 "털끝만큼의 신용도 없고 어떻게 해 볼 수 없는 인물"[83]이라고 의친왕을 원색적으로 비난하였다. 이러한 이유로 일제는 황태자가 일본에 유학하는 동안 의친왕을 동경에 보내지 말라는 경고까지 하였다.[84] 이렇게 되자 한국 황실은 이토 장례식에 파견할 특사를 의친왕에서 궁내부대신 민병석으로 급히 변경하였다.[85]

이상과 같은 조문사 파견 준비과정을 거쳐 10월 30일 오후 2시 반에 조중응·김윤식은 이완용·윤덕영을 대동하고 순종을 알현하였다.[86] 이완용이 순종황제에게 조중응을 정부대표로 한 조문사를 이토의 회장(會葬) 및 치제(致祭)에 파견하겠다고 보고하였다. 다시 조중응은 원로대표로 김윤식을 파견할 것이라고 순종에게 고하였다.[87] 일제가 민병석·조중응·김윤식을 자작에 이완용·윤덕영을 후작에 임명할 만큼[88] 이들의 부일성향은 당시 일반적으로 알려졌다. 그러므로 일제도 오히려 이들을 반겼을 것이다. 그리고 고종은 김윤식에게 "일본에 있는 동안 실례를 범하는 일이 없도록 다른 참가자에게 주의시킬 것"[89]을 지시하는 등 이토의 장례식에 대해 예민하게 대응하였다.

결국, 의친왕이 배제된 가운데 1909년 11월 4일 이토 장례식에 순종은 원로대표 김윤식(金允植)·창덕궁대표 민병석·덕수궁대표 박제빈(朴齊斌)·국민대표 유길준(兪吉濬)·실업대표 조진태(趙鎭泰)·일진회대표 홍긍섭(洪肯燮)·종교대표 정병조(鄭丙朝)·유세(遊說)대표 고의준(高義駿)·신문대표 정운복(鄭雲復)·정부대표 조중응(趙重應)·궁내

---

82 국사편찬위원회, 「전보」, 『한국독립운동사』 자료 7, 25쪽.

83 국사편찬위원회, 「경비 제291호」, 『한국독립운동사』 자료 7, 30쪽.

84 위와 같음.

85 국사편찬위원회, 「전보 제23호」, 『한국독립운동사』 자료 7, 27쪽.

86 이들의 부일성향은 다음의 논문이 참고된다. 장석흥, 「조중응 친일의 길이라면 물불 가리지 않았던 매국노」, 『친일파 99인』 ①, 민족문제연구소, 1993, 137~143쪽; 배항섭, 「김윤식 죽어서도 민족운동의 분열에 '기여'한 노회한 정객」, 『친일파 99인』, 127~136쪽; 강만길, 「이완용 한일'합방'의 주역이었던 매국노의 대명사」, 『친일파 99인』, 49~55쪽; 오연숙, 「윤덕영 한일'합방'에 앞장선 황실 외척세력의 주역」, 『친일파 99인』, 211~217쪽.

87 국사편찬위원회, 「경비 제292호」, 『한국독립운동사』 자료 7, 31~32쪽.

88 『朝鮮新聞』 1909年 10月 8日字, 「朝鮮貴族敍爵式」; 임종국, 「이토 죽음에 '사죄단'꾸미며 법석 떨어」, 『실록친일파』, 돌베개, 1991, 80~81쪽.

89 국사편찬위원회, 「경비 제292호」, 『한국독립운동사』 자료 7, 32쪽.

부대표 최석민(崔錫敏)을 각각 이토 조문사로 파견하였다.[90]

그런데 여기에서 이들 부일관료가 반민족적 행위를 감행한 배경을 살펴 볼 필요가 있을 것이다. 즉, 안중근의거는 국내의 부일관료들에게 공포감과 위기감을 유발시켰다. 이들은 안중근의거로 이토의 보호 속에서 획득한 정치적 사회적 기득권이 이토가 제거됨과 동시에 와해될 것이라는 두려움을 느꼈던 것으로 보인다. 때문에 일제를 대표하는 이토를 배경으로 한국 내에서 모든 이익을 향유하고 있던 부일세력들은 안중근의거를 위기로 받아들였을 것이다. 이러한 이유로 이와 같은 조문사 파견소동을 일으켰던 것으로 보인다. 후술하겠지만, 이는 다시 이토 추도회와 민간 사죄단 파견 및 이토의 송덕비 건립 소동으로 이어지게 되었다.

그리고 안중근의거는 국내 부일파의 속성을 그대로 드러나게 하는 바로미터와 같은 작용을 하였던 점을 지적하지 않을 수 없다. 말하자면 안중근의거는 1909년 10월 26일 이후 독립운동으로 나갈 것인지 아니면 일제의 식민지정책에 앞장설 것인지를 판가름하는 선택을 한국인에게 던져주었던 것이다. 안중근을 폄하하거나 이토를 드높인 세력은 일제의 주구로 전락하였다. 그와는 반대로 안중근의거를 적극 지지한 세력은 이후 한국 독립운동에 참여하였다.

이와 같은 의미를 함축하고 있는 안중근의거에 대해, 한국 황실과 정부의 부일관료들은 이토 장례식에 조문사를 파견하는 부일행위를 하고서도 불안감을 떨치지 못하였다. 때문에 순종황제는 1909년 11월 4일 칙사(勅使) 시종원경(侍從院卿) 윤덕영을 소네 아라스케(曾禰荒助) 통감에게 보내어 조의를 표하였다. 또한 고종도 직접 소네의 관저로 찾아가서 "伊藤博文 國葬日을 당하여 통감의 '痛悼의 情'이 가장 절실할 것을 생각하여 來訪하였다"[91]고 하였다. 이러한 안중근의거에 대한 한국 황실의 태도는 국내의 부일세력들과 인식을 공유하고 있음을 의미하는 것이다.

이토의 장례식에 참석한 한국대표단의 도일 두 번째 목적 중의 하나는 안중근의거로 초래될 일제의 대한정책의 변화를 감지하는 것이었다.[92] 그래서 덕수궁 대표 박제빈이 가츠라 타로(桂太郎) 수상에게 일본의 대한정책에 대해 질문을 하였다. 이에

90 국사편찬위원회, 「전보 제25호」, 『한국독립운동사』 자료 7, 34쪽.
91 위와 같음.
92 국사편찬위원회, 「경비 제3705호의 1」, 『한국독립운동사』 자료 7, 40쪽.

대해 가츠라는 "韓國에 對하여 政治上의 變動은 없을 것"[93]이라고 답변하였다. 이로써 조문단은 대한제국의 미래에 대해 일말의 안도감을 느꼈을 것이다.

그러나 일제는 이미 1909년 7월 6일 각의에서 적당한 시기에 대한제국을 병탄한다는 소위 「한국병합에 관한 건」을 대한정책으로 확정해 놓고 있었다.[94] 이처럼 한국병탄 계획을 짜놓은 상태에서 한국을 효과적으로 침탈하기 위하여 한국 병탄계획을 숨길 필요성이 있었던 것이다. 그래서 가능한 한 이토 장례식에 참석한 조문단으로 하여금 일본의 후의(厚意)를 느끼게 함으로써 일제가 한국을 병탄할지도 모른다는 우려를 불식시키려고 하였다. 이처럼 일제는 한국을 용이하게 침탈하기 위한 위장전술을 구사하였던 것이다.

한국 황실은 조문단 파견의 세 번째 목적인 태자의 신변안전 문제를 왕조의 영속성이라는 면에서 중시하였다. 그러므로 한국 황실은 황태자에게 행동지침을 내리기까지 하면서 이토에 대한 감사와 조의를 표하도록 지시하였다.[95]

또한 일제는 한국병탄 계획을 숨기면서 한국의 대일경계 자세를 무력화시켜 그들의 한국침탈 계획을 실천할 수 있는 또 하나의 방법을 갖고 있었다. 그것은 일제가 황태자를 얼마나 잘 보살펴 주고 있는지를 황실과 정부에 과시하는 것이었다. 이러한 일제의 위략이 효과를 발휘했는지, 민병석은 순종에게 일본 궁상(宮相)이 한국 황태자의 교육에 대해 조금도 걱정하지 말라고 하였다는 보고를 하였다.[96] 또한 승령부 부총관 박제빈과 예식관 박숙양(朴叔陽)과 귀국대표단도 같은 내용을 전하였다.[97] 이에 한국 황실은 황태자에 대한 일제의 거짓 예우에 대단히 만족하고 있었던 것 같다.

그런데 안중근의거는 피해자가 가해자를 응징한 자위수단이었던 것이다. 그럼에도 한국 황실은 피해자인 대한제국을 가해자로 둔갑시킨 일제의 논리를 적극적으로 반박하기는커녕, 일제에 안중근의거를 사죄하는 태도를 취하였다. 이러한 황실과 정부의 자세에서 안중근의거에 대해 민족사적 의미를 부여하지 못하고 오히려 황실의 안전을 위협하는 '망동(妄動)'으로 인식한 까닭을 찾을 수 있을 것이다. 이처럼 황실

93 위와 같음.
94 日本 外務省 編纂, 「韓國併合に關する件」, 『日本外交年表竝主要文書』上, 原書房, 1965, 315~316쪽.
95 국사편찬위원회, 「경비 제3479호의 1」, 『한국독립운동사』 자료 7, 73쪽.
96 국사편찬위원회, 「경비 제2707호의 1」, 『한국독립운동사』 자료 7, 38쪽.
97 국사편찬위원회, 「경비 제3708호의 1」, 『한국독립운동사』 자료 7, 41~43쪽.

이 일제에 굴욕적인 태도로 일관한 원인은 '황실이 곧 국가'라는 전근대 시기의 국가론에 기인한 것으로 볼 수 있다.

4. 부일세력의 반응

1) 국민사죄단 파견

이상에서 살펴본 조문단파견 문제는 황실과 정부차원에서만 논의되어 실행된 것이 아니다. 민간 부일세력도 안중근의거가 국내에 전해지자 신속하게 그 대책을 협의하였다.[98] 특히 대한협회는 통감을 방문하여 조사(弔辭)를 전달하였고 이토의 유족에게 조전(弔電)을 보냈다. 그리고 일진회와 대한협회는 안중근의거는 한국민의 의사와 전혀 관계가 없다는 내용을 적당한 방법을 찾아서 발표할 것을 협의하였다.[99] 이처럼 부일분자들은 자신들의 입신공명을 위하여 안중근의 위업을 비난하였다. 이들은 이에 그치지 않고 일제에 소위 '국민사죄단'을 파견해야 한다는 반민족적인 작태를 연출하였다.[100]

매국적인 국민사죄단 파견을 주동한 자들의 주축은 일진회 회원들이었다. 즉, 일진회 경북 지부 총무원 윤대섭(尹大燮)·일진회 경북지부 평의원 김영두(金榮斗)·일진회 경북지부 회원 강영주(姜永周)이다. 이들은 송병준과 이용구의 지시를 받고[101] 다른 한편으로는 『대구신문』의 주필 일본인 미우라 쇼자부로(三浦庄三郎)와 깊은 관계를 갖고서[102] 국민사죄단을 파견해야 한다는 주장으로 일관하였다. 이러한 일진회의 행태는 '한일합방론'을 주장하기 위한 하나의 포석이라고 규정할 수 있다.

이들은 재빠르게도 안중근의 이토 처단 3일 후인 1909년 10월 29일 국민사죄단 파견을 본격적으로 거론한 「고급서(告急書)」를[103] 각도 및 각군에 발송하였다. 이

---

98 『京城新報』 1909年 10月 28日字, 「伊公遭難 兩派」.
99 『京城新報』 1909年 10月 29日字, 「一進會の弔問使」·「大韓協會の決議」.
100 이용창, 「'伊藤博文追悼會개최전후' 사회세력의 동향과 친일정치세력의 형성」, 127~128쪽.
101 정교 저·조광 편·김우철 역주, 『대한계년사』, 57쪽.
102 국사편찬위원회, 「헌기 2216호」, 『한국독립운동사』 자료 7, 51쪽.
103 국사편찬위원회, 「헌기 2216호」, 『한국독립운동사』 자료 7, 52~53쪽.

문서에서 이들은 일본을 배척하여 임진왜란·을사늑약·정미7조약을 한국이 자초하였다고 주장하면서 한국의 독립과 개명진보는 일본의 힘에 의한 것이라는 망언도 서슴지 않았다. 더구나 안중근의거를

或은 頑愚하여 國을 誤하고 或은 奸細하여 國을 誤하며 或은 個人의 名을 擧키 爲하여 國을 誤하였다. 今日의 事件이야말로 또 이 幾個狂夫의 痛憤怪擧로 其國을 誤하기 甚하다.[104]

라고 비난하면서 매도하였다. 반면에 이들은 이토를

嗚呼. 伊藤太師의 我國에 賢勞한 것은 枚擧에 無遑이다. 我의 秘政을 除去하고 新法令을 改定하여 我의 迷夢을 警醒하고 新學問을 敎導하며 模範場을 起하고 農林業을 勸하며 傳習所를 設하여 工藝를 發展시키는 等 凡 利國便民에 係한 事業은 起치 않은 것이 없다. 이 我韓中興의 元勳이오, 日本 侍毗의 柱石이다. 嗚呼. 그 어찌 此에 그치랴. 東洋의 平和를 維持하고 黃色人種을 保護하는 大責任이 公의 一身에 있다. 我民인 者 義로써 家頌戶祝하여 其康壽를 바래야 할 것을 變이 此에 至하였으니 忿寃 限이 없다.[105]

라고 미화하였다. 이처럼 부일세력의 안중근과 이토에 대한 평가는 민족운동 세력과 극한 대조를 이루고 있다.

이들은 이에 그치지 않고 안중근이 이토를 처단한 역사적인 사건을 '역도(狂逆)의 죄'라고 단정하고, 천황에게 사죄하는 것이 한국인의 의무라고 주장하면서 한국인들은 십삼도 대표를 따라 동경에 가서 천황에게 벌을 청해야 한다는 극언도 마다하지 않았다.[106] 또한 이들은 향후의 행동계획으로 각도의 대표 한 두 사람을 선정하여 11월 7일 경성 서대문 독립관에서 회합해야 한다는 결의를 하는 등 부일성향을 드

104 국사편찬위원회, 「헌기 2216호」, 『한국독립운동사』 자료 7, 52쪽.
105 국사편찬위원회, 「헌기 2216호」, 『한국독립운동사』 자료 7, 52~53쪽.
106 국사편찬위원회, 「헌기 2216호」, 『한국독립운동사』 자료 7, 53쪽.

러냈다.[107]

그러나 이에 동의하는 부일인사는 10명 내외에 불과하였다. 이는 이들의 주장과 행동이 대중으로부터 외면당하고 있음을 의미하는 것이라고 볼 수 있다.[108] 그래서 또 다시 윤대섭과 김영두 그리고 경상북도 신령군(新寧郡) 지방위원 황응두(黃應斗) 세 사람은 11월 21일부로 경성 남부(南部) 곡교(曲橋) 13통 5호의 회의소(會議所)에서 「지급(至急) 공함(公函)」이라는 것을 작성하여 다시 각 군에 송부하였다.[109] 이 문서에서 이들은 11월 17일 8~9명밖에 모이지 않은 것에 대해 국가의 화복관계를 잘 췌량(揣量)하지 못한 결과라고 비난하였다. 그러면서 이들은 '이에 불응하는 자는 안중근에 동정하는 자'[110]라고 하는 등 안중근을 모욕하였다. 더구나 12월 2일까지(陰 10월 19일) 상경 회합하라고 위협을 가하기까지 하였다. 그리고 신령군 지방위원 황응두와 같은 농민회 박상기(朴祥琦)도 일본정부에 안중근의거에 대한 사죄 문제를 논의하기 위해 11월 23일까지 회합하라고 요구한 「부배의상자(夫背儀傷者)는 난편소거(難編所擧)라」라는 '망언서(妄言書)'를 지방위원들에게 송부하는 행위도 마다하지 않았다.[111]

이리하여 윤대섭 등의 부일파들은 11월 23일 독립관에서 연설회를 개최하고 사죄단 파견을 결의할 예정이었다. 그러나 참석한 자가 50여 명에 지나지 않아 연설회는 무산되었다. 이들은 다시 「지급서(至急書)」를 발송한 결과 11월 24일 60여 명이 참석하였다. 그 다음날인 11월 25일 3시경부터 숙소 겸 사무실로 빌린 서울 중부 대사동 19통 9호 청국인 동순태(同順泰)의 집에서 48명이 모여 윤대섭을 임시의장으로 선출하는 등 국민사죄단 조직에 대한 협의회를 열고 다음과 같이 회칙과 임원을 정하였다.

> 會則
>
> 一. 本會는 大韓全國民團會라고 稱한다.
>
> 二. 本會 會員은 各 道郡 民衆委託代表者로써 組織한다.

---

107 위와 같음.
108 국사편찬위원회, 「헌기 2216호」, 『한국독립운동사』 자료 7, 52쪽.
109 국사편찬위원회, 「헌기 제2269호」, 『한국독립운동사』 자료 7, 54쪽.
110 위와 같음.
111 국사편찬위원회, 「황경고발 제2호」, 『한국독립운동사』 자료 7, 58쪽.

三. 目的은 伊藤의 遭難件에 對하여 大日本 天皇에게 伏誅하여 日韓兩國을 永久히 親睦케함을 目的으로 한다.

四. 任員은 左와 如히 두고 事務를 處理한다.

臨時總務長 一 議長 一 幹事長 一 書記 三

總務 三 議員 十三 會計 一

五. 總務長은 本會를 代表하고 一切의 事務를 總理한다.

六. 總務員은 總務長의 指揮를 받아 事務를 總理한다.

七. 議長은 會議 事項을 提出하고 會務를 擴充한다.

八. 議員은 議長의 諮問에 應하고 會務에 參與한다.

九. 幹事를 庶務를 擔當한다.

十. 會計員은 金錢을 出納 文簿의 備置를 總理하고 또 幹事長의 命을 受하여 名簿를 整理한다.

十一. 書記는 日記 帳簿를 備置하고 總務의 指揮에 依하여 一切의 事務를 處理한다.

役 員

總務長 黃應斗 慶北 新寧郡人

會計長 金台煥 平北 義州郡人

書記長 梁貞煥 江原道 楊口郡人

其他의 役員은 當日未定, 本日부터 每日 午前 十時부터 同 十一時까지 會議를 열고 漸次 其組織을 完全히 하기로 決定하였다.[112]

이와 같이 이들은 단체명을 '대한전국민단회'라고 정하고 총무장 황응두를 비롯해 23명의 임원을 선출하였다. 특히 이 단체는 안중근의거에 대해 일본 천황에게 복주(伏奏)하여 한일 양국의 친목을 영원히 유지해야 한다고 발언하는 등 반민족적인 성격을 극명하게 드러내기도 하였다.

이들 부일분자들은 다시 12월 2일 오전 10시 중부 대사동 회의소에서 회의를 갖

---

112 국사편찬위원회, 「헌기 제2280호」, 『한국독립운동사』 자료 7, 56~57쪽.

고 도일 각도대표 사죄단위원으로 경기도 대표 조달원(趙達元), 충청남도 대표 이상철(李相喆), 충청북도대표 장사국(張思國), 전라남도 대표 윤승혁(尹升赫), 전라북도 대표 정인창(鄭寅昌), 경상남도 대표 정병식(鄭秉湜), 경상북도 대표 황응두(黃應斗), 황해도 대표 정정조(鄭廷朝), 강원도 대표 황종남(黃鐘南), 평안도대표 김태환(金台煥)을 각각 선정하였다.[113]

그러나 이들의 행위는 정당성을 부여받지 못한 것이었다. 즉 12월 5일에 윤대섭·김영두 두 사람은 원각사에서 개최된 국민대회 연설회에서 청중들의 비난을 받고 놀라 귀향하였다.[114] 이 때문에 황응두는 12월 7일 부일인사 10여 명과 협의한 바, 윤대섭·김영두의 귀향을 질책하고 단체의 목적을 실현하기 위하여 도일해야 한다고 끝까지 주장하기도 하였다.

그렇지만 12월 16일 신천 지방위원 계응규 등 3명이 황응두를 만나 국민사죄단 파견 소동을 성토하고 사죄단 위임장을 빼앗는 등 부일적인 국민사죄단에 대한 한국인의 저항이 계속되었다.[115] 결국, 국민사죄단은 발기를 하지 못하여 거의 해체단계에 들어갔기 때문에 도일은 사실상 불가능한 상태였다.[116]

그런데 오히려 이들 부일세력들의 움직임을 적극적으로 지지해야 할 일제는

> 이번 此擧에 對하여도 誠心誠意 참으로 國家의 前途를 憂慮하고 또 伊藤公을 敬慕하는 念에서 나온 것인지 頗히 疑心스럽다. 畢竟 此擧로 現實에 行하여 진다면 日本人側의 歡心을 사고 또 謝罪委員으로 選定된다면 其名望을 全國에 博할 수 있다는 謀計에서 나온 策略이 아닌가 思料된다.[117]

라고 하여 이들의 행동이 부적절하다고 지적하였다. 일제는 이들의 행동을 일본의 환심과 명망을 얻어 자신들의 세력을 확대시키기 위한 계략이라고 단정하였다. 그러면서 이들의 부일행위가 결코 일본국민의 감정을 이해하여 나온 것이 아니라,

---

113 국사편찬위원회, 「경비 제4095호의 1」, 『한국독립운동사』 자료 7, 61쪽.

114 위와 같음.

115 정교 저·조광 편·김우철 역주, 『대한계년사』, 58쪽. 그러나 계응규는 이들 부일세력의 행위를 비판적 입장에서 본 것 같으나, 『대한계년사』에 12월 27일 계응규 등이 이토 추도회를 거행했다는 기록도 있다. 위와 같음. 따라서 계응규의 부일행위에 대해서는 좀 더 검토할 부분이 있다.

116 국사편찬위원회, 「경비 제4231호의 1」, 『한국독립운동사』 자료 7, 62쪽.

117 국사편찬위원회, 「헌기 제2216호」, 『한국독립운동사』 자료 7, 51쪽.

금전을 착복하려는 의도에 지나지 않는 것으로 평가하였다.[118] 한마디로 일제는 이들의 행동이 그들의 한국침탈 정략에 방해된다는 결론을 내리고 있었다. 때문에 이들 민간 사죄단의 해단을 결정하였던 것이다. 이러한 맥락에서 12월 18일 도일예정이었던 총무장 황응두 이하 13명이 일본으로 출발하려고 하자, 일제는 12월 17일 10시경 경시청에 황응두를 비롯한 10명을 연행하여 이들에게 이토의 묘를 참배하는 것은 허락하겠지만 일본 천황과 일본정부에 문서를 제출하는 것은 불가하다는 통고를 하였다.[119]

이에 따라 참배만 할 것이면 도일할 이유가 없다는 여론이 일자, 이들은 12월 18일 정오부터 대책회의를 열었다. 그 결과 희망자만 이토 장례식에 참석하기로 결정하였다.[120] 당초 도일 의향이 있던 12명 중 5명이 여비를 조달하지 못하여 도일을 단념하고 7명이[121] 12월 19일 오전 10시 50분에 남대문을 출발하여 대구역에 도착하였다.[122] 황응두·최해규는 귀향했다가 23일 부산에서 합류하기로 하고 나머지 부일인사들은 대구에서 하루를 머물고 다시 12월 20일 오후 3시 45분에 부산으로 향하였다.[123] 12월 23일에 부산에 도착한 이들은 12월 24일에 도일하여 「일본 각하에게 올리는 글」을 일본총리에게 제출할 예정이었다.

「일본 각하에게 올리는 글」에서 이들은 일제를 한국의 종주국이라고 미화하면서 안중근의거를 간세배(奸細輩)의 사욕을 채우기 위한 것으로 오해에서 생긴 사건이라고 호도하였던 것이다.[124] 더 나아가 이들은 천황의 칙어에 의해 수행된 모든 침략적 행위를 긍정하는 반면, 안중근의거에 대해서 일제에 용서를 구걸하는 언동을 서슴지 않았다.[125] 그러나 이들의 국민사죄단 파견계획은 자금부족과 일제의 국민사죄단 파단결정으로 실현되지 못하였다.

---

118 국사편찬위원회, 「헌기 제2301호」, 『한국독립운동사』 자료 7, 60~61쪽.
119 국사편찬위원회, 「헌기 제2506호」, 『한국독립운동사』 자료 7, 62쪽.
120 국사편찬위원회, 「헌기 제2522호」, 『한국독립운동사』 자료 7, 63쪽.
121 도일단은 『한국독립운동사』 자료 7의 「헌기 제2506호」에 의하면 7명으로 기록되어 있고, 「헌기 제2533호」에는 윤대섭이 새로 포함되어 8명이라는 기록이 있다. 문제는 윤대섭이 연설회 도중 비난을 받고 귀향하였다는 것이다. 이는 「헌기 제2506호」에 윤대섭의 성명이 누락되어 있는 것에 의해 뒷받침된다. 또한 일본총리에게 제출한 문서에는 윤대섭외 6명이라는 기록도 있다. 그러므로 이에 대해 앞으로 검토가 요구된다.
122 국사편찬위원회, 「고비발 제8522호의 1」, 『한국독립운동사』 자료 7, 64쪽.
123 위와 같음.
124 위와 같음.
125 국사편찬위원회, 「고비수 제8616호의 1」, 『한국독립운동사』 자료 7, 65쪽.

2) 이토 히로부미 추도회와 송덕비

위에서 보았듯이 한국 황실과 정부는 조문사를 11월 4일 일본에 파견하였다. 국내에서는 11월 8일 한성부민회 제9회 위원회에서 유길준·윤효정·오세창 등이 이토를 추모하기 위해 소위 '대한국민추도회(大韓國民追悼會)'를 발기하였다.[126] 이 추도회는 관주도로 565원이라는 거금을 들여[127] 같은 날 오후 2시부터 3시 45분경까지 한성부민회의 주최 아래 장충단에서 열렸다.[128]

이토 추도회에 황실·정부·민간 등 각계에서 위원장 한성부민회 부회장 윤효정(尹孝定)을 필두로 총리대신 이완용(李完用), 내부대신 박제순(朴齊純), 탁지부대신 고영희(高永喜), 학부대신 이용직(李容稙), 친위부장관 이병무(李秉武), 종원경 윤덕영(尹德榮), 내각서기장관 한창수(韓昌洙), 한성부윤 장헌식(張憲植), 황성신문사 사장 유근(柳瑾) 이외에 권중현(權重顯), 이지용(李址鎔), 이하영(李夏榮), 이근택(李根澤), 임선준(任善準), 민영기(閔泳綺), 이근상(李根湘), 윤웅열(尹雄烈), 윤치호(尹致昊), 남궁억(南宮檍), 이재만(李載晩), 이재원(李載元), 이재극(李載克), 이준용(李埈鎔) 등 당시 기회주의적 부일성향의 인사가 위원으로 대거 참석하였다.[129]

그리고 이토 추도회는 대신과 민간대표의 제문(祭文)낭독, 군대와 여러 학교의 학생들의 참배 순으로 진행되었다.[130] 그 대체적인 상황을 일제의 헌병 보고문을 통해 보면 다음과 같다.

> 一. 午後 二時에 式은 開始되어 同三時 五十分 解散.
>
> 二. 式은 韓國의 故式으로써 擧行되었다.
>
> 三. 參拜者는 現內閣 各大臣·各皇族·元老前大臣·官內府를 爲始 各部의 高等官·

---

126 『대한민보』 1909년 11월 10일자, 「追悼會順序」.

127 『대한매일신보』 1909년 11월 17일자, 「츄도비분빅」.

128 또한 이 날의 분위기를 일본 경찰의 보고서는 다음과 같이 전한다. "當日 日·韓人은 軒頭에 吊旗를 揭揚하고(韓人은 警察의 注意 및 漢城 府尹의 諭告에 의함) 各國 領事도 또한 모두 半旗를 揭揚하고 日人은 大體로 休業하여 哀悼의 뜻을 表하였다. 特히 排日의 策源處로 稱해지고 있는 基督敎青年會館에서도 吊旗를 揭出하였음은 衆目을 끌었다"(국사편찬위원회, 「경비 제301호」, 『한국독립운동사』, 35쪽).

129 국사편찬위원회, 「전보」, 『한국독립운동사』 자료 7, 34~35쪽; 정교 저·조광 편·김우철 역주, 『대한계년사』, 49~50쪽; 이용창, 「'伊藤博文追悼會개최전후' 사회세력의 동향과 친일정치세력의 형성」, 116~126쪽.

130 국사편찬위원회, 「한헌경을 제1332호」, 『한국독립운동사』 자료 7, 47~48쪽.

陸·軍將校·皇后及 嚴妃의 御使 其他 女官 數名.

四. 前項 參列者中에는 京城 以外의 地方으로부터 일부러 出京한 者도 不尠하다고 한다.

五. 學校生徒는 官·公·私立을 莫論하고 모두 參列하였다 한다.

六. 親衛府로부터 步兵 第二個中隊가 式에 參禮.

七. 式은 가장 嚴肅하게 거행되었다. 그리고 其 盛大한 것은 아직 일찍이 보지 못하던 盛會였다고 한다.

八. 午後 三時 五十分頃 下等의 異狀 없이 解散하였다고 한다.[131]

그리고 대표적인 부일분자인 이완용은 한성부민회가 주최한 이토 추도회에 제주(祭主)로 나서 직접 쓴 제문(祭文)을 당일 내각 서기관장 한창수(韓昌洙)에게 낭독하도록 하였다. 이 제문에서 이완용은 이토에 대해 "아시아를 개명시키고 평화를 유지하였으며, 강대국으로부터 조선을 보호하고 종묘사직을 지켜주었다"[132]고 평하는 등 부일파의 속성을 드러냈다. 그리고 한성부민회 부회장 윤효정도 이토의 만주행은 한국과 동양의 평화를 위한 것으로 후인(後人)이 더욱 주의하여 동양평화를 유지한다면 이토도 구천에서 기뻐할 것이라는 내용의 제문을 작성하였다. 이를 천도교계 인사 오세창으로 하여금 이토의 추도회 현장에서 낭독케 하였다.[133] 이들뿐만 아니라, 윤덕영도 이토가 평화를 유지시켜 주었으며 한국의 문명도 발전시켰다는 조사(弔詞)를 읊기도 하였다.[134]

시위부 병력 290여 명의 감시 속에서 이토 추도회에 약 1만여 명의 군중이 모였다. 그 중 전체의 반수인 약 5,000명의 학생이 이토 추도회에 참석하였다.[135] 이로 미루어 보아 이토 추도회는 일제가 한국인을 강압적으로 동원하여 진행된 것이었음을 알 수 있다.[136]

이러한 행위 배경에는 필시 이토를 위인으로, 안중근을 흉도로 대한제국의 학생

---

131 국사편찬위원회, 「헌기 제2125호」, 『한국독립운동사』 자료 7, 44~45쪽.
132 국사편찬위원회, 「헌기 제301호」, 『한국독립운동사』 자료 7, 34~36쪽.
133 국사편찬위원회, 「헌기 제301호」, 『한국독립운동사』 자료 7, 35쪽.
134 국사편찬위원회, 「헌기 제301호」, 『한국독립운동사』 자료 7, 36쪽.
135 국사편찬위원회, 「헌기 제301호」, 『한국독립운동사』 자료 7, 35쪽.
136 국사편찬위원회, 「경비 제3638호의 1」, 『한국독립운동사』 자료 7, 45쪽.

들을 세뇌시켜 반일민족투쟁의 싹을 미리 잘라내려는 일제와 부일세력의 의도가 숨겨져 있던 것이다. 이는 학부대신 이용식이 관립학교장·한성부윤·각도관찰사 앞으로 보낸 「학부훈령(學部訓令) 제칠호(第七號)」에서도 확인된다. 즉,

> 太子太師 伊藤博文 殿下께서 今回 合爾賓에서 兇漢의 毒手에 罹하여 薨然히 夢逝ᄒᆞ심은 上下가 均히 警駭痛恨을 不堪ᄒᆞᄂᆞᆫ 바이라. 惟 殿下ᄂᆞᆫ 統監으로 我國을 指導하며 太子太師로 皇太子輔育의 任에 膺ᄒᆞ야 終始 我國의 休戚을 爲念ᄒᆞ야 國家 及 國民의 福祉를 增進홈에 努ᄒᆞ심은 特히 言을 不須홀지라.[137]

이와 같은 상황 속에서 1909년 11월 3일자 『대한매일신보』는 「학도들ᄉᆞ지」라는 기사를 실어 은근히 이토 추도회를 비판하였다. 더 나아가 같은 11월 9일자의 「론설」을 통하여 "조선인이 國號를 크게 분발하며 國光을 크게 진흥하여 조선으로 하여금 우주 간에 부끄러움이 없게 해라"고 외쳤던 것이다.

대한매일신보사의 이와 같은 절규를 비웃듯이 한성부민회 부회장 윤효정은 11월 8일에 각 지방의원 등을 만나 11월 4일에 있었던 추도회를 확대하여 이토 전국민추도회를 11월 26일에 개최할 예정이라고 하였다.[138] 그러나 11월 4일 도쿄의 이토 추도회에 참석한 한성부민회 회장 유길준이 전국민추도회를 중지하라는 전보를 보낸 것으로 미루어 보아 이를 실천에 옮긴 것 같지 않다.[139]

대한제국 정부관계자들만이 이토 추도회를 개최하여 안중근의거를 모독한 것이 아니었다. 민간에서도 이토를 추모하는 행위가 이어졌다. 일진회 회장 이용구를 비롯한 300여 명의 회원이 11월 4일 서대문 밖의 연설당(演說堂)에서 개최한 이토 추도회에서 한석진(韓錫振)은 이토를 추모하는 제문낭독을 감행하였다.[140] 그리고 대한광부회(大韓鑛夫會)도 종로(鐘路) 수전동(水典同) 사무소에서 일진회와 같은 방식으로 추도회를 거행하였다.[141]

---

137 국사편찬위원회, 「학부훈령 제9호」, 『한국독립운동사』 자료 7, 75쪽.

138 『대한매일신보』 1909년 11월 11일자, 「대츄도회」; 국사편찬위원회, 「헌기 제2158호」, 『한국독립운동사』 자료 7, 48~49쪽.

139 『대한매일신보』 1909년 11월 16일자, 「츄도회명지」. 유길준의 부일성향에 대해서는 조재곤, 「한말 조선 지식인의 동아시아 삼국제휴 인식과 논리」, 『역사와 현실』 37, 2000, 166쪽, 참조.

140 국사편찬위원회, 「헌기 제301호」, 『한국독립운동사』 자료 7, 35쪽.

141 위와 같음.

12월에 들어와서도 이토 추도회는 계속되어 12월 12일 영도사에서도 통일회의 주최로 이토 추도식이 열렸다. 이 추도식에서 전학부대신 이재곤이 이토 추도회를 개최하는 이유를 설명하였다. 그리고 같은 이토 추도회에서 종두법실시와 한글연구로 유명한 지석영은 추도문을 읽었으며, 이완용도 추도사를 하였다.[142]

또한 언론계도 이토를 미화하고 안중근의거를 폄하하는 행렬에 적극적으로 참여하였다. 즉, 대한매일신보사를 제외한[143] 각 신문사 사장 또는 대표자로 구성된 경성(京城)의 한국신문단은 국민신보사에서 11월 7일 오후 2시경 회합을 갖고 이토 추도회 개최를 협의하였다. 그 결과 이들은 다음과 같은 결의를 하였다. 즉,

> 一. 追悼會는 來十四日 午後 二時(日曜)에 執行할 것.
> 一. 場所는 龍山 瑞龍寺로 選定할 것.
> 一. 但 東大門外 永導寺로 變更할지도 不測.
> 一. 祭主는 皇城日報社長 崔永年.
> 一. 追悼文 起草委員은 大韓民報社長 吳世昌.
> 一. 追悼文 朗讀委員은 大韓新聞社長 李人稙.
> 一. 執行委員은 帝國新聞社 及 漢成新聞社로부터 各一名式 選出할 것.
> 一. 準備委員은 各 新聞社로부터 各一名式 選出할 것.
> 一. 追悼會員은 各 新聞社에 限 할 것.
> 一. 服裝은 프록코-트 혹은 韓國平常服을 着用하고 喪章을 附할 것.[144]

그러나 이 추도회는 대한국민추도회와 중복된다는 이유로 중지되었다.[145]

언론뿐만 아니라, 종교계도 이토를 미화하고 안중근을 역도(逆徒)로 만드는데 적극적으로 앞장섰다. 이를테면 해리스(M. C. Harris)는 10월 31일 기독교인들을 모아놓고 이토의 죽음에 대해 조의를 표하면서 11월 4일 정동교회에서 회합하여 이토

142 『대한매일신보』 1909년 12월 14일자, 「통일회츄도회」.
143 『대한매일신보』가 이토 추도회에서 제외된 이유는 대한매일신보사 사원들이 안중근의거를 접하고 축배를 들었기 때문이라고 한다(국사편찬위원회, 「헌기 제2165호」, 『한국독립운동사』 자료 7, 50쪽).
144 국사편찬위원회, 「헌기 제2165호」, 『한국독립운동사』 자료 7, 49~50쪽.
145 이용창, 「'伊藤博文追悼會개최전후' 사회세력의 동향과 친일정치세력의 형성」, 126쪽.

추도회 개최를 제안하는 등 부일언행을 일삼았다.[146]

그리고 일제의 지원으로 창설된 구세군도[147] 11월 5일 구세군 대장 정령(正領) 허가두(許嘉斗)의 집에서 장교회의(將校會議)를 열어 이토 추도회를 개최하기로 하였다.[148] 또한 천도교 교주 손병희(孫秉熙)도 "이토의 생애를 찬양하고 안중근의거를 동양의 불행이며 이로 인해 한국은 그 멸망을 초래하였다"[149]고 주장하였다.

이들의 또 다른 이토 추모 행위는 이른바 이토의 '송덕비(頌德碑)' 건립으로 나타났다. 즉, 부일단체인 대한상무조합(大韓商務組合)이 송덕비 건립문제를 들고 나왔던 것이다.[150] 1909년 10월 28일 정오 이 조합의 부장 이학재(李學宰)를 비롯해 관계자들은 대한상무조합에서 회합하여 이토가 동양평화에 지대한 공이 있다고 주장하면서 '송덕비건립건'을 협의하였다.[151]

이러한 협의내용을 근거로 하여 이학재·윤진학(尹進學)·김세제(金世濟)·조덕하(趙悳夏) 등 14명은 이토의 송덕비 건립을 위한 발기인을 자청하였다. 이들은 심지어 1909년 11월 4일자 『대한신문』에 「이등공(伊藤公)의 석비(石碑)와 동상(銅像) 건립(建立)의 발기(發起)」[152]라는 제목으로 이토 히로부미 동상건립을 위한 발기문을 게재하였다. 여기에서 민간 부일세력은 이토가 한국의 독립을 지켜주고 우매한 한국인을 이끌어 개화시켜 주었으며 동양평화를 유지하였다는 왜곡된 역사인식을 드러냈다.

뿐만 아니라, 이들은 이토 단죄라는 안중근의 역사적 위업을 비난하는 매족행위를 선도하였던 것이다. 즉, 이들은 이토의 침략으로 한국이 망하였다는 당시의 세론을 오해이며 와전이라고 호도하여 일제의 논리를 선전하였다. 그리고 이토의 송덕비를 건립한다는 명목으로 중부(中部) 전동(典洞)에 거주하는 전군수 민영우(閔泳雨) 외 십수 명이 동아찬영회(東亞讚英會)를 조직하였다.[153] 또한 같은 목적으로 『대한계년사(大韓季年史)』의 저자로 유명한 정교와 전한성전기회사(前漢城電氣會社) 사무원(事務員)

---

146 국사편찬위원회, 「경비 제3536호」, 『한국독립운동사』 자료 7, 33쪽.
147 『朝鮮新聞』 1910年 4月 5日字, 「救世軍學校創設 曾禰統監の寄附」.
148 국사편찬위원회, 「헌기 제2145호」, 『한국독립운동사』 자료 7, 48쪽.
149 국사편찬위원회, 「경비 제288호」, 『한국독립운동사』 자료 7, 89쪽.
150 국사편찬위원회, 「헌기 제2079호」, 『한국독립운동사』 자료 7, 44쪽; 임종국, 「이토 죽음에 '사죄단'꾸미며 법석 떨어」, 84쪽.
151 국사편찬위원회, 「헌기 제2125호」, 『한국독립운동사』 자료 7, 44쪽.
152 국사편찬위원회, 「고비발 제359호」, 『한국독립운동사』 자료 7, 46~47쪽.
153 임종국, 「이토 죽음에 '사죄단'꾸미며 법석 떨어」, 88쪽.

한백원(韓百源) 외 수명도 단체를 설립하는 등의 매국행각에 동참하였다.[154]

그런데 정교는 『대한계년사』에 안중근의거와 재판과정, 부일파의 이토 추도회 등을 자세하게 소개하고 있다. 정작 그 자신의 이토 추모회 참석 사실에 대해서는 언급하고 있지 않다. 이러한 정교의 자세는 손병희·오세창·남궁억·윤효정·지석영 등의 경우에서 보듯이 기회주의적 부일태도로 평가받아야 할 것이다.[155]

이와 같은 주장은 재한 일본인의 주장과 조금도 다름이 없다는 사실에 주목할 필요가 있다. 즉, 일본인이 경영하던 『조선신문』은

> 이토공의 조난은 천하의 비통한 일이다. 공이 군국(君國)을 위해 진력한 역사는 실로 우리 명치사의 꽃이자 열매이다. 특히 한국이 우리 보호국이 된 이후 초대통감으로서 한국통치의 대강을 정하고 일한통일의 원칙을 보이신 사적은 극동평화를 위해 천고에 움직일 수 없는 백세가 지나도 변할 수 없는 전범이다. 일한 양국이 존재하는 한 공의 치적은 양국 국민의 영원히 뇌기(牢記)해야 할 것이다. 금회의 조난은 또한 공이 극동평화를 위해 확실히 일한관계를 진전시키려 하는 지성에서 만주에 출유하였다. 뜻밖에 이 흉액을 당하여 진실로 극히 통탄해 마지않는다. 그래서 일한 관민은 차제에 경성에서 일대 추도회를 개최하여 공의 사적을 추억함과 동시에 후일 공의 일대 동상을 적당한 곳에 건설하여 일한 양국의 영원한 기념으로 삼도록 해야 할 것이다.[156]

라고 이토 동상건립의 당위성을 주장하였다. 이처럼 안중근을 흉도로 이토를 평화주의자로 보는 재한 일본인의 인식을 부일세력도 공유하고 있었다.

그러나 일제는 이들 부일인사들의 송덕비 건립 기도를

> 發起者 等은 모두 그날의 糊口조차 窮하고 平素 挾雜輩로서 誠實히 公의 德을 頌하고자 하는 意가 아니라 오직 此를 口實로 寄附金을 募集하여 生計上에 資코자 하는 野心인 것 같다.[157]

154 국사편찬위원회, 「헌기 제2164호」, 『한국독립운동사』 자료 7, 49쪽.
155 이용창, 「'伊藤博文追悼會개최전후' 사회세력의 동향과 친일정치세력의 형성」, 124쪽.
156 『朝鮮新聞』 1909年 10月 28日字, 「紀念像を建てよ」.
157 국사편찬위원회, 「헌기 제2164호」, 『한국독립운동사』 자료 7, 49쪽.

라고 하여 국민사죄단 파견문제와 같은 선상에서 비판하였다. 이처럼 일제 당국조차도 이들의 언동을 비판적으로 지적하고 있다는 것은 시사하는 바가 크다.

5. 맺음말

서북학회 회원들은 국제적 호소를 통하여 일제의 탄압에 맞서려고 하였을 뿐만 아니라, 어떠한 희생을 감수하더라도 순종의 도일조문(渡日弔問)을 요구하는 일제의 언론에 대항하여 행동해야 한다는 결의를 하였다. 『대한매일신보』는 국내 어느 신문보다 적극적으로 안중근의 주장과 재판관련 상황을 보도함으로써 안중근의 사상과 행동을 국내에 소개하였다. 김경식 등의 국내 의병들은 안중근의거를 크게 기뻐하면서 자신들이 이토를 처단하지 못한 것에 대해 분개하였다. 이후 이들 의병은 안중근의 활동무대인 블라디보스토크를 독립운동의 근거지로 재인식하였다.

일부 천주교 신자들은 안중근의 순국일인 1910년 3월 26일 명동성당에 모여 안중근을 위한 기도회를 열었으며, 안중근을 위해 의연금 2천 환을 모으기도 하였다. 또한 일단의 개신교 신자들도 안중근의거를 찬양하였다. 특히 이화 학당의 학생들은 이토의 추도회에 참석하였으나 이토를 위한 묵념을 거부함으로써 안중근의거를 기렸다. 그리고 유생들은 이토를 비난하는 격문을 각국 영사관에 보내어 안중근의거를 상찬하였다. 또한 홍은희와 춘천공립중학교 상록회의 예에서 보듯이 안중근은 학생들의 정신적 지주로 존재하였던 것이다.

한국 황실과 정부는 이토의 장례식에 대표단을 파견하는 소동을 벌였다. 요컨대, 한국 황실과 정부는 안중근의 이토 처단으로 발생한 양국의 외교문제 즉, 일본의 한국병탄문제와 황태자의 신변안전 문제를 한국사의 발전이라는 측면에서 접근하지 않았다. 오히려 한국 황실은 이 문제를 정권안보차원에서 이토의 장례식에 각계의 대표를 파견하여 해결하려고 하였다. 반면, 일제는 자신들의 한국병탄 계획을 숨기기 위하여 한국 대표단과 한국 황태자에게 최대한의 호의를 베풀어주었다. 이러한 일제가 조문단을 호의적으로 대한 진의를 한국 황실과 정부는 일제의 한국병탄 계획과 관련하여 파악하지 못하였다.

민간의 부일적인 인사들은 소위 국민사죄단 파견을 시도하였다. 이를 보는 일제는 이들이 국민사죄단 파견을 구실로 사욕을 채우려고 할 뿐만 아니라, 일제의 한국침략 정책에 방해가 된다고 단정하여 결국 파단조치를 취하였다.

또한 이들은 이토 추도회를 개최하고 송덕비 건립을 추진하였다. 일제는 이토 추도회에 부일관료와 일제 당국자가 학생들을 강제적으로 참여시키는 등 당시 한국의 잠재적인 반일세력을 없애려는 의도를 드러냈다. 이토 송덕비 건립을 추진한 부일세력의 안중근의거에 대한 인식은 재한일본인의 그것과 같은 선상에 있었다. 그리고 이들의 이토 추도회 개최와 송덕비 건립소동에 대해 일제는 국민사죄단의 경우와 같이 비판적인 인식을 갖고 있었다.

이상과 같이 안중근의 의거에 대해 부일세력은 그들의 기득권에 대한 전면적인 도전으로 받아들였다. 게다가 그들은 자신들의 기득권을 지키기 위해 더욱 일제에 충성을 보이는 수단으로 안중근과 그의 의거를 악용하고 이토를 광적으로 추도하였다. 이러한 부일세력의 안중근의거에 대한 인식은 하루 아침에 형성된 것이 아니라 사적(史的) 궤적 위에서 이루어진 것이다. 또한 안중근의거는 한국이 일제의 식민지로 전락하기 직전, 사적(史的) 의미를 내포한 바로미터로 작용하였던 것이다.

말하자면 안중근의 의거는 당시 조선인에게 독립운동이냐 매국활동이냐는 선택의 길을 제공하였던 것이다. 그리하여 안중근의거에 대해 긍정적인 시각을 갖고 있던 세력은 해외로 망명하여 독립운동을 지속하였고, 부정적인 시각을 갖고 있던 세력은 일제의 주구가 되어 한국을 일제의 먹이로 바치기까지 하였던 것이다.

이러한 배경 속에서 황현·박은식·정교·김창숙·조희제·안현생·안학식 등이 안중근 전기류를 간행하여 안중근을 한국역사 속의 영원한 '영웅'으로 자리 매김하고 있는 것이다.

차례

발간사 • 5

편찬사 • 19

『한국인 집필 안중근 전기 Ⅲ』 해제 • 23

한국인 집필 안중근 전기 Ⅲ

한국인 집필 안중근 전기 Ⅲ 번역본

① 대한계년사 중 안중근 기사 | 정교 ········ 3
② 매천야록 중 안중근 기사 | 황현 ········ 44
③ 기려수필 중 안중근 | 송상도 ········ 53
④ 삼한의군 참모중장 안중근전 | 백산포민(박은식) ········ 63
⑤ 염재야록 중 안중근 해주 | 조희제 ········ 77
⑥ 안중근의사 따님의 수기 | 안현생 ········ 83
⑦ 안중근의사 전기 | 안학식 ········ 94

韓國人 執筆 安重根 傳記 Ⅲ 脫草本

① 大韓季年史 中 安重根 記事 | 鄭喬 ········ 149
② 梅泉野錄 中 安重根 記事 | 黃玹 ········ 171
③ 騎驢隨筆 中 安重根 | 宋相燾 ········ 177
④ 三韓義軍 參謀中將 安重根傳 | 白山逋民(朴殷植) ········ 181
⑤ 念齋野錄 中 安重根 海州 | 趙熙濟 ········ 189
⑥ 안중근의사 따님의 수기 | 안현생 ········ 192
⑦ 安重根義士 傳記 | 安鶴植 ········ 202

한국인 집필 안중근 전기 III 원본(原本)

① 대한계년사 중 안중근 기사 | 정교 ······ 460
② 매천야록 중 안중근 기사 | 황현 ······ 394
③ 기려수필 중 안중근 | 송상도 ······ 372
④ 삼한의군 참모중장 안중근전 | 백산포민(박은식) ······ 360
⑤ 염재야록 중 안중근 해주 | 조희제 ······ 354
⑥ 안중근의사 따님의 수기 | 안현생 ······ 347
⑦ 안중근의사 전기 | 안학식 ······ 333

한국인 집필 안중근 전기 Ⅲ

번역본

범례

- 이 책은 제11권 제12권에서 누락된 박은식의 『삼한의군 참모중장 안중근전』, 조희제의 『안중근전』, 안학식의 『안중근의사』 등의 전기류와 황현의 『매천야록』, 정교의 『대한계년사』중의 안중근관계 기록 그리고 안중근 딸 안현생의 「안중근 딸 안현생 수기」를 탈초 번역한 것으로 제목을 『한국인 집필 안중근 전기 Ⅲ』이라고 하였다.
- 이 책은 크게 번역본, 탈초본, 원본으로 구성되어 있다.
- 번역본의 인명과 지명은 그 나라의 발음을 따랐다.

1 대한계년사 중 안중근 기사

정교

안중근이 이토 히로부미를 하얼빈에서 죽이다

이 때, 일본이 청국과 협약을 맺어 만주의 길림과 회령 사이의 철로부설권을 얻으니 안동현으로부터 봉천에 이르기까지 청국 인민들이 떠들썩하였다. 미국정부의 항의가 있었다. 러시아는 길림 철도선에 대해서 경쟁하는 마음으로 청국에 조남철도 부설권을 요구하여 러시아 대장대신이 극동 시찰을 위해 하얼빈에 왔다.[1]

히로부미(博文)는 만주 일을 밀약하기 위해 가서 만나고자 하여 기차를 타고 26일[2] 오전 9시에 하얼빈에 도착하니 러시아 대장대신이 열차 내로 예방하여 약 20분 동안 서로 담화한 뒤에 하얼빈 주재 일본영사인 무라카미[3]의 인도로 열차에서 내리니 청나라 러시아 두 나라 군대 및 문무관, 각국의 외교관 그 밖에 인민들이 모두 그를 환영하였다.

히로부미가 걸어서 그 앞으로 가서 차례대로 악수를 하고 일본사람들이 도열한 곳으로 돌아오는데 갑자기 러시아 군대가 정렬한 곳에서 우리나라 사람 안중근이 7연발 권총을 세 발을 발사하여 첫 번째 탄환은 히로부미를 맞추었고 두 번째 탄환은 일본영사의 오른쪽 팔과 가슴부위를 맞추었으며 세 번째 탄환은 비서관인 모리 카이난(森槐南)의 오른쪽 팔과 가슴부위를 맞추었고 마지막으로는 만주철도이사인 일본인 타나카(田中)의 오른쪽 발을 맞추었다.

철도총재인 나카무라 제코(中村是公)가 이토를 안아서 일으켰고 러시아 관리들이 그를 보호하여 열차내로 되돌아갔다. 일본의사 고야마(小山)가 붕대로 그를 싸매고

1 러시아 영토이다.
2 음력 9월 13일이다.
3 카와카미(川上).

다른 의사와 같이 러시아 병원으로 갔다.[4] 그 의사와 같이 그를 급히 치료했으나 30분이 지나서 결국 죽으니 곧 오전 10시이다. 중근은 양복을 입었고 총을 쏜 것은 6발인데 겨우 1분에 불과하였다.

3일전에 히로부미가 오다(小田)라는 기사(技師)에게

"나는 다른 사람에게 암살되는 것이 본래의 바람이다."

라고 했는데, 결과적으로 그 말과 같이 됐다. 탄환에 맞았을 때 첫 번째 탄환은 오른쪽 팔 위쪽1/2부분으로부터 오른쪽 갈비를 관통하여 심장 아래 부분에 박혔고 두 번째 탄환은 5번 갈비뼈로부터 흉부를 관통하여 6번 갈비뼈에 박혔고, 세 번째 탄환은 상박 가운데를 관통하였다.

히로부미는 탄환에 맞은 뒤에 열차 내에 앉아서,

"탄환을 많이 맞았다."

라고 하였다. 러시아 대장대신이 와서 위문하자, 히로부미가

"아아 한국을 위해서…"

라고 하며 말을 맺지 못하고 신음하다가 모리 카이난(森槐南)도 역시 탄환을 맞았다는 것을 듣고

"모리 역시 맞았는가?"

라고 하다가 드디어 죽었다. 러시아 관리들이 곧 중근을 체포하여 엄중히 조사한 뒤에 일본영사에게 송치하였다.

이 때 히로부미가 탔던 열차는 경계가 엄중했는데 25일 밤에 서하(西河)를 지날 때에 우연준과 조도선 두 사람이 권총을 지니고 있다가 곧 포박된 것을 보았다. 중근이 원산으로부터 블라디보스토크를 경유해서 25일 오후 7시에 하얼빈에 왔다고 말했는데 체포되었을 때 안색이 태연하였다.

히로부미의 시신은 26일 오전 11시에 하얼빈을 떠나 오후 5시에 장춘에 도착했는데 러시아 공사 이하 여러 관리들이 모두 상복을 입고 조문하며 떠나보냈고 장춘에 도착하자 일본인들이 히로부미가 죽었단 말을 듣고 놀라지 않는 사람이 없었다.

일제는 시종 및 시종무관을 파견하고 급히 군함을 대련만으로 보내어 그 시신을

---

4 편역자: 이토는 기차 안에서 10수 분 만 후에 숨졌다(신운용 편역, 「넷째 날의 공판」, 『안중근·우덕순·조도선·유동하 공판기록-안중근사건 공판속기록』(안중근 자료집 10), (사)안중근평화연구원, 2014, 175쪽). 대출혈로 10수 분 만에 절명하였다.

맞이하였다. 우리 황태자는[5] 또한 무관 김응선을 시켜서 오이소(大磯)에 있는 히로부미의 집에 가서 그 처인 우메코(梅子)[6]에게 조문하도록 하였다. 다시 그에게 대련만으로 가도록 하였다.

이 날로부터[7] 일본 헌병 한명이 이완용의 사저를 지켰고 통감부 역시 엄히 경계하였다. 송병준(宋秉畯)은[8] 일본정부에 순사 3명을 요청하여 그 여관을 지키게 하였다.

27일 황제께서 전문으로 일본황제에게 히로부미의 상을 조문하고 시종원경 윤덕영(尹德榮)을 파견하였고 태황제께서는 승녕부총관 조민희(趙民熙)를 칙사로 삼아 대련만으로 가서 위문케 하였다. 총리대신 이완용은 내각대표로서 또한 갔다. 한성부민회장인 유길준은 부민대표로서 또한 갔다.

28일 오전 10시에 의왕(義王)께서 통감부에 갔고 오후 2시에 각부(各府)·부(部)·원(院) 청(廳)의 주임관(奏任官)이 또한 통감부로 가서 히로부미의 죽음을 조문하였다. 오후 3시에 황제께서 통감부로 거동하시어 위문하셨다. 조서를 내려 건원절의[9] 여러 신하에게 내리는 연회를 중지시켰고, 히로부미에게 문충(文忠)이라는 시호를 내렸다. 조서를 내려 조정과 시장을 3일간 열지 못하게 하였다. 내부대신인 박제순이 조서를 받들어 13도에 훈령을 보냈다.

이날 완용 등은 오전 10시에 대련에 도착하였다. 히로부미의 시신을 실은 군함이 이미 출발했기에 급히 뒤쫓아 삼산도(三山島) 앞바다에 이르러 선상에서 칙서를 전하여 조문하고 오후 1시에 귀항하여 29일에 귀국하였다.[10]

일본은 히로부미에게 종1위를 추증하고 조서를 내려 그를 국장으로서 장례를 치르도록 하였다. 같은 날 히로부미의 시신이 그 나라로 돌아갔다.

29일 우리 내각이 20만환을 히로부미의 상례와 장례비로 주었고 다시 제사비용 3만환을 주었으며 30일에 황제께서 궁내부대신인 민병석을 칙사로 보내고 태황제께서는 승녕부 부총관인 박제빈(朴齊斌)을 히로부미의 장례가 열리는 오이소로 보냈다. 농상공부 대신 조중응(趙重應)은 내각대표로서 갔다.[11] 31일에 유길준이 또한 그

5 이 때 일본 동경에 있었다.
6 이 때 그 아들인 히로쿠니(博邦)는 대련에 갔었다.
7 곧 26일이다.
8 당시 일본 동경에 있었다.
9 30일이다.
10 유길준도 같이 돌아왔다.
11 중응은 은제화병 한 개를 히로부미가(家)에 증여하였다.

곳으로 갔다.

11월 1일[12] 제국신문사장[13] 정운복(鄭雲復)[14]이, 국민신문사는[15] 사원 한 사람이 각 신문의 대표로서 또한 갔다. 일진회의 전부회장인 홍긍섭(洪肯燮)은 그 회의 대표로 또한 갔다.[16]

같은 날[17] 병석(丙奭) 등이 일본 동경에 갑자기 도착하였기 때문에 준비를 하지 못하여 전화로 궁내성과 통화를 하고 마차를 빌려서 일본황제를 알현하고 서양식 호텔에 유숙하였다. 이 때 시민들과 여론이 들끓어서 히로부미를 암살한 일로 한국의 고위층을 내쫓자면서 이번 특파사자에게 당장 원한을 씻어야 한다는 글들이 우편으로 호텔로 그 수를 헤아릴 수 없이 왔다. 경찰관의 경호가 극히 엄중했고 큰 일이 없이는 외출을 허락하지 않았다. 병석 등은 사지에 있는 것과 같아서 우리 황제의 친히 쓴 국서도 또한 궁내성 대신에게 전하여 겨우 히로부미의 장례에 참석할 수가 있었다.[18]

4일[19] 황제께서 통감부에 가시어 히로부미공의 추도회에 참석하였고, 황태자는[20] 상복을 입고 그 장례에 갔다. 같은 날 황제께서 조서를 내려 히로부미의 공을 내각 및 부민(府民)들에게 찬양하였다. 관민대추도회를 장충단에서 개최하여 발기인 이완용 및 각부대신과 여러 관리, 의왕, 영선군 이준용, 여러 황족 및 궁내부의 크고 작은 관리, 한성부민회장대판주회장 윤효정이[21] 참석하였다.

윤효정은 억지로 경성 내외 각방곡(坊曲) 임원 및 의원, 인민으로 하여금 추도회에 참여하도록 하였다. 학부대신 이용직이 훈령과 칙령을 내려 억지로 관립 사립학교의 직원들이 그 학도들을 인솔하고 와서 참여하도록 하였다. 각 신문사는 신문발행을

---

12 음력 9월 19일이다.

13 광무 2년 경성인민소(京城人民所)에서 설치한 것이다.

14 이 때 갔다. 운복이 일본인을 만나, "일본은 마땅히 한국을 합병해야 한다."라고 하니 일본인은 곧 신문에 게재하였다. 뒤에 국민대연설회에서 그(중근의) 죄를 성토했는데 군중연설을 한 운복은 또한 일본인의 돈을 받고 그 정탐이 된 자이다. 나라가 망할 때까지 또한 그와 같았다.

15 일진회에서 만든 것이다.

16 긍섭은 은제화병 한 개를 히로부미의 집안에 기증했고 송병준과 같이 밀약을 하였다. 한일합병의 성명서를 포고할 일이다.

17 곧 11월 1일이다.

18 9일에 병석 등은 돌아왔다.

19 히로부미의 장례 날이다.

20 일본에 있었다.

21 이 때 유길준은 히로부미의 장례일에 맞추어 일본에 머물고 있었다.

중지하고 거기에 참석하였다. 경시청은 다섯 군데의 경찰서로 하여금 인민들에게 반기를 대문에 내걸게 하고 깃대를 삼베로 싸서 조의를 나타내게 하였다.

내부대신 박제순은 한성부 및 13관찰도에 훈령을 내어 학교를 하루 쉬도록 하고 또한 노래와 음악을 금지하였다. 장춘단 남쪽 기슭에 흰 베로 된 장막을 설치하고 안에 '태자태사 대훈위 문충공[22] 공작이토히로부미 전하 신위'라고 쓰인 히부미의 위패를 안치하였는데 그 앞에 제물상과 향탁(香桌)을 진설하고 제물은 곧 우리나라의 옛 예법대로 밥과 국, 술과 과일, 포와 젓, 국수와 떡, 소채, 물고기와 고기 등○○의 제물을 전후좌우에 늘어놓고 혹은 붉은 비단의 등롱(燈籠)을 걸거나 꽂아두었는데 황후께서 궁녀 6명에게 가서 거기에 참례토록 명하였다.

관리와 백성 및 군대, 학생이 온자가 7~8천명이었다. 완용과 각(閣) 원(院) 청(廳)의 관리들이 위패 앞에 나아가면 음악을 연주하고 완용이 국궁(鞠躬)하고 향을 사르고 잔을 올리면, 제문위원이 완용 등의 제문을 읽은 뒤에 완용과 각 대신 및 관리들이 국궁례를 거행하고 물러났다.

의왕 및 이준용 이하 여러 황족관리 등은 위패 앞의 자리에 나아가면 음악을 연주하고 시종경 윤덕영이 국궁하고 분향하고 잔을 올리면, 덕영 등의 제문을 읽은 뒤에 덕영과 여러 황족, 궁내부의 관리들이 국궁례를 행한 뒤에 물러났다. 윤효정과 선비들이 자리에 나아가면 음악을 연주하였다.

효정이 국궁하여 분향하고 잔을 올리고, 효정 등의 제문을 읽은 뒤에 효정과 선비들이 국궁례를 행하고 물러나면 음악을 연주하였다. 군대가 위패에 경례를 행하고 물러나면 음악을 연주하고, 각 학교의 직원과 학도들이 위패에 경례를 행하고 물러나니 집사가 그 위패를 사르고 철상하고 제문이 자못 많았으나 그 번잡하고 중복된 것은 없애고 다만 세 통을 사용했는데 모두 히로부미의 공을 극찬한 것이었다. 5일에 그 제물을 각 관청에 나누어 보냈다.

---

22 이상은 우리 조정에서 내린 것이다.

11월 일본이 안중근을 여순에 있는 관동도독부 고등법원으로 송치하다

하얼빈 일본영사가 헌병 11명과 순사 3명을 보내 안중근을 호송하였다. 2일 밤에 중근과 연루자 8명이 봉천을 지나 여순에 보내졌다. 중근은 키가 작고 몸집은 작지만 얼굴이 수려하고 의기 있는 기상이 안색에 넘쳤고 곰보자국이 있었으며 양복을 입었다.

특별호송 제2등 열차에 앉아있었는데 그 차안에는 일본헌병과 순사가 가득했고 모든 정차장을 그대로 지나쳤다. 많은 일본헌병과 순사가 객차를 둘러싸고 경계를 엄히 하였다.[23]

3일 아침에 중근은 여순에 도착했는데, 순사 3명이 각각 중근 등을 따랐다. 한 명은 등 뒤에서 포승을 잡고 두 명은 좌우에서 팔을 부축하였다. 특별히 중근과 한 사람은 다시 각각 헌병이 뒤따랐다. 한 대의 마차에 나누어 태우고 시가지를 거치지 않고 산길로 돌아서 곧바로 그곳의 감옥서로 보냈는데 길을 따라서 순사들이 총을 메고 엄히 경계하였다. 중근은 태연자약하였다.[24]

일본관동도독부 고등법원장인 히라이시(平石)와 검사인 미조구치(溝口)[25] 등이 늘 하얼빈에 머물러있으므로 정식 예심을 시행치 못하고 다만 경찰조사만 시행하니 이는 곧 참모장 아까시(明石), 정무국장 쿠라치(倉知)가 입회한 것을 말한다.[26] 중근의 아우 정근 나이가 26세인데 올 봄 경성의 양정의숙[27]에서 수업하였다. 공근은 나이가 22세인데 진남포 공립보통학교 판임 4등 훈도의 관직에 임명되어 7급의 봉급으로 일가의 생계를 유지하며 지냈다. 그 형의 일을 듣고 관직에 있기가 불안하여 사직하였다.

16일에[28] 전보가 전해졌다. 중근이 하얼빈으로부터 대련만으로 호송될 때 기차 안에서 일본 순사들을 꾸짖으며,

"너희들은 마땅히 지사로서 나를 대접해라. 너희들의 손을 내 신성한 몸에 대지

---

23 대련만 전보에 근거한 일본 오사카 매일신보.
24 여순 전보에 근거한 오사카 매일신보.
25 편역자: 미조부치(溝淵).
26 13일 대련 전보.
27 상촌인(上村人)이 만든 곳으로 법률을 가르쳤다.
28 음력 10월 4일이다.

마라."

라고 하였다. 옥중에 있으면서도 태연히 숙면을 하니 사람들이 모두 그 대담무쌍함에 놀랐다. 여순 임시 법정은 밤낮없이 엄히 심문하였는데, 그 심사 서류는 한문·러시아어·일문으로 작성하여 몇 시렁이 쌓였다. 앞으로 하나하나 번역 조사하려면 또한 많은 돈을 들여야 하였다.

국내 각지 및 연해주·하얼빈·상해 등지에서 수집한 전보, 조회문자가 각지로부터 매일 몇십 매씩 도착하였다.[29]

여러 사람이 얘기를 할 때 처자의 일에 이르면 슬퍼서 눈물을 흘리며 고향을 생각하는 자도 있었지만, 오직 중근은 우국지사는 처자를 생각지 않는다고 여기고 암살을 한 것은 다른 관계자가 없고 오직 자기 한 사람의 의사라고 하였다. 평소에 술을 좋아했으나 2~3년 전부터 한국이 독립하기 전에는 마시지 않겠다고 맹세하였다.[30]

중근이하 8명의 연루자는 예심을 마치고 지방법원장 마나베(眞鍋)가 직접 그 서류를 심사하는데 그 범행의 자취가 매우 넓어서 북한 방면은 오히려 지금도 계속 취조를 하고 있다.[31]

중근의 두 동생은 만주에 있는 통감부의 사카이(境) 경시 1인, 우리나라에 있는 평복 통역순사 1인, 대련만에 있는 평복 순사 3인과 같이 18일 밤에 여순에 가서 그 형과 만나서 형을 위해 옥 밖에서 주선하는 일, 노모를 봉양하고 형의 처자를 데리고 귀국하는 일을 상의하였다. 여순에 있는 일본인 관리에게 요청하여 형의 처자가 러시아의 포그라니치나야에 있다는 것을 듣고 두 사람이 그곳으로 갔다. 두 사람은 모두 일본어에 정통했는데 일본인 여관에 유숙하였다.[32]

이 때 경성 사람으로 중근의 일로써 혐의를 받는 자들이 경시청에 체포된 사람들이 매우 많았으나 모두 무죄로 석방되었다. 오직 평안사람 안창호가 용산일본군 사령부에 수감되었으나 병이 있어서 2~3일 사이에 보석으로 석방되었다. 창호는 어렸을 때 예수교에 들어가 경성에 머물다가 뒤에 미국 유학했는데, 천하의 대세 및 국가가 장차 망한다는 것을 알고 비분강개를 견디지 못하였다.

---

29 일본이 조선의 나날을 신문에 게재한 것과 12월 2일에 우리 황성신문에 실린 것이다.
30 오사카 매일신문에 게제된 것과 12월 5일 황성신문에 실린 것이다.
31 10일 일본 동경 전보.
32 오사카매일신보, 23일자 황성신문에 실려 있다.

원년[33]에 귀국하여 혹은 사회연설에 가고 혹은 사람을 마주하여 하는 말이 반드시 격렬하고 간절하며 기울어가는 위험에 처한 나라의 구국을 권유하였다. 일본인들이 그를 매우 꺼렸고 때문에 그를 수감한 것이었다. 창호가 큰소리로 꾸짖으며,

"너희들이 까닭 없이 한국의 지사를 죽이려고 하느냐?"

라고 하며 곧 땅에 쓰러져 기절을 하니 일본인이 그의 친구를 불러서 그를 데리고 나가도록 하여 보석으로 석방하였다고 하였다.[34]

일본인 변호사 기시(志士), 영국인 변호사 더글라스가 모두 중근을 변호하기를 원했으나 더글라스가 정당하게 하겠다고 맹세했기에 중근도 또한 그것을 허락하였다.[35]

중근의 일에 연루되어 여순의 일본인 감옥에 수감된 7명이 먼저 무죄로 석방되었다. 김여수·김성옥·김형재·탁공규는 24일에 무죄로 석방되니 일본인 순사 두 사람이 하얼빈으로 호송하였다.[36]

중근이 두 아우가 왔다는 것을 듣고

"그들이 나를 보고자하면 그들을 볼 것이나 나는 결코 보고 싶은 마음이 없다."

라고 하였다. 감옥관의 허가를 얻어 서로 만났다. 공근이 목놓아 우니 중근 또한 그 심사를 억제하지 못하고 기운이 없어 얼굴에 붉은 기운이 드러났다. 잠시 후에 세 사람이 모두 조용하고 평온한 모습으로 서로 마주하였다.

두 아우가 먼저 그 어머니가 준 십자가를[37] 중근의 머리 위에 두고 어머니의 말을

"나는 지금 세상에서 다시는 너의 얼굴 보기를 기대하기 어렵다. 너는 이후로 신묘한 형벌에 나아가면 빨리 현세의 죄악을 씻고 반드시 내세에는 착한 하느님의 아들이 되어 다시 세상에 태어나거라. 네가 형을 받을 때, 신부[38]가 너를 위해 특별히 먼 길을 비틀거리며 건너갈 너의 몸을 대신하여 참회를 올릴 것이다. 너는 그 때에 신부 손아래의 의식에 의지하여 조용히 현세를 떠나거라."

라고 전하였다.

---

33 편역자: 1906년.
34 창호가 보석으로 석방된 일은 25일자 황성신문에 실려 있다.
35 28일자 황성신문에 실려 있다.
36 네 사람은 우리나라 사람으로 하얼빈에 이주한 사람이다.
37 중근의 어머니는 가톨릭에 들어갔다.
38 중근에게 세례를 준 프랑스 선교사.

중근이

"맹세코 가르침을 따르겠습니다."

라고 대답하였다. 그 뒤에 두 아우가 형수 모자를 데리고 귀국한 뒤의 일을 묻자 중근이 차갑게 웃으며,

"보잘 것 없는 처자식은 너희들이 편리한 대로 조처해라."

라고 하였다.[39]

이에 앞서 남궁억(南宮檍)이 황성신문의 사장이 되어 주필 장지연과 함께 김영준·이용익·이근택 무리의 극악무도한 일을 하나도 게재하지 않을 것을 의논하였다. 이에 사람들이 정부에 아첨하는 것을 모두 욕하였다. 남궁억은 평소 일진회원인 한석진과 가장 친했는데 비록 그 회에는 들어가지 않았지만 그 소식을 몰래 모두 알 수가 있었다.

신기선이 참정이 되자[40] 기선 또한 일진회와 밀통을 했는데 석진이 드디어 궁억을 기선에게 추천하여 관제이정소위원(官制釐定所委員)에 임명되었다. 지연은 평소에 탐욕하고 인색하여 남의 뇌물을 받고서야 그 일을 신문에 게재하였다.

5조약이 체결되었을 때 사원 유재호(劉在護)[41]가 지연에게 조약의 전말을 신문에 실자고 권하니 지연이 두려워 겁을 먹고서 감히 못하다가 재호와 다른 사원들이 여러 번 말을 하니 그것을 게재하고 제목을 "시일야방성대곡(是日也放聲大哭)"이라고 하였다.

이것으로 지연은 경무청에 수감되었다. 하지만 오래지 않아 석방되었고 드디어 주필을 사직하였다. 유근은 전에 지연을 대신하여 무릇 의병의 일을 게재할 때는 반드시 폭도라고 칭했는데[42] 안중근·이재명을[43] 반드시 행흉자, 혹은 흉범이라고 게재하니 세상 사람들이 침을 뱉으며,

"비록 '행자자(行刺者)', 혹은 '자객'이라고 쓴다하더라도 불가한 것은 아니지만 어찌 그렇게 일본인과 이완용의 무리에게 아첨하는 것이 심한가?"

라고 욕하였다. 근은 대략 문자를 해독하지만 본성이 시기심이 많고 험악하여 무

---

39 오사카매일신보를 베낀 것과 28일자 황성신문의 기사에 근거하였다.

40 광무 8년에 있었던 일이다.

41 전탁지부주사이다.

42 이 때 다른 신문은 그것을 게재할 때 "의병" 혹은 "의비"라고 하였다.

43 사건의 상세한 것은 아래를 보아라.

릇 국민들이 조금 칭찬을 하지만 세력이 없는 사람은 반드시 신문에 게재하여 그 흠결을 논하였다.

이 때 일진회원 대구군 지방의원[44] 윤대섭(尹大燮)과 그 무리 김영두(金榮斗)가 신녕[45] 지방위원 황응두(黃應斗)가 송병준·이용구의 은밀한 부탁을 받고 급함을 알리는 글을 각 도, 각 군에 내어서,

"흉도인 안중근이 이토태사를 암살하여 한일 양국의 우의를 크게 해쳤으니 우리 인민들은 마땅히 일본으로 건너가 사죄의 뜻을 일황폐하에게 글을 올려 두 나라의 우의와 친목을 배가해야 한다. 각 군에서 만중대표 각 1인을 선출하여 속히 경성으로 가야 한다."

라고 대략 알렸다. 이에 13도, 70여 군의 지방의원 11월 30일에 경성의 사동 임시회의소에 모여 13인을 선출하고 사죄단이라고 하여 일본에 건너가겠다고 내부 및 경기청에 청원하였다. 12월 6월 경시총감인 와카바야시 라이조(若林賚藏)가 대섭과 영두를 불러 그 뜻을 묻고 황실칙사, 정부특파, 사회대표 등이 이미 이토공작에게 문상 조문하였으니 당신들이 번거롭게 다시 갈 것은 없다고 타일렀다.

대섭 등이 굳이 요청하니 라이조는 다만 이토의 앞에 가서 조문하는 것만 허락하였다. 여러 회원들이 사죄라는 두 글자는 쓸 수 없지만 다만 추도회를 설치하는 것은 가하다고 하여 이로써 편지를 통감부에 바쳤다. 대섭과 그 사위인 청하(淸河)[46] 지방위원 도태인(都太仁)이 모의하여 회원 6명을 꾀어 밤에 회의 문서를 훔쳐갔다. 여러 회원이 비로소 대섭이 일진회원인 것을 알고 그 회에서 축출하였다.

16일에 선천[47] 지방위원 계응규(桂膺奎) 등 3인이 가서 응두를 만나보고 그를 꾸짖고 그 대표 인민 사죄단 위임장을 빼앗아가지고 왔다. 대섭·응두 등은 다만 경상북도 인민대표 위임장만 가지고 18일에 일본으로 갔다.

21일에 응규 등 13명이 사죄하는 일로 일진회원에게 위임한 적이 없다는 것을 황성신문에 게재하였다.[48] 27일 응규 등 7인이 각도 인민대표로서 이토 히로부미의 추도회를 흥인문 밖의 영도사에서 거행하였다.

---

44 원년에 탁지부가 각 군에 지방위원 1명을 두었다.
45 경상북도에 속하는데 경성까지의 거리가 640리이다.
46 경상북도에 속하고 경성까지의 거리가 810리다.
47 평안북도에 속하고 경성까지의 거리가 910리다.
48 편역자: 『皇城新聞』1909년 12월 26일자, 「其維罪員乎」.

4월[49] 6일 밤에 대섭·응두 2인이 일본 신바시(新橋)역에 도착했고 8일에 히로부미의 묘에 가서 사죄문을 고하니 히로부미의 집안사람이 맞이하여 연회를 열어 대접하였다. 14일 이 두 사람은 돌아왔다.

11월 1일 상무조합소[50] 소장 전 도사(都事) 이학재는 비석을 세워 이토 히로부미의 공덕 칭송을 위해 송덕비건의소(頌德碑建議所)를 설립하였다. 각 대신(大臣) 및 다른 재상들에게 글을 보내어 의연금 부탁을 하였다.

11월 5일 전 판서 민영우(閔泳雨)와 이민영(李敏英) 등 20여 명은 이토 히로부미의 공덕을 밝히고자 동상 건립 건으로 동아찬영회(東亞讚英會)를 설립하였다. 각 대신 및 신사들에게 글을 보내어 역시 의연금을 부탁하였다. 감사원경(監査院卿) 장석주(張錫周)[51]가 총재가 되었고, 장석주는 이 일에 진력하였다.

11월 16일 경시청에서는 이학재와 민영우를 불러 그 운영비용과 비석을 세우고 동상을 만들 장소를 물었다. 이에 두 사람은 모금 기간 10개월, 운용비용 14만 환, 장소는 북부 순화방(順化坊)으로 80여 칸의 비각을 세우고 4만 환을 들여 동상을 일본에서 제작할 예정이라고 답하였다.

11월 18일 이학재 등은 동상 제작을 논의하여 정하였다.

안중근이 일본인에게 죽임을 당하다

1월 초 일본 여순법원이 중근을 예비조사 하였는데 그 연루자가 20여 명 이었고, 신문조사와 다른 관계서류가 3,000여건에 이르렀다. 평양의 변호사 안병찬이 중근의 변호를 위하여 내각에 글로 고하여 허락을 받고 그 재산을 쏟아서 여비 100환을 마련하고 편지를 일본 이사청(理事廳)에 보내 여행권을 얻어 11일에 여순으로 출발하였다.

같은 군(郡) 신사 송재엽(宋在燁)이 스스로 여비를 마련하여 동행하였다. 17일에 병

49 편역자: 1월이다.

50 이에 앞서 등짐장수 잔당들이 이 조직을 설립하였다.

51 장박(張博)은 원래 함경도 출신의 천인으로 양반을 부러워하였다. 자신의 아버지와 할아버지 윗대의 신주를 모시고 영남의 옛 정통 유학자 여헌(旅軒) 장현광(張顯光) 선생의 계통을 이은 양자 자손의 양자가 되어 이름을 장석주라고 하였다. 사람들이 모두 그를 비웃으며 침을 뱉었다.

찬이 여순에 도착하여 일본 관동도독부와 고등법원, 지방법원, 여순 민정서, 경찰서 관리 및 그 밖에 변호들을 두루 방문하여 만나보고 안중근 재판을 변호하는 일로 온 뜻을 얘기하고 법원장이 오기를 기다렸다.[52] 안정근이 여비 50환을 경성 변호사회에 부치고 변호사 한 사람을 보내주기를 요청하였다. 그 회의에서 변영만(卞榮晚)을 보내기로 결정하였다.[53]

2월 2일[54]에 정근이 영만에게 전보를 보내,

"일본이 우리나라 변호사를 허락하지 않으니 번거롭게 오지 말라."

라고 하였다. 이 때 안중근 변호를 일본 여순고등법원에 청원한 각국 변호사는 러시아인이 두 사람, 영국인이 두 사람, 스페인 사람이 한 사람, 우리나라 사람이 둘인데 한명은 안병찬이고, 한명은 병찬의 사무원인 고병은(高秉殷)이었다.

27일에 법원장이 일본으로부터 돌아와서 각국 사람들은 모두 일본어에 능통하지 못하여 재판에 불편함이 있다고 하고, 다만 일본인 변호사만 허락하였다.

2월 1일 정오에 병찬·병은, 중근의 아우 정근·공근이 중근을 면회하려고 하니 일본검찰관·전옥·통역 등이 입회하였다. 검찰관이 안병찬에게

"당신이 중근을 변호하기를 원하지만 우리 법원이 외국인 변호사를 허락하지 않고 우리나라 사람을 선임했으니 당신이 재판에서 우리 변호사를 시켜서 당신의 뜻을 진술하라."

고 하였다. 이에 병찬이

"대저 사람은 자기의 신체와 명예의 권리를 지키기 때문에 임의로 그 변호를 정하는 것이다. 지금 중근은 중죄라서 그 변호사로 선임하기를 원하는데 무슨 까닭으로 선임하지 않고 원하지 않는 변호사를 선임하느냐?"

라고 하였다. 검찰관이

"서양 변호사 또한 허락하지 않았으니 길게 얘기할 것 없다."

라고 말하고, 중근을 접견하게 하였다. 병찬이 그 어머니의 말을

"이 세상에서는 당신 모자가 다시는 서로 만날 수가 없으니 그 정황이 어떻겠는가?"

---

52 법원장은 이 때 일본에 있었다.
53 전 주사이고 나이가 가장 젊은 사람이다.
54 음역 12월 23일이다.

라고 전하며,

"내가 여기 와서 내 바람을 이루지 못했으니 개탄스럽다."

라고 하였다. 중근이

"당신이 나를 위해 먼 길을 왔으니 몹시 감격했습니다. 청컨대 당신은 재판 전에는 돌아가지 마십시오."

라고 하였다. 그 아우가 다시

"일본인이 안병찬의 변호를 허락하지 않았다"

라고 하니, 중근이

"내가 살기를 구하는 것이 아니지만 이 뱃속에 가득한 감회를 누가 있어 밝혀주겠는냐?"

라고 하며 또 두 아우에게

"내가 죽은 뒤에 하얼빈 공원 부근에 매장해라."

라고 하였다. 병찬이

"당신의 이름을 응칠이라고 하는 것은 무엇 때문인가?"

라고 물었다.[55] 이에

"내가 태어난 3일 뒤에 조부께서[56] 태속에 바둑알만한 큰 검은 사마귀가 일곱 개 있는 것을 보시고 북두칠성에 응감한 것이라고 여겨서 아명으로 명하신 것인데 내가 외국에 있을 때 이로써 불렀소."

라고 (중근이) 대답하였다.

"그 사마귀는 아직도 있소?"

라고 안병찬이 물으니,

"그렇소."

라고 대답하였다. 병찬이 중근에게 육법전서 한 권을 주었다. 오후 3시에 병은 등과 같이 돌아와 여관에 왔을 때 병찬이 눈물을 흘리다가 피를 토하고 기가 막혔다. 같이 유숙하던 사람이[57] 놀라고 두려워하며 곧 일본의사를 청해다가 그를 치료하였다.

---

55 이 때 안중근의 이름은 응칠이라고 불렀다.
56 이름은 인수이다.
57 곧 병은, 정근, 공근인데 이 때 일본순사 한 사람이 와서 그 여관을 지켰다.

같은 날 법원이 안중근을 살인, 우연준·조도선을 살인예비, 유동하를 살인방조의 죄명으로 공포하고 예심을 거치지 않고 바로 공판에 부쳤다. 첫 번째 공판은 7일 오전 9시에 고등법원 제1호 법정에서 열리는 것으로 정해졌다. 연일 법정을 열었고 매일 방청권 300매를 발행하였다. 정대호를 석방하였다. 대호는 중근이 암살한 다음 날 중근의 처자를 대동하고 하얼빈에 도착한 일 때문에 체포 되었으나 끝내 무죄로 오후 5시에 석방되어 하얼빈으로 돌아갔다.

중근의 사촌동생인 명근이 고향에서 경성으로 올라가 5일에 남대문역에 이르러 6일 오전 8시에 기차로 여순을 향하였다. 서부경찰서는 그 동정을 감시하여 일본형사순사 한명에게 그를 따라가게 하였다.

7일에[58] 일본인이 비로소 중근 등의 공판을 열었고 12일이 되기까지 모두 5회였다.[59] 방청을 원하는 사람이 매우 많았기 때문에 경찰관리들이 한 줄로 정렬시켜 방청권을 주었다.

7일 오전 8시 30분에 입장을 허락하니 각국 사람 약 280명이 보통방청석에 앉아 어깨를 서로 부빌 정도였다. 우리나라 변호사 안병찬, 동 사무원 고병은, 영국변호사 더글라스, 통역일본인 니시카와 타마노스케(西川玉之助), 러시아 변호사 미하일로프, 통역인 우리나라 사람 한기동(韓基東)이 특별히 마련한 변호인석 옆의 한 의자 앉았다. 구내 부인석에는 일본 문무관 부인 및 러시아 영사 부인이 앉았고, 기자석에는 각 신문기자가, 재판관석 뒤에는 일본 중장 사이쇼(稅所), 소장 호시노(星野), 경리부장 유모토(湯本), 고등법원장 히라이시(平石), 경시총장 사토(佐藤), 러시아영사 등이 늘어앉았다. 피고 안중근[60]·우덕순[61]·조도선·유동하[62] 네 사람은 새 마차에 실려서 전옥, 간수장 2명, 간수 10명, 경위순사 및 헌병, 기병이 둘러싸고 지키고 다시 순사와 헌병을 연도에 열을 지어 배치하고 곳곳의 경계를 매우 엄밀하게 하였다.

8시 30분 경에 마차가 법원 문 앞에 도착하여 40분에 법정에 들어왔다. 재판장 마나베 주조(眞鍋十藏), 검찰관 미조부치 다카오(溝然[63]孝雄), 서기 와타나베 요우이치

---

58 음력 12월 28일 이다.
59 11일은 일본 기원절인 까닭에 그것을 중지하였다.
60 일명 응칠이다.
61 일명 연준이다.
62 일명 강로이다.
63 편역자: 미조부치(溝淵).

(渡邊良一), 통역 오카모토 스에요시(岡本[64]末喜) 등이 출석하고 관선변호사 미즈노 기치타로오(水野吉太), 카마다 세이지(鎌田正治) 또한 출석하였다. 뒤에 전옥 한 사람, 간수장 두 사람, 간수 여섯 사람, 경시 경부 각 한 사람, 순사 네 명이 엄중히 경호하면서 중근의 수갑을 풀고 허리를 묶은 포승을 푼 뒤에 주쵸가 개정의 취지를 알리고 피고 등의 이름·나이·주소를 물었다.

중근은 31세로 원적은 한국 평안남도 진남포이고 출생지는 황해도 해주이다. 덕순은 33세로 원적은 한국 경성 동부 양사동[65] 출생지는 충청북도 제천이다. 도선은 37세로 원적은 한국 함경남도 홍원(군)[66] 경포면이고 출생지도 같은 곳이다. 동하는 18세로 원적은 함경남도 원산항이고 출생지도 같은 곳이다 그 뒤에 다카오가 일어나,

"피고 안중근은 추밀원의장이자 공작인 이토 히로부미 및 그 수행원을 살해하기로 결의하고 메이지 42년 10월 26일 오전 9시에 러시아 동청철도인 하얼빈에서 미리 준비한 권총을 발사하여 공작으로 하여금 죽음에 이르게 하고 또한 공작의 수행원과 총영사인 카와카미 도시히코(川上俊彦), 궁내성대신 비서관 모리 타이지로(森泰二郎), 남만주철도주식회사 이사 타나카 세이지(田中淸次)를 각각 손과 발, 흉부를 쏘아 총상을 입혔으나 위 세 사람은 죽음에 이르지는 않았다.

피고 우덕순과 조도선은 안과 더불어 공동의 목적으로 이토 공작을 살해하려고 동청철도의 채가구역에 머물며 예비를 하였지만 러시아 위병들이 방해를 하여 그 목적을 미수하였고 유동하는 안 등의 결의를 알고서 통신과 통역을 임무를 담당하여 그 행위를 방조한 자이다."

라고 하였다.

다카오가 그 범죄사실을 신술한 뒤에 주쵸가 먼저 중근을 심문하니, 안중근이

"중근은 본명이고 삼년 전에 고향을 떠나 블라디보스토크로 갔을 때부터 아명인 응칠로 행세하였다. 부친은 태훈으로 진사에 급제했는데 오년 전에 세상을 떠났다. 모친은 조씨이다. 해주에서 태어나 신천으로 옮겨 살았다.[67] 4년 전에 다시 진남포로

64 편역자: 소노키(園木).
65 흥인문 안 부근이다.
66 경성에서 920리 떨어져 있다.
67 황해도에 속하는데, 경성으로부터 460리 떨어져 있다.

이주하였다. 아우가 둘 있는데 이름은 정근·공근이다. 16세에 장가를 가서 2남 1녀를 낳았다. 17세에 가톨릭에 입교하여 프랑스선교사인 홍(빌렘)신부에게 세례를 받았고 또 약간의 프랑스에를 배웠다. 구학문은 어려서 천자문·동몽선습·맹자 등을 가정에서 배웠다. 생활은 처음에는 고향의 재산에 의지했고 뒤에는 친구가 보태주는 것에 의지하였다."

라고 대답하였다.

다시 (주죠가)

"본국을 떠난 3년 동안 무슨 일을 했는가?"

라고 물으니, (안중근이)

"내 목적을 달성할 것을 꾀했는데 하나는 우리 재외동포를 교육하는 것이고 하나는 의군을 경영하는 것이다."

라고 거만스럽게 대답하였다.

(주죠가) 다시

"독립사상은 언제부터 생각한 것인가?"

라고 물으니, (안중근이)

"수년 전부터 이 사상을 품었다."

라고 대답하며 거듭 큰 소리로

"지난 날 일러전쟁 당시에 일본 천황폐하의 선전 조칙 가운데 한국의 독립을 확고하게 세우고 동양평화를 유지한다는 말이 있어서 한국의 일반 인민들은 감격하여 일본군의 승리를 기원했고 수 천리 먼 길에 군량과 기계를 운반하고 도로와 교량을 수리하고 놓았으며 일러가 강화를 맺은 결과로 일본군이 개선했을 때 한국인들은 자국의 군대가 개선한 것처럼 환영하며 한국의 독립이 확고히 될 것을 확신하였다.

그런데 뜻밖에 1905년 11월이 되자 이토가 대사로서 한국에 와서 많은 돈을 국적인 일진회의 두령 몇 명에게 주어 그들을 사주하여 소위 선서라는 흉서를 발표하게 하고 또 병력으로써 황실과 정부를 위협하여 5조약을 제기하니 우리 황제폐하께서 재가하지 않고 참정대신 또한 조인하지 않았으며 다만 세상에서 소위 오적이라고 하는 곧 5대신이 도장을 찍었으니 이것은 무효조약과 같지만 완전히 성립되었다고 일컫고 당당한 우리 대한제국의 국권을 박탈하여 4천년 국가와 2천만 생령이 폐허가 되고 어육이 됨을 면하지 못했으니 어찌 분개하지 않겠는가?

이로부터 전국의 인민들이 모두 비분강개한 뜻을 품고 일제히 승복할 수 없음을 부르짖고 뜻있는 선비들이 시국의 일을 혹은 상소로 혹은 긴 글로써 아프게 논했으며 충성과 분노로 격렬 해진 바 혹은 스스로 목을 찔러서 죽고 혹은 약을 먹고 죽었으며 혹은 감옥에 갇혀서 죽고 혹은 음식을 물리치고 죽었다. 이와 같이 절의를 쫓아 죽은 사람들이 몇 십 명인지 알지를 못한다.

사방에서 의병이 벌떼처럼 일어나서 일본군대와 교전하다가 죽은 사람들이 또한 몇 십만 명인지 모르지만 오히려 또한 만족하지 못하고 7조약을 체결하여 군대를 해산하고 태황제를 폐위시켰으며 사법권을 위임이라 칭하고서 빼앗아가고 국내의 제반 이익을 모두 빼앗아 취한 까닭에 한국인민은 상하를 불문하고 그 통분이 날이 갈수록 더욱 심해져서 골수에 미쳐서 마음을 썩이며 이를 갈고 있다.

이것은 다만 한국의 불행만이 아니고 도리어 또한 동양 전국의 불행이다. 이토의 이와 같은 죄악은 천지에 가득한데 오히려 그 간사하고 교활한 수단으로써 한국인민들이 일본의 보호정책을 즐겨 따른다고 각국에 발표하여 세계를 기만하였다. 이에 한국의 뜻있는 사람들이 이토의 잔인한 행동과 한국인이 불복하는 의사를 발표하기 위하여 많은 사람들이 외국으로 나갔다.

내가 곰곰이 생각해보니, 이토는 본래 일본의 제일류 인물로서 그 비상한 권력이 있음을 믿고 우리나라에 대해서 포악한 행동이 가장 심한 자이니 먼저 그를 죽은 뒤에야 한국의 독립이 회복되고 동양평화가 유지될 수 있다고 인정하여 3년 전 본국을 떠나며 늘 이 뜻을 품고 해삼위[68]를 왕래하다가 지금 그 목적을 이루었다. 주군이 욕되면 신하가 죽는다고 했으니 이는 당연한 일이다.

또 내가 3년간 북간도 부근에서 의병을 모집하여 일본군과 이미 여러 차례 교전을 했고 이번에 의병참모중장의 자격으로서 하얼빈에서 독립전쟁을 열어 적장인 이토를 습격하여 그 백발의 머리를 우리 군에 바치려고 했으며 결코 개인 자격으로 그것을 실행한 사람이 아니다. 대한제국 참모중장이 오늘 적의 포로가 되었는데 이곳에서 소위 공판 취조를 한다는 것은 크게 옳지 않은 것이다."

라고 대답하였다. (중근이) 또

"이번 이토의 여행길에 군대의 호위가 얼마나 엄중했지 모른다. 나는 국가에 헌신한다는 사상을 3년간 늘 가진 자로서 반드시 그 묵은 뜻을 반드시 실행하려고 결심

---

68 곧 블라디보스토크이다.

한 까닭에 뜻이 있는 자로서 마침내 일을 이룬 것이다."

라고 하며,

"내가 외국에 나온 목적은 이미 진술한 것과 같다. 또 해외의 우리 동포들에게 유세하기를 늘 그 애국충군의 사상을 고취하였으며 국권을 회복하려하면 비록 어떠한 곤란, 고초를 당해서도 인내하고 낌새를 보아 행동하며 전투에 마음을 쓰고 종사하여야 한다. 장년인 사람은 의병으로서 일본군과 전투하고 늙은이는 그 직분에 힘써 군량과 그 밖의 조력을 제공하고 어린이는 교육을 받으며 훗날의 대비에 보충하고 실업에 힘쓰고 농군은 농사를 짓고 상인은 장사를 하며 혹은 칼로 혹은 혀로 혹은 붓으로 국가의 위급을 구원해야 한다. 이것은 국민의 의무이니 누구나 대한의 국권회복과 동양 평화 유지에 노력해야 한다고 하였다."

라고 대답하였다.

주죠가

"질문 외에는 진술에 주의하라."

라고 하니, 중근이 큰 소리로

"저 이토의 행위는 어떠한 방법으로라도 세계에 널리 알리고 나의 목적을 빨리 전해야 하는데 그의 행위에 대해 어찌 한 차례 설명할 수 없단 말인가?"

라고 대답하였다.

주죠가 다시 당시에 실행한 일을 물으니 (안중근이)

"그 사실을 인정한다."

라며 다음과 같이 말했다.

"발포한 뒤에 이토가 어떻게 되었는지를 알지 못한다.

이때가 오후 12시 15분인데 주죠가 한 시간 휴정한다고 공포하였다. 이 때 방청인들은 대련 및 다른 곳으로부터 어젯밤에 온 사람이 200명이었다. 방청권은 이미 떨어졌다. 하지만 아직도 수 백 명이 문밖에서 기다리고 있었다. 오시(午時)[69] 전후해서 교체 입장할 때에 비록 일본인이라도 몸을 조사 했고 법정 안팎을 순사, 헌병이 엄중히 경계하였다.

오후 1시 반에 공판을 재개하고 다시 심문을 하였다. 중근이

---

69 편역자: 오전 11시~오후 1시.

"내가 하얼빈에 오기 이틀 전, 연추에서 블라디보스토크에 와서 원동보와 대동공보를 보고 비로소 이토가 만주에 온다는 것을 알고 우연준과 상의하고 곧바로 하얼빈을 향하다가 도중에 포그라니치나야에서 하차하고 통역 유동하와 같이 하얼빈에 도착하였다. 남쪽으로 내려오려고 했으나 여비가 30원 밖에 없어 하얼빈에 있는 러시아 국적을 취득한 우리나라 사람 김성백[70]의 집으로 가서 이틀을 유숙하였다.

우연준, 조도선과 같이 채가구로 나갔으나 미비한 일이 있는 가운데 겸해서 하얼빈에 있는 유동하에게서 불분명한 전보가 여러 차례 와서 우, 조 두 사람은 채가구에 머물게 하고 다시 하얼빈으로 돌아와 성박[71]의 집에서 유숙하였다.

다음날[72] 이토가 온다는 것을 알고 기회를 놓치지 않겠다고 결심하고 곧 준비를 정돈하고 이른 아침 7시에 하얼빈 정거장으로 가 역내 찻집에 들어갔다. 쉬면서 차를 마시며 이토가 오기를 기다리며 마음속으로 마차를 탈 때나 혹은 기차에서 내릴 때에 거사할 것을 궁리하는 가운데 특별열차가 도착하여 음악대가 먼저 음악을 연주하였고 러시아 군사들이 경례를 하였다.

나는 결행할 것을 결심하고 곧 찻집을 나와 러시아 군대가 정렬한 뒤쪽으로 갔다. 이토는 이미 열차에서 내려 많은 출영자(出迎者)들에게 둘러싸여 환영을 받으며 러시아 병사들의 앞을 지나서 영사단 쪽으로 나가고 있었다. 나는 이토의 얼굴을 알지 못하나 일찍이 신문에 게재된 사진을 본 적이 있었지만 또 막상 군복을 입지 않고 평복을 입었으며 또 그는 늙은이가 되어있어서 선두에 서 있는 것으로 이토라고 추측하고서 가만히 러시아 군대의 뒤로 가서 기회를 엿보았다.

이토가 영사단에게 되돌아올 때에 내 앞을 지나서 세 걸음 정도 가서 열 걸음 떨어진 곳에 있을 때 이 때다 이 때다하고 러시아 병사들이 도열한 사이도 뛰어 들어가서 약 열 걸음 떨어진 지점에서 7연발 권총으로 이토의 우측을 향해서 그를 저격하였다. 세발을 쏴서 세 발을 맞추었는데 러시아 병사들이 총소리에 놀라서 뒤쪽으로 흩어져 달아나니 나는 이 때 자연히 전면에 드러나게 되었다.

그러나 이것이 만약 경솔하게 잘못 쏜 것이 되면 안 되는 까닭에 다시 세발을 연속해서 쏘았는데 이 때 러시아 헌병들이 와서 포박을 하니 권총을 땅에 던지고 세계

---

70 편역자: 김성백.
71 편역자: 성백.
72 10월 26일 곧 음력 9월 13일이다.

에서 널리 사용하는 라틴어로 세 번 '코리아 우라' 〈대한제국만세〉라고 외쳤으나 그 뒤 이토의 생사는 모른다."

라고 대답하였다.

주죠가

"그 때 자살하거나 혹은 달아날 생각이 없었는가?"

라고 물으니, (안중근이)

"재판관은 내가 이미 목적을 달성하였다고 여기지만 그러나 나는 유일하게 할 수 있는 일을 한 것은 아니어서 짐짓 그것을 생각하지 않았다. 총목적을 달성했지만 이것은 하나의 성공이고 우리 당의 대목적인 한국독립의 하나의 기회를 만든 것에 불과하다. 나는 한국독립의군의 참모중장으로서 완전한 한국의 독립과 평화를 평생의 사업으로 삼은 자로서 그 때 비록 서양칼을 가지고 있었지만 자살이나 도주의 비열한 행동을 하지 않고 비록 짧은 시간이나마 살아서 길이 일본의 폭거를 세상에 공표하려고 하였다. 또 이토를 죽인 것은 나쁜 일이 아닌데 무슨 까닭에 자살이나 또는 도망을 기도하겠는가?"

라고 하였다. 쥬조가

"이토 공작은 30분 뒤에 절명했고 수행원 세 사람은 부상을 입었는데 소감이 어떠냐?"

라고 물으니 (안중근이)

"수행원이 부상을 입은 것은 미안하지만 이토의 죽음은 내 바람을 달성한 것이다."

라고 대답하였다. 주죠가 손가락을 끊은 이유를 묻자 (안중근이)

"작년 봄 러시아 노에프스키(연추) 부근의 가난한 촌락인 하리에서 고국의 동지인[73] 김기열·백낙길·박근식·김태련·안계린·이주천·황화병·강두찬·유파홍(두 사람은 그 이름을 잊어버렸다.) 등 11인을 만나 아리들이 비록 온갖 고통을 겪더라도 대한독립을 회복하고 동양평화를 유지하지고 하느님께 맹세하고 일제히 왼손의 약지를[74] 잘라 동맹한 뒤에 그 피로써 대한의 국기 위에 독립자유라는 네 개의 큰 글자를 쓰고 또 그

73 다른 곳에서는 우리 의군 동지라고 되어있다.
74 네 번째 손가락이다.

피로써 취지를 쓰고서 그 동지들은 각자 흩어져서 지금은 그 거처를 모른다."[75]

라고 하며,

"의군총대장은 강원도 사람인 김두성이고 그 부하로는 각지에 이범윤 등이 있고 나는 김대장의 직속특파독립대장으로서 러시아 지역 일대의 사령관이 되어 활동 명령을 받고서 혹은 연설을 하여 동지를 규합하여 기회를 기다리다가 만약 이토가 만주에 오는 것이 늦어져서 시일이 급하지 않으면 우리 독립대의용병 약간을 거느리고 하얼빈에서 나와 그를 당당히 공격하고 또 군자금을 모아 군함을 사서 쓰시마해협을 향해 나아가서 이토가 탄 기선을 포격하고 개선가를 부르면서 돌아올 계획이었다.

나는 4000년 우리 조국을 위해서, 2,000만 우리 동포를 위해서, 동양 전체의 평화를 위해서 우리 백성과 나라의 권리를 유린하고 우리 동양평화를 교란한 간사한 도적을 죽이려고 한번 이처럼 행동한 것이다. 나의 목적이 이처럼 바르고 큰 까닭에 내가 국민의 하나의 큰 의무로써 자기를 죽여서 인을 성취하여 한 것이다."

라고 하였다. 주죠가

"네가 가지고 있던 권총의 탄두에 십자 모양을 새긴 것은 이것이 사람 몸에 한 번 적중하면 비상한 상처를 입히려고 한 것이 아닌가?"

---

75 단지동맹에 대해 「안중근 제6회 공술」(신운용 편역, 『안중근·우덕순·조도선·유동하 등 공술기록』(안중근 자료집 5), (사)안중근평화연구원, 2014, 34~35쪽)에도 다음과 같이 기술되어 있다.

"1. 안중근(安應七) 맹주 교육가 의병 31세 평안도
2. 김기룡(金基龍) 경무관 의병 30세 평안도
3. 강기순(姜起順) 의병 40세 평안도
4. 정원규(鄭元桂) 의병 30세 함경도
5. 박봉석(朴鳳錫) 의병 32세 함경도
6. 유치홍(柳致弘) 의병 40세 함경도
7. 조순응(曺順應) 의병 25세 함경도
8. 황병길(黃吉秉) 의병 25세 함경도
9. 백남규(白南奎) 의병 27세 함경도
10. 김백춘(金伯春) 의병 25세 함경도
11. 김천화(金天化) 의병 26세 강원도
12. 강계찬(姜計瓚) 의병 27세 평안도"

또한 「공판시말서 제1회」(신운용 편역, 『안중근·우덕순·조도선·유동하 공판기록 - 공판시말서』(안중근 자료집 9), (사)안중근평화연구원, 2014, 58쪽)에는 다음과 같이 기술되어 있다.

"모두 열두 사람이었지만 그 성명은 김기룡(金基龍)·강기순(姜基順)·유치현(劉致鉉)·박봉석(朴鳳錫)·백락청(白樂奎)·강두찬(康斗瓚)·황길병(黃吉秉)·김백춘(金伯春)·김춘화(金春化)와 나 외에 두 명의 이름은 지금 기억나지 않는다."

라고 했으나 중근은 답하지 않았다.

주죠가

"이번에 이 일을 결행하려는 뜻으로 지은 시가 있는가?"

라고 물으니, (안중근이) 다음과 같이 대답하였다.

"있다. 이것은 음력 9월 10일 밤에 채가구에서 내가 품은 감정을 애략 서술하여 시를 지은 것으로 다음과 같다.

장부가 세상에 삶이여! 그 뜻이 크도다. 때가 영웅을 만듦이여! 영웅이 때를 만들도다. 천하를 호기롭게 바라봄이여! 어느 날에나 업적을 이룰꼬? 동풍이 점차 차가워짐이여! 장사의 뜻이 사라지네. 비분강개하여 한번 감이여! 반드시 목적을 이루리로다. 어찌 여기에 이를 것을 헤아렸겠는가? 시국의 형세가 굳이 그러했음이로다. 쥐 같은 도적 이토여! 어찌 즐겨 이 목숨을 버리겠는가? 동포 동포여! 속히 대업을 이루라. 만세 만세여! 대한독립이로다. 만세 만세여! 대한동포로다."[76]

주죠가 우연준과 관계된 사실 약간을 물은 뒤에 8일 오전 9시에 심문을 속행한다고 하고 4시 5분에 폐정을 공포하였다. 당일에는 다만 중근을 심문하였기 때문에 다른 피고와 변호사는 발언을 하지 못하였다.

중근은 두 손으로 난간의 가로대를 잡고 주죠를 똑바로 보면서 가끔 양복 주머니에서 손수건을 꺼내서 그 얼굴을 닦았는데 매우 평온하고 조용히 심문에 답변하였다. 자기의 일은 조금도 은폐하지 않았고 각처의 동지들의 일은 비호하려는 것 같았다. 이 날 방청하는 사람들이 만원이었다.

8일 오전 9시에 제2회 공판이 재개되어 주죠가 우연준에게 물으니,

"내 본명은 덕순인데 러시아에서 여권을 받을 때에 통역이 연준이라고 잘못 썼다.

---

76 편역자:
"丈夫處世兮 其志大矣
時造英雄兮 英雄造時
雄視天下兮 何日成業
東風漸寒兮 壯士義熱
憤慨一去兮 必成目的
鼠窃伊藤兮 豈肯比命
豈度至此兮 事勢固然
同胞同胞兮 速成大業
萬歲萬歲兮 大韓獨立
萬歲萬歲兮 大韓同胞"(신운용·최영갑 편역, 『안중근 유고-안응칠 역사·동양평화론·기서』(안중근 자료집 1), (사)안중근평화연구원, 2016, 58~59쪽).

부친 사영은 현재 충청도 제천군에 거주하다가 4~5년 전에 경성으로 이주하였다. 통감 맹자 등의 책을 사숙에서 수업 받았고 뒤에 동대문 밖에서 잡화점을 운영하였다. 4년 전에 블라디보스토크로 와서 담배 행상으로 생업을 삼았다.

종교는 5년 전에 기독교를 믿게 되었는데 신앙생활을 하지 않았기 때문에 세례는 받지 않았다. 안중근과는 블라디보스토크에서 처음 알게 되었는데 그 때 중근은 약장사를 했는데 지금까지 정치에 관한 말을 한 적이 없다.

조도선·유동하는 지금 처음 얼굴을 본다. 이토를 죽일 것을 모의한 것은 음력 9월 8일에 중근이 와서 자기 동행을 요청하고 자기여관에서 이토를 죽일 얘기를 꺼낸 것이다. 나 또한 대한의 국민으로서 이토를 원수처럼 보았기에 곧 그 뜻에 동의하고 급히 떠날 것을 준비하였다."

라고 (우덕순이) 대답하였다. 주죠가 이토를 원수로 보는 원인을 묻자, (우덕순이)

"광무 9년 11월에 이토가 대사로서 한국에 와서 5조약을 제출했을 때 다수의 일본병사들로 궁성을 포위하고 온갖 위협을 하며 해당 조약의 재가를 우리 황제폐하께 강제로 요청하였다. 황제께서 말씀하시기를, '짐은 귀국 황제의 선전조칙 중에 한국독립을 돕는다는 글귀를 확실히 믿는데 지금 이 말을 과연 뜻밖이다. 짐은 조종이래로 큰 일이 있으면 대소 관리와 재야에 있는 유림현자에게 자문을 받아 처결하고 또 국내의 선비들에게 물어서 시행한 까닭에 짐이 자의로 멋대로 결정할 수가 없다.' 라고 하시며 끝내 재가하지 않으셨다. 참정대신 또한 조인하지 않으니 단지 한국의 이른바 오적의 무리를 꾀어서 도장을 찍게 했으니 이것은 무효인 조약이다.

이토는 한일 양국 황제폐하의 성지와 반대로 오로지 그 권세를 믿고서 제멋대로 결행하여 한국의 여론을 짓밟고 하루아침에 4000년 우리나라의 신성한 국권을 박탈하였으니 한국 2,000만 동포로 분개하지 않은 사람이 한 사람도 없고 나 또한 대한국민의 한 사람으로서 어찌 통분하지 않겠는가?

내가 당시에 경성에 있었는데 어머니께서 계신지라 반대운동에 참가하지 못했지만 이로부터 국가를 위해 헌신하겠다는 사상이 생겼고 2천만 국민을 대표해서 악당의 우두머리인 이토를 죽이고자 했으나 그 기회를 얻지 못하였다.

음력 올해 9월 7일 밤에 중근이 와서 '이번에 이토가 만주를 두루 유람하니 이 기회를 타고 그를 저격해서 국가와 나라의 치욕을 씻는 것이 어떠한가?'라고 해서 곧 전에 호신용으로 미카엘 지방에서 8환에 러시아 사람에게서 구입한 8연발 권총을 지니고 중근과 동행하였다."

라고 하면서,

"대저 뜻이 있으면 일이 끝내 이루어진다. 남자가 한번 용감한 마음으로 분발하면 반드시 어떤 일이라도 이루지 못할 도리가 없을 것이다. 이토의 호위가 비록 엄밀했지만 한 사람을 저격하는 것은 손바닥 뒤집는 것과 같았으니 이번에 만약 중근이 이 일을 결행하지 않았다면 내가 혼자 힘으로 결행 하리라 결심하였다."

라고 큰 소리치며, 다음과 같이 말하였다.

"9일 하얼빈에 도착하여 하룻밤을 잔 뒤, 10에 안과 조 두 사람과 같이 채가구로 갔다. 그 날 밤에 이토를 조롱하고 꾸짖는 뜻으로 국문으로 나의 목적을 서술하는 노래를 다음과 같이 지었다

만났도다 만났도다! 원수의 너를 만났도다. 한번 너를 만나고자 한 것이 한 평생의 소원이었는데 서로 보는 것이 어찌 늦었단 말인가? 한번 너를 만나고자 했으나 물과 땅이 만 리나 떨어져 혹 배나 혹 기차로 천신만고를 다하고 러시아 청나라 두 나라의 땅을 거쳤다. 앉을 때나 설 때나 하늘을 우러러 기도하노니 그를 살피소서. 그를 살피소서. 주 예수여 그를 살피소서. 동쪽반도 대제국을 내 원에 따라 구원하소서. 아! 저 간악한 늙은 도적이 우리들 2,000만 민족을 멸망에 도달하게 하고 금수강산 3,000리를 소리 없이 빼앗고자 하여 흉악한 저 수단을 다했구나. 공평무사하시고 사랑을 다하시는 우리 주여! 대한민족 2,000만을 고루 사랑하시고 가엽게 여기시어 저 늙은 도적을 이 정거장에서 만나시게 하셨구나. 천만번 기도하고 밤낮을 잊고 만나고자 하여 끝내 이토를 만났구나.

오늘 너의 목숨은 내 손에 달렸구나. 지금 너의 목숨이 끊어지면 너 또한 원통하리라. 을사년 신조약 후에 오늘이 있을 줄은 몰랐으리. 오늘 네가 북으로 향할지는 나 또한 몰랐다. 덕을 닦으면 덕이 오고 죄를 범하면 죄가 온다. 다만 너만 몰랐겠는가? 너희 동포 5,000만도 오늘을 시작으로 하나 둘 만난다면 내 손으로 죽이리라. 아! 우리 동포여 한마음으로 단결하여 우리 국권을 회복하고 부국강병을 도모하여 세계에 누구라도 우리들의 자유를 압박하고 낮은 냉대를 하는 이가 있다면 빨리빨리 합심하고 용감한 힘을 가지고 국민의 의무를 다하여라."[77]

---

77 편역자: 이는 다음과 같다
"만나쑤나 원슈너를 만나쑤나 평싱ᄒᆞᆫ번 만나기가 엇지 그리 더듸든냐 너를 ᄒᆞᆫ번 보라ᄒᆞ고 슈육으로 몃만리에 쳔심만고 다ᄒᆞ면셔 륜션화챠 가러타며 아쳥양디 지늘 ᄯᅥᆨ에 힝쟝검ᄉᆞ할 젹마다 하ᄂᆞ님ᄭᅦ 기도ᄒᆞ고 예

또 (우덕순이)

"하얼빈의 세 사람이 연명으로 대동공보사에 글을 기고했는데[78] 다음 날 중근이 하얼빈으로 돌아와서 '나와 도선이 먼저 함께 이토가 오는 것을 탐지하겠다.'라고 했으나 노출될 것을 우려해서 감히 남에게 묻지를 못하였다."

라고 하였다.

이와 같이 문답을 할 때에 시계의 종이 정오를 알리니 주죠가 휴식을 공포하였다. 당일오전에 중근의 두 아우와 안병찬·고병은[79]이 함께 방청석에 입장하여 법정이 열리기 전, 중근이 들어올 때 정근이 큰소리로 부르며

"우리들은 형님을 면회하려고 이처럼 왔는데 이후에는 대면하기가 어려우니 형님을 한번 면회하는 것을 우우들이 법원에 요청하는 것이 어떻겠습니까?"

라고 하고 소리 내어 통곡을 하니 법관이 두 사람을 퇴장시켜 방청을 하지 못하였다.[80]

슈씨써 경비ᄒᆞ되 살핍쇼샤 살핍쇼샤 동반도에 ᄃᆡ한뎨국 살핍쇼샤 아못죠록 졔의를 도읍쇼셔 져 간악ᄒᆞᆫ 노젹놈이 우리민족 이쳔만구 멸죵후에 삼쳔리 검슈강산 쇼리업시 먹으랴고 궁흉극악 독ᄒᆞᆫ슈단 열강국을 쇽여가며 ᄂᆡ장을 다 ᄲᅢ먹고 무엇이 부족하야 나문 욕심 ᄎᆡ우고자 쥐식이 모양으로 요리죠리 단이면셔 누구를 ᄯᅩ 쇽이고 뉘ᄯᅡ를 먹으라고 져갓치 단이ᄂᆞᆫ 간할ᄒᆞᆫ 노젹을 만ᄂᆞ랴고 이갓치 급히 간이 지공무사ᄒᆞ옵시고 지인지ᄋᆡ 우리상쥬 ᄃᆡ한민족 三千萬口 일쳬로 가련이 역이셰셔 노젹놈을 만ᄂᆞ보게 ᄒᆞ옵쇼셔 이갓치 빌기를 경거장마다 쳔만번을 기도ᄒᆞ며 곳에 당도하며 쥬야불망 보랴ᄒᆞ든 져무리를 만나ᄭᅳ나 너 슈단이 간할키로 셰계에 유명하여 우리동포 어륙후에 우리강산 ᄲᅢ셔다가 기리 ᄒᆞᆼ낙 못노리고 오ᄂᆞᆯ 날에 너 먹슴이 ᄂᆡ 숀의 주게되니 너 일도 ᄯᅡᆨᄒᆞ도다 갑오년가독립과 을사년신넉약후 양양자득 질ᄉᆡ ᄯᅢ에 오ᄂᆞᆯ일을 몰ᄂᆞᆺ든냐 쥐진놈은 쥐당ᄒᆞ고 덕닥근 ᄯᅢ 덕이온다 너만 이리되줄아니 너의 무리 사쳔마구 위셔부터 ᄒᆞᆫ아둘식 우리숀에 다 죽을나 여화 우리 同胞들아 일심으로 단합ᄒᆞ여 왜구를 다멸ᄒᆞ고 우리국권 회복ᄒᆞᆫ후 국부민강ᄒᆞ고 보면 셰계에 어네누가 우리를 압졔ᄒᆞ며 ᄒᆞ등이라 ᄃᆡ우ᄒᆞ랴 어셔밧비 합심ᄒᆞ야 져무리를 이토 노ᄒᆞᆫ 죽이듯이 어셔만 어셔밧비 거사ᄒᆞ세 우리 일을 아니ᄒᆞ고 평안이 안져쓰면 국권회복 졀노될이 만무하니 용감역을 진발ᄒᆞ야 국민의무하여보셰

우슈산인 우덕순"(신운용 편역, 『안중근·우덕순·조도선·유동하 공판기록-안중근사건 공판속기록』(안중근 자료집 10), (사)안중근평화연구원, 2014, 146~147쪽).

78 이는 안중근이 이강에게 보내려는 편지를 의미하는 것으로 보내지는 않았다(신운용 편역, 「안중근 제10회 신문기록」, 『안중근 신문기록』(안중근 자료집 3), (사)안중근평화연구원, 2014, 174쪽).

79 병찬을 위한 통역이다.

80 편역자: 이에 대해 『만주일일신문』은 다음과 같이 전하고 있다.

"공판정 잡관(7일, 8일)

▲정근 법정 소란을 일으키다

8일 오전 9시 15분 재판장 이하 착석하고 피고도 입장하였다. 신문 기자석 후방의 방청석에 있던 중근의 동생 정근은 불쑥 한국어로 안중근의 얼굴을 보자마자 큰 소리로 「형님 정근도 여기에 있소」라고 외치자 중근이 흘끗 소리 나는 쪽을 보고서 고개를 끄덕였다. 그러자 정근은 오히려 일어나 무언가를 말하려고 하려고 하자 옆에 있던 토다(戶田) 형사에 이끌려 퇴장당하였다. 낭하(廊下)에서 정근·공근 두 사람은 서로 안고서 계속 눈물을 흘리며 울기만하고 있었다. 요시다(吉田) 경시·사이토(齊藤) 경부 등도 다가다 달랬지만 계속

영국변호사 더글라스가 같은 날 상해로부터 여순에 와서 중근을 변호하고자 했으나 일본법원이 허가하지 않으니 법원에 가서 허가하지 않은 것에 대하여 공평하지 못하다는 생각을 진술하며 중근의 공판을 중지할 것을 요청했으나 법원이 거절하였다.

오후 1시 40분에 다시 개정하고 덕순에게 물으니

"채가구에 있을 때 러시아 사람의 찻집에서 유숙했고 다음날 중근이 여비가 부족하다고 말하고 정오에 열차를 타고 하얼빈으로 돌아갔다. 나는 그 때 탄환 5~6발과 돈 4환을 중근에게 빌리고 그날 밤 도선과 같이 잤다. 다음 날 날이 밝기 전부터 정거장 부근에 사람과 말이 자주 오가며 떠드는 소리가 매우 심하였다.

도선에게 물어보니 일본의 대관이 지나가는데 그의 환영을 준비하는 것이라고 대답하였다. 이에 이토가 곧 지나 갈 것을 알았다. 때가 왔으나 중근이 없으니 나 한 사람이 마땅히 그를 죽이자고 이렇게 결심하였다. 그 뒤에 무심한 모습으로 도선에게 자세한 것을 물었으나 도선은 본래 우리들이 도모하는 큰일을 몰랐기 때문에 졸면서 대답을 하였다.

집밖에 러시아 병사들이 정렬하고 찻집 주인에 이르기까지 한 걸음도 밖으로 나오는 것을 허락하지 않았다. 크게 실망하고 주저하는 중에 기차는 이미 지나가버려 실망을 금치 못하며 침상위에 무너지듯 누워서 그 후의 방침을 계산하는 가운데 오전 11경이 되자 러시아 헌병 두 사람이 뛰어들어와 우리들의 몸을 수색하고 휴대한 권총을 압수하며 동시에 포박하였다. 나는 당시에 중근이 하얼빈에서 일을 결행한 것을 어렴풋이도 알지 못했기에 포박된 이유를 괴이하게 여겼다."

라고 (덕순이) 대답하였다.

주죠가 예비범인인 조도선에게 심문했는데 시간은 오후 3시였다. 도선이

"나는 15세에 고향을 떠나 러시아령인 아라궈(亞羅几)[81]로 이주했고 이루크츠크와 그 밖의 다른 몇 곳에 체류하면서 세탁업 및 통역 등의 일에 경영했고 부모님은 함경

울기만 하므로 한국에서 출장 온 사카이(酒井) 경시는 두 사람을 3호 법정으로 끌고 가서 20분 여 두 사람을 달래어 겨우 납득하였다. 맥없이 법원을 나가는 모습은 너무나 애처러웠다. 공근은 결국 계속해서 오후 공판을 방청할 예정이다"(신운용 편역, 「1910년 2월 9일」, 『재만 일본 신문 중 안중근 기사 Ⅱ-만주일일신문』(안중근 자료집 16), (사)안중근평화연구원, 2014, 135쪽).

81 추풍(秋豐)(신운용 편역, 「둘째 날의 공판」, 『안중근·우덕순·조도선·유동하 공판기록-안중근사건 공판속기록』(안중근 자료집 10), (사)안중근평화연구원, 2014, 101쪽).

도 홍원군에서 농사를 짓는데 처는 러시아 사람으로 이름은 로즈[82]인데 자식은 없다.

나는 지금 24[83]세이고 글자는 한 글자도 알지 못한다. 그러나 러시아어는 매우 잘해서 작년 8월에 블라디보스토크로부터 하얼빈에 와서 러시아사람 집에서 기숙하였다. 9월 10일에 전에는 한 번도 상면한 적이 없는 안중근이 와서 말하기를, '자기 가족이 본국으로부터 오는데 출영하기 위해 급히 관성자에 가야하는데 러시아어를 알지 못하니 통역으로서 같이 가 달라.'라고 해서 그에 응해서 다음 날 아침 안, 우 두 사람과 같이 채가구로 가서 두 사람의 통역이 되었는데 하얼빈에 있는 유강로가 중근에게 전보를 쳤는데 곧 내일 아침에 도착한다는 뜻이 있었다.

소지하고 있던 권총은 몇 년 전에 호신용으로 사둔 것으로 결코 이번에 산 것이 아니면 털 끝 만큼도 중근 등의 일과 관계가 없다."

라고 대답함과 동시에 폐정을 했는데 곧 오후 4시 30분이었다.

9일에 제3차 공판이 열렸는데 방청하는 사람들이 이른 아침부터 전처럼 모여들어 두 날 다 법정에 가득 찬 가운데 영국변호사 더글라스가 통역을 데리고 안병찬과 같이 같은 줄에 앉았다. 중근의 두 아우와 고병은 또한 방청석에 있었다. 오전 9시 30분에 피고 4명이 출정하여 9시 40분에 개정하였다.

주죠가 보조범인 유동하에게 심문하니, (유동하가)

"나는 본래 함경도 원산사람인데 2년 전에 모친과 같이 고향을 떠나 떠돌아다니다가 약국을 운영하는 아버지를 만나 귀 뒤에는 현재의 주소지인 러시아 포그라니치나야 지방에 와서 역시 약국을 운영한다. 약간의 서적을 수업 받았으나 학식이 부족하고 조금도 종교와는 관계한 벽이 없다. 16세에 처를 얻었으나 자식은 없고 본명은 동하이지만 강로라고 말한 것은 하얼빈에서 러시아 헌병에게 체포되었을 때의 가명이다.

안중근과는 작년 음력 4월부터 서로 알게 되었는데 보통으로 우리 집에 왕래했지만 우덕순은 평소에 모르던 사람이다. 작년 9월 8일 저녁에 중근이 찾아와서 통역으로 하얼빈에 같이 가주기를 요청했는데 때마침 나 또한 약품을 사오려고 그곳으

---

82 편역자: 모제(미트리요나 쿠조미나와 보좌예바).

83 편역자: 31세(신운용 편역, 「조도선 제1회 신문기록」, 『우덕순·조도선·유동하 신문기록』(안중근 자료집 4), (사)안중근평화연구원, 2014, 59쪽).

로 가려던 참이어서 곧 응낙하고 동행하였다. 그 때 중근은 다만 그의 가족을 출영한다고 말했기 때문에 그 밖의 사실은 알지 못한다.

9일 저녁에 하얼빈에 도착하여 세 사람이 김성박[84]의 집에서 같이 자고 다음날 세 사람이 같이 사진을 찍었다.[85] 중근의 부탁으로 돈 50환을 성백에게 빌려달라고 요청했지만 허락하지 않았다. 그 밤은 다시 중근·덕순과 같이 자고 두 사람의 부탁으로 대동공보에 부치는 편지의 봉투에 러시아 글을 써 주었는데 그 내용은 알지 못하였다.

다음날인 11일 아침에 중근, 덕순 및 조도선과 같이 채가구로 갔는데 해질 무렵에 중근이 채가구에서 전보를 보냈는데 언제 오느냐는 내용이 있었다. 내가 중근에게 출발하기 전에 그 가족을 출영하는 동시에 또한 일본의 대관인 이토를 출영한다는 말을 들은 적이 있기 때문에 나는 이것은 반드시 하얼빈의 소문과 전해지는 이야기에 근거하여 이토가 도착하는 것을 물은 것이라고 생각하였다.

답신은 다음 날 아침에 왔는데 다음 날 중근은 전보의 내용이 불분명하다는 것을 빙자해서 하얼빈으로 돌아갔다. 나는 다시 중근의 명의로 전보를 쳐서 돈 50환을 블라디보스토크에 있는 이진옥[86]에게 요청했는데 중근이 진술한 바와 같이 틀림없이 그 돈을 보냈는지 보내지 않았는지 확실히 알고 싶다."[87]

라고 대답하였다.

주조가 곧 중근을 호명하고 이 일에 관해서 물으니, 중근이

"내가 동하를 시켜서 김성박[88]에게 돈을 빌리려고 했을 때 이진옥으로부터 송금하겠다는 통지가 있었기 때문에 동하를 시켜서 그것을 묻게 한 것이다."

라고 대답하였다.

이에 중근 등 네 명의 심문 전부가 끝났는데 오전 11시 30분이었다. 주조가 오후

---

84 편역자: 김성백.

85 신운용 편역, 「1909년 2월 4일」, 『재만 일본 신문 중 안중근 기사 II-만주일일신문』(안중근 자료집 16), (사)안중근평화연구원, 2014, 103쪽.

86 편역자: 유진률(신운용 편역, 「유동하 제5회 신문조서」, 『우덕순·조도선·유동하 신문기록』(안중근 자료집 4), (사)안중근평화연구원, 2014, 142~144쪽).

87 유동하의 요청으로 안중근이 대동공보에 100루불을 갚으라고 쓴 편지를 보내지 않고 갖고 있었지만, 유동하가 마음대로 유진률에게 100루불을 보내라고 전보를 보냈다(신운용 편역, 「유동하 제6회 신문조서」, 『우덕순·조도선·유동하 신문기록』(안중근 자료집 4), (사)안중근평화연구원, 2014, 148쪽).

88 편역자: 김성백.

에 증거서류를 조사한다는 뜻을 공포한 뒤에 휴식을 알렸다. 오후 1시 15분에 다시 개정하여 러시아 관헌에게서 인수한 하얼빈지방재판서 판사 및 같은 곳의 경찰서장의 심사서, 채가구 주둔군의 군조 및 기타 2~3건의 취조서류, 일본검찰관이 조사한 증인 후루야 히사츠나(古谷久綱)·고야마 젠토쿠(小山善德)의 서류, 총영사 카와카미, 만철이사 타나카의 진술을 낭독하고 다시 감정인 고야마 젠(小山善), 도쿠오카(德岡) 군의정(軍醫正)[89], 박사 오미(尾見) 등의 진찰감정서, 기타 각 증인 13명의 취조서 및 문취서를 읽었다.

1,018매에 이르는 장문의 기소장은 생략한 뒤에 공판에서 진술한 것과 검찰조사가 상반된 점을 지적하고 정대호에게 같이 온 중근의 처자가 중근과 면회할 때[90] 중근이 "그 처자는 서로 상관이 없는 모르는 사람"이라고 대답했는데 중근의 사진을 5살 된 어린아이에게 내보이자 이는 내 아버지라고 한 일을 물었다.

그 뒤에 정대호는 이는 확실히 중근의 처자라는 사실을 공술하였다. 채가구로부터 홀로 하얼빈으로 돌아가 세 사람이 한 곳에서 기다린 것은 계획했던 것이 아니고 또 경계가 엄중했기 때문이라고 말한 것은 전부 여비 관계 때문이라는 사실, 중근이 연준에게 탄환을 준 장소가 서로 어긋나는 사실, 뒤에 조·유 두 사람을 대질하여 공모여부를 심문하니 두 사람은 비단 모의에 참여하지 않았다는 것을 변호할 뿐만 아니라 검찰관이 취조한 전보의 왕복, 금전수수 등의 일도 부인하였다.

주죠가 그 증거물인 중근의 브라우닝식 길이 5촌 4푼, 손잡이 2촌 5푼의 강철제 권총과 덕순의 브라우닝 니켈제 그 장단은 중근의 총과 같은 권총, 도선의 브라우닝식 니켈제 길이 6촌 2푼, 손잡이 2촌의 총을 조사하고 중근이 동하에게 보낸 전보로 러시아 글인 까닭에 동하를 시켜 러시아 말로 낭독케 한 것을 읽고서 중근, 덕순에게 내보였다.

채가구에서[91] 장차 이토를 살해할 목적을 나타내려고 비분강개하고 격렬한 음조로 주고받은 시가 두 수와[92] 암살을 결행하려는 뜻을 블라디보스토크의 대동공보사

89 편역자: 원문에는 "讀鑑定人小山善·德軍醫正岡"라고 되어 있다.
90 편역자: 안중근은 처 김아려와 두 아들과 면회를 한 적이 없다.
91 다른 데에는 하얼빈에서로 되어있는데 곧 김성박(편역자: 김성백의 잘못)의 집이다.
92 시가는 함께 위에 보인다.

편집장인 이강에게[93] 부친 글[94]은 다음과 같다.

"삼가 아룁니다. 이달 9일[95] 오후 8시에 이곳에 도착하여[96] 김성백 어른[97] 댁에 체류하면서 멀리서 이곳에 도착한 대동공보를 보니 이토는 이달 12일에[98] 길을 떠나 관성자에서 러시아철도국의 특별열차에 탑승하여 같은 날 오후 1시에 하얼빈에 도착한다고 하니 아우 등은[99] 조도선과 함께 가족을 출영한다고 일컫고 먼저 관성자역으로 가서[100] 동역에서 약 10리 떨어진[101] 곳인 갈포[102]정거장에서 이를 기다려[103] 거사할 심산이니[104] 이로써 믿어주십시오. 일의 성공여부는 하늘에 달렸으니[105] 바라건대 동포들은 기도로써 원조해 주십시오.[106] 또 돈 50환을 빌려서 이곳에서 김성백씨가 여비로 충당해준 것을 빨리 갚을 수 있기를 아주 간절히 바라고 있습니다. 대한독립만세. 9월 11일 오전 8시에 드립니다. 우덕순 〈도장〉 안중근 〈도장〉 블라디보스토크[107] 대동공보사 이강 좌하. 추신 오늘 아침 8시에 남쪽으로 출발하는 까닭에 뒷일은 현지에 도착한 뒤에 다시 알리겠습니다."[108]

---

93 러시아 국적을 얻은 자이다.
94 시가와 함께 글을 강에게 부친 것이다.
편역자: 안중근은 이강에 편지와 시를 붙인 적이 없다.
95 양력 12월 22일.
96 하얼빈이다.
97 곧 김성박(편역자: 김성백의 잘못) 집이다.
98 양력 10월 25일.
99 다른 데에는 오등(吾等)으로 되어 있다.
100 다른 데에는 부(赴)로 되어 있다.
101 다른 데에는 수역(數驛)으로 되어 있다.
102 편역자: 관성자.
103 다른 곳에서는 이토(伊藤)로 되어 있다.
104 다른 곳에는 결정(決定)으로 되어 있다.
105 다른 곳에는 천운(天運)으로 되어 있다.
106 다른 곳에는 행망동포지선도이여원조(幸望待同胞之善禱而與援助)로 되어 있다.
107 곧 해삼위(海蔘威)이다.
108 편역자: 이에 대한 정확한 기록은 아래와 같다.
"삼가 아뢰옵니다.
이달 9일(양력 10월 22일) 오후 8시 당지 안착. 김노옹성백(金老翁成白) 씨 집에 머물고 있다. 『원동보』에서 산견하건데 그 이토가 이달 12일(양력 10월 25일) 관성자 발정 러시아 철도총국이 특별히 보낸 특별열차에 탑승, 같은 날 오후 11시 하얼빈에 도착한다고 하므로 동생들은 조(우)도선(曺(友)道先)씨와 함께 동생의 가솔을 마중하기 위해 관성자로 간다고 하여 남모르게 관성자라는 몇 십 한리(韓里) 아래에 있는 모 정거장에서 이를 기다려, 그곳에서 드디어 일을 결행할 작정이다. 그 어간 앞서 말한 바를 양지하기 바라며, 일의 성패는 하늘에 있고 요행히 동포들의 선도(善禱)로써 도움을 받을 수 있을 것을 복망하나이다. 또 당지 김성백 씨로부터 돈 50루블을 빌렸으니 곧 갚아주시기를 천만 번 앙망한다.
대한독립만세

그 뒤에 주죠가 피고들에게

"피고들에게 유리한 일이 있으면 이 때 진술하라. 또 청구할 일이 있으면 청구하라."

라고 하였다. 이에 중근과 덕순이

"별다른 어떠한 청구도 없다. 그러나 우리들이 이토를 죽인 일에 대해서 세상 사람들의 오해가 없기를 바라며 그 이후로부터 가슴에 품은 삼대목적을 진술하고 싶다."라고 하였다. 도선이 말하기를, "별다른 청이 없다."

라고 했다.

동하가

"별다른 할 말은 없고 빨리 집에 돌아가게 해 달라."

라고 하자, 법정 가득한 사람들이 큰 소리로 웃었다. 이에 변호사가 안중근·우덕순 두 사람의 삼대목적을 진술해도 좋다고 허가한 것으로 여겼다.

주죠가

"그런즉 간단히 진술하되 만약 공안에 방해가 되는 말이 있다면 방청을 금지하겠다."

라고 공포하였다. 중근이 자기가 옥중에서 쓴 이토를 살해한 이유 15개조의 핵심을

"내가 이토를 하얼빈에서 죽인 것은 이토가 한국의 독립을 빼앗았기 때문이다. 하얼빈의 암살은 한국독립전쟁의 한 부분이다. 또 우리들이 일본법정에 서서 일본의 재판을 받는 것은, 전쟁에서 패배하여 포로가 된 것이다. 국내의 의병이 늘 일본군과 더불어 충돌하는 일은 독립전쟁으로 봐야 옳다."

우덕순 인
이 인(印)은 전서로서 한양의 글자로 새김
9월 11일(양력 10월 24일) 오전 8시 두제(頭弟)

안응칠 인
이 도장은 장원형(長圓形)으로서 횡문자(横文字)로 되어 있으며, 위에 고레안 아래 토마스라고 되어 있다.
Corea Thomasu
블라디보스토크 대동공보사 이강 전
오늘 아침 8시 출발 남행
추신 「포그라니치나야」로부터 유동하와 함께 이곳에 도착, 향후의 일은 본사에 통지 하겠다"(신운용 편역, 「셋째 날의 공판」, 『안중근·우덕순·조도선·유동하 공판기록 - 공판시말서』(안중근 자료집 9), (사)안중근평화연구원, 2014, 145쪽).

라고 말하며,

"내가 개인 자격으로 이 일을 한 것이 아니고 한국의군 참모중장으로서 국가와 동양평화를 위해서 한 것이라는 것은 전날 설명한 것과 같다. 일본은 일러전쟁 당시의 선언을 배신하고 강압적으로 한일조약을 체결하였으니 일본은 동양을 교란한 자이고 또 이토는 왕년에 민황후를 시해했을 때의 수괴이다. 또 한국의 외신이 되어 우리 황제폐하를 기만하고 황위에서 폐위를 시켰으니 이토는 다만 한국의 역적일 뿐만이 아니고 일본천황의 대역적이다. 일본 선제인 코메이(孝明)천황[109]이…"

라고 하였다.

말이 아직 끝나지 않았는데 주쵸가 진술을 중지시키고 피고의 진술이 공안에 방해가 된다고 하여 공개를 금지하고 방청객을 퇴정시키니 시간이 오후 4시 10분이었다. 그 뒤에 안·우 두 사람의 진술은 더 들을 수가 없었다. 오후 4시 25분에 폐정하였다.

10일 오전 9시 30분에 제4회 공판을 개정하고 검찰관 미조부치 다카오가 기립하여 먼저 사실론을

"먼저 피고의 성격을 살펴보면 유동하는 미성년자이면서 겸하여 모시는 하인으로 정치사상이 없는 자이지만 그 성질은 자못 사납다. 조도선은 학문이 없는 사람이면서 겸하여 지금까지 이력에 정치적 사상이 생기지 않았으며 의지가 박약하여 도저히 독립을 을 경영할 인물이 아니다. 우덕순은 다소의 학문이 있고 또 블라디보스토크에서 대동공보의 수금원이었을 뿐만 아니라 때때로 그 사원과 같이 왕복했음을 살펴보면 피고가 신문에 의지했음은 명백하고 정치사상이 있어서 그 성질은 교화하기가 어려운 인물이다.

안중근은 한국인으로서는 다만 착하고 아름다운 성격을 가지고 있을 뿐만 아니라 그 부친은 상당한 재산이 있어 생활은 중류이상이라 지방의 명족으로서 부끄러울 것이 없다. 그런즉 안은 그 지위 상 비교적 학문이 적고 그 성질은 강직하고 그 의지는 강경하며 또 정치사상과 그 동기가 풍부하다.

안은 석탄상을 경영했는데 실패를 하였다. 각자가 해야 하는 정치에 관한 안정근[110]의 연설을 듣고 그 사상이 끓어올라 고향을 떠난 뒤에 사방을 유랑하다가 의병에

---

109 중근이 장차 이토가 코메이천황을 시해한 일을 말하려고 하였다.
110 편역자: 안창호.

참가하였다. 범죄동기로써 말하면 유·조 두 사람은 말할 것도 없고 안과 우 피고 등이 공술한 바에 이르면 정치사상에 기인한 것이 러시아 관헌의 조사에도 명백하고 사사로운 혐의에서 기인하여 범죄를 결의한 것으로 말해도 안은 일찍이 전부터 깊이 생각한 것이고 이토가 만주에 건너온다는 것을 듣고 결정하였다. 우는 안에게 꼬임을 당했을 때부터이다. 조와 유는 범죄 이틀 전에 뜻이 있었던 것 같으나….[111] 그런즉 유·조는 범죄를 예비했고, 우는 방조자이며 안은 현행범이다."

시간이 정오가 되자 주죠가 휴식을 공포하였다. 오후 1시 20분에 다시 개정하여 다카오가 소송법상 재판관할권한의 법률론 수백마디를 진술하고 대략 다음과 같이 말하였다.

"피고가 죄를 저지른 곳은 동총철도로 그 영토권은 청국에 속한즉 재판권은 러시아 있지 않다는 것이 명백하다. 또 1899년 한청조약 제5관과 일본 메이지 32년 3월 법률 제70호, 동 38년 10월 17일 한일협정 제1조, 동 41년 법률 재53호 및 관동도독부법령 제73호를 참조하면 재판권은 해당 지방법원에 있다는 것은 당연하다. 다음으로 실체법에 의거해서 그것을 논하면 피고에게 일번 형법을 적용하는 것은 지극히 정당한 까닭에 피고 안중근은 살인을 꾀한 현행범으로 형법 제195조에 의거하여 사형에 처해야 한다. 안을 사형하는 것에 대해서 오히려 세 가지 미수가 있으나 결국 합병죄로 여겨지니 45조에 의거하여 결국 사형에 귀납한다. 국법이 존재하는 한 사회질서를 유지하고 사람의 생명을 보호하며 천하의 죄를 용서하지 않는 까닭에 이것은 정당하다고 생각한다.

우와 조의 형량은 정황을 참작하는 가운데 법률이 미비함을 내세워 어쩔 수없이 명백히 기록한 조문이 허락하는 범위 안에서 극형 곧 징역 2년 이내에 처해야 할 것으로 믿는다.[112] 우의 소행이 조와 형이 같다는 것은 너무 가벼우나 현행법에 의하면 예비범은 2년 이내인 까닭에 이 이상은 청구할 수가 없다.

우와 조는 경중을 분별하기가 어렵고 중형이 타당하다고 생각하지만 법률에 명백한 조문이 있기 때문에 어쩔 수없이 서로 같게 된 것이다. 유동하는 그 사정과 성격, 연령으로 그것을 보면 살필 것이 없지 않다. 남의 유혹에 응하였고 또 안의 앞에서 감히 반항하지 못하는 상황이니 감히 강제라고는 말할 수 없으나 안의 명령을 따른

---

111 본문이 생략되어 있기 때문에 기재하지 않는다.
112 1년 11개월 29일.

사람이니 그 사정으로써 용서하기에 남음이 있다.

그러나 제199조의 3개의 주형 가운데 3년 이상의 징역인데 본 형량을 적용하면 제63조, 제68조 제3호를 참조하여 2/1을 감형하고 또 1년 6개월 이상 7년 6개월 이하의 범위 안에서 형량을 참작하여 최단기인 1년 6개월로 하기를 바란다. 또 안의 범죄에 사용된 권총과 우, 조가 사용하고자 했던 권총은 형법 제19조 2호에 의거 몰수하기를 바란다."

주죠가 피고에게 유리한 진술이 있는지 여부를 묻자 변호사가

"사건이 중대하니 신중히 궁리할 필요가 있을 뿐만 아니라 시간이 부족하니 오늘은 그만 두고 내일 신청하겠다."

라고 하였다. 오후 4시에 폐정하였다.

12일[113] 오전 9시 반에 제5회 공판이 열렸다. 관선변호사 가마다가 일어나서

"본 사건은 세계인의 이목을 집중시킨 중대한 사건인 만큼 신중하게 재판하기를 바란다. 세계로 하여금 모범적인 공판이라고 알게 해야 한다."

라고 하며,

"재판권 관할 문제를 논하자면 본건은 범죄현장은 청국 영토이고 피고는 한국인이다. 일본인의 범죄는 일본영사에게 재판권이 있는데 이것을 한국인에게 응용하기는 어렵다.

또 광무 3년 한청조약 및 광무 9년 한일보호조약 등으로 그것을 논하자면 한국의 외교권은 소멸된 것이 아니고 다만 일본이 대리하는 것에 불과한즉 한국의 신민은 일본의 형법으로 다스리는 것은 옳지 않다.

한국형법을 적용하면 되는 것이고 동 형법에는 본 사건과 같은 해외범죄와 관련한 조항이 없기 때문에 피고를 처벌 할 수가 없다. 지금 가령 일본형법으로 피고를 처벌한다면 다만 이토의 정책을 오해할 뿐만이 아니고 검사의 논고와 같이 극형을 시행한다면 이토공이 희망하는 바가 아닐 것이다."

라고 하였다. 그가 죽은 뒤에 지금까지 명료하게 추찰할 수 있는 사실로써 변호사가

"안과 우의 자유 및 증거에 대해서는 모두 다른 뜻이 없다. 조와 유에 대해서는 전

---

113 음력 정월 초4일.

혀 반대의 뜻이 있다. 유를 보면 정치사상이 전무하고 법정에서 공술할 때 빨리 집으로 돌아가고 싶다는 말을 들어보면 그가 중대한 사건에 참가하지 않은 자라는 인정된다. 조는 그 태도 및 거사 이틀 전에 그 처를 불러오려고 발송한 서면 등 3~4개의 사실을 보면 안과 공모하지 않았다는 것은 분명한 사실이다. 조와 유 두 사람을 종범이라고 논하는 것은 옳지 않다."

라고 논증하여 말하였다. 주쬬가 통역을 시켜 위와 같은 변호사실을 피고에게 전하도록 하였다. 12시 30분이 이미 지나서 휴식을 명하였다.

오후 1시 반에 공판을 속개하여 관선변호사 미즈노가 양형에 대해

"피고 안은 지식이 부족한 까닭에 국가에 충성을 다하는 방침을 오해한 자니 실상 동정할 점이 있다. 또 현국의 현 상황은 일본의 존왕양이를 외치던 유신이전의 일본과 같고 그 일본을 배척하는 무리는 또한 당시의 우국지사들과 유사하다.

안이 이토를 살해한 것은 한일보호조약을 오해한 것으로 일본유신 이래의 사쿠라이몬외(櫻井門外)[114] 사건, 시노모세키(馬關)사건의 고야마(小山), 오오쓰(大津)사건의 쓰다(津田), 호시도오루(星亨)사건의 이바(伊庭) 등의 처형과 비교하면 피고 안은 한층 더 동정할 점이 있다. 혹자는 이와 같은 죄인을 가벼운 형벌로 처벌하면 이와 같은 사건이 속출한다고 여긴다.

그러나 이것은 받아들이기 어려운 망령된 논리이다. 생명을 건 것에 중형을 적용한다고 범죄자가 어떠한 경계를 한단 말인가? 또 피해자 이토 또한 지하에서 피고에게 중형이 내려진 것을 불쾌해 할 것이다. 왜 그러한가? 이토공은 젊었을 때 시나카와(品川)에 있는 영국공사관을 불태우고 존왕양이설을 주창하여 피고인 안중근 사건과 매우 비슷한 사건을 자주 저질렀다.

또 이 사건은 특별히 여러 나라의 주목을 받고 있다. 만약 지나친 형벌에 처하면 일본이 이토공을 애석하게 여김과 동시에 피고인을 미워하는 감정으로 판결하였다는 비평을 면하지 못할 것이다. 그런즉 형법 199조에 의거하여 가장 가벼운 형벌인 곧 징역 3년에 처해야 한다."

라고 하였다. 또 우덕순에 대해서도

"이상의 논고를 응용하여 비교적 가벼운 형을 내리고, 조·유 두 사람은 정황을 알

---

114 편역자: 사쿠라다문(櫻田門)사건.

지 못한 자이니 무죄로 논하기를 바란다."

라고 하였다.

그 뒤에 주조가 피고를 향해서 최후진술을 요구하니, 조·유 두 사람이

"원래 안과는 조금도 관계가 없는데 공연히 혐의를 받아서 유감이다."

라고 하였다. 우덕순이

"내가 이 사건에 참여한 것은 평소의 뜻인 까닭에 그 목적과 사업을 이미 진술했으니 더할 것은 없다. 오직 한마디를 덧붙이자면 한일양국 사이의 장벽을 깨뜨리고 오늘 이후로는 일본천황폐하의 선전조칙을 받들어 한국인민을 학대하지 말고 한국의 독립을 회복시켜라. 이것이 희망이다."

라고 하였다.

안중근은 기색이 태연하였다. 몇 시간 동안 도도한 웅변으로 큰 소리로 진술했는데 모두가 비분강개한 말이어서 차마 다 기록하지 못한다. 대략적인 내용은 다음과 같다.

"이토가 5조약을 체결한 뒤에 한국통감이 되어 한국인을 학대하고 황제를 폐위한 까닭에 내가 동양평화와 한국독립을 위해 한 목숨을 걸고서 이 일을 한 것인즉 나는 결코 저 검사관 및 변호사 등의 말과 같이 이토의 정책을 오해한 것이 아니다.

또 나는 한 개인의 원한으로 일을 한 것이 아니라 국민의 의무인즉 나에게 보통의 형사피고인을 적용하는 것은 옳지 않다. 국제공법에 의거하여 여러 나라 사람들이 입회한 가운데에 심문을 하는 것이 지극히 마땅하다."

또 한국변호사가 변호를 위해 왔는데도 허가하지 않고 다만 일본변호사로써 책임을 막으니 편파적이라는 의혹이 없을 수 없다.

이에 검찰관과 변호사를 향하여 한바탕 논박을 하고 마지막으로,

"내가 한국독립을 바라는 외에는 바라는 바가 없다."

라고 하였다.

시간이 이미 오후 4시 20분이라 주조가 14일에 판결한다고 하고 폐정을 공포하였다.

14일에 제6회 공판이 열렸는데 정해진 시간 전에 방청자가 담을 이룬 가운데 러시아 법학박사 야부친스키 부처와 변호사 미하일로프 및 러시아 영사관원 우리나라

변호사 안병찬, 안중근의 두 동생 정근, 공근 및 그 사촌동생 명근이[115] 참석하였다.

오전 11시 반에 개정하여 법정에 가득한 몇 백명의 눈이 모두 재판장 마나베 주죠를 주시하였다. 신문기자들은 펜을 잡고서 기다렸다. 이에 주죠가 피고인 네 사람에 대하여 판결선고를 말하였다. 안중근은 살인죄에 의거하여 사형, 우덕순은 방조살인죄에 의거하여 징역 3년, 조도선, 유동하는 살인방조죄에 의거하여 각 징역 1년 6개월, 중근과 덕순의 권총 및 탄환을 몰수하고 도선, 동하의 총과 탄환은 돌려준다고 하고 주죠가 피고인들에게 각 범죄 사실과 판결 이유를 설명하면서

"이 판결에 대해 불복하는 바가 있다면 5일 이내에 항소하라."

라고 하였다. 덕순·도선은 말이 없다. 다만 동하가

"나를 빨리 집으로 돌아가게 해 달라."

라고 하였을 뿐이다.

중근이

"아직도 의견을 진술하고 싶지만 항소가 아니면 할 수가 없다."

라고 하였다. 이 때 중근·덕순이

"우리들을 오랜 전부터 이럴 줄 알고 있었다."

라고 안색도 태연하게 말하였다. 도선·동하는 고개를 수그리고 있을 뿐이었다. 공판 전에 일본 법원이 일본인으로 우리말을 잘하는 사람을 보내서 3일마다 혹은 5일마다 와서 중근에게

"만약 공판할 때 이토를 죽인 것은 이토의 정책을 오해했기 때문이라고 한마디만 한다면 무사히 석방하겠다."

라고 하였다. 이에 중근이 정색하며,

"내가 이토를 죽인 것은 3대 목적이 있는데 어찌 그 정책을 오해하였다고 하겠는가?"

라고 하면서 선고할 때 빙그레 웃으며

"이 극형보다 더한 것은 없지 않겠는가?"

라고 하였다. 미즈노 키치타로가 감옥으로 가서 중근을 면회하고 항소 여부를 묻자,

---

115 명근은 2월 13일에 여순에 도착하였다.

"나는 그 재판에 불복하지만 항소하는 것은 생명을 돌보는 것 같으니 마땅히 깊이 생각해서 결정하겠다."

라고 (중근이) 대답하였다. 키치타로가 드디어 신문에 실린 중근 모친이 중근에게 이르는 '가문의 명예를 욕되게 하는 일을 하지 말라'고 한 말을 전하였다. 공판할 때 중근은 시종

"이토를 죽인 것은 다만 자기 한 사람의 일이고 결단코 다른 관계자나 방조자는 없다"

라고 하였다. 덕순은

"처음부터 이토를 죽이려고 결심했으나 그 기회가 중근에게 돌아갔다고 여겼다."

라고 하였다. 도선·동하는

"처음부터 그 사실을 알지 못하여 조금도 관계가 없는 걸로 여긴다."

라고 하였다. 이에 앞서 (안병찬은) 병이 나아서 환국하고자 했으나 안정근·공근 두 사람이 공판이 끝난 뒤에 떠나자고 간청하여 그 뜻을 가련히 여겨서 그만 두었다. 같이 방청했으나 중근위해 변호를 하지 못하자 비분한 탄식을 금하지 못하였다.

이 때 도선의 처가 러시아 영토인 이루크츠크에 있었고 중근·동하의 처는 모두 청나라와 러시아의 국경인 수분하에 있어서 여순으로 가고자 했으나 일본인에게 욕을 당할까 두려워하여 감히 오지 못하였다.

15일에 안병찬이 감옥에 가서 중근에게 작별하니 중근이 우리 대한 동포에게

"내가 대한독립의 회복과 동양평화의 유지를 위하여 3년간 해외에서 풍찬노숙하였으나 끝내 그 목적을 달성하지 못하고 이곳의 일본감옥에서 죽으니 오직 우리 2000만 형제자매는 각자 분발하여 학문에 힘쓰고 산업을 진흥하며 우리의 자유독립을 기약한다면 죽은 자가 유감이 없겠다."

라고 유언하였다.

병찬이 16일에 여순을 떠나 귀국하여 그 말을 전하니 듣고서 슬퍼하지 않는 사람이 없었다. 이갑·안창호·김명준[116]·이종호[117] 네 사람이 안중근의 협의자로서 작년 11월부터 니현(泥峴)·용산·개성에 수감되어 있었는데 일본의 각 헌병대가 19일 밤에 비로소 무죄로 그들을 석방하였다.

---

116 전 비서승이다.
117 이용익의 손자로 벼슬이 참서관에 이르렀다.

중근은 17일 오후 1시에 일본고등법원장 히라이시를 만나 자기가 이토를 죽인 것을 오해가 없도록 부탁하고 다시 그 밖의 소감을 진술한 뒤,

"나는 결단코 깨끗이 죽지 항소하지는 않겠다."

라고 하였다. 그 이야기를 하는 사이에 4시가 되자 이에 절필하며

"천지가 뒤집어지니 의사가 강개하여 탄식하도다. 큰 집이 장차 기울어지니 한 개의 나무로는 지탱하기가 어렵도다."

라고 몇 구를 썼다. 이때 히라이시에게 글로 위협하는 자가 있었는데 그 이름을 숨기고 "평양 이화동의 중근"이라고 썼다. 옥중에 있으면서 조용하고 태연히 자기평생의 행적을 기술하고 또 동양평화론을 저술했는데 초고가 50여 매에 이른다. 일본인이 요구하면 휘호를 대단히 많이 썼다. 옥리를 온순한 태도로 대했으며 우인으로서 여순에 있는 사람에게[118]

"그대가 천리 밖에 있음을 생각하고 바라보는 눈길이 뚫어질 것 같다. 작은 정성을 표하노니 바라건대 정을 저버리지 말라. 경술년 정월 여순감옥에서 대한국인 안중근 씀."

이라는 휘호를 써주었다. 그 필법은 자못 교묘해서 서예가의 기풍이 있었고 자기의 잘라진 무명지로써 거기에 날인하였다.

3월 2일[119] 황해도 신천의[120] 천주교당의 신부인 홍석구가 중근의 요청으로 재령에서[121] 떠나 9일에 여순에 도착하였다. 같은 날 중근의 4촌 동생 명근이 중근을 보려고 인천에서 외륜선을 타고 여순으로 떠났다. 석구가 중근을 보고 약 2시간 동안 교리를 가르치고 종교상의 참회로써 영결하였다.

중근이 석구에게 귀국하거든 한국·프랑스 두 나라의 교우 및 동포에게 평화적인 수단으로 대한독립을 회복하라고 전하라는 말을 하며 처음으로 뜨거운 눈물을 흘렸다. 12일 석구가 여순을 떠났고 명근 또한 중근과 울면서 작별하고 석구와 같이 귀국하여 13일에 개성에 도착하였다.

14일에 석구가 진남포로 가서 중근이 부탁한 말을 그 친척과 옛 친구들에게 전하

---

118 공판 때 자신을 알아주는 대우를 해준 사람.
119 음력 정월 21일.
120 경성에서의 거리가 460리이다.
121 황해도에 속하고 경성까지의 거리가 450리이다.

였다. 명근은 신천으로 갔다. 일본 법원이 장차 중근을 25일에서 27일 사이에 사형을 시행하려고 했는데, 중근이 예수가 십자가에서 형을 받은[122] 제삿날 25일로 법원에 신청을 해서 정해졌다.

16일에 중근이 다시 지금 동양평화론을 기초해서 겨우 서언을 탈고했으니 기한 내에 그 전부를 완성하기가 어려우니 다시 15일만 연기해 달라고 요청하고 또 집형 때 피 묻은 양복을 입으면 천국에 오르기 어려우니 새로 만든 한복 일습을 지급해 달라고 요청하였다. 다시 유언으로 부탁할 일이 있어 두 아우를 면회할 수 있도록 요청하였다. 일본인들이 중근의 사형일을 25일로 정했으나 그 날이 건원절이라는 통감부 전보에 의거하여 다시 26일로 정하였다.[123]

중근이 맹세하기를 본국이 독립하기 전에는 비록 죽더라도 귀국하지 않겠다고 하여 하얼빈에 묻어줄 것을 요청하였다. 이 때 중근은 이미 본전을 저술하였고 동양평화론은 다만 3~4절을 탈고 했었다. 25일에 중근이 두 아우와 영원히 헤어지며

"내가 죽은 뒤에 너희들을 매사에 모친의 지도를 받되 효로써 봉양하는 것을 게을리 마라."

라고 하였다. 다시 친한 일본인에게

"사람의 마음은 위태롭고 도심은 은미하다. 경술년 3월 여순감옥에서 대한국인 안중근 씀"

이라는 글을 써주었다.

26일에 중근은 사촌 아우인 명근이 싸가지고 온 흰색의 명주 두루마기를 입고 검은색 양복바지와 본국의 짚신을 신고 조용히 형의 집행을 기다렸다. 일본 검찰관 미조부치 타카오와 전옥 구리하라, 통역 소노키 등이 현장에 입회하였다. 구리하라가 집형문을 낭독하고 유언이 있느냐고 묻자 중근이

"내가 여기에 이른 것은 본래 동양평화를 위한 것이니 다시 유감이 없다. 이곳에 입회한 일본관헌들에게 바라노니 오늘 이후로 한일친선과 동양평화에 힘을 다해 주시오."

라고 하였다.

그 뒤 약 3분간 최후의 기도를 하고 말없이 형대에 올라 '동양평화만세'라고 외치

---

122 25일에서 27일이 예수가 형을 받은 날이다.
123 음력 2월 16일이다.

고 의젓하게 형을 받으니 곧 10시 4분으로 이토 히로부미가 죽은 시간보다는 11분 늦었다. 현장에 입회한 일본의사가 검시하고 두꺼운 송판으로 된 관에 입관하고 감옥 안의 교회당으로 옮겨 안치하였다.

우덕순·조도선·유동하는 모두 슬퍼하면서 머리를 두드리는 재배를 하며 조상하였다. 덕순은 슬픔을 이기지 못하였다. 중근의 두 아우가 시신을 귀국시켜 고향인 신천에 매장할 것을 요청하니[124] 일본인이 허락하지 않았다. 오후 1시에 여순 공동묘지에 매장하니 두 아우가 슬픔을 이기지 못하고 소리쳐 통곡하였다. 5시에 차로 떠나서 귀국하였다.

이날 새벽에 홍석구가 신천 교회당 안에서 중근의 친족 및 천주교도들을 만나서 중근을 위해 간절히 기도하고 중근의 유언을 전하였다. 여순에 있는 천주교당 안의 프랑스 교도들 역시 요조례(遙吊禮)를 거행하였다.

이 때 일본인들은 경성에서 중근의 사진을 엽서로 찍어서 판매했는데, 사람들이 다투어 그것을 샀다. 28일에 내부에서 치안에 방해가 된다고 하여 그것을 금지시켰다. 남부경찰서는 그 사진관 주인을 불러 치안에 방해가 된다고 타이르고 그를 방면하였다.

일본정부는 재판장 마나베에게 150환, 검찰관 미조부치에게 250환, 통감부통역 소노키에게 200환, 전옥 구리하라에게 150환, 기타 관원 21명에게 모두 상금을 내렸다.

우덕순은 뒤에 내란과[125] 모살죄로 함흥지방재판소에서 결석재판을[126] 받았다. 여순 일본 관동도독부에서 파견한 순사 2명이 7월 16일[127] 압송하여 인천경찰서에 도착하고 18일에 부산으로 호송하였고 다시 함흥으로 갔다. 일본인이 끝내 그를 죽였다.

---

124 모친의 명을 따른 것이다.
125 의병을 말한다.
126 법정에 나타나지 않은 것을 말한다.
127 음력 6월 10일이다.

2 매천야록 중 안중근 기사

황현

매천야록 권지육(卷之六)

1.

○ 26일 음 9월 13일 안중근이 하얼빈에서 이토 히로부미(伊藤博文)를 살해하였다. 안중근은 갑산(甲山)에서 태어나[1] 정처 없이 떠돌아다니다가 지금은 평양에 살고 있다. 31세인 그는 이토 히로부미를 살해하여 나라의 수치를 씻으려고 남모르게 노력한 지 이미 수년이 지났다. 올봄에 그는 동지들에게, "올해 이 적을 살해하지 못하면 내가 자결하겠다."라고 맹세하였다.

그 후 여름이 가고 가을이 될 무렵 이토 히로부미가 만주로 온다는 소식을 듣고 그는 블라디보스토크로부터 (만주로) 왔다. 때마침 이토 히로부미가 하얼빈에 도착하였다. 그는 러시아 관리[2]와 만나기로 약속이 되어 있었다. 그가 막 차에서 내리려고 할 때, 안중근은 러시아 병사들 사이에 섞여 있다가 총을 연속해서 쏘았는데 세발이 모두 명중하여 이토 히로부미가 차에서 떨어졌다. 그를 병원으로 데리고 갔으나 30분 만에 숨을 거두었다.

그리고 그 총은 한 번 쏘면 여섯 발이 연속으로 발사되었다. 그중 세 발이 (이토 히로부미를) 호위하던 왜적에 맞았으나 그들은 모두 죽지 않았다. 당시 이토 히로부미는 오른쪽 복부와 등에 총을 맞았다. 그 소식이 하루도 되지 않아 급속히 동서양으로 타전되었다. 각국에서는 모두 놀라며, "조선에도 아직 사람이 있다."라고 여겼다.

---

1 편역자: 안중근은 해주에서 태어났다.
2 편역자: 까깝쵸프.

그리고 이때 안중근은 공모자 10여 명과 함께 체포되었다. 그는 "내 일을 이미 이루었으니 죽어도 누가 알겠는가?"라고 웃으며 말하였다. 이 소식은 서울까지 알려지자, 사람들은 감히 '통쾌하다'고 하지는 못하였으나 모든 어깨가 들썩였으며, 깊은 방에 앉아서 술을 마시며 서로 축하하였다.

이완용(李完用)·윤덕영(尹德榮)·조민희(趙民熙)·유길준(兪吉濬) 등은 양궁(兩宮)[3]의 분부를 핑계로 즉시 대련으로 조문을 갔다. 임금[4]이 친히 통감부로 가서 조문을 하고 히로부미에게 문충공(文忠公)이란 시호를 내리고 제전비제(祭奠費) 3만원을 부조하였고, 그의 유족에게는 10만원을 하사하였다.

그리고 이학재(李學宰) 등이 히로부미의 송덕비 건립을 건의하고, 민영우(閔泳雨)는 동상 건립을 건의하면서 미친 듯이 설치므로 왜인들이 그들의 언행을 저지하였다.

2.

임금이 민병석(閔丙奭)을, 태황제[5]는 박제빈(朴齊斌)을 조문사로 파견하였다. 김윤식(金允植)은 원로대표로 함께 일본으로 갔다. 이때 일본은 조야가 대단히 놀라고 슬퍼하여 히로부미의 장례를 국장으로 하였다. 그러나 많은 사람들의 분노가 풀리지 않아 마치 밀물이 밀려오고 화염(火焰)이 치솟는 것 같았다. 어리석은 사람들이 민병석 등이 오는 것을 보고 조문 사절들에게 위해를 가하려고 그들에게 달려들었으나 왜국 관리들이 호위를 엄하게 하여 벗어날 수 있었다.

황태자는 일찍부터 히로부미를 태사(太師)로 섬겨 그을 위하여 3개월 동안 상복을 입었다. 안중근은 여순의 왜인 감옥에 수감되어 있었다. 히로부미는 (사망하기) 수일 전에 그의 추종자 코야마(小山)에게, "누군가에게 암살당하는 것이 내가 바라는 바이다."라고 하였으므로 사람들은 그 말대로 되었다고 여겼다.

---

3 편역자: 고종과 순종.
4 편역자: 순종.
5 편역자: 고종.

3.

○ 안중근사건 연루 구속자는 홍원 조도선, 서울 우연준, 명천 김려생(金麗生), 풍기 유강로(柳江露), 서울 정대전(丁大錪)·김성옥, 경북 구담(九潭), 하얼빈 김형재(金衡在)·위남(威南)·정공경(貞公瓊) 모두 9명이다.[6]
이들의 나이는 모두 30여 세이나 오직 김성옥만은 49세이고 유강로는 18세였다고 한다. 안중근 아우 정근은 28세로 서울 양정의숙에서 수학이고, 태(泰根)[7]은 24세로 진남포의 보통학교 부훈도를 지내고 있다. 안중근 사건을 듣고 모두 스스로 학교를 그만두었다.

4.

○ 의병장 문태수(文泰洙)가 왜(倭)의 이원역(伊院驛) 정거장을 습격하여 불을 질렀다. 이때 히로부미의 죽음으로 인하여 왜의 통행이 자못 빈번하였음에도 태수는 기회를 놓치지 않고 분발하였다. 원근이 대단히 소란스러웠고, 왜인들도 매우 놀라 경계와 준비를 철저히 하였다.

5.

○ 통감부 관저 연천정(綠泉亭)에 불이 났다가 진화되었으나, 유언비어가 자못 돌아, 왜인들이 더욱 의심을 품게 되었다. 히로부미의 사망 이후 모든 사람들이 큰 역적이 이마 제거되었으니 국가에서 조금이라도 포상하라고 하였다. 왜인들이 더욱 격노하여 정령(政令)이 더욱 가혹해져서 힘들어져 어떤 사람들은 안중근이 이 난세에 도움이 된 것이 없다고 말하였다.

---

6 편역자: 안중근의거 이후 하얼빈에서 체포된 한인은 안중근·우덕순·조도선·유동하·탁공규·김성옥·정대호·김려수·김형재 9명이다. 자세한 내용은 신운용, 『재하얼빈 한인 신문기록』(안중근 자료집 7) 참조.

7 편역자: 공근(恭根).

6.

○ 태황제가 이토가 죽었다는 소식을 듣고 대단히 기뻐하며 오랫동안 웃으며 말하였다. 왜(倭) 경시관 요부코 유이치로(呼子友一郎)는 이 소문을 듣고 대단히 화를 내며 그 말의 근원를 조사하여 그 진위를 파악하고, 그는 내인(內人)들까지 신문하였다. 이때 어떤 사람들은 시종 이용한(李容漢)이 왜인들에게 아첨을 하기 위해 일러바친 것이라고 하였다.

7.

○ 신녕(新寧)에 거주하는 황응두(黃應斗)는 지방위원이다. 그는 이토공의 변(變)을 사죄를 하지 않을 수 없다고 주장하였다. 이에 윤대섭(尹大燮)·김태환(金台煥), 양정환(梁貞煥) 등이 그에 호응하여 각군에 위협을 가하므로 각군에서는 위원들을 일본에 보냈다. 위원들을 파견하면서 그 경비를 거두었으므로 지방에서는 큰 소란이 일어났다.

8.

○ 신녕 군수 이종국(李鍾國)이 이토 추도회를 만들어 박상기(朴祥琦)·황응두(黃應斗) 등과 "지난번 민영환, 최익현과 같이 고루한 무리들이 죽었을 때도 온 나라가 친족처럼 애도하였는데 지금 은인 이토공이 사망하였는데도 한 사람도 이를 술퍼하는 자가 없으니 우리 한국이 망한 것은 하루아침에 그리 된 것이 아니다."라고 큰 소리로 떠들며, 응두 등을 격려하여 사죄단을 만들어 그들을 일본으로 보냈다.

9.

○ 민영익이 상해에서 4만원을 내어 프랑스·러시아의 변호사를 고용하여 안중근의 재판을 도왔다.

10.

○ 왜인이 중앙복음전도관을 창립하였는데, 왜인들은 안중근·이재명 등이 모두 기독교 출신이므로 그 교를 대단히 싫어하고 미워하였다. 하지만 금지하기에는 역부족이었다. 그래서 복음을 전도한다는 말로 사람들을 그 교로 유인하여 국가의 흥망과 자신의 생사를 생각하지 않고, 오직 하느님만 한 마음으로 믿으면 복음이 저절로 온다고 하였다. 이는 우리 국민의 충의기질을 없애어 허무적멸 속으로 빠뜨리는 는 술책이었다. 하지만 어리석은 백성들 그들의 유혹에 깊이 빠졌다. 그리고 이때 왜인들이 신궁경의회(神宮敬義會)·정토종(淨土宗)·신리교(神籬敎)·천조교(天照敎)라는 종교를 설치하였다. 지금 이런 술수를 부리고 있는 것이다.

11.

○ 안중근의 아우 안정근·안공근이 여순에서 서울 변호사협회에 서신을 보내어 한국 변호사 1명을 변호사로 청하였다. 서울에 있는 변호사들은 서로 눈치만 보며 감히 자원하는 사람이 없었다. 하지만, 평양 변호사 안병찬(安秉瓚)이 흔쾌하게 자원하여 10일 여순으로 향하였다.

12.

○ 안중근의 어머니가 변호사를 찾아서 평양으로 갔다. 그의 말과 얼굴빛은 의연

하여 마치 열장부(烈丈夫)와 같았다. 사람들은 모두 “그 어머니에 그 아들”이라고 하였다.

13.

○ 안중근이 처음 하얼빈에 도착하였을 때 시가(詩歌)를 지어 함께 간 우덕순과 서로 화답하면서 다음과 같은 시를 지었다.
“장부가 세상에 처함이여! 그 뜻이 크도다. 때가 영웅을 만들고 영웅이 때를 만드는구나. 천하를 크게 바라봄이여 어느 날에 대업을 이루려나! 동풍이 차갑게 불어 옴이여! 반드시 목적을 이루리라. 저 쥐들이 엿보고 있으니 이 목숨을 어찌 지키랴! 어찌 이곳에 올 줄 알았으랴. 시세가 그렇게 만들었도다. 동포여, 동포들이여! 속히 대업을 이룰지어라. 만세! 대한 독립!”[8]

14.

○ 일본인이 관동도독부로 들어가 여순구에 재판장을 설치하여 안중근 사건을 공판하였다. 이 공판에서 안중근은 사형, 우덕순은 3년 징역, 조도선과 유종하(劉宗夏)[9]는 징역 1년 6개월이 판결되었다. 안중근은 해주에서 태어나 신천으로 이거하였다가 4년 전에 다시 평양의 진남포로 이거하였다.

15.

○ 안중근의 사형일이 이달 26일로 정해졌다. 안중근은 그 소식을 듣고서도 말과

---

8 丈夫處世兮, 其志大矣. 時造英雄兮, 英雄造時. 雄視天下, 何日成業. 東風漸寒兮, 必成目的. 鼠竊鼠竊兮, 豈肯此命. 豈度至此兮. 時勢固然. 同胞同胞兮. 速成大業. 萬歲萬歲兮 大韓獨立.
9 편역자: 유동하.

얼굴 빛 그리고 침식을 평일과 같이 하였다.

16.

○ 26일 안중근이 여순 감옥 형장에서 죽임을 당하자, 국내외 인사들은 그를 장하다고 여기면서도 가련하게 여기지 않는 사람이 없었다. 처음에 안중근은 이토 히로부미에 대한 15항의 대죄를 다음과 같이 역설하였다.

1. 명성황후를 시해한 것.
2. 광무 9년 11월에 5조약을 늑결(勒結)한 것
3. 융희 원년 7월에 7조 협약을 늑결한 것.
4. 태황제를 폐위한 것
5. 군대를 해산한 것.
6. 양민을 살육한 것.
7. 이권을 약탈한 것.
8. 한국교과서를 금지한 것.
9. 신문구독을 금지한 것.
10. 은행권을 사용한 것.
11. 동양의 평화를 각란한 것.
12, 일본 천하를 기만한 것.
13. 교과서를 금기하는 것.
14. 일본 코메이(孝明)천황을 시해한 것.
15. (빠짐)[10]

---

10 편역자: 안중근의 이토 처단 이유 15개조는 다음과 같다.
"첫째, 한국의 민황후를 시해한 죄.
둘째, 한국 황제를 폐위한 죄.
셋째, 5조약과 7조약을 강제로 체결한 죄.
넷째, 무고한 한국인을 학살한 죄.
다섯째, 정권을 강제로 빼앗은 죄.
여섯째, 철도 광산과 산림 하천을 강제로 빼앗은 죄.

일본인이 안중근의 사진을 팔아서하여 큰돈을 벌었다.

17.

○ 안중근가문은 그의 유언에 따라 하얼빈에서 장례를 치르려고 하였다. 하지만 일본인들이 불허하여 여순 감옥 내 장지에서 장례를 치르도록 하였다. 이는 안중근이 죽을 때 국권이 회부되기 전에는 고향의 산으로 반장을 하지 말고 하얼빈에다가 임시로 묻어 자신의 비통함을 남기려했기 때문이다. 서울 사람들이 안중근의 사진을 팔아 10일 사이에 일확천금을 하므로 일본인들은 이를 금하였다.

안중근은 "장부는 비록 죽으나 마음은 쇠와 같고 의사가 위태로울 때 기개는 구름과 같다."[11]라는 두 구절의 유시(遺詩)를 남겼다.

18.

○ 블라디보스토크 거주 한인들이 안중근 추도회를 여러 번 열었다.

일곱째, 제일은행권 지폐를 강제로 사용한 죄.
여덟째, 군대를 해산한 죄, 아홉째 교육을 방해한 죄.
열째, 한인의 외국 유학을 금지한 죄.
열한 번째, 교과서를 압수하고 소각한 죄.
열두 번째, 한국인이 일본의 보호를 받고자 했다고 말한 죄
열세 번째, 현재 한일 간 다툼이 끊이지 않고 살육이 끊이지 않는데도 한국이 무사태평한 것처럼 위로 천황을 속인 죄,
열네 번째, 동양평화를 파괴한 죄.
열다섯 번째, 일본천황의 부친인 태황제를 시역한 죄다"(신운용·최영갑 편역, 『안중근 유고-안응칠 역사·동양평화론·기서』(안중근 자료집 1), (사)안중근평화연구원, 2016, 64~65쪽).

11 丈夫雖死心如鐵, 義士臨危氣似雲.

19.

○ 블라디보스토크 한인 유승하(柳承夏)가 모금을 하여 안중근기념비를 건립하였다.

20.

○ 민병석(閔丙奭)이 이토히로 히로부미(伊藤博文)의 송덕비를 건립하기 위해 모금을 하였다.

21.

○ 일본인이 이토공장식여음(伊藤公葬式餘韻)이라는 책을 발간하여 각 관청에 배부하였다. 또 그의 유시(遺詩)가 수록된 삼백시(三百詩)라는 책을 간행하였는데, 그 책을 김윤식(金允植)에게 주어 각 관리들에게 나누어주도록 하였다.

송상도

안중근

안중근은 여렸을 때의 이름이 응칠이다. 그 가슴에 검은 점이 일곱 개 있다. 그 때문에 자(字)로 삼은 것이다. 그 조상은 순흥 사람이다. 후에 황해도로 해주에 살면서 대대로 고을의 아전이었다가 부친 태훈에 이르러 독서(讀書)를 하여 성균관 진사에 발탁되었다. 태훈은 남과 다른 절개를 좋아하여 태황제[1] 때 군사를 일으켜 본도의 동학 반란무리들을 쳤다.

중근은 어렸을 때 모두 신천군으로 이사하였다. (중근은) 부친에게 경서와 역사서를 배웠고, 14세에 모친 조씨의 명으로 본군에 소재한 프랑스 선교사에게 천주교를 배웠다. 이 때 나라 안에 외국인이 많았는데 일본인의 침탈과 압박이 심했기 때문에 우리나라 사람들이서양종교에 많이 들어가 비호를 받았다. 장성한 중근은 재주가 뛰어나고 마음 내키는 대로 하여 종교의 규율에 구애 받지 않고 산속에서 사냥하며 다니는 것을 좋아하였고, 총을 잘 쏴서 작은 새를 곧잘 쏘아 떨어뜨렸다.

광무 9년에 일본사람들이 러시아를 이긴 기세로 대신(大臣) 이토 히로부미(伊藤博文)가 우리나라에 통감으로 파견되니 중근이 분개하여 (국권을)회복하려고 하였다. 관서의 기풍이 평소에 용맹한데 평양의 진남포로 이사하여 호걸들과 사귀고 많은 돈을 들여 학교를 세웠다.

(광무) 11년에 이토가 태황제를 협박하여 선위하게 하였다. 중근이 이를 듣고서 크게 노하여 "일본사람들이 이미 모두 우리나라를 차지했단 말인가?"라고 말했다. 그리고 평양에 있는 일본사람들을 쏘려고 하였으나 친구가 말려서 그만 두었다. 이에

---

1 편역자: 고종.

중근이 서울 민회에 가서 울면서 국가의 위태로운 상황을 설명하고 강원도로 가서 의병을 규합하여 일본사람 수백 명을 죽이고 일본인들에게 체포되었다가 7일 간 음식을 먹지 못했다.[2] 얼마 후 계책을 써서 돌아와서 탄식하며 "슬프다! 우물이 깊은데 두레박줄은 짧구나!"라고 하면서 "청나라 서북 간도와 러시아령 블라디보스토크 사이는 관리의 학정을 견디지 못하고 도망간 우리나라 교포가 전후해서 무려 수십만이고 통감의 사건이 있은 뒤에 굴욕을 느껴 피해서 간 사람들이 자못 많으니 그들을 가르쳐 모두 병사로 기를 수 있을 테니 내가 가는 것이 좋겠지?"라고 스스로 말하고서 떠났다.

일본인들에게 체포될 것을 두려워하여 선교사를 청하여 함께 선교하는 것처럼 하고서[3] 간도를 거쳐서 블라디보스토크로 들어갔다. 서북간도란 압록강 북안의 강 위아래의 땅으로 처음에는 우리나라와 청나라의 경계였다. 하지만 오랜 뒤에 청나라가 우리 땅을 침탈하여 개척하였다. 때문에 그곳에 거주하는 우리나라 사람들은 우리 옷을 입고서 중국에 세금을 내고 있었다.

중근이 블라디보스토크와 간도 사이를 왕래하며 호걸 몇 사람과 사귀고서 함께 나라에 보답하기로 맹세하고 동맹을 만들었는데 동맹의 글에서 "너희들은 반드시 힘써 대한을 회복하여 독립시켜야 한다. 이 약속을 누설하면 곧 번갯불이 너희 머리 위에 떨어져서 너희 몸을 태울 것이고 또 너희의 오족(五族)에게까지 누가 끼칠 것이다."[4]라고 했다. 여러 사람을 향해서 읽기를 마치자 칼을 뽑아 왼손 네 번째 손가락을 잘라 그 피로써 맹세의 말을 사람 수만큼 쓰고 그것을 각자 간직했다.

드디어 교포들을 격동시켜 일으켜서 의병대를 만들고 무리 가운데 한 사람을 추대하여 대장을 삼고 자신은 참모중장이 되어 졸병 수천 명을 거느리고 함경도로 들어갔다. 일본사람들을 치면서 천리를 옮겨 다니며 싸워서 살상한 자가 많았다. 길주에 이르러 패하고 후퇴하여 돌아와, 장차 다시 의거할 것을 도모하였다.

이때 일본사람들이 간도는 본래 한국땅이었는데, 청나라와 여러 해 동안 다투다가, 융희 3년에 (한국을) 군대로 위협하고 책망하여 간도를 청나라에 반환하게 했다. 그런 뒤에 간도를 청나라에 넘겨주며 만주 철도의 권리를 달라고 요구하자 청나라가

---

2 편역자: "강원도로 가서~음식을 먹지 못했다"는 사실이 아니다.
3 편역자: "일본인들에게~선교하는 것처럼 하고서"도 사실이 아니다.
4 편역자: 이는 정천동맹(단지동맹)을 의미하는 것이다.

두려워서 그것을 허락했다. 각국이 듣고서 노하여 서로 상의하여 "우리들 또한 마땅히 청나라 땅을 나누어서 고루 이익을 얻자."라고 하자, 청나라가 크게 놀랐다.

이때 이토가 새로 통감의 직위에서 물러나 영국·러시아 두 나라의 대신들과 함께[5] 청나라 하얼빈에서 만나 청나라의 일을 조종하는 회담을 하고자 9월에 몇 사람을 데리고 왔다.

뒤에 중근이 블라디보스토크에서 듣고서 기뻐하며 "내가 먼저 이토를 제거해야 하지 않겠는가?"라고 하였다. 같이 맹약한 우덕순[6]에게 알리니 덕순이 따라가기를 원했다. 덕순은 서울 동대문의 은제품을 만드는 장인이었는데 통감 정치에 분개하여 블라디보스토크에 와서 담배장사로 생업을 잇고 있었다. 중근은 드디어 덕순과 각자 총을 지니고 하얼빈을 향하여 포그라니치나야 역에 이르렀다.

중근이 하얼빈은 러시아 사람들이 가장 많은 곳이라 여기고서, 이토의 동정을 살피고자 하여, 우리나라 사람으로서 러시아어에 능통한 사람의 도움이 없으면 불가능할 것으로 생각했다. 포그라니치나야 역에서 함경도 원산사람 유동하(劉東夏)에게는 그 일을 비밀로 하기로 하고 "이토는 인걸(人傑)인데 듣자니 이번에 하얼빈에 온다고 하니 우리들이 어찌 한번 보러 가지 않겠는가?"라고 했다.

동하가 말하기를, "좋소."라고 했다. 이세 세 사람이 함께 하얼빈에 도착했다. 얼마후 동하가 일이 있다고 하며 그만두자 다시 러시아어에 능통한 세탁 일을 하는 조도선을 구했다. 도선은 강원도 사람이다. 중근이 여관에서 노래를 지어 다음과 같이 뜻을 나타냈다.

> 장부가 세상에 처함이여!
> 뜻을 길러서 큰 일을 해야 하도다.
> 때가 영웅을 만듦이여! 영웅이 때를 만들도다.
> 동풍이 차갑게 불어옴이여! 한강물이 요동치도다.
> 분개하여 한 번 감이여! 나는 반드시 너에게 돌아가리로다.
> 우리 동포여! 대업을 속히 이루리로다.

---

5 편역자: 영국대신은 아니고, 러시아 까깝쵸프를 만나려고 하였다.
6 혹은 연준이라고 한다.

만세 만세여! 대한독립이로다.[7]

덕순이 한글로 된 노래로 그것에 화답했다.[8] 노래로 화답하는 것이 끝나자, 중근과 덕순·도선이 함께 채가구로 가서 이토가 오는 소식을 정탐했다. 처음에 올 때 갖고 온 자금이 다 떨어져 동하에게 하얼빈에 사는 우리나라 사람에게 돈을 대신 빌려오라고 부탁하였다. 이미 채가구에 도착하였는데 동하가 거듭 “돈을 빌리지 못했다.”라고 하였다.[9] 중근이 사람은 많고 자금이 적으면 혹시 일을 그르칠 것을 걱정하여 덕순 등에게 “여러분은 이곳에 머물러 있으면서 내가 자금을 마련할 테니 기다려 달라.”라고 하였다.

드디어 혼자 하얼빈으로 돌아오니, 이토가 내일 온다는 소식이 있었다. 이에 중근이 새벽에 일어나 러시아 역으로 가서 러시아 군대의 뒤에 서서 그를 기다렸다. 중근이 본래 양복을 입고 있었기 때문에 러시아 사람들은 일본인이라고 여겨[10] 우리나라 사람인 줄은 몰랐다.

이토가 열차에서 내려 군대를 사열하니 중근과의 거리는 열 걸음도 채 안 되었다. 중근은 평소 이토를 보지 못하였고 오직 일찍이 신문에 실린 작은 사진으로만 그를 짐작으로 알았다. 이에 조용히 총을 잡고서 쏘니 세 발이 오른쪽 배와 등에 맞고 이

---

7 편역사: 안중근이 지은 시가는 아래와 같다.
“장부가 세상에 처함이여! 그 뜻이 크도다(丈夫處世兮 其志大矣).
때가 영웅을 만들고 영웅이 때를 만드는구나(時造英雄兮 英雄造時).
천하를 크게 바라봄이여 어느 날에 대업을 이루려나!(雄視天下兮 何日成業).
동풍이 점점 차가워짐이여! 장사의 의기는 뜨겁구나(東風漸寒兮 壯士義熱).
분개하며 한 번 떠남이여! 반드시 목적을 이루리로다(忿慨一去兮 必成目的).
쥐새끼 같은 도적 이또이 있음에 어찌 즐겨 목숨을 유지하겠느냐(鼠竊伊藤兮 豈肯比命).
어찌 이에 이를 줄을 알았으리! 사세가 그러하구나(豈度至此兮 事勢固然).
동포여 동포여! 속히 대업을 이룰지어다(同胞同胞兮 速成大業).
만세, 만세여! 대한독립이로다(萬歲萬歲兮 大韓獨立).
만세, 만세여! 대한동포로다(萬歲萬萬歲 大韓同胞).”
(신운용·최영갑 편역, 『안중근 유고-안응칠 역사·동양평화론·기서』(안중근 자료집 1), (사)안중근평화연구원, 2016, 58~59쪽).

8 편역자: 신운용 편역, 『안중근·우덕순·조도선·유동하 공판기록-안중근사건 공판속기록』(안중근 자료집 10), (사)안중근평화연구원, 2014, 146~147쪽 참조.

9 편역자: 안중근이 유동하를 통하여 김성백에게 자금을 빌려하였지만 김성백이 돈이 없다고 하여 빌려주지 않았다. 이는 채가구로 떠나기 전의 일이다.

10 편역자: 안중근이 하얼빈역에 일제의 제지를 받지 않고 들어갈 수 있었던 이유는 일제가 러시아 측에 일본인을 검문하지 말라는 요청때문이었다.

토는 드디어 죽었다.

중근이 손을 들어 춤추며 '대한만세'를 큰 소리로 외쳤다. 러시아 사람들이 그를 한 달여 동안 감금했다가[11] 여순의 일본 관동법원의 감옥으로 이송했다. 12월에 법원장인 마나베(眞鍋)가 공판을 열자, 우리나라와 중국·서양 사람 수백 명이 모여들었다. 이에 앞서 블라디보스토크 및 미국에 사는 우리나라 사람들이 중근을 위해서 7,000원을 모금하여 각국에 변호사를 요청했다.

영국인 변호사 더글라스와 러시아의 변호사 미하일로프 및 스페인 변호사 등이 모두 응하여 왔다. 하지만 마나베는 각국의 변호사들이 반드시 중근을 구할 것이라고 생각하여 "일본어를 알지 못하는 자는 법정에 올라올 수 없다."라고 선언하였다. 이로 말미암아 더글라스 등은 모두 공판에 참여할 수가 없었다.

일본의 변호사 기시(紀志)가 마나베의 소행을 보고 분노하여 마나베에게 "이 재판은 공정하지 못하다. 이로 우리 대일본의 아름다운 이름을 천하에 더럽혔다. 청컨대, 내가 변호를 하겠다."라고 했다. 마나베는 또한 그것을 거절하고 오직 심복 변호사 두 사람에게 변호를 맡도록 하였다.

중근을 법정에 끌어내었다. 중근은 신장이 5척 4촌이고 코는 조금 높고 눈썹과 눈은 맑고 빼어나서 곱상한 선비이다. 법정에서 마음 편하게 뒷짐을 지거나 자주 손수건을 꺼내어 얼굴을 닦았다. 마나베가 법률에 따라 먼저 성명과 나이 본적을 물은 뒤에 이토의 일에 이르러 "어째서 우리 이토 공을 해쳤는가?"라고 물었다. 중근이 말하기를, "그대의 나라가 러시아를 칠 때 그대의 황제가 선전서(宣戰書)에서 우리에게 '나는 장차 한국을 보호하여 독립을 유지하겠다.'라고 하였으므로 우리나라 사람들은 감격하였으나 러시아를 이긴 뒤에 이토는 그대의 황제의 뜻을 따르지 않고 공을 탐내고 재앙을 즐겨서 우리를 무력으로 위협하여 우리를 독립하지 못하도록 하였다. 이는 우리 대한 신민들의 만세 원수이다. 어찌 죽이지 않겠는가?"라고 했다.

마나베가 "듣자니 너희 무리에 의병참모중장이 있다고 하던데 누구인가?"라고 물었다. 중근이 팔짱을 끼고서 "이른바 참모중장이란 나다. 만약 이토가 조금 늦었다면 나는 마땅히 훈련이 잘된 정예 의병으로 하얼빈에서 포위 공격하여 그를 마땅히 죽였을 것이다. 하지만 불행히 훈련을 잘 시키지 못하였는데 갑작스레 이토를 만났

11 편역자: 러시아 측은 안중근을 그날로 일제에 넘겼다.

다. 하여 내가 어쩔 수 없이 자객 행위를 한 것이다. 어찌 하늘의 뜻이지 않겠는가"라고 대답하였다.

며칠 뒤에 마나베가 다시 중근을 끌어내어 신문했다. 중근이 "대저 이토는 우리로 하여금 독립을 못하게 하였으니 나의 원수다. 또 멋대로 우리 태상황제를 폐위시켰는데 대저 이토는 우리 태상황의 외신으로 또한 신하다. 신하로서 임금을 폐했으니 어찌 죽임을 면하겠는가?"라고 하였다. 말이 여기에 이르자 목소리는 우렁차고 눈빛은 번개와 같았다.

그리고 (중근은) 이토가 난신임을 밝히고 "이토의 죄는 위로 하늘에 이르고, 이토가 우리 대한황제를 폐위한 것이 이와 같고, 우리 대한이 독립을 못 하도록 한 것이 이와 같고, 동아시아의 평화를 무너뜨림이 이와 같다. 또 다시 지난 날로 거슬러 올라가면 우리 명성황후 민씨의 시해 음모를 이토가 실로 주도하였다. 너희 나라의 선황제도…"라고 꾸짖었다.

그러자 마나베가 그것을 듣고 크게 놀라서 얼굴빛이 변하며 급히 손을 흔들어 안중근을 저지하였다. 또 방청객에게 퇴장 명령을 내렸다. 이런 까닭으로 그것을 들은 자가 없으나 그 선황제라고 한 것은 이토가 시역한 것을 말한다.[12]

---

12 편역자: 이에 대해 만주일일신문은 다음과 같이 전하고 있다.

"안중근 그래서 나의 목적에 대하여 대강은 말해 두었지만 지금 말한 대로 이토를 죽인다는 것은 일개인을 위한 것이 아니고 동양평화를 위하여 한 것이다. 러일전쟁 개전당시 일본 천황폐하의 선전조칙에 의하면 동양의 평화를 유지하고 한국의 독립을 공고히 한다는 선언이 있었다. 그 후, 러일전쟁이 강화가 되어서 일본이 개선할 때에 조선 사람은 마치 자국이 개선한 것처럼 감격하여 대단히 환영하였다. 그런데 이토가 통감이 되어 한국에 주재하게 되어 5개조의 조약을 체결한 것은 한국 상하의 인민을 속이고 일본 천황폐하의 성려를 거스르며 한 짓이다. 때문에 한국 상하의 인민은 대단히 이토을 증오하였으며 이것에 반대를 주창하였다. 그 후 또 7개조의 조약을 체결시켰다. 이에 따라 이토 통감의 방약무인한 태도는 한국을 위해서 불이익한 것뿐이라는 것을 점점 절감하였다. 이토 통감은 강제로 전 황제를 폐위시키고 더욱 방약무인한 행위를 하였기에 한국인민은 통감을 마치 구적과 같이 생각하고 있었다. 때문에 나도 도처에서 유세를 하였으며, 가는 곳마다 싸웠고 의병 참모중장으로서 각지의 전쟁에도 나갔다. 따라서 오늘 이토를 하얼빈에서 살해한 것은 한국 독립전쟁의 의병 참모중장의 자격으로 한 것이다. 그러므로 오늘 이 법정에 끌려나온 것은 전쟁에 나가 포로가 되었기 때문이라고 생각한다. 자객으로서 심문을 받을 이유가 없다고 생각한다. 내가 의견을 진술하고 싶은 것은 4가지 있다. 지금 말한 것이 첫째이고 둘째는 오늘날 한일양국관계라는 것은 일본 신민이 한국에 와서 관계(官界)에서 일하고 있으며 또 조선 신민도 일본의 관리가 되어 행정에 종사하고 있는 것과 같은 상황이기 때문에 전적으로 한나라 사람 같이 되었다. 그러므로 조선 사람이 일본 천황폐하를 위하여 충의를 다할 수 없다는 것도 있을 수 없다. 또 일본 국민으로 한국 황제를 위하여 충의를 다할 수 없다는 것은 있을 수 없다. 그럼에도 불구하고 이토가 한국의 통감이 된 이래 체결한 5개조의 조약, 7개조의 조약과 같은 것을 모두 무력을 앞세워 강제로 한국 황제를 협박하여 체결한 것이다. 원래 이토 그 자는 한국에 와 있는 이상 한국 황제폐하의 외신으로서 처신해야 신문(新聞)이 다음해 정월에 이르기까지 무릇 여섯 차례였으나 중근은 처음부터 끝까지 한결같이 말하고 조금도 굴하는 기색이 없었다. 변호사들이 "안중근이 말한 주의는 모두 오해이다. 비록 '복수'라고 하지만 실상 그렇지 않다. 또 우리 관동법원은 우리 재판하고 나를 보호할 권리가 있으므로 안중근은 마땅히 사형시켜야 한다." 라고 했다.

사형시킨다는 것이 정해지자, 마나베가 사람을 시켜서 중근에게 "네가 만약 (이토의) 주의를 오해하였다고 한다면 살 것이다."라고 하니 중근이 그를 "너희들의 이른바 주의를 오해했다는 것은 무엇인가? 이토의 소행은 사람의 도리를 어기고 하늘의 이치를 멸시한 것이다. 나의 소행은 옳바른 도리를 실천하고 대의를 실행한 것이다. 이 의리는 명명백백하여 비록 어린아이라도 모두 아는데 내가 오해했다고 하겠는가? 대저 그대가 나를 죽이는 것은 진실로 마땅하지만 오직 내가 잠시라도 살아있다면 그대의 나라에는 잠시 근심스러운 일일 것이다. 참으로 옳고 그름은 천하에 드러

하는 것이다. 그러나 무엄하게도 황제폐하를 억류하고 폐제(廢帝)까지도 하였다. 무릇 세상에서 존귀한 이는 누구인가 하면 인간으로서는 천황폐하이다. 그 범해서는 안 될 분을 자기 멋대로 범한다는 것은 천황폐하보다 더 높은 분이라고 하지 않으면 안 됩니다. 이토의 소위는 국민으로서의 행위가 아니다. 순량한 충신이 아니라는 것을 알기 때문에 한국에서 의병이 일어나 싸우고 있다. 그것을 일본 군대가 진압하려 하고 있다. 이것이야말로 일본과 한국의 전쟁이라 하지 않을 수 없다. 이런 일은 동양의 평화를 유지하고 한국의 독립을 공고히 한다는 일본 천황의 성지에 반하는 것이다. 그리고 이토가 일본 천황폐하의 성지에 반하는 이유는 외부·공부·법부·통신기관을 일본이 장악하고 있기 때문이다. 이런 것으로 한국독립을 공고히 할 수 없다는 것이 명백하다. 또 지금 말한 바와 같이 이토는 일본에도 한국에도 역적이라는 것을 충분히 알 수 있다. 그리고 갑오년에 한국에 커다란 불행이 있었다. 그것은 무엇인가하면 황후를 이토 통감 그 자가 일본의 많은 병력으로 살해한 음모이다. 또 더 나아가 일본에도 역적이라는 이유가 있다.

재판관 그렇게 깊이 나아간다면 공개를 정지할 수밖에 없다.
안중근 그러나 이것은 오늘날까지 신문 기타에서 세상에 이미 발표된 것이다. 지금 새삼스럽게 여기서 말하기 때문에 방청을 금지할 이유는 없다고 생각한다.

재판관 경우에 따라서는 정지할지도 모른다.
안중근 조선 사람인 나는 이토가 일본에 대단히 공로가 있는 사람이라고 익히 듣고 있다. 또 한편으로는 일본의 황제에게는 대단한 역적이라고 듣고 있다. 우리 황실에 역적이라 함은 현황제의 전황제를……

이때 소노키 통역생 통역하다.

재판관 피고의 진술은 공공의 질서에 방해가 되는 것으로 인정되기에 공개를 정지한다. 방청인은 모두 퇴정……"(신운용 편역, 『안중근·우덕순·조도선·유동하 공판기록-안중근사건 공판속기록』(안중근 자료집 10), (사)안중근평화연구원, 2014, 162~164쪽).

내는 날이 반드시 있을 것이다."라고 했다.

듣는 사람들이 모두 탄식을 하고 눈문을 흘리는 사람도 있었다. 법정이 파하자 중근이 나왔다. 영국인 더글라스가 중근의 사람됨을 중시하고 그를 아까워하여 옷깃을 잡고 재소할 것을 권했지만, 중근이 웃으면서 사양하고 고개를 쳐들고 감옥으로 들어갔다.

다음날 일본인이 그 죄를 선고했다. 중근의 어머니가 중근의 두 아우인 정근·공근을 데리고 영결(永訣)하려고 왔으나[13] 중근을 보려고 하지 않고 다만 정근 등을 시켜서 "지난날 내가 너에게 타이르기를 뜻을 굽히지 말라고 했는데 너는 오늘 다행히 그것을 지켰다. 나는 훗날 죽어 지하에서 네 아버지를 뵈면 몇 마디 할 말이 있을 것이다. 여기에서 너와 헤어지려 한다."라고 대신 말하게 하였다.

일본인이 3월에 그를 교수형에 처하였다. 이때 중근의 나이는 32세였고 2남 1녀를 두었다. 처음 중근이 재판 기일을 듣고서 두 아우에게 "내가 죽으면 일본인 감옥 땅에다 묻지 말고 하얼빈에 묻어 내 뜻이 이루어졌음을 보여라."라고 편지를 보냈다.

이리하여, 두 아우가 그 말대로 하려고 했으나 일본인이 허락하지 않고 여순 감옥 내의 땅에 매장하게 했다. 중근은 많은 학문을 섭렵하지는 않았다. 그러나 붓을 잡으면 글을 빨리 써서 감옥 안에서 수만언(數萬言)의 동양평화론을 저술했다. 죽은 뒤에 각국 사람들이 많은 돈을 들여 다투어서 그 글씨를 사들였다.

덕순·동하·도선 세 사람 모두 중근이 체포된 뒤에 또한 일본인에게 체포되었는데 공판 날 덕순이 이를 갈면서 대답하여 또한 자못 비분강개했다. 일본인이 그를 징역 3년에 처했다. 도선·동하는 모두 중근의 진상을 알지 못했으나 일본인은 또한 그들을 덕순의 다음가는 죄로 처벌했다.

논하여 말하기를, "해주는 명산을 등지고 큰 바다를 마주 했으니 해서의 큰 도시이다. 고려 때부터 명유인 호가 해동공자인 최충(崔沖)을 배출하였다. 중근 또한 지금 다시 그 땅에서 태어나서 천하에 크고 위대한 절개를 세운 것은 대개 또한 땅의 기운을 따른 것이라고 한다. 바야흐로 통감의 일이 생긴 전후로 절개를 세운 사람으로 민영환·조병세·홍만식·허위·이준 등 여러 사람이 있다. 하지만 혹 나라에서 두터운 은혜를 받거나 혹은 사명을 받은 것이다. 중근 같은 이는 벼슬을 전혀 하지 않았

---

13 편역자: 안중근의 어머니는 여순 감옥에 가지 않았다. 후에 정근 공근과 러시아로 망명하였다가 상해에서 생을 마감하였다.

으나 그 행한 바를 돌아보면 더욱 대단하지 않은가? 혹 남의 신하된 자는 나랏일에 죽는다고 하더라도 매번 뜻을 이루지 못하는데 지금 중근의 죽음은 그 뜻을 이루어 세상 사람들이 지금 모두 한번 놀란 것이 깊은 밤 홀로 잠을 자다가 천둥소리를 들은 것과 같으니 이는 이전 세상에서는 듣지 못한 바이다. 비록 그러하나 그의 그러한 성공은 또한 천명일 뿐이다. 그가 체포된 200일 동안 뜻을 굽히지 않고 생활한 것은 사람으로서 참으로 어려운 것이다."라고 했다.

위 전 가운데 서양변호사 한 구절의 '처음에 변호사로 청하지도 않았는데 스스로 왔다.'라는 문장은 상해신문 기사를 인용한 것이다. 근년에 황매천소록을 참고해서 그것을 고치고 박백암(朴白庵)에게 보이니 박이 또한 수정을 하고 아울러 다른 일도 그리했다. 대개 백암은 평소 안열사와 같은 고을에서 서로 친하게 지냈고, 또한 일찍이 안의 아우가 기록한 것을 본 까닭에 특히 상세하여 이에 그 말에 따라서 두 구절을 고친 것이다. 갑인년 정월에 택영.

외전

안중근은 자못 힘이 세고 어려서부터 충효와 기개가 있었다. 그 집은 신천이다. 부친이 일찍이 청나라 상인에게 돈을 빌렸는데 청나라 상인이 와서 돈을 달라고 했으나 받지 못하자 욕을 하고 돌아갔다. 중근이 밖에서 사냥하다가 돌아와 그 사실을 듣고 "종놈이 우리 아버지를 모욕하는가?"라고 하고 총을 들고서 추격하여 안악군에 이르러 그를 쏘아 죽였다.

달아나 서울로 들어가니 이 때 일본공사인 하야시 곤노스케(林權助)가 여러 차례 우리의 국권을 박탈하려고 하였다. 중근이 분노하여 그를 죽이려고 장사 20인과 결맹하고 같이 일을 하기로 약속하였다. 하지만 사람 수가 적은 것을 걱정하여 보안회에 가서 회를 주지하는 사람을 만나서 그 사정을 "만약 귀회에서 30인이 참가한다면 일이 이루어질 것이다."라고 하였으나 회를 주지하는 자가 위험하게 여겨 거절했다. 중근이 "어린놈과는 같이 도모할 수가 없다."라고 하고 드디어 블라디보스토크로 떠났다. 오래 있다가 돌아왔다.

부친이 사망하자 평양으로 이사했는데 평양의 용기와 의협심 있는 인사들이 모두 그를 중시하여 사귀었다. 중근이 평소 술 마시기를 좋아했는데 간도에 들어가 의병을 일으킬 것을 모의하게 되자 시원스레 그것을 끊고서[14] "우리 한국이 회복되면 다시 마시겠다."라고 했다.

이토를 죽였으니 여러 사람들이 연루 되어 함께 일본 감옥에 갇혔다. 여러 사람이 혹 슬퍼 탄식하고 눈물을 흘렸으나 중근은 "여러분은 모두 사나이다. 어찌 갑작스레 이와 같이 스스로를 작게 하는가?"라고 웃으며 말하였다. 매번 잠들면 밤새도록 코를 고는 것이 평소와 같았다.

혹 다음과 같이 시를 지어서 스스로를 격려하였다. "장부가 비록 죽으나 마음은 쇠와 같고, 열사가 위태로움을 당했으나 기개는 구름과 같구나."[15] 그 나머지는 전해지지 않는다.[16] 재판장에서 재판장 마나베에게 "여기 연루된 여러 사람들이 이토의 죽음에 무슨 상관이 있는가? 이토를 죽인 것은 나 혼자다."라고 하였다.

그 아우 정근·공근이 감옥에 면회 와서 "형수님과 조카가 함께 와야 하지 않습니까?"라고 하니 중근이 손을 내저어 저지하며, "보잘 것 없는 처자식을 다시 연연하겠느냐?"라고 하였다고 한다.

다섯 번째 공판일에 일본인 미즈노란 사람이 중근을 아끼고 그 죽음을 애석하게 여겨 마나베에게 "지금 한국의 형세가 우리나라의 개혁의 초기와 같다. 중근이 이렇게 한 것은 당연한 것이다. 이토 공이 알았다면 반드시 그를 기특하게 여겼을 것이다. 당신이 만약 중근을 죽인다면 이것은 이토 공에게 죄를 짓는 것이다."라고 하였으나 마나베는 듣지 않고서 끝내 그를 죽였다.

중근이 옥에 있을 때 각국 사람들이 그의 사진을 찍으려고 늘 옥문 밖을 지키다가 문이 열리면 곧 바로 사진을 찍었다. 일본인이 그 의로움을 사모하여 다투어 그 사진을 사들였는데 관청에서 사진관에 금지령을 내렸으나 저지하지 못했다.

---

14 편역자: 안중근이 술을 끊은 것은 1905년 을사늑약 이후 아버지 안태훈이 죽고 나서이다(신운용·최영갑 편역, 「안응칠 역사」, 『안중근 유고-안응칠 역사·동양평화론·기서』(안중근 자료집 1), (사)안중근평화연구원, 2016, 32쪽).

15 丈夫雖死心如鐵, 烈士當危氣似雲.

16 편역자: 안중근이 감옥에서 쓴 유묵은 200여편이라고 박은식은 전하고 있다.

4 삼한의군 참모중장 안중근전

백산포민(白山逋民)[1] 저

서언

옛날 사고(謝翱)[2]가 서대(西臺)에서 통곡하면서 승상(丞相)[3]의 혼을 불렀는데, 오열하던 눈물이 천고(千古)를 지났어도 없어지지 않았다. 황리주(黃梨洲)[4]는 남뢰(南雷)에 몸을 숨기고 순난자 여러 사람들의 자취를 수습하여 표창하기에 힘을 아끼지 않았다. 이것은 모두 천리와 인정상 그만둘 수 없는 것인데, 이것을 가볍게 여기면 천지의 바른 정기가 끊어졌을 것이다.

되돌아보건대, 내가 형용할 수 없더라도 이 두 사람의 고통을 가슴으로 느낀다. 머리부터 발끝까지 이역을 오가다 고국을 바라보니 곡식마저 쓸쓸하구나. 내 사랑하는 형제들이 이족의 손에 죽는 자가 해마다 몇 천인지 알 수 없고, 출렁이는 황해에 원통한 피가 굽이쳐 흐른다.

무릇 평상시에 조금이라도 지기(志氣)와 재능으로 두각을 나타낸 자들은 한명이라도 그 그물을 벗어날 수 없었다. 매번 생각할 때마다 오장을 베어내는 것 같구나. 하늘이여! 하늘이여! 어찌하여 이것을 참고만 있습니까? 서대에서 통곡하며 충혼(忠魂)을 부르고 남뢰에서 남은 자취를 수습하는 것은 진실로 인정으로 멈출 수 없는 점

---

1 편역자: 박은식.

2 편역자: 사고(謝翱, 1249~1295), 자는 고우(皐羽)로 송말원초의 시인이다. 원나라 군대가 나송의 임안(臨安)을 점령하였을 때 문천상(文天祥) 부대의 자의참군(諮議參軍)으로 참전하였다. 문천상의 패전하여 원나라 군대의 포로가 되었다는 소식을 듣고 엄주(嚴州) 서대(西臺)에서 제사를 지내고 대단히 애처로운 초가(楚歌)를 불러 초혼(招魂)하였다.

3 편역자: 남송말 승상 문천상(文天祥, 1236~1283)이다. 그는 3년동안 원 나라 쿠빌라이의 투항권유도 물리치며 원나라 군대와 수년간 전투를 버리다가 잡혀 죽었다.

4 편역자: 황종의(黃宗義, 1610~1695), 호는 이주(梨州)이다. 청초의 사상가 역사학자, 정강성 남뢰(南雷)에서 『남우문정(南雷文定)』 등의 저술을 남겼다.

이 있지만, 이리저리 숨어 다니며 잠시 쉴 겨를도 없이 우리를 걱정하는 충성스럽고 의로운 형제들도 많구나. 마치 깊은 바다를 건너며 큰 고래를 잡는 것처럼 그 소리가 세계를 진동시키고 그 빛이 고금을 빛낸 것은 오직 우리 안중근이니 우렁차고 열렬하구나. 진실로 후사자(後死者)의 표창을 기다리지 않아도 방법은 무궁하구나.

내가 이곳에 온 후부터 관리·학생·농민·상인 등 모든 사람들이 안중근이 행한 일을 묻지 않는 자가 없었으니, 우리 한국 사람으로서 그 역사를 높이 올리지 않는다면 어찌 인심이 있는 사람이라고 말할 수 있겠는가? 여관의 차가운 등잔 가에 바람이 부는데, 붓을 들어 이를 서술하여 세상 사람들의 기도에 부응하고자 한다.

안중근의 역사에 근거하여 말하자면, 몸을 바쳐 나라를 구한 지사(志士)라고 말할 수 있고, 한국을 위하여 원수를 갚은 '열협(烈俠)'이라고 말할 수 있지만 이것은 오히려 안중근을 다 설명하기는 부족한 것이다. 안중근은 세계적인 안목을 가지고 스스로 평화의 대표로 나선 사람이다. 천하의 대세로 말하면, 완전무결한 통일로 아세아의 중심에 자리 잡으며, 대국적인 평화에 관여한 것이다. 소란한 것은 중국이다. 또 그와 순치(脣齒)처럼 밀접하여 중국의 안위와 관련된 것은 한국이다. 일본은 바다에 있는 섬나라인데, 섬사람들의 성질은 매번 영역 밖으로 나가려고 생각하기 때문에 진취(進取)적인 것에 빠르다. 또한 그 땅은 동양의 요충지에 있어서 서양의 선박들이 동쪽으로 올 때 이곳에 먼저 정박하는 곳이다. 서양 사람들의 관심과 위협을 받는 것이 비교적 중국이나 한국보다 빨랐기 때문에 서양의 방법을 모방하여 빠르게 부강하게 되었고 마침내 갑자기 선진국이 되었다. 만약 이웃나라에 대해서 대국적인 자세를 유지하며 침략주의를 취하지 않고 상호 돕는 계획을 세웠다면 동아시아의 평화를 기대할 수 있었고,세계의 전쟁도 막을 수 있었다. 그러나 그들의 정책은 여기서 나온 것이 아니다. 이웃의 경계를 침략하여 자기 영토로 만들지 않으면 그 세력이 발전할 수가 없는 것이다.

이로 말미암아 수십 년 동안 한만경영(韓滿經營)이라는 네 글자가 유일무이한 방책이었다. 갑오년 전쟁에서는 이미 요동반도를 빼앗으려는 문제가 생겼다. 전쟁으로 러시아를 물리친 후에는 천하에 자기를 막을 자 없다고 여겼으며, 득롱망촉(得隴望蜀)[5] 으로 야심이 더욱 발발하여 이른바 한만경영의 목적을 달성하기 전에는 그만두려

5 편역자: 끝없는 욕심을 비유한 말.

하지 않았다. 구구하게 작은 섬나라에서 살다가 대륙 방면으로 치달으니 또한 영광스럽지 않겠는가?

그러나 망망한 대륙에서 일본이 단독으로 횡행하는 것을 용납할 수 없어서 열강들도 호시탐탐 각축전을 벌여 혼란스러웠다. 이와 같은 상황에서 중국의 소란은 멈추지 않았으며 도리어 각국의 경쟁이 그치지 않았다. 장차 억조의 생명과 재산이 포화 세상에서 녹아나니, 이 어찌 인간의 도리로 허용할 수 있겠는가? 그러므로 기꺼이 괴수를 파괴하고 대국적인 평화를 위해서 누가 진실로 그를 죽일 것인가?

저 이토 히로부미가 일본의 대표자이며 침략주의의 주동자이다. 안중근은 세계에 대해서 평화를 희망하는 사람이다. 그러므로 이토 히로부미를 평화의 공적(公敵)으로 인정하여 그를 제거하지 않으면 세상의 재앙을 멈출 수 없다고 여긴 것이다. 나의 하나 뿐인 생명을 던져 세계의 평화를 구할 수 있다면 더 없는 행복이다. 이념이 상반되면 형세도 함께 살 수 없으므로 그 결과가 여기에 이른 것이다. 이렇게 논한다면 안중근은 세계를 바라보는 안목을 갖추고 평화의 대표로 자임한 것이니 어찌 겨우 한국을 위한 복수라고 하겠는가?

제1장 가정의 유전

안중근은 한국 황해도 해주사람이다. 아버지 안태훈은 진사로 시문이 뛰어나고 인품이 강개(慷慨)하고 기개와 절조가 있었다. 갑오년(1895)에 동학당이 난을 일으켜 기세가 왕성하자 온 나라가 떠들썩했다. 안태훈은 향병(鄕兵)을 소집하여 이를 토벌하였고, 안중근은 17세의 나이로 아버지의 군사를 따라서 도적을 공격하였다.

안중근은 어려서부터 재주가 뛰어나 경사(經史)에 통하고 서예에도 능하였으며, 자라면서 말 타기와 사격에도 뛰어났다. 배꼽아래 7개의 바둑알 형상이 북두칠성과 같았으므로 초명을 응칠(應七)이라 하였다. 안중근은 몸집이 장대하고 기운이 넘쳐 담력과 용맹함으로 고을 사람들이 겁내며 따랐다. 가산(家産)이 원래 넉넉하고 부자(父子)가 함께 의협을 숭상했기 때문에 호방하여 동학군을 토벌하는데 소진했다.

당시 재상(宰相)은 공곡(公穀)으로 사놓은 것을 자기 사유 재산으로 소유했는데, 안태훈이 이를 탈취하여 군량으로 만들었다. 난이 평정되자 상환하라는 압박이 시급해져 마침내 천주교에 들어갔는데, 교인들이 평소 그의 명성을 듣고 매우 환영하였다. 이로 말미암아 안중근 역시 천주교인이 되었다. 그때 국정이 날로 문란해지고, 관리들은 앞 다투어 탐욕을 부리며 백성들의 기름을 짜냈다. 안태훈은 교회 단체를 빙자하여 관리들에게 반항하였다. 비록 인민(人民)의 환심은 얻었으나 크게 관리들의 미움을 받아 자신은 몇 번이나 위험에 빠졌다. 중세(中歲)에 황해도 신천으로 이사하였고, 또한 평안도 진남포로 이사하여 살았다. 우리나라 인민은 오랫동안 나라가 평온하여 군사에 관한 일을 습득하지 못하고 문약(文弱)의 극점에 빠졌었다. 그러나 안태훈은 자제를 교육함에 문무(文武)를 겸비시켰으므로 안중근은 활 쏘는 기술이 탁월하여 말을 타고 나는 새도 떨어뜨렸다. 이것이 후일 활동의 원인이 되었다.

제2장 일본인의 한국병합 시기

우리나라와 일본은 한 해협을 사이에 두고 있다. 저들이 우리나라를 침략하려고 도모한 것은 멀리는 풍신수길이 임진년에 침입한 것이고, 가깝게는 서양 세력이 융성할 때 병자년의 정한론이 있는데, 전후의 경영이 어찌 그리 참담한가. 갑오년(1894)에 중국 동쪽의 전쟁에서 저들은 중국과 한국의 관계를 분리시키고자 조선의 독립을 소리 높여 외쳤으나, 그들은 내정을 간섭하고 이권을 침탈하는 수단으로 삼았으니 어찌 독립의 실상을 준 것이라 할 수 있겠는가. 하물며 을미년(1895) 8월 우리 국모의 시해가 저들의 흉악한 손에서 나왔으니 우리 국민들이 차마 그들과 같은 하늘을 이고 살 수 있겠는가. 갑진년(1904) 일본과 러시아의 개전에 일본 황제는 또한 천하에 선언하기를 "한국의 독립을 도울 것이다."라고 하였다. 그들이 전쟁에 승리하고 강화를 함에 이르자 러시아인은 일본이 한국에 대해 군정, 경제상의 탁월한 이익을 인정하였다. 이에 이토 히로부미가 동감(統監)으로 우리나라에 왔다. 을사년(1905) 11월 17일에 이토 히로부미와 공사(公使) 하야시 곤스케(林權助), 대장 하세가와 요시미치(長谷川好道)도 등이 군대를 이끌고 궁궐에 들어와 억지로 보호조약을 체결하였다. 원로 민영환과 조병세 등이 죽음을 무릅쓰고 다투었으나 뜻을 이루지 못하고, 마침내 자살하여 순국하였다. 인민 가운데 반대하는 자도 역시 체포되거나 참살당했도다. 아! 4200여 년의 역사를 가진 오래된 나라가 마침내 이토 히로부미의 통치 아래 예속되었구나.

제3장 국가에 헌신한 사상

그때 안중근은 진남포에서 대한매일신문을 보고 보호조약이 이루어진 것을 알았다. 방성통곡 하며 어머니에게 말하기를 "국가가 문드러져 이 지경에 이르렀으니 저는 감히 자기 몸만 걱정하고 있을 수 없습니다."라고 하였다. 드디어 동생 공근·정근과 서울에 가서 그들을 법률학교에서 공부하게하며 학계 안에서 동지를 구하게 하였다. 평양과 서울을 왕래하는 사이 지사들을 규합하여 교육을 장려하고 국권회복의 준비를 하였다. 진남포에서는 대중을 상대로 거리낌 없이 당시 상황에 대해서 통렬히 논하며 조금도 거리낌이 없었다. 순찰하던 일본 병사가 과격하다고 나무라자 안중근은 화를 내며 일본병사를 땅바닥에 쓰러뜨리고 "네가 어찌 우리 집안의 일에 간섭하느냐."라고 하였다. 그는 두려움 없이 강하게 맞섰는데, 이와 같은 일이 허다하였다.

이때에 우리나라 지사(志士) 중에는 안창호라는 사람이 있었는데, 그는 이상가요 웅변가였으며 사업가였다. 어렸을 때 미주(美洲)로 유학가서 문명을 흡수하고 돌아왔다. 통감정치를 보고 말하기를 "조국의 침체가 가슴 아프고 백성의 지혜가 유치함이 개탄스럽구나."라고 하였다. 매번 대중을 향해 연설할 때는 말하는 기운이 격렬하고 심혈로 화를 드러내니 청중들이 눈물을 흘리지 않는 자가 없었다. 회사를 조직하고 학교를 건설하는데 모두 질서정연한 규모가 있고 문명제도에 부합하여 전국의 모범이 되었다. 가는 곳마다 남녀가 길을 메우고 환호하며 다투어 '안 선생'을 연호하였다. 나라 사람들이 그를 믿고 따르는 것이 이와 같았다. 안중근은 쫓아다니며 그의 언론을 듣고 더욱 깊이 감복하였다.

제4장 외국으로 떠나다

오호라. 일본인이 한국을 병탄하려는 기틀이 점차 무르익다가 정미년(1907) 7월에 헤이그 밀사문제가 발생하였다. 이 해에 네덜란드 헤이그에서 만국평화회의가 개최되어 전 의정부참찬 이상설과 전 평리원 검사 이준, 전 러시아공사 참서관 이위종 3인은 헤이그에 가서 일본인의 강압과 해독한 사실을 알렸다. 각국 공사는 문제로 삼지 않았다. 일본정부는 이에 편승하여 좋은 기회를 삼고 이토 히로부미·하세가와 요시미치·하야시 타다스(林董) 등이 군사를 거느리고 입궐하여 황제를 핍박하여 태자에게 양위시키고 7개조의 조약의 체결을 요구했다. 일체의 행정, 사법, 관리의 임면(任免)을 모두 통감의 처분에 맡기고 각 군대를 해산하였다. 시위(侍衛) 제1대대장 박승환이 통곡하며 자결하였고, 부하 병사들이 격분하여 일본 병사와 접전하다가 대위 미원을 사살하였다. 일본인이 대노하여 대포를 쏘자 포연이 하늘을 덮었다. 이날 병사와 인민 중에 죽은 사람이 천여 명이었다. 이때 안중근은 평양에서 서울에 올라와 이 비통한 현상을 목도하고 분노를 삭일 수 없었다. 사방을 돌아보아도 감시의 그물이 덮여 있어 손쓸 수가 없었다. 이때 동지 김동억과 러시아령 블라디보스토크로 들어갔다. 그곳은 한인의 이주가 가장 번성한 곳이고 일본인의 세력 범위 밖이 되어 행동의 자유를 얻을 수 있었기 때문이다.

제5장 단지동맹

수년 동안 한인이 러시아령 연해주와 각 처로 이주한 것이 수십 만호나 되었다. 그 중 뜻 있는 사람은 학교와 신문사를 개설하여 조국사상을 고취하였다. 안중근도 각지를 왕래하며 온갖 고생을 두루 겪고 기갈(飢渴)을 참으면서 입술이 마르고 혀가 닳도록 외치고 다녔다. 동지 우덕순과 조도선, 유동하 등 7인을 만나 단지(斷指)로 맹세하고, 대한독립위국보구(大韓獨立爲國報仇) 8자를 혈서하고 같이 죽기로 약속하였다. 몰래 의병을 모집하여 기회를 보아 거사하기로 하였다. 대한매일신보에 편지를 부쳐 말한 대강의 줄거리를 기록하면 다음과 같다.

> 수신, 제가, 치국은 인간의 대본(大本)이다. 마음과 몸이 서로 화합하면 그 몸을 지키고, 가족이 서로 화합하면 그 집을 지키며, 인민(人民)이 서로 화합하면 그 나라를 지키게 되는데, 그 이치는 모두 하나이다. 지금 우리나라가 무너져 이 지경에 이른 것은 국민의 불화합(不和合)이 가장 큰 원인이다. 불화합의 병은 교만하고 거만한 데 있으며 각종 해악은 모두 여기부터 생겨난다. 자기보다 우수한 자를 시샘하고, 자기보다 약한 자는 모욕하며, 자기와 비슷한 자와 겨룰 때에는 서로 지려고 하지 않으니 어찌 화합할 수 있겠는가? 교만하고 거만한 병을 치료하는 것은 바로 겸손이다. 자기를 낮추고 다른 사람을 공경하며, 남에게는 달콤하게 하고 자신에게는 엄격하며, 또 자기의 공로를 남에게 양보하면 어찌 화합되지 않음을 걱정하겠는가?

옛날 한 국왕이 여러 아들을 보고 채찍을 하나씩을 꺾게 하니 아들들은 즉시 채찍을 꺾었다. 다시 한 묶음의 채찍을 꺾도록 하였으나 꺾을 수 없었다. 왕이 말하기를 '너희들이 만약 각기 제 마음대로 하면 반드시 남에게 꺾이게 되지만 일심으로 합치면 남도 감히 꺾지 못할 것이다.'라고 하였다. 우리들은 마땅히 이 말을 기억하여야 한다. 오직 우리 민족은 마음을 하나로 합치시키지 못했기 때문에 강토(疆土)를 왜구에게 빼앗겼으며, 오히려 왜구를 위해 우리의 내정을 알려주고 저들의 창귀(倀鬼)가 되어 적의 독수(毒手)를 빌어 우리의 충성스럽고 선량한 국민을 함정에 빠뜨렸으니 도대체 어떤 마음이었던가? 생각이 여기에 미치자 원통함에 뼈 속도 오싹해진다. 이것은 모두 교오(驕傲) 두 글자를 숭상했기 때문이다. 만약 이 두 글자를 없애버리고 화합 두 글자를 지켜간다면, 아버지가 아들을 가르치고, 형이 아우에게 힘을 써서 결사적으로 나라의 회복을 도모하게 될 것이다. 태극기를 높이 걸고 우리 권속(眷屬)들과 함께 서로 바라보며 독립관에서 '대한독립만세'를 외치면 6대주가 진동할 것이다. 이것이 나의 소망이다. 귀사(貴社) 역시 마땅히 이것으로 우리 동족을 고무시켜주기를 구구하게 바란다.

제6장 이토 히로부미가 하얼빈에 가다

이토 히로부미가 북만주로 오는 것이 이상하다. 하얗게 샌 머리와 모나게 뼈를 드러내며 바다와 대륙을 치닫고 풍설(風雪)을 무릅쓰면서 경영하는 것은 어떤 일인가? 아마 한만경영이 바로 그의 유일의 목적일 것이다. 한국경영이 충분히 완결되자 만주에 진취하려는 행장이 계속되었다. 저들이 러시아와 오랜 원한을 포기하고 이어서 새로운 우호를 맺고 만주문제를 협상했다. 명망 있는 원로(元老)로 일국(一國)을 대표하는 자가 아니면 할 수 없는 일이었다. 이 때문에 북만주의 일을 타인에게 맡기지 못하고 기력이 정정한 노옹(老翁)이 자임한 것이다. 취해서는 미인(美人)의 무릎을 베개로 삼고, 깨어서는 천하의 권세를 행사한다는 것이 이 늙은이가 자부한 말이다. 그러나 이 늙은이로 하여금 전쟁에서 죽지 말고 미인의 무릎 위에서 죽으라고 한다면 어찌 장부의 가치라고 할 수 있겠는가. 이날의 행차는 거의 하늘이 그 사람의 목적을 이루도록 한 것이다. 기유(己酉, 1909)년 10월 만주를 시찰하고 러시아의 대장대신을 하얼빈에서 만나려 하였다. 이에 한국의 의사(義士) 안중근과 우덕순이 재빠르게 일어났다.

안중근이 시를 지어 노래하였다.

장부가 세상에 처함이여! 나라가 없으니 어디로 돌아갈까?
때가 영웅을 만듦이여! 영웅이 때를 만드는구나.
천하를 웅비함이여! 나를 막을 자 누구인가.
동풍이 점점 차가워짐이여! 성공은 가을이로다.
한 번 저격함이여! 나라의 수치를 씻었다네.
동포 동포여! 힘써 대업을 이루리로다.
만세 만세여! 대한독립이로다.[6]

우덕순도 노래를 지어 화답하였다.

만났구나 만났구나. 원수를 만났구나.
내가 너를 만나고자 사방을 돌아다녔다네.
너를 만나려고 생각했는데, 오늘 서로 만났구나.
하늘이 그 편의를 봐주어 흔쾌히 나라의 원수를 갚았네.[7]

제7장 하늘에서 벼락이 떨어지다

이토 히로부미가 10월 25일 관성자에서 자고 아침에 철도편으로 출발하여 오시에 하얼빈에 도착하였다. 만주에 주재하는 일본 관리들의 환영 인파가 매우 많았고, 러시아 대장대신도 왔으므로 군사호위가 굉장했다. 안중근은 양복을 입고 권총을 가슴에 품고 러시아 병사들 사이에 섞여 들어갔다.

이토 히로부미가 막 하차하자 몰래 엿보다 총을 쐈는데 3발이 모두 이토 히로부미의 가슴과 배, 어깨에 명중하였다. 다시 3발을 쏘았는데, 일본의 카와카미(川上) 총

6 편역자: 안중근과 우덕순 시 사본은 일본 외무성 외교사료관에 보관되어 있다(신운용·최영갑 편역, 『안중근 유고-안응칠 역사·동양평화론·기서』(안중근 자료집 1), (사)안중근평화연구원, 2016, 59쪽).
7 편역자: 위와 같음.

영사, 모리(森) 비서관, 다나카(田中) 이사에게 난사하자 모두 중상을 입었다. 안중근은 이토 히로부미가 땅에 쓰러지는 것을 보고 라틴어로 '대한만세'를 크게 불렀다. 러시아 순찰병이 즉시 포박하였다. 안중근이 웃으며 말하기를 "내가 어찌 도망가겠는가."라고 했다. 이 보도가 전파되자 세상 사람들은 감동하고 혀를 내두르며 "한국에도 사람이 있구나. 한국에도 사람이 있구나."라고 하였다. 러시아 사진사가 안중근이 이토 히로부미가를 쏘는 장면을 촬영하여 세계 연극계에 제공하였다. 일본인이 6천원을 주고 사갔다 하였다. 조선 시인 김택영이 회남을 여행하다 이 소식을 듣고 시를 지었다.

> 평안도 장사가 두 눈을 부릅뜨고
> 염소새끼 죽이듯 나라원수 통캐하게 죽였네
> 내 죽기 전에 좋은 소식 들으니
> 국화 옆에서 미친 듯이 노래하고 춤을 추네.
>
> 블라디보스토크 항에 송골매가 솟구치고
> 하얼빈 역두에서 벼락이 붉게 쳤네
> 얼마나 많은 천하의 영웅호걸들이
> 추풍에 놀라 수저를 떨어뜨렸다네.
>
> 예로부터 망하지 않은 나라가 어디 있으랴
> 소인배들이 언제나 금성탕지를 무너뜨렸다네
> 다만 하늘을 떠받들 거인이 나타났으니
> 나라는 망할 때이건만 빛을 발하게 되는구나.

第8장 여순 공판

이에 러시아인이 안중근을 일본인에게 넘겨주니 여순감옥에 압송하고 공판을 열고자 하였다. 한국 변호사와 러시아·영국·네덜란드 변호사들이 함께 변호하고자 하였다. 그러나 공판이 열리자 여러 나라의 변호는 허락하지 않고 다만 방청만 하가하였다.

일본 재판관이 신문하니 안중근이 항변하여 말하기를 "한국의 독립을 회복하고 동양평화를 유지하고자 하면 반드시 이토 히로부미 늙은 적을 반드시 먼저 제거한 뒤에야 도모할 수 있다. 또한 임금이 욕을 당하면 신하가 죽는 것이 본분일 뿐이다. 나는 죽을 결심을 갖고 국가를 위하여 헌신하고자 해외에 나가 유세하며 우리민족의 충군애국지심을 고무하고 장사를 모집하여 병사를 삼고 어린 자녀를 교육하였다. 또한 훗날을 대비하여 한편으로 실업(實業)을 장려하고 한편으로 대사를 도모하는 의무를 장려하였다. 이것이 나의 목적이다."라고 하였다. 재판관이 말하기를 "이토 공작은 진실로 천황폐하의 명령을 받들어 너희 국민을 위무(慰撫)하였다."라고 하였다. 말이 끝나기도 전에 안중근은 화가 나서 큰 소리로 말했다.

"지난날 러일전쟁 때 일본 황제의 선전조칙에 한국의 독립을 돕고 동양평화를 유지한다고 하였다. 한국 인민은 이에 감격하여 일본군의 승리를 축하하며 도로를 수리하고 군수물자를 운반하도록 했다. 그리고 일본군이 개선하자 한인이 뛸 듯이 기뻐하며 서로 축하하기를 '이제부터 우리나라의 독립이 더 공고해 질 것이다'라고 하였다. 그러나 이토 히로부미가 우리 정부를 협박하여 5조약, 7조약 등 우리나라에 크게 불리한 조약을 체결하였다. 우리의 외부(外部)를 옮기고, 우리의 통신기관을 빼앗고, 우리 법부(法部)를 없애고, 우리 군대를 해산하고 심지어 우리 황제를 폐위하고 병력을 동원하여 국내 의병을 강제로 탄압하였다. 이로부터 야기되어 살육이 심해지고 더욱 치열해져 충성스런 지사(志士)는 살육되어 거의 사라져버렸다. 우리 한인은 통감을 원수로 삼게 되었다. 소위 '한국독립과 동양평화'라는 일본 황제의 조칙은 모두 한국민을 감시하는 말일 뿐이었고, 이토 히로부미의 음모와 속임수는 다시 가릴 수 없게 되었다. 을미년 우리 황후의 시해도 이토 히로부미의 흉모와 은밀한 꼬임에서 나왔다. 저 이토 히로부미란 자는 일본 황제의 조칙을 위반하여 우리 한국 국민을 속으로 학대하였으니 우리 황실의 역적일 뿐만 아니라 또한 일본 황제에게도 역적이다. 나는 이 때문에 이토의 늙은 도적을 원수로 본 것이다. 도처에서 유세하며 우리 민족의 의병을 분기시켰고, 나는 스스로 참모중장으로 한일전쟁을 일으킨 것이다. 오늘 노적(老賊) 이토 히로부미를 죽인 것은 한국 독립전쟁으로 생각하고 의병참모중장 자격으로 자처한 것이니, 이 법정에 끌려나온 것도 전쟁포로로 인정해야 할 것이요, 나를 자객으로 심문하는 것은 부당한 것이다."

의기가 더욱 열열하고 답변하는 말이 도도하며 근래 저들이 숨기는 일에 더욱 육박하자 재판관은 얼굴빛이 변하며 급히 손짓으로 방청객을 퇴장시켜 공개하지 않았다.

다음해 경술(1910)년 3월 26일 마침내 살인률로 교수형에 처하였다. 우덕순과 조도선, 유도하는 방조살인으로 복역시켰다. 안중근은 옥중에서 틈을 타서 『동양평화론』 수 만언을 저술하고자 생각했다. 대개 평소 품었던 생각을 발표하려던 것인데 전해지지 않아 유감이다. 그가 쓴 글을 받으려는 일본인이 끊이지 않아 수백 폭을 쓰게 되었다. 변호사 안병찬이 귀국함에 안중근이 부탁하여 말하기를 "제가 우리 동포에게 말하고 싶은 것은, 나는 제일착으로 급하게 격분한 것에 불과합니다. 원컨대, 우리 동포는 열심히 교육하고 실력을 확충하여 우리 국권을 회복하기를 바랍니다. 그러게 되면 죽은 사람도 마땅히 구천 아래서 춤을 출 것입니다."라고 하였다. 형벌에 임해서도 정신과 얼굴이 태연자약하였으며 동양평화를 연거푸 외쳤다. 이에 앞서 동생 공근 등에게 말하기를 "내가 죽으면 하얼빈 길가에 묻어 세상 사람으로 하여금 망국(亡國) 백성의 뼈임을 알게 하도록 하라"고 하였다. 공근 등이 그의 명을 좇아 시신을 요청했지만 일본인이 허락하지 않았다. 드디어 여순의 언덕에 묻었다. 각국 사람이 다투어 안중근의 초상사진을 샀기 때문에 사진사가 치부(致富)하였다고 한다.

제9장 우덕순의 소사

옛날 정나라 상인 현고(弦高)는 소 장사를 생업으로 하였는데 정나라의 위난을 구하였다. 이는 상업계의 준걸이고 국민의 모범이다. 지금 한국 의사 우덕순 역시 잡화상이지만 그의 애국 열정은 바로 안중근과 함께 청사(靑史)에 빛난다. 천하의 상업계 동포도 감발하여 흥기하는 자가 있을 것이로다.

우덕순은 충청도 제천 사람이다. 집이 가난하여 장사를 업으로 하였다. 서울에 옮겨와 잡화점을 차려 겨우 생활을 지탱하였지만 겨를이 없어 학문을 하지 못했다. 그러나 애국의 열정은 하늘로부터 타고났고 신문 읽기를 좋아 하였다. 시세가 위급하게 되고 국권이 상실되자 갑자기 눈물을 흘리고 식음을 전폐하였다. 을사보호조약[8]이 이루어지자 온 나라의 인사들이 비분하여 어찌할 바를 몰랐다. 우덕순이 개연히 말하기를 "나라가 있은 뒤에 백성이 있는 것이다. 만약 나라가 없으면 나의 산업도

---

8 편역자: 을사늑약.

내 것이 아니고, 나의 처자도 내 것이 아니며, 나의 생명도 내 것이 아니다. 나는 차라리 나의 사업을 버리고 나의 처자를 버리고 내 생명을 버려서 국가를 구하는 것이 옳다고 생각한다. 그러나 3천리 산야가 다 그들의 그물 속에 덮여 일언일동(一言一動)도 자유로울 수 없으니 무슨 일을 할 수 있겠는가? 내가 듣건대 블라디보스토크에는 우리 동포가 많이 이주하였고, 지사(志士)들이 학교와 신문사를 창립하는 등의 사업하고 있으며, 일본인의 범위 밖에 있다고 한다. 내 활동 방면을 찾아 이곳을 버리고 그곳으로 가겠다."라고 말하였다.

마침내 블라디보스토크에 가서 동지를 찾다가 안중근과 단지결맹을 하였다. 이 무렵 이토 히로부미가 하얼빈에 온다는 소식을 듣고 요로에서 그를 공격하고자 하였으나 어느 곳에서 그를 만날지 알 수가 없었다. 이에 둘이 계획을 세웠는데, 한사람은 채가구에서 기다리고, 한사람은 하얼빈에 가서 도모하기로 한 것이다. 우덕순은 채가구에 남게 되어 안중근이 하얼빈으로 떠나는 것을 전송하게 되었다. 눈물이 흘러 떨어지는 것과 다름이 없는데, 쓸쓸한 역수(易水)에서 하얀 의관을 입은 사람들이 송별하니 보는 이들도 자못 괴이하게 여겼다. 이토 히로부미가 오자 순찰병들이 객점(客店)을 폐쇄하고 나가는 것을 허락하지 않았다. 우덕순이 몰래 창문 틈으로 살펴보니 이토 히로부미는 이미 지나가버렸다. 화가 극에 다르고 기가 막혀 구들 바닥에 쓰러져 한참을 있다가 일어났다. 심문을 받을 때는 말하는 기운이 격렬하여 안중근이 대항한 것과 다르지 않으니 방청자가 모두 장하게 여겼다. 이때 공판에서 3년형에 처해졌다. 일본은 그가 앞으로 어떤 행동을 할까 두려워 다른 죄목을 더해 함흥감옥에 옮겨 가두었다. 그러자 우덕순은 마침내 자살하고 말았다. 비록 그 목적을 성취하는 일은 안중근에게 양보하였으나 그의 뜻과 기개의 뛰어남은 천하의 열사가 되기에 부끄럽지 않다.

제10장 안명근 이재명 김정익 3의사의 소사

오호라! 4200여년 역사의 한국이 경술년(1910) 8월에 병탄되기에 이르러 명성이 사라지고 말았다. 일본 육군대신 테라우치 마사타케(寺內正毅)가 총독으로 한국에 와서 일한합병을 선언하고 융희 황제를 폐위하여 창덕궁왕으로 만들었다. 각처에 병사들이 순찰하며 경비가 매우 엄중하였다. 안중근의 종제(從弟) 안명근은 은밀하게 장사들과 결탁하여 사내정의를 죽이려고 했다. 화차(火車) 속에 탄약을 설치하여 그를 공격하고자 하였으나 일이 누설되어 체포되었다.

법정에 들어가 심문을 받을 때 말의 기운이 굳세고 사나워 방청자들이 모두 "참으로 안중근 의사의 동생으로 부끄러울 것이 없다."라고 하였다. 살인을 도모하여 미수에 그쳤으나 종신형에 처해지고, 이에 연루되어 형을 받은 자가 수 백 명에 달했다. 이에 앞서 평양사람 이재명(李載明)과 김정익(金貞益)이 일본인이 곧 합병조약을 체결한다는 소식을 듣고 먼저 매국(賣國) 적당(賊黨)을 제거하면 저들의 늑약을 혹시라도 막을 수 있을 것으로 생각하였다.

이재명은 이완용을 찔렀으나 이완용은 중상만 입고 죽지는 않았다. 이재명은 이에 살인죄로 교수형에 처해졌다. 김정익도 이용구(李容九)를 찌르고자 하였으나 체포되어 살인을 도모한 죄로 징역에 처해졌다. 이재명은 예수교인으로 어려서 아버지를 잃고 13세에 서양 선교사를 따라 북미로 가서 노동으로 여비를 벌어 귀국하였다. 김정익은 지극히 가난하여 남의 집에 일꾼이 되었다. 일하는 틈틈이 노동하고 야학당에서 학습하였다. 그들의 자취를 말하면 모두 지극히 작지만 나라를 위하여 도적을 토벌한 의거는 뜻밖에도 일세(一世)를 놀라게 하였다. 이로 보건데, 시장에서 장사하는 한미한 사람 가운데도 일찍이 뛰어난 남자가 없는 것은 아니다.

결론

저자가 중국인이 안중근의 일에 대해 논한 것을 보니 "이 사람은 한눈으로 조선을 보고 한눈으로 중국을 보았으니 숭배함이 지극하다는 것을 알 수 있다."라고 하였다. 영웅을 숭배하는 사상은 실로 국가를 진흥의 요소이기 때문이다. 그러나 영웅의 사적을 근거로 대서특필하는데 여러 글이 일치하지 않으며 표창하고 천양하는 것은 집필자의 책임인데, 만약 집필자가 이를 게을리 하면 국민의 양심을 계발시키지 못하고 국민의 원기(元氣)를 배양시키지 못하는 것이다. 어디에서 정신교육을 할 것인가?

하물며 금일의 현상에 대해서 보자면 이런 종류의 역사는 증상에 따라 좋은 약이 되는 것이다. 어찌 그렇게 말할 수 있는가? 국가의 흥망은 국민의 심리에 달려 있는 것이다. 국민이 의협심이 풍부하면 공덕(公德)을 중히 여기고 공익에 힘쓰며 공의(公義)를 급선무로 여긴다. 그리고 환난을 맞으면 간뇌(肝腦)를 버리고 나아가 나라를 구하며, 대중의 뜻이 단결되어 국력이 건전하게 된다. 만약 의협심이 결핍하면 사(私)가 있다는 것만 알고 공(公)이 있음을 알지 못하여 국가의 기쁨과 슬픔을 눈으로 보고도 아프지도 가렵지도 않으며 마비된 채 불인(不仁)하게 되어 마침내 부패의 극점에 빠지게 될 뿐이다.

그러므로 오늘날의 국민교육은 근본적으로 의협을 숭상하지 않으면 세찬 바람의 공포에서 구할 수가 없다. 이 마비되고 불인(不仁)한 증상도 강건하고 활발한 몸에서 나오기 때문이다. 더 나아가 말하면 도덕가가 세상을 구하는 용기도 어찌 여기에 있지 않겠는가? 묵자는 "정수리부터 닳아서 발꿈치까지 이르러도 천하를 이롭게 한다면 그렇게 하겠다."라고 했다. 초나라가 송나라를 정벌하고자 하니 묵자의 문인이 초나라에 간하여 송나라를 구하고자 초나라로 가서 죽은 사람이 70여 명이다. 이것이 바로 의협의 으뜸이다. 왕양명(王陽明)과 황이주(黃梨洲)도 도한 모두 다 의협의 기풍을 가진 사람들이므로 그것을 도(道)로 삼았다. 자신을 믿고, 실행하는데 용기가 있으며, 손발을 기세 좋게 움직여 땅을 세차게 밟는 것은 세교(世敎)에 가장 공이 있는 것이다. 세상이 정신교육에 뜻을 두는 것이 어찌 이보다 조심스럽겠는가.

편자가 말하기를 "안중근은 삼한(三韓)의 탁월한 남자다."라고 하였다. 논자(論者)는 혹 자객으로 지목하나 그가 진술하는 말에 근거하면 한국독립전쟁을 위하여 의병참모중장을 자임한 것을 인정할 수 있다.

또한 혹자는 한국의 원수를 갚았다고 일컫지만 그가 진술하는 말에 근거하면 한국의 독립을 회복하고 동양의 평화유지를 위한 것이 자명하다. 처음부터 한국의 독립을 회복하고 동양의 평화유지를 위한 것이 자명하지만 끝내는 저격과 암살의 한길로 나가서 도리어 저 일본의 버릇없는 아이가 되었고 이토 히로부미의 영웅이라는 이름을 이루었다. 이것은 반듯이 크게 부득이한 것이 있는 까닭이다. 만물이 평정을 잃으면 울음소리가 나고, 이민족이 모욕을 당하면 이에 종족혁명이 있고, 정치가 암흑하면 정치혁명이 있게 되는 것이다. 돌아보건대, 혁명의 참담함을 회복하려면 경영이 단지 석공(夕功)으로 되는 것이 아니다. 이에 저격과 암살은 일찍이 도화선이 되고 빠르게 선봉이 되었다. 이 또한 애국 의사의 부득이한 마음이고, 후인들에게 양해 받을 수 있는 것이다. 이 편은 백산포민의 저술로 본사에 기고하여 절차에 따라 세상에 공개하는 것이다. 아울러 안창호·김태영·우덕순·안명근·이재명·김정익의 사략(事略)을 부쳐 실어서 "삼한에도 두루 사람이 있다. 인심(人心)이 죽지 않으면 국혼도 망하지 않는다는 징험이 있다."는 것을 알게 하고자 한 것이다. 철옹진무적(鐵甕陳无適識)이 기록하다.

조희제

안중근 해주

안중근의 어렸을 때 이름은 응칠이다. 그 가슴에 검은 점 일곱 개가 있어서 자(字)로 삼은 것이다. 황해도 해주에서 태어났는데 그 선조는 본래 순흥 사람이다. 집안은 해주에서 대대로 고을 아전을 지냈다. 부친 태훈에 이르러 독서를 하여 성균관 상사생(上舍生)이 되었는데 사람됨이 영웅답고 기략을 좋아했다.

태상황[1] 31년 살고 있던 신천 땅에 동학의 무리가 침범했을 때 병사를 일으켜 그들을 쳐서 물리쳤다. 중근은 어렸을 때 책을 읽는 여가에는 반드시 활과 화살을 끼고 창을 갖고 놀며 말달리기를 익혀서 말위에서 나는 새를 쏘아 떨어뜨릴 수가 있었다. 태훈이 동학도를 칠 때에 늘 선봉이 되어 공을 세웠다.

이십에 큰 뜻을 가지고 "국가가 문약함이 심하여 외부로부터의 근심이 날로 심해지니 이때야말로 무예를 숭상할 때가 아닌가?"라고 탄식하였다. 집안이 예로부터 부유하고 부리는 사람이 많아서 가업을 돌보지 않고 인근 고을로 나가 놀며 협기와 용기가 있는 이들과 사귀고 좋은 병기를 보면 바로 구입했다. 광무 8년 일본이 러시아를 공격하여 이기고 우리나라의 국권을 빼앗았다.

중근이 부친에게 "우리나라는 러시아가 도와줄 것을 믿었는데 지금 일본은 이미 러시아를 이겼으니 우리를 삼키는데 무슨 거리낌이 있겠습니까? 그렇다면 우리와 같이 순치지간이 될 수 있는 것은 중국일 뿐이니 중국에 가서 인재들과 사귀며 (국가를)보존할 것을 도모하는 것이 아들의 바램입니다."라고 고하였다. 드디어 상해 등지로 돌아다닌 지 몇 개월 만에 부친 상을 듣고 돌아왔다.

1 편역자: 고종.

이 때 일본 이토 히로부미는 이미 우리나라에 통감으로 왔다. 중근은 장례를 마치자 평안도 삼화군 증남포를 중국과 왕래하는 요지라고 보아 이사를 했다. 가산을 들여서 학교를 세우고 평양성 안에서 널리 학생을 모집하고 그들을 교육하는 동안 평양의 큰 인물 안창호 등과 같이 서울로 들어가 서북학교의 학생들을 모아서 국가의 위급한 상황을 들어 그들을 부추기고자 했다.

11년 이토가 태상황을 협박하여 선위케 하고 서울과 지방의 군대를 해산시켰다. 중근은 분노하여 국권회복을 생각하였으나 국내에서는 어찌할 수 있는 방법이 없었으므로 러시아 블라디보스토크에는 한인 교포들이 많아서 함께 일을 할 수가 있다고 보아 블라디보스토크로 갔다.

교포 중에 협사(俠士) 관동사람 김두성(金斗星), 제천사람 우덕순 등 20인을 얻어 서로 손가락을 잘라 나라를 구할 것을 맹세하고 충의로써 교포들을 격려하여 1년만에 장정 300인을 얻었다. 전법을 가르치고 의병대장은 김두성에게 양보하고 자기는 의병참모중장이 되고 나머지 사람들은 각각 직책을 나누어 맡았다.

융희 3년 6월 중근은 병사를 모아 명세하며 "옛날 문천상(文天祥)은 병사 800명으로 원나라를 도모했고, 조헌은 700명의 유생으로 왜적을 쳤다. 지금 우리는 비록 수가 적으나 어찌 일본을 두려워하랴? 하물며 우리나라안의 의사들이 곳곳에서 봉기하고 서울과 지방의 해산된 병사들이 서로 힘을 합해 일본을 피곤하게 한지 삼년이다. 북을 치며 앞으로 나아가면 이에 응해 일어서는 이들이 반드시 많을 것이다. 여러분은 각자 힘을 다하라."라고 하였다.

드디어 병사를 이끌고 두만강을 건너 경흥군의 일본 수비병을 습격, 50인을 죽였다. 회령에 진격했지만 일본 대군의 역습을 받아 무리들이 모두 패주했는데 중근은 두 사람과 같이 도망쳐 죽음을 면했는데 12일 동안 겨우 두 끼를 먹고 돌아왔다. 이 때 이토는 통감직에서 물러나 스스로 한국을 이미 얻었으므로 나아가 중국을 도모하려고 했다. 10월 겉으로는 청나라 만주를 유람한다는 핑계를 대고 영국·러시아 두 나라의 대신들과 하얼빈에서 회담하기로 약속했다. 중근이 듣고 기뻐서 "하늘이 이 도적을 내게 보내시는구나."라고 하였다.

이에 우덕순에게 말하기를, "우리 대한을 망친 자는 이토가 아니겠는가? 지금 들으니 곧 하얼빈에 온다니 자네랑 그를 도모하기를 바라네."라고 했다. 덕순이 "좋네."라고 했다. 드디어 각자 총을 품고 하얼빈으로 가고자 길림에 이르러서 거듭 계획하면서 하얼빈에는 러시아 사람이 가장 많은 곳이라 이토의 동정을 살피려면 우리나라 사람으로 러시아어를 할 수 있는 사람을 얻어 함께하지 않으면 안 된다고 여겼다.

이에 유동하·조도선 두 사람을 구하여 함께 하얼빈에 이르렀다. 이날 밤 중근은 여관에서 비분강개해서 노래를 지어 그 뜻을 표현하고 그것을 노래했다. 노래에 이르기를, "장부가 세상에 남이여! 뜻을 길러 큰일을 이루리. 때가 영웅을 만들도다! 영웅이 때를 만드네. 북풍이 참이여! 내 피는 뜨겁도다. 비분강개하여 한 번 떠남이여! 반드시 쥐 같은 도적을 죽이리로다. 우리 동포여! 공업을 잊지 마시라. 만세 만세여! 대한독립이로다."라고 하였다.

덕순이 유행가로 화답하였다. 다음날 중근은 덕순·도선과 같이 관성자에 이르러 이토가 오는 소식을 탐문하고 이미 마련한 거사자금을 두 사람에게 주고 하얼빈으로 돌아왔는데 "이토가 내일 온다."라는 소식이 있었다. 중근은 새벽에 일어나 기차역으로 가서 러시아 군대 뒤에 서서 그를 기다렸다. 중근은 본래 양복을 입고 있어서 군인들은 일본인으로 여기고 한국인 것을 몰랐다.

이토가 기차에서 내려 러시아 대신과 악수를 하고 예를 마치자 천천히 걸어서 각국 영사들이 있는 곳으로 향했는데 중근과의 거리는 열 걸음이 못되었다. 중근은 평소 이토를 본 적이 없고 일찍이 신문에 실린 작은 사진으로 보았었다. 가만히 그를 보고 군대 속으로 들어가 총을 들어 그에게 세발을 쏘아 가슴과 배를 맞췄다.

이토가 죽었다. 또 이토의 종사 세 사람을 쏘니 모두 고꾸라졌다. 이에 중근은 대한만세를 크게 외쳤는데 군대가 그를 체포 포박했다. 중근이 크게 웃으며 "내가 어찌 도망칠 사람이겠는가?"라고 하였다. 드디어 러시아 재판소에 수감되었다.

한 달여 만에 일본인들은 여순에 있는 일본 관동법원 감옥으로 이송 수감했다. 처음에 일본이 우리나라를 통감했을 때, 각국에 선언하기를 한국인들이 일본의 보호를 기쁘게 여긴다고 했다. 이때 각국 사람들이 욕을 할까봐 두려워하여 법원장 마나베(眞鍋)에게 한국말 통역 사카이 요시아키(境喜明)과 소노키 지로(圓木次郞)를 옥으로 보내 중근을 달래며 말하기를, "당신은 이토공이 한국을 통감한 주의를 깨닫지 못하고 있다.

이토 공이 귀국에 베푼 것은 모두 국가와 생민의 복을 만든 것인데 당신은 왜 그를 해쳤는가? 지금 만약 돌이켜 깨달아 잘못을 자수한다면 일본정부는 반드시 당신 뜻을 가련히 여기고 당신의 재주가 우뚝한 것을 기특하게 보아 당신을 관대하게 석방할 것이다. 이렇게 된다면 당신의 앞길과 공업을 헤아릴 수가 있겠는가?"라고 하였다.

중근이 웃으며 "사는 것을 좋아하고 죽음을 싫어하는 것은 인지상정이다. 그러나 내가 만약 구차히 살고자 했다면 어찌 여기에 이르렀겠는가? 당신들은 나를 유혹하지마라."라고 하였다. 두 사람은 무색해서 물러갔다. 다음날 다시 가서 온갖 방법으로 달랬지만 중근은 듣지 않았다.

마나베가 그것을 듣고 그를 죽이고자 결심했다. 12월 공판이 열렸다. 우리나라·중국 및 서양 사람들 보는 사람이 수백 명이었다. 이에 앞서 중근의 아우 정근·공근이 곧 공판이 있으니 마나베에게 변호사 선임을 요청하였다. 마나베는 다른 나라 사람은 중근이 옳다고 할 것을 염려했으나 또한 각국의 법률 관례를 어기는 것도 어려워 겉으로는 그것을 허락했다.

이에 미국교포와 블라디보스토크 교민들이 7000을 모금하여 요청한 영국 변호사 더글라스와 러시아 변호사 미하일로프가 잇달아 왔다. 우리나라 변호사 의주사람 안병찬(安秉瓚)도 비분강개해서 스스로 변론을 맡겠다고 왔으나 마나베는 모두가 일본어에 능통하지 못하다고 거부하고 오직 일본인 두 사람을 변호사로 선임했다. 중근을 법정으로 끌어내었다. 중근은 키가 약 5척 4촌이고 정신과 풍채가 빼어나 법정에 있으면서도 뜻과 기운이 편안했다.

두 손을 가슴에 교차하고 자주 수건을 들어 얼굴을 닦았다. 마나베가 법률에 따라 성명·나이·본적을 물은 뒤에 이토의 일을 물으며 "당신은 왜 우리 이토공을 해쳤는가?"라고 하였다. 중근이 말하기를, "귀국이 러시아를 칠 때 귀국의 황제는 선전서(宣戰書)에서 우리는 장차 한국을 보호하고 보호시켜준다고 하여 우리나라 사람들은 서로 기쁘게 여겼다.

이미 러시아를 이긴 뒤에 이토는 귀국 황제의 뜻을 따르지 않고 공을 탐내고 재앙을 즐겨서 군대로 우리를 협박하고 우리의 독립을 막았다. 이는 우리 대한의 신민들 만대의 원수이니 내가 어찌 죽이지 않겠는가?"라고 하였다.

마나베가 "들으니 너희 무리에 참모중장이 있다는데 이것이 누구냐?"라고 물으니, 중근이 팔목을 누르고 "소위 참모중장은 나다. 지난 날 내가 의병대장 김두성과 함께 군대를 거느리고 바다를 건너서 이토를 쳐 죽이려고 했는데 때마침 이토가 오게 되어 드디어 내 한 몸이 앞서 가 복수를 한 것이고, 여기에 이르렀다면 곧 한 적장이 체포된 것이다. 귀국이 나를 일개 죄수로 대하는 것은 무엇 때문인가? 이토는 우리 대한이 독립을 못하게 막았으므로 실로 내 원수다. 또 멋대로 우리 태상황을 폐위시켰다. 이토는 우리 태상황에게 있어서 외신이다. 외신도 또한 신하이다. 신하로서 임금을 폐했으니 차라리 죽임을 당할지언정 죽음을 면할 수가 있겠는가?"라고 대답하였다.

말이 여기에 이르자 목소리는 더욱 커졌고 눈빛은 번개와 같았는데 여러 차례 이토를 꾸짖으며 "이토의 죄는 위로 하늘에 통하고 이토의 행실은 우리 대한의 황제를 폐위함이 이와 같고, 우리 대한국의 독립을 떨어뜨림이 이와 같고, 동양평화를 무너뜨림이 이와 같고, 옛날을 돌이켜보면 우리 명성황후를 시해한 모책을 꾸몄으며, 이토는 실지로 귀국의 선황제를 주도했으니…."라고 꾸짖었다.

마나베가 그것을 듣고 대경실색하여 급히 손을 휘둘러 그것을 저지하고 또한 방청자들을 퇴정시켰기 때문에 그 말의 끝을 들은 자가 없는데, 거기서 말한 선황제는 이토가 시해를 한 것을 말하는 것이다. 공판은 다음해 정월까지 여섯 번 열렸다. 중근은 시종일관했다.

변호사가 말하기를, "안중근은 이토공의 보한(保韓)주의를 잘못 이해하고 비록 복수를 했다고 말하지만 참으로 잘못된 것이다. 사형에 해당한다."라고 하였다. 마나베가 다시 사람을 시켜 중근에게 "당신은 지금 곧 죽는다. 만약 잘못 오해했다고 말한다면 살려주겠다."라고 하였다.

중근이 그를 꾸짖으며 "너희들의 이른바 잘못 오해했다는 것은 무슨 말인가? 이토가 인도(人道)를 배신하고 천리를 없애버린 행위는 어린애들도 다 아는데 나에게 잘못 오해했다고 말하라는 것이냐? 너희가 나를 죽이는 것은 참으로 마땅하다. 생각건대 내가 하루를 더 산다면 너희 나라에 하루의 근심이 있을 것이고, 참으로 옳고 그름을 천하여 드러내어 말할 날이 반드시 있을 것이다."라고 했다. 끝내 굴복시킬 수가 없었다.

드디어 마나베는 변호사가 말한 사죄에 의거하여 그것을 선고했다. 3월 26일 교수형으로 그를 죽였다. 중근의 나이 이 때 32세였다. 처음 선고한 뒤에 두 아우가 영결하고자 하니 중근이 "내 주검을 차마 일본이 통감하는 땅에 묻을 수는 없다. 임시로 하얼빈 공원 옆에 묻었다가 국권이 회복되기를 기다려라."라고 하였다. 이 때 두 아우가 그 말처럼 하고자 했으나 일본이 하락하지 않고 감옥내의 땅에 매장하게 했다.

중근은 평생에 학문을 많이 하지는 않았으나 대단히 총명하여 붓을 잡으면 글을 빨리 쓸 수가 있었다. 옥중에서 수만어의 동양평화론을 지었다. 또한 혹 시를 읊으며 지냈는데 일본과 각국 사람들이 다투어 돈을 내어 그것을 사들였다. 전후 옥에

200여 일 있었는데, 먹고 마시는 것이 평상시와 같았고 매일 밤 새벽까지 코를 골며 잘 잤다. 죽던 날 양복을 벗고 새로 만든 한복으로 갈아입고 웃으며 형장으로 나왔다.

더글라스가 안병찬에게 "나는 세계의 사람과 감옥을 많이 보았는데, 일찍이 이와 같은 열사를 본적이 없다. 내가 돌아가면 마땅히 천하에 그를 알리겠다."라고 하였다. 덕순·동하·도선 세 사람은 이토 사후에 또한 모두 체포되었다. 공판 날 덕순은 이를 갈며 대답하였고 또한 자못 격앙했다. 일본인들은 그를 삼가다년 징역형에 처했다. 동하와 도선은 자신들은 중근의 정황을 몰랐다고 말했다. 하지만 일본인들은 그들에게 덕순 다음가는 죄를 주었다.

6 안중근의사 따님의 수기

안현생

혁명가 안중근 의사에 대해서는 지금까지 기사로 혹은 전기, 연극 등으로 적지 않게 소개되었으며 이와 같은 기사나 전기, 연극은 사실과 다소 어긋나는 점도 없지 않았다.
그러나 지금까지 소개된 바와는 달리 안중근 의사의 딸인 안현생(安賢生) 여사의 이번 이 회고담은 새로운 사실을 허다히 밝힘으로써 독자 여러분에게 새로운 관심을 주리라고 믿는다. 원래 안중근 의사는 2남 1녀를 두었다. 그러나 불행히도 안현생 여사의 맏동생은 어릴 때 세상을 떠났고, 그 다음에 태어난 장남 안준생(安俊生)씨는 피란 간 부산에서 온갖 고생 끝에 신병으로 타계했다. 그리하여 안중근 의사의 직계로는 안 여사 한 분만이 남고 그 밖에 안 의사의 질녀 안미생(安美生)·안련생(安蓮生)씨가 있다. (실화 편집부)

거사 후에 우리 가족이 더듬어온 길

세상 떠나신 선친에 대해서 여러분이 쓰신 글들을 많이 보았습니다만 저 자신이 붓을 들기는 이것이 처음입니다. 이렇게 청을 받고 붓을 드니 하고 싶은 말도 많고 머리 위에 떠오르는 지난 일도 많습니다만 무엇으로부터 말을 시작해야 좋을는지 모르겠습니다. 그러나 생각나는 대로 대충 적어보기로 하겠습니다. 선친이 돌아가신 것은 지금으로부터 46년 전 3월 26일이었습니다.

그때 제 나이 여덟 살이고 보니 큰 기억이라고는 있을 수 없었습니다만 자라면서 조모님을 비롯하여 여러 선생님으로부터 말씀을 들었습니다. 원래 저의 집 고향은 황해도였습니다만 조부모님 때부터 진남포(鎭南浦)에서 살았습니다. 선친께서는 일찍이 집을 떠나 망명길에 나섰고 숙부 한 분은 서울법정학교에 다녔고 한 분은 진남포에서 일찍이 선친이 창설한 학교 교원으로 있었습니다.

이리하여 어머님과 어린 동생은 조모님과 함께 살고 있었습니다만 선친께서는 의거하신 해에 노령(露領·러시아 영토) '버그라니스'[1]에 살림을 장만했으니 온 집안 식구더러 오시라고 편지를 보내왔습니다. 그러나 살림살이로 보든지 식구로 보든지 솔가할 수는 없었지요. 그래서 조모님 말씀이 비록 망명길을 떠나기는 했으나 가족이 그리울 것이며 그날그날이 적적할테니 저의 어머님과 어린애들만이라도 보내는 것이 좋겠다고 하셨습니다. 그러시면서 장녀로 태어나 조모님의 지극한 귀여움을 받아오던 저까지 보내면 쓸쓸하셔서 견딜 수 없다고 저만은 조모님께 남게 되었습니다.

이와 같은 조모님의 말씀대로 어머니는 어린 동생을 데리고 길을 떠났습니다. 딱딱한 사회적 환경과 딱딱한 집안 분위기에서 자란 어머니는 이때 처음으로 기차를 타시게 되었고 처음으로 얼굴을 가리고 다니던 장옷을 벗고 구두를 신었습니다. 이와 같이 여장(旅裝)을 꾸미시고 집을 떠나 기차가 장춘(長春·당시 신경(新京))에 이르렀을 때 정거장에는 총을 메고 칼을 찬 헌병이나 경찰을 비롯하여 유달리 일반 사람이 흥성대고 있었답니다.

그래서 처음 길 떠난 어머니도 의아스럽게 생각하였지만 주위 사람들도 저마다 의아스럽게 보고 있었는데 나중에 알고 보니 이토 히로부미(伊藤博文)의 시체를 실은 기차가 마주 서 있었습니다.

그러나 어머니는 이와 같은 중대한 사건이 일어난 줄도 모르고 하얼빈에 도착하여 선친이 연락하신 대로 그곳 김성백(金聖佰)씨 집을 찾아갔습니다. 한데 김성백씨를 비롯하여 집안사람들이 조금도 반가워하는 기색이 없을뿐더러 거의 무표정하게 아무런 말도 없었습니다. 그러나 아는 이라고는 한 분도 없는 하얼빈이라 어머니는 그래도 그 집에 들어갔습니다.

그때 어머니는 그곳에 선친하고 함께 계시던 모씨가 들어오더니 선친께서 이토 히로부미를 죽였다는 소식을 전함으로서 비로소 알게 되었습니다. 더구나 그분 말씀이 곧 일본 경찰이 잡으러 올텐데 절대로 안중근의 아내라고 말해서는 안 된다고 주의를 주셨습니다. 그분 말대로 얼마 후 말소리 요란스럽게 일본 경찰이 와서는 어머니와 어린 것을 잡아갔습니다.

어머니로서는 객지에 나선 것도 이것이 처음이요 경찰서에 가보기도 처음이었습

---

1 편역자: 포그라니치나야.

니다. 일본 경찰은 선친과 ×××씨의 사진을 내보이면서 잘 알지 않느냐 하고 묻기 시작하였습니다. 그러나 순간 어머니는 선친의 사진을 '모르는 사람'이라고 하면서 한쪽에 밀어내고 모씨는 오빠 되는 분이라고 말하였습니다. 어머니가 이처럼 고집해도 이미 알아낸 일본 경찰은 "안중근의 아내인 줄 알고 있는데 왜 거짓말을 하는 거야"하면서 욕설을 퍼부었습니다. 그러나 어머니가 끝내 부인하자 그들은 어머니와 어린 것을 유치장에 가두었습니다.

평소 어떻게 생겼는지 생각조차 해본 일이 없는 어두컴컴한 유치장에서 어머니는 어린 동생보고 울라고 시켰습니다. 아마 그렇게 하면 시끄러워서라도 곧 내보내리라 믿었는지 모르지요. 그것은 어쨌든 어린 동생이 자꾸 울기만 하자 일본 경찰은 나오라고 하면서 다시 조사를 계속하는데 그때 어머니는 어린 동생보고 이젠 울지 말라고 하니 "엄마, 아까는 울라고 하더니 왜 이젠 울지 말라고 해요" 이렇게 말하였고 이것을 들은 일본 경찰은 또다시 욕설을 퍼부었답니다. 결국 어머니는 3일 동안 유치장 생활을 하시다가 나왔습니다. 어머니의 외로웠을 심정은 누구든 이해할 수 있는 일이지요. 그 후 선친이 의거하신 소식이 널리 알려지자 이곳저곳에 흩어졌던 여러 분들이 하얼빈에 모이기 시작했고 그분들의 주선으로 선친이 마련하신 버그라니스[2]에서 고독한 살림을 시작하게 되었습니다.

이왕(李王)의 밀사라고 모계(謀計)하는 일본 경찰

한편 일본 경찰은 진남포 저희 집을 수색하고 서울에서 공부하시는 숙부도 조사하고 야단이었지요. 일이 이렇게 되니 저의 집안사람들이 국내에서 마음 편히 살 수는 없는지라 조모님, 숙부님 모두 조국을 떠나게 되었습니다.

낮에는 여관에 묵고 밤이면 걸어서 함경도-만주로 해서 러시아령인 버그라니스에 이르렀고 그곳에서 다시 동청철도(東淸鐵道) 연변에 있는 목릉에 집을 옮겼습니다. 그 후 한 사람 두 사람 숙부님의 가족도 한곳에 모이게 되었고 그리하여 그곳에서 우리 집안사람들이 살게 되었는데 그곳을 지나오고 지나가는 혁명가 분들은 꼭 들

2 편역자: 포그라니치나야.

러서 위로해주곤 했습니다.

한편 선친의 의거에 대해서 말하면 일찍이 의용군(義勇軍)을 조직하고 두만강에서 일본 사람과 접전(接戰)하시던 선친은 다시 해삼위(海蔘威·블라디보스토크)에서 동지들과 함께 의거할 계획을 세우고 있었습니다. 그리하여 이토 히로부미가 온다는 소식을 듣자 구체적으로 준비하기 시작하였습니다. 동지의 한 분인 우덕순(禹德順)씨는 본래 은방을 한 경험이 있는지라 총알도 몸에 박히면 한층 괴로움을 당하도록 모가 나게 만들었다고 합니다. 그리하여 하얼빈까지의 지리를 따져 우덕순씨, 유동하(柳東夏)씨 그리고 선친 세 분이 세 곳에 대기하고 있었지요. 그러나 우덕순씨도 그와 같은 의거의 기회를 만나지 못했고 유동하씨도 그러했습니다. 그리하여 마지막 기회인 하얼빈에서 선친이 이토를 죽였지요.

선친은 이토가 온다는 소식을 듣고 그와 같이 동지들과 계획을 세운 다음 소련에서 자라 소련말 중국말에 능통한 유동하씨와 함께 하얼빈에 도착해서는 위에서 말한 바 있는 김성백씨 집에 투숙하였습니다. 그리하여 20일 가까이 대기하고 계시다가 마침 10월 26일! 그날이 왔습니다. 이토를 맞이하기 위해서 소련의 고관들도 많이 나왔고 경비도 준엄했습니다만 선친께서는 용의주도하게 이토 가까이까지 뚫고 들어가셨습니다. 그리하여 총을 뽑기 시작했는데 이에 앞서 해삼위에서 동지들과 약속하기를 이토에게는 총 세 발을 발사할 것, 그렇게 함으로서 절명(絶命)을 보장할 수 있으며 나머지 총탄도 주의해서 발사하되 소련 사람이 맞을 경우 국제적인 문제도 있으니 주위에 있는 일본 고관에게 발사하기로 했답니다.

그래서 선친께서 이토를 향해 한 발을 발사했으나 워낙 군악(軍樂)소리가 요란스러웠기 때문에 주위 사람들은 총소리를 듣지 못했고 이 발을 발사하자 그때 비로소 주위 사람들이 총소리를 알아듣기는 했으나 순간 당황해서 어쩔 줄을 몰랐답니다. 삼 발을 발사하자, 이토는 땅에 쓰러지고 선친은 계속해서 주위에 있는 일본 고관들에게 난사(亂射)하여 팔에 맞은 놈, 머리가 깨지는 놈이 속출했답니다. 이제 뜻했던 바 일에 성공하신 선친은 권총을 내던지고는 바로 그 장소에서 "대한민국 만세"를 힘있게 외쳤지요. 이리하여 일본 경찰은 대한민국 만세를 외치는 선친을 마차에 실어 여순구(旅順口)에 이송하였습니다.

취조가 시작되었으나 선친께서 자기의 일거일동을 명백히 하는지라 고문할 필요도 없었고 길게 조사할 것도 없었습니다. 그러나 그들은 하나의 모계(謀計)를 꾸미기 시작했습니다. 그것은 선친더러 목숨을 살려줄 테니 공판정에서 이왕(李王)의 명을 받고 이토를 죽였다고 진술할 것을 강요한 것입니다. 이때 선친께서는 "목숨을 아낄 내가 아니요, 그렇게 목숨을 아끼는 나라면 이런 중대한 일을 하지도 못했을 것이다." 이렇게 말씀하시면서 천부당만부당한 말을 그만두고 빨리 사형해 달라고 했습니다. 선친의 태도가 그와 같이 확고하니 일본 경찰도 그와 같은 그들의 계획을 단념하지 않을 수 없었지요.

"나라를 찾거든 고국에 묻어달라!"라고 유언

그리고 일본 경찰도 선친께 대해서는 극진한 대우로서 음식은 요구하는 대로 제공했답니다. 의거하신 10월 26일에서 사형당하시던 다음 해 3월 26일까지의 만 5개월 동안 추운 형무소 생활을 계속하신 선친의 고생이야 이루 말할 수 없었겠지요.

선친께서 사형언도를 받자 그때 서울에 와 있던 프랑스인 홍(洪) 신부님은 선친의 마지막 길에 '연미사'를 올리고 유언을 듣기 위해서 여순구로 왔습니다. 그러나 정식으로 주교(主敎)의 승낙을 얻을 수 없는 일이어서 홍 신부님은 주교에게 비밀에 부치고 개인적으로 그것을 행했기 때문에 나중에 신부 자격을 잃게 되었지요. 즉 홍 신부님은 선친을 위해서 희생된 것인데 그 후 홍 신부님은 비록 신부의 자격은 잃었어도 고국에 가서 그대로 신부의 복장을 하시고 아침저녁으로 기도를 계속했답니다.

사형을 집행하기 전에 홍 신부님이 연미사를 올리고 마지막 유언을 들을 때에는 저의 숙부 두 분도 참석하였습니다. 선친의 유언은 간단했지요. "나라를 찾거든 나의 시체를 고국에 묻어달라"라는 한마디였습니다. 그들은 3월 26일 오전 10시 정각에 정기장치로 사형을 집행했고 그때 숙부님 두 분이 일본 경찰에게 시체를 내달라고 요청하였습니다만 일본 경찰은 이를 거절하면서 숙부님을 밖으로 떠밀어냈습니다.

숙부님 두 분은 워낙 어리신 때라 눈물이 앞을 가로막아 그대로 여관에 돌아가 밤새 붙잡고 울기만 했답니다. 아침에 배달되는 신문을 보고 선친을 ××에 매장한 것을 알게 되었지요. 한편 선친의 의거가 있기 전에 제정 러시아에서는 교포 7만명을 노령으로부터 퇴거(退去)하도록 명령을 내린 바 있었습니다.

그러나 선친의 의거가 있자 한국에 이와 같이 훌륭한 분도 있느냐고 하면서 퇴거

명령을 철회했을 뿐만 아니라 좋은 땅을 제공하기까지 했답니다. 또한 저희들을 감격하게 한 것은 해마다 선친이 돌아가신 3월 26일이면 중국 사람을 비롯한 외국 사람들까지도 그 묘지를 찾아주었다는 사실입니다. 일본 사람들도 그날이면 분향을 했습니다. 얼마 전 향항(香港, 홍콩)을 거쳐 중국에서 돌아 온 사람이 전하는바 지금도 그 묘지를 찾아주는 사람이 많다고 합니다.

8·15 해방이 되면서 선친의 유언대로 고국에 모시려고 했습니다만 국제정세가 미묘했던 관계로 뜻을 이루지 못했습니다. 셋째 숙부님은 일찍이 중국에서 세상을 떠나시고 둘째 숙부님은 "형님이 그렇게 유언하셨는데 어찌 나만이 고국으로 돌아갈 수 있느냐?"라고 하시면서 고국에 돌아올 것을 거부하고 국제정세가 좋아지면 선친의 유언대로 선친을 모시고 고국에 돌아가겠다고 말씀하셨습니다. 그 후 공산당이 정권을 잡게 되었고 숙부님은 상해와 대만을 오고가고 하시다가 중국에서 세상을 떠났습니다.

한편 제가 고국으로 돌아온 것은 해방된 다음해 11월 11일이었습니다. 이렇게 늦게 돌아오게 된 것은 물론 선친을 모셔야 한다는 데도 이유가 있었지만 다른 돌발사건이 하나 있었습니다. 그것은 해방 당시 중국 상해에 우리 교포 몇 천명이 살고 있었는데 주인(남편)이 한교민단(韓僑民團) 단장으로서 일을 보아오다가 그해 12월 4일 나쁜 사람들로부터 저격을 당해 세상을 떠나게 된 불행한 사실이었습니다. 그리하여 저는 주인의 유골을 모시고 돌아와야 하였기 때문에 그처럼 늦게 돌아오게 되었지요.

두 딸과 함께 고국에 돌아온 저는 당장 의지하고 찾아갈 곳이 없었습니다. 오직 있다면 제가 어릴 때 약 4년간 불란서 '까이리' 수녀님과 지낸 일이 있어 그 계통을 찾는 일이었습니다. 그리하여 명동 성모병원으로 갔더니 마침 정(鄭)의례시나 수녀님이 저를 알아보고 고맙게 대해주셨습니다. 수녀님은 추운 날씨라 제 손을 잡고 자기 입김을 불어주시면서 방으로 안내하였습니다. 그곳에 우선 짐을 맡겨두었지요. 상해에 있을 때 듣기에 입을 옷이며 가구가 귀하다고 하기에 중요한 것만 꾸려 가죽 가방 다섯 개와 보통 짐 다섯 개로 만들어 수녀님 댁에 보관시킨 거지요.

조국을 찾은 첫날에 당한 지능적 사기!

한데 고국에 돌아오자 또다시 예기치 않았던 불행을 당하게 되었습니다. 제가 상해를 떠날 때 저와 딸 둘로 여자들만이라 이웃사람의 소개로 어떤 청년과 같이 오게 되었습니다. 그 청년은 짐을 꾸릴 때에도 거들어준다고 하면서 어느 속에 무엇이 들고 어느 속에는 어떠한 것이 들어 있다는 것을 저만큼 알고 있었지요. 그리하여 함께 돌아와 성모병원까지도 같이 왔었고 저는 짐을 그곳에 맡겨두고는 아는 사람들을 찾기 위해서 밖으로 나왔지요.

다음 날 옷을 갈아입기 위해서 수녀님을 찾고 그 뜻을 말했더니 짐을 둔 방문을 열어주셨습니다. 한데 가방 다섯 개가 눈에 띄지 않기에 제 생각으로는 수녀님께서도 가방 다섯 개만은 중요한 것이 들었으리라 믿고 자기 방에다 따로 보관했으리라 믿었지요. 그래서 "수녀님, 가방은 방에다 보관하셨군요"라고 한마디 하자 순간 수녀님은 매우 당황한 표정이 되어 잠시 말이 없었습니다. 다음 순간 말씀하기를 전날 저와 그 청년이 나간 지 한 시간 후 청년은 다시 돌아와서 지금 호텔 방을 하나 얻고 당분간 그곳에 투숙하기로 되었기 때문에 제가 시켜서 왔다고 하면서 가방 다섯 개를 갖고 갔다는 것입니다.

실로 어쩔 줄을 몰랐습니다. 수중에 돈은 없고 이제 입을 옷까지 잃었으니 앞으로 어떻게 하나 생각해봐야 도리가 없었습니다. 그 청년은 처음부터 계획적으로 한 일이라 다시 찾을 수도 없으리라 단념하고 우리 세 모녀는 막연한 생각에 사로잡혀 있었지요. 한데 고마웠던 것은 이(李) 신부님이 신학교 기숙사 방 하나를 빌려주셨습니다. 비록 다다미방이기는 했으나 의지할 곳 없는 우리 모녀에는 사랑스러운 보금자리였지요.

이제 방은 얻었으나 먹을 것이 문제였습니다. 그래서 하루는 정의례시나 수녀님의 소개로 금강전구 주식회사 사장인 박정근(朴定根)씨를 방문하고 그곳에서 생산되는 전구로 장사를 하기로 했습니다. 이와 같이 장사하기로 이야기는 됐습니다만 우선 전구를 100개 받아오려면 낡은 전구 100개를 가지고 가야 하는데 제 주위에서는 그것을 구할 도리가 없었지요.

이것 역시 교회 안에서 모아가지고 전구를 받아서 팔기 시작했습니다. 이집 저집, 이 가게 저 가게 찾아다녔지만 그리 잘 팔리는 장사도 못될뿐더러 아는 사람을 만날까봐 퍽 어색했습니다. 그러나 하루 이틀이 지나면서 다소 익숙해지기도 했고 밥 세

끼를 먹을 만한 최소 한도의 수입은 있었습니다. 전구 하나를 팔면 20전이 이익으로 남았고 그리하여 하루 이삼백원 수입으로 세 식구는 그날그날을 보냈지요. 그러나 전구가 제대로 생산되면 100개건 200개건 받을 수 있었으나 생산이 제대로 되지 못할 때에는 최소한의 수입마저 끊어지는 날도 있었습니다. 더구나 전구를 잘못 받아 오면 몇 개씩 손해를 보게 되는지라 공장에서 하나하나 시험을 해가면서 100개 200개를 받는 수고는 그때가 추운 겨울이라 이루 말할 수 없었습니다.

그러나 이와 같은 최소한의 생활도 다시 풍파를 만나게 되었으니, 그것은 학교에서 기숙사를 수리하여 학교에서 써야 하는지라 저와 같이 방을 얻어 쓰고 있던 몇 사람은 부득이 방을 비워야 했습니다. 이와 같이 방은 꼭 비워드려야 했으나 우리 세 모녀는 당장에 갈 곳이 없었지요. 그래서 저는 며칠을 두고 생각했답니다. 누구를 찾아가면 꼭 도움을 받을 수 있을까? 하고 이 사람 저 사람을 머리 위에 그려보면서 하나하나 판단을 내렸지요.

그러던 끝에 선친을 잘 아시고 저와도 중국에서 학교 시절 가까이 지냈던 주모씨를 방문하고 사정 이야기를 했더니 그분이 그때 돈으로 적지 않게 주셨습니다. 그래서 우선 안국동에 방 하나를 얻고 나머지 돈을 밑천으로 해서 우리 모녀의 살림을 확립하기로 했습니다. 그리하여 김모씨의 말이 된장, 간장을 받아서 군부에 납품하면 생활은 유지할 수 있다기에 그 사람 말대로 안국동에 '안생공사(安生公司)'라는 간판을 걸고 그 사람과 함께 장사를 시작했습니다.

또다시 사기당하는 온정의 거금

그것이 1947년 7월이었습니다. 한데 그 김모씨는 장사는 말할 것도 없거니와 고국 사정에 어두운 저를 속이고 장사밑천으로 고스란히 사복을 채웠지요. 속았다는 괘씸한 생각은 물론이거니와 주씨로부터 얻은 그 적지 않은 돈을 이렇게 헛되게 없애버린 미안스러운 생각이 앞서 몹시 괴로웠습니다. 이제 또다시 생활이 곤란한 데다가 방세도 다시 내야 할 텐데 제 힘으로는 도저히 감당할 수가 없었습니다.

또다시 어느 누구를 찾아 동정을 바랄 생각은 없었습니다. 그래서 우울히 지내는 어느 날 저의 사정을 잘 아는 신모씨가 퍽 동정하시면서 8군단에서 지은 후생주택 하나를 주선하여 주셨습니다. 그것이 지금 살고 있는 집이지요. 서울시에 가서 집 열쇠를 받아들고 우리 세 모녀는 너무도 기뻐서 손을 마주잡고 눈물을 흘렸습니다. 이제 좋든 나쁘든 집은 장만이 되고 남은 것은 먹고 살아나갈 생활방도였습니다.

그 당시 저는 인사를 드리기 위해서 민정장관(民政長官) 안재홍씨도 방문하고 경무부장 조병옥씨도 방문하였던바 조병옥씨 말씀이 모자 무두 경무부에 나와서 일을 하면 어떠냐고 하셨습니다. 그러나 주위 사람들의 만류도 있고 해서 양자로 있는 사람을 경위(警衛)로 취직시켰습니다. 다만 이러니 저러니 해서 두 달인가 석 달 후에야 비로소 발령을 받았지요.

근무는 인천이라 추운 겨울날 북아현동 산 밑에서 새벽 일찍이 출근하여 밤늦게야 돌아오고 그렇게 지내다가 마침내는 폐가 나빠서 신음하기 시작했습니다. 그래도 그 수입으로 근근이 살아오기는 했으나 여순반란사건 때 전투대에 참가하여 부상을 입고는 병상에 눕게 되었지요. 이래서 생활은 이루 말할 수 없을 만큼 참혹했습니다. 장(張) 여사가 때때로 쌀을 갖다 주셨고 찬값도 이삼천원씩 주셨습니다.

그러다가 그때 신한공사(新韓公司) 총재로 계시던 C씨가 영등포에 있는 땅 천평을 주셨습니다. 그래서 그곳에서 돼지를 치고 집에서는 닭을 쳤습니다. 이것이 6.25 직전까지 돼지 서른 다섯 마리, 닭 백 마리가량으로 늘었습니다. 6·25동란을 맞이하여 양자 되는 사람이 경찰이라 해서 영등포에 있는 돼지는 그들이 죄다 가져갔습니다.

집에 있던 닭은 파편을 맞아 죽기도하고 나머지는 생활이 궁할 때라 잡아먹기도 하고 이러하여 모두 없어졌지요. 6·25 때 공산당 사람들이 여러 차례 찾아오기는 했으나 양자는 병으로 누워 있고 집안 살림도 말씀이 아닌지라 별반 해롭게 굴지는 않았습니다. 더구나 9.28수복 때 제가 살고 있는 북아현동이 최전선이 되어 이웃집들은 적지 않게 피해를 입었습니다만 저희 집 장독대와 우물에는 파편 하나 떨어지지 않았습니다.

1·4후퇴 때 양자는 끝내 세상을 떠나고 저와 딸 둘은 대구에 내려가 저는 천주교에서 세운 효성여자대학에서 불문학을 가르쳤습니다. 대구시장께서 쌀 배급을 주셔서 그럭저럭 생활은 유지되었고 큰딸은 육군중령으로 있는 지금의 사위와 결혼을 하였지요. 제가 효성대학에 나가다가 하루는 얼음판에서 넘어져 절골을 당하고 그때 혈압이 230으로 고혈압에 몹시 신음한 바 있었는데 지금도 그 병세 때문에 적지 않은 괴로움에 잠겨 있습니다.

이렇게 모진 고생을 하면서도 저는 늘 선친의 교훈을 잊지 않습니다. 고생하고는 모진 고생이기도 하지만 선친에 비한다면 이것이 무슨 고생이 될까 자탄하면서 지내왔습니다. 서울로 돌아올 때에는 그곳 학생들이 모아둔 고마운 전별금도 있었고 그리하여 다시 옛집으로 들어왔습니다.

안중근 의사를 역이용하는 사람들?

생활은 사위 몫으로 배급 나오는 쌀로 그럭저럭 유지해왔고 해가고 있습니다. 둘째딸은 리더스다이제스트 사에 근무하여 집안 살림도 조금씩 도우면서 저금을 계속해오다가 이제 시집갈 나이가 되었으나 좀 더 공부를 해야 한다고 지난 1월 20일 로스앤젤레스로 떠났습니다.

서울에 돌아왔어도 생활 때문에 네다섯 명의 개인교수도 했으나 혈압이 자꾸 높아가고 그래서 그것도 그만두었지요. 다만 집주위에 꽃을 재배하는 것을 일삼고 그날그날을 보내왔습니다. 앞으로 저의 오직 하나 큰 희망은 선친의 유언대로 선친을 고국으로 모셔오는 일입니다. 그러나 지금의 이와 같은 국제정세에서는 당분간 어려우리라 생각되어 퍽 마음이 괴롭습니다.

또한 제가 불쾌하게 생각하는 것은 선친의 이름을 이용하는 사람들입니다. "나는 안중근 의사의 어떻게 되는 사람이요."하면서 이곳저곳을 찾아다니며 불미한 일을 하고 있다는 풍문을 허다히 듣고 있습니다. 풍문만이 아리나 실제 만나본 일도 있습니다.

지난번에 '안희자'라는 여성이 저를 찾아와서는 언니라고 하면서 자기도 선친의 따님이라고 해요. 그래 세상에 이런 일이 어디 있습니까! 저는 하도 어처구니가 없어서 딸은 저 혼자뿐이라고 간단히 대답해 주었지요. 그랬더니 그 사람 말이 자기는 어릴 때부터 홀로 객지에 나왔기 때문에 기억이 확실치는 않으나 그렇다면 질녀가 되는지도 모른다고 엉뚱한 말을 하지 않아요. 그래 질녀가 있기는 해도 이미 세상 사람들이 아시는 바와 같이 안미생·안련생 두 사람밖에 없어요.

또 자기가 일본에서 자랐다고 하기에 그럼 일본 어디서 자랐느냐고 물었더니 기억할 수 없다고 대답해요. 우리 집안사람은 일본에 갈 리도 없고 갈 수도 없다는 것은 누구든 이해할 수 있는 일이에요. 저는 길게 말할 흥미조차 없어 저를 찾아온 목적이 뭐냐고 했더니 태연스럽게도 다음과 같이 말하는 거예요. 지금 땅도 얻게 되고 그리하여 학교를 짓고 저를 교장으로 모시겠는데 다만 필요한 것은 자기가 선친의 따님 혹은 질녀가 된다는 것을 증명해달라고 하지 않아요. 세상이 혼란하기로서니 이런 일이야 어찌 꾸며질 수 있겠습니까. 저는 다시는 찾아오지도 말라고 하면서 돌려보냈지요.

평소 하고 싶은 말도 많았고 느낀 바도 않았던지라 두서없는 말 길게 늘어놓은 것 같습니다. 저는 하루바삐 선친을 고국에 모실 수 있는 그날이 돌아오기를 빌면서 끝을 맺습니다.

7 안중근의사 전기

안학식

1. 구국의 지사 탄생에 서광이 세 줄기 비추다

철혈 애국자이며 항일의 영웅인 안중근의사의 탄생지는 백이·숙제의 백세청풍비(碑)로 유명한 황해도 해주 수양산 아래 광석천(廣石川)에 자리 잡은 안씨 가문이 대대로 살아온 고가이다. 이 유서 깊은 저택은 한일합병 이후에 왜승(倭僧)들로 하여금 이를 개수하여 동본원사(東本願寺)라는 일개 사찰로 함부로 사용하였으니 이 또한 우리 한민족에 대한 왜정의 모욕적 시책의 하나인 것이다.

인걸은 지령(地靈)이라 함은 전래하는 옛 이야기에 지나지 않으나 이 절세의 구국거성 안중근의사의 탄생에 많은 이적(異蹟)과 서조(瑞兆)가 수반하였음은 가식 없는 사실이다. 그의 부친 태훈(泰勳)이 조부(의사의 증조)의 묘를 해주 금석면(金山面) 냉이동(冷井洞) 영역(塋域)으로 이장하였을 때 광혈(壙穴) 안에서 오색이 찬연한 고대 자병(磁瓶) 한 쌍이 발굴되었다. 지사(地師)가 "이는 고승 도선(道詵)의 매표(埋標)라"하므로 이를 곽내(槨內)에 넣어 매안(埋安)하였다. 이런 일이 있은 후 얼마 안 되어 처 조씨(의사의 어머니)의 꿈에 건방(乾方)[1]에 칠좌(七座)[2]의 기성(奇星)이 나타나 서채찬연(瑞彩燦然)한 몽조(夢兆)있더니 그날부터 태기가 있어 서기 1879년 7월 16일 마침내 남아를 출산하였다. 그가 바로 후일에 한말의 국운비색(國運庇塞)을 통탄하여 조국침약의 일본 괴수(倭魁) 이토 히로부미(伊藤博文)를 사살하여 배달의 넋을 만방에 선양한 안중근의사이다.

등에 일곱 개의 흑점이 있어 북두칠성과 비슷하므로 『응기칠성(應其七星)』이라 하

---

1 편역자: 이십사방위(二十四方位)의 하나로 정서(正西)와 정북(正北) 사이의 한가운데를 중심으로 하는 15도 안쪽의 방위이다.

2 편역자: 북두칠성.

여 응칠(應七)이라 이름 하니 이는 의사의 어린 시절의 이름이다. 또 『토마쓰』라고도 부르니 이는 천주교 신부가 명명한 교명(敎名)이다.

2. 천재적 사격술에 만인이 경탄

의사는 어린 시절부터 기골성색(氣骨聲色)이 출중하고 비범하며 미목이 뛰어나 후일에 만인을 호령 영솔할 인물이 되리라는 것은 족히 의심할 여지가 없었다. 타고난 성품(賦性)이 호우조달(豪邁早達)하여 3세에 말을 할 줄 알고, 4세에 읽고 계산할 줄 알며, 7·8세에는 활을 쏘고 말을 탈줄 알아 신동이라고 불리었다.

유가의 자손으로 태어난 그는 일직이 가정에서 사서와 통감 등의 유교 서적을 익혔으나 그 홀방불기(豪放不羈)한 성격은 심장적구(尋章摘句)[3]만을 능사로 아는 문장학설에는 추호의 흥미도 느끼지 못하였고 다만 산과 들를 달려 수렵을 하며 궁술, 석전(石戰), 거전(炬戰) 등을 즐기는 것만이 유일한 취미이었다.

매년 정월이면 연중행사의 하나처럼 시행하는 대동(大洞) 대 묵방(墨坊) 저동(猪洞)간 석전거전(炬戰)의 대항전에는 의사가 참가한 대동부락이 항시 승리의 영관(榮冠)을 독점하였다.

의사의 조총술은 가위 입신의 묘법을 습득하였다 하리만치 그 당대의 화승총이라는, 구조며 성능이 오늘날 일종의 완구에 불과한 우리나라 재래총으로도 한 발에 적중하는 묘기를 발휘하였다. 만인이 방관하는 시사장(試射場)에서 한말의 주화(鑄貨) 『엽전』을 수 삼십보 전방에 매달고서 그 중앙 각공(角孔)을 명중하여 구경꾼들을 감탄케 하는 사례는 의사의 사격술로는 그리 어려운 일이 아니었다.

3. 황해도 명문으로 유서 깊은 가계

의사의 선대는 황해도 지방의 반문(班門), 호족들과 비견하면서 누대를 해주에서

---

3 편역자: 옛사람의 글귀를 모방하여 시문(詩文)을 지음.

대대로 살면서 상당한 덕망과 재력을 겸비한 도내에서도 굴지의 명문이었다. 의사의 고조부 때에 이르러서는 거만(鋸萬)의 자산을 마련하여 해주·봉산(鳳山)·연안(延安) 일대에 많은 사유 전답을 매수하여 황해도에서 2, 3위를 다투는 부호가문으로 유명하였다. 이때부터 물려받은 가산을 그대로 지속하면서도 무산층들로부터의 덕망이 높았으니 이는 그 당시의 치부가들의 통념이라고도 할 수 있는 수전의식에 급급하지 아니하고 은혜를 널리 베푼 증좌이다.

의사의 조부인 인수(仁壽) 옹(翁)은 일찍이 진해현감의 관직을 역임한 바 있었으므로 지방에서는『안진해댁』으로 통칭하였다. 옹은 말년에 난치의 질병 중풍병으로 오랜 세월을 병상에 누워 당대의 명의들을 초빙하여 영약이라면 무릇 구하지 못한 것이 없었으나 수명이란 어길 수 없는 것인지? 마침내 낫지 못하고 신거지 청계동에서 종명(終命)하였다.

4. 경복궁 중수와 안씨 가문의 침쇠(沈衰)의 화단(禍端)

서구문명의 도화(導化)를 봉쇄하고자 쇄국정책을 강력히 실시한 한말의 대원군은 경복궁 창건의 대공사를 설안(設案)하였다. 당대의 관료들은 누구를 막론하고 모두가 매관매직으로 자아영달과 자가 치부에만 급급하였고 국정을 올바로 보살핀 자는 거의 없었다. 그러므로 국가정책은 난맥상을 면하지 못하였고 국가재정은 빈약함이 그 극도에 달하였다. 민생고는 날이 갈수록 심하여 도탄 속에서 헤쳐나갈 수 없었으나 정부로서의 구세제민(救世濟民)의 길이란 속수무책이었다. 이러한 국가재정상태로서는 경복궁 창건이라는 거대한 공사비의 지출은 실로 불가능한 현상이었다. 대원군은 공사비 전액을 민간들로부터 염출한 허울 좋은 원납금(願納金)으로 이를 충당하기로 결정하고 전국 관료들에게 명하여 원납금 모금 정책에 전념하도록 하였다. 그러나 이 원납금제도의 부작용으로 탐욕관료들의 착취의 폐단은 더욱 민생고를 도탄 속에 빠트리게 하였고 열강세력의 한국에 대한 침략적 야욕만을 유발 태동하게 하였다. 특히 황해, 평안, 함경의 서북 3도에 대한 이씨조선 건국 이래 중앙정권으로부터의 차별시책은 이루 형언할 수 없었다. 그것은 3도에 거주한 그들 자신이나 그들 선대에 중앙요로에 기용된 자가 극히 소수였기 때문에 관아에서 어떠한 시정 불균의 가혹한 횡포를 가하더라도 이를 반발·항의할 아무런 실력대결을 못하였기 때문이다. 따라서 경복궁 창건 원납금제도의 피해는 어느 지방보다도 가장 더욱 심하였다. 소위 지방에서 군량에 지장이 없을 정도의 중류층 이상의 가문이라면 누구나 그 힘에 과중한 거액의 원납금 납부 독촉에 부득이 주택과 가재를 방매하고 사방으로 떠도는 자가 적지 않았다.

누대의 부호가문으로 이름을 떨친 의사 집안에도 은 7천량이라는 거액의 원납 아닌 원납금이 황해감영으로부터 할당부과 되었다. 은 7천량이라면 당대의 환물가치로서는 가히 놀랄만한 거액이다. 그러나 이처럼 강제로 징수한 원납금은 그 전액이 중앙정권으로 납부되어 경복궁 창건비에 충용되는 것이 아니고 그 태반의 돈이 중간 관료들의 착취의 호이(好餌)[4]가 되고 만 것이다. 그러므로 민생의 원성은 날이 갈수록 높아졌다.

5. 대대로 산 해주에서 후도(後圖)[5]의 청계동(淸溪洞)으로 이주

의사의 조부 인수 옹은 이 어이없는 원납금 부과 통지를 접하고서 장남 태진(泰鎭) 이하 6형제를 한 자리에 합석시키고 앞으로 택해야 할 가정문제를 토의하였다. 성품이 강경한 의사의 부친 태훈(泰勳)과 태건(泰鍵) 두 형제는 횡포하기 이를 데 없는 황해감영의 원납금 부과를 단호히 거절 항의하자고 극구 주장하였으나 장남 태진 이하 여타 형제들의 『민불승관(民不勝官)[6]』이라는 봉건의식에 사로잡힌 은퇴 자중론에 귀결되어 마침내 누대를 계승한 연안군에 있는 속칭 『낙모루』 대농장과 기타 가산 등을 방매하여 진실로 원하지 않는 이러한 가식된 허울 좋은 원납금의 거액을 완납하였다. 민생 문제를 도외시한 이러한 탐학정책에 대한 불만과 증오감은 마침내 숨어 사는 결의를 하게 되었다. 인수 옹은 누대로 살아온 땅 고향 해주를 버리고 새로운 후도(後圖)의 적합한 땅을 택하여 이주하기로 내정하고 아들 6형제를 각기 분파하여 도내 전역을 주유 편답하게 하였더니 그 중 2남 태현(泰鉉)의 안목에 발견된 곳이 바로 신천군(信川郡) 두라면(斗羅面) 청계동(淸溪洞)이라는 곳이다.

---

4 편역자: 좋은 미끼.
5 편역자: 앞으로 다가올 날들의 계획.
6 편역자: 민은 관을 이길 수 없다.

청계동은 이조의 의적(義賊) 정래수(鄭來秀)의 구거지로서 구월산에 버금가는 해서의 준령인 천봉산맥으로 둘러있는 도립(倒笠) 형태의 분지로서 자연의 요지이다. 3면은 산록으로 주요(周遙)되었고 동쪽만은 천연적으로 관문을 이루고 있다. 관문 앞에 망태산(望泰山)이라는 험악한 산이 가로막고 좌우로 협로가 있으니 소위 『일부당관(一夫當官)에 만부막개(萬夫莫開)[7]』하는 첨험(天險)의 요새지(要塞地)로서 군략적 요지이기도 했다. 동네 중앙에는 천봉산 계곡에서 흘러내린 청계천의 맑은 물이 화폭처럼 흘러 그 승경은 둔거처사의 흥취를 더욱 돋구어주고 있다. 한편 천봉산 계곡 일대는 하늘의 해도 볼 수 없는 원시림으로 대낮에도 맹수가 소리쳐 우는 험산유곡이기도 했다. 거주민이라고는 겨우 12, 3호의 화전민들이 원시 그대로의 생계를 영위하고 있었다.

인수 옹은 이곳 청계동에 후도의 보금자리를 마련하기로 결정하였다. 먼저 집터와 산림을 사들여 차남 태현(泰鉉)으로 하여금 목공 등 역부들을 데리고 들어가 20여 간이나 되는 주택 3동을 신축하라 하였다. 그런 후에 내객 4, 50명을 능히 수용할 수 있는 거대한 사랑채와 비복들이 우거할 행랑채 한 동도 부설하였다. 세 곳에 식수 우물을 마련하였고 아울러 청계천의 맑은 물을 사랑채 앞으로 끌어들여 연못을 만들고 완월음풍(玩月吟諷)의 관상 누대도 건축하였다. 청계동 입구 암벽에는 『청계동천(淸溪洞川)』이라고 큰 글자로 새겨 놓았다. 이처럼 공사가 종료되자 해주에서 대기 중이던 안씨 가문 일가 100명 가까운 대가족이 누대에 걸쳐 정들여 거처했던 고향 해주를 버리고 새로 꾸민 청계천동으로 이주하였다.

깊은 계곡의 새소리를 비롯하여 졸졸 흐르는 물소리며 소슬(簫瑟) 같은 바람 소리만이 대자연의 음률인양 단조로운 적막을 깨트리던 원시부락 청계동이 안씨 가문 일족을 맞이하여 하루아침에 활기가 충만하였다. 따라서 『청계동천(淸溪洞川)』의 이름도 아연히 세간에 알려지게 되었다.

---

7 편역자: 한사람이 관문만 지키면 만 명이 와도 뚫을 수 없다.

6. 포수 무리의 영사(營舍)가 된 새로 만든 주택 구역

의사의 일발 필중하는 천재적 조총 묘술은 소문에서 소문을 퍼트리며 멀리 퍼져 나갔다. 당대의 포수들은 서로 사격술을 겨누어 보려고 모여드는 자가 많았고 청계동 안씨가문 저택은 그들의 집결지로처럼 되었다. 연중 어느 때를 막론하고 보통 10여명, 많으면 4, 50명 정도의 식객 포수들이 먹고 있었다. 그들 포수의 두목으로는 노제석(盧濟錫), 임도웅(林道雄), 임치범(朴致範), 한중석(韓重錫), 한재호(韓在鎬) 등이 가장 쟁쟁한 인물들이다. 이들은 체력의 향상과 기술의 연마를 목적으로 개인사격 고점(高點) 경기며 갑을홍백으로 분반하여 실시하는 대항경기 등을 수시로 시연하였다.

소년 포수로 이름을 떨치었던 의사는 그때마다 발군의 성적을 거두어 참관자의 감탄을 받았다. 특히 14세 때의 추기(秋期) 분반 대항경연에서 의사의 소속인 홍반의 성적이 부진하여 도저히 만회할 가망이 없었다. 그러던 것이 홍반 최종 사수인 의사가 지정시탄 5발을 가장 우수한 점수로 어김없이 명중시키어 홍반이 승리를 거둔 사실은 당대의 포수들 사이에 오래도록 전해진 화제이다.

7. 한말의 비정(庇政)과 열강세력의 각축

대원군의 천주교도 대량 학살과 척양쇄국의 일관정책도 도도히 파급되는 국제적 시대조류는 막아낼 도리가 없었다. 결국은 문호개방, 통상수교, 신교자유 등으로 정책시행의 일대전환을 아니할 수 없었다. 열강제국은 사절의 파견, 군대의 주둔, 종교의 선포 등으로 끊임없이 자국세력을 우리 한반도에 부식하려고 노력하였다. 그리하여 19세기 말기의 한국정세는 완연히 열강세력의 각축장이 됨을 면하기 어려워 어느 때 그들의 먹이가 되려는 지 알 수 없는, 실로 바람 앞의 촛불의 위급상태에 직면하였다.

그러나 당대의 집정 관료들은 400년 동안 인습된 파쟁관념에 사로잡혀 일당일가(一黨一家)의 안일과 영달만을 전념하여 탐학 착취만을 능사로 하였고 국가사직의 흥폐에 대하여는 아무런 관심이 없었다. 민생은 날로 도탄의 괴로움이 가중하여 관(官)에 대한 원망의 소리가 점차 높아졌다.

금준미주(金樽美酒)는 천인혈(千人血)이요
옥반가효(玉盤佳肴)는 만성고(萬姓膏)라
촉루락시(燭淚落時) 민루락(民淚落)이요
가성고처(歌聲高處) 원성고(怨聲高)라

금 술잔의 맛있는 술은 천백성의 피요
옥쟁반의 좋은 안주는 만백성의 기름이로다.
촛농 떨어질 때 백성들의 눈물도 떨어지고
노래 소리 높은 곳에 원망하는 소리도 높도다.

이 탐관오리를 풍자한 시구는 남원의 향수에 젖은 고대 전설로만 보아 넘길 것이 아니라, 고금(古今)의 전체 관원들이 마음에 새겨둘 명구(名句)이다.

8. 동학란의 발발과 청일 개전

1894년 정월에 전라도 고부군에서는 탐관들의 전형적 인물이라고 할 수 있는 군수 조병갑의 학정에 군민들의 분노는 극도에 달하여 일촉즉발의 위험한 기세에 놓였다. 이때 승려 출신인 동학당원 전봉준(全琫準)은 『나는 동학개조 최제우로부터 영감을 계승 수도하였다』하고 무지한 대중을 선동하여 군아를 엄습하니 군수 조병갑은 탈주하고 기타 관원들은 교도들에게 체포투옥 당하였다.

이것은 이른 바 동학란의 발단이며 후일의 청일 개전의 도화선이 되었던 것이다.

전봉준의 동학교리에 몽매한 민중의 뇌화부동한 자가 날로 점증하여 그들은 비상한 조직체계로서 관군에 대항하므로 관민의 피해는 이루 말할 수 없었다.

조정에서는 중앙의 정예관군을 총동원하여 한편으로 토벌하고 다른 한편으로 선무(宣撫)의 은혜를 병행하는 양면정책으로 진압하려 하였으나 발호하는 동학도들은 그 세력이 비등하여 순식간에 호남, 호서, 영남의 각 지방을 석권하다시피 하였다. 조정에서는 마침내 자국병력으로는 도저히 진압할 수 없음을 자인하고 청국으로 원병을 요청하였더니 청나라 조정에서는 오래 전부터 속으로 어떤 간계를 품은 바 있었으므로 기다렸다는 듯이 이를 흔쾌히 승락하고 마옥곤(馬玉昆)을 육로로 평양으로 파견하고 섭지초(葉志超), 섭사성(聶士成)은 수천의 군병을 인솔하여 수로를 통해 아산으로 상륙하게 하였다.

조정에서는 이중화(李重夏)를 영접사로 하여 이를 환영하였다. 이러한 사실을 알게 된 일본은 청국에 대하여 천진조약(天津條約)의 위반이라고 지적 항의하므로 양국간의 정세가 험난하더니 결국 청일전쟁을 시작하고 말았다. 청군은 의외의 변화에 봉착하여 대패의 고배를 마시게 되고 전화(戰禍)는 다음해 을미년 4월 8일에 종전되었으나 청국은 일본에 대하여 대만과 산동반도를 할양하며 3억의 전쟁 비용을 배상하고 한국의 독립을 보장한다는 소위마관조약이 체결되었으니 일개 무명 승려 전봉준으로부터 발원한 부작용으로는 너무나 거대한 반향이라고 할 것이다.

동학란 진압을 목적으로 파송되었던 청군은 뜻밖에 봉변으로 철군하였고 주객이 바뀌어 일군 모리오(森尾), 스즈키(鈴木) 등의 일부 병력이 관군을 응원하여 동학도 치평전(治平戰)에 참가한 □현(現)을 유치(誘致)하였다.

9. 동학란의 서북 비화(飛火)와 안산포군의 진압작전

동학란의 화는 파죽의 형세로 물밀듯이 황해도까지 파급하였고 창궐하는 당도들로 정세가 자못 험악하게 되었다. 감사 정현석(鄭顯奭)은 성균관 진사에 급제한 이래 음풍영월로 한가한 세월을 보내고 있는 의사의 부친 안태훈을 초빙하여 도내의 산포수들을 통합하여 초미의 급난인 동학란의 진압전에 동조하여주기를 간청하였다.

안진사는 국내소란으로 말미암아 외침이 있을 것을 항시 우려하고 있었다. 그러므로 우선 국내정세의 안정이 무엇보다 시급하다고 생각되어 감사의 요청을 즉석에서 주저 없이 흔쾌히 승락하였다. 진압전에 필요한 총기와 탄약은 감영으로부터 보급해 주기로 하고 여러 가지 작전 기밀이 모의되었다. 정감사는 만족히 여겨 그 뜻을 조정으로 상세히 알렸더니 즉시 직첩(職牒)이 내려와 안진사는 해서 지구 초모관으로, 그의 중형 안태현은 별군관으로 각각 임명되었다.

안진사는 청계동 자택으로 돌아와서 우선 자기 집 사랑채에서 식객으로 기거 중인 포수 20여명에게 동학진압의 필요성을 역설하였더니 전원이 종군하기를 희망하였다. 안진사는 원근 각지의 산포수들에게 동학 진압전에 종군하기를 요청하는 격문을 일제히 발통하였더니 그 뜻에 호응하여 청계동으로 모여든 포수가 80여 명이나 되었고 종군하기를 자원한 일반 장정이 400여 명에 달하였으니 이는 실로 안씨 가문 일족의 평상시에 베푼바 적덕(積德)에 대한 보답의 발현이라 할 것이다.

안진사는 일반 장정 400여 명에게 조총, 사격의 묘법과 군사훈련을 속성으로 실시한 다음 산포군과 합세하여 전원을 3개 중대로 편성하여 제일중대장에는 한재호(韓載鎬), 제이중대장(第二中隊長)에는 임도웅(任道雄), 제3중대장에는 노제호(盧濟鎬), 작전참모에는 친동생 안태건을 각각 임명하고 안진사 자신은 총지휘관이 되었다.

그의 장자 안중근은 당시 15세의 소년이었다. 그러나 성품이 호방하고 사격의 명수인 그는 장엄한 진압군의 대열에 참가하여 총알이 빗발치는 일선 전방으로 종군하기를 솔선 희망하여 그 뜻을 굽히려하지 않았다. 안진사는 처음에는 이를 완강히 거절하였으나 마침내 아들 중근의 선의의 고집에 의한 굳은 결의에 감동되어 결국 종군하기로 허락하였다. 이때 의사의 동료 박치범(朴致範), 한중선(韓重善) 두 소년 포수도 같이 출전하기로 허용되었다. 이때까지 수렵이나 시합에서만이 사격술을 과시하였던 의사는 실전에서 그것도 또한 자기의 부친 앞에서 실력을 발휘할 기회를 얻고 보니 기쁜 마음 어디에 비할 바가 없었다.

해서의 동학도 도접주(都接主) 원객일(元客一)과 부접주 임종현(任宗鉉) 두 사람은 청계동 산포군의 출전 급보에 접하고서 크게 분노하여 안씨 가문 일족과 그에게 동조 종군한 포수군을 한사람도 남김없이 섬멸할 흉포무도한 계획을 수립하여 응전태세를 완비하였다.

갑오년 음 11월 13일 동학도들은 1700명을 동원하여 무장을 갖춘 후 청계동 북방 10리쯤에 위치한 속칭 『박석골』까지 육박하여 야음을 기다려 파죽지세로 청계동을 엄습하려고 하였다. 이 불시의 급보를 접한 청계동에서는 총사령인 안태훈 진사의 지휘하에 정예병력 300명이 이에 대전하게 되었다.

의사는 동학진압의 첫 번째 싸움인 이 대전에 참전하기를 솔선 희망하여 부친의 허락을 받고서 기마에 군장을 갖춘 다음 돌격부대의 선봉이 되어 시시각각으로 물밀 듯이 육박해오는 동학도의 진중에 일제 사격을 가하였다. 동학도들은 자기들의 선봉대가 모조리 쓰러진 것을 목격하고서 대항할 수 없음을 자인하고 혼비백산하여 사분오열 앞 다투어 도주하였다. 안(安) 산포군은 한사람의 전사자도 내지 않고 사기왕성하게 개선하였으니 이것이 초진(初陳) 대전에서 거둔 전승이었다.

10. 누란(累卵)의 해주감영을 구원

청계동『박석골』싸움으로부터 수 3일이 지난 후 약 3,000여명의 동학도들이 해주군 취야시(聚夜市)에 출현하였다. 황해 감사 정현석(鄭顯奭)은 관군을 이끌고서 대전하였으나 동학 무리의 세력을 붕괴하지 못하고 후퇴의 길을 택하였더니 동학도들은 수부(首府) 해주까지 곧바로 칠 공세로 추격을 계속하였다.

정 감사는 정세가 관군에게 불리함을 예측하고 즉시 청계동 안진사에게 급보를 보내어 원병을 보내주기를 요청하였다. 안진사는 친동생 태건과 영식(令息) 중근을 선봉으로 한재호(韓載鎬), 노제석(盧濟錫), 정광(鄭洸) 등 가장 용명(勇名)을 떨친 포수군 180여명을 선발 인솔하고 곧바로 해주로 향하여 진군하였다.

해주와 취야의 중간에 집결한 동학군을 발견하고 일제히 포진(布陣)하여 맹사격으로 기습을 가하였으나 세력이 많음을 믿는 동학부대를 격퇴하기는 용이한 일이 아니었다. 동학군은 도리어 수일 전의『박석골』작전에서 참패한 설욕을 만회하고자 안(安) 산포군을 향하여 반격태세를 강화하고 죽음을 각오하고 응전하므로 한때는 형언할 수 없는 고전상태에 빠졌다. 의사는 가친(家親)을 보좌하며 여전히 최선봉 기마부대에서 돌격 또 돌격으로 일발필중의 맹사격을 가하기 실로 24시간을 계속하였고 시체가 쌓여 산을 이루고 피가 흘러 강이 되었다는 문자 그대로 고전(苦戰)을 전개하였다. 그러나 안 산포부대의 임전무퇴의 맹공격에는 그토록 완강하였던 동학도들도 사기가 꺾여 지리멸렬의 참패를 당하여 사분오열 퇴각하였고 풍전등화의 위기일발의 누란지세(累卵之勢)에 놓였던 해주감영을 무사히 구원하여 보호하였다.

11. 신천군수 일가의 청계장(淸溪莊) 피난

갑오년 음 12월 7일 당괴(黨魁) 원용일(元容日), 임종현(任宗鉉) 등은 앞서 2차에 걸친 패전의 고배를 맛보고도 다시 권토중래(捲土重來)를 꿈꾸며 패잔한 대오를 수습 재정비하여 천수백의 동학당 무리를 규합 통솔하고 정방산성(正方山城) 안에 있는 관군 무기고를 습격하여 재고품 전부를 탈취하는데 성공하였다. 그들은 이 탈취한 무기 이외에도 낫, 괭이 등 일종의 원시적 대용 무기를 휴대하고 음 12월 13일 새벽에 신천군아(信川郡衙)를 맹습하여 수비관군을 구축하고 옥문을 개방하여 죄수들을 석방하는 한편 전곡(錢穀) 등을 약탈하고 관아에 방화하며 관리들을 체포 감금하는 등 온갖 포악한 행위를 여지없이 감행하였다. 군수 전 모씨는 요행히 호구(虎口)를 탈출하여 구사일생으로 가족들을 대동하여 도보로 두라면 청계동 안씨 가문의 저택으로 피난하여 겨울 한철을 지낸 후 다음 해 봄 3월에 관아로 돌아갔다.

12. 당도(黨徒)의 남률(南栗) 침공과 어윤중의 저곡(貯穀) 피탈 사건

동학당 무리들은 일시 신천을 점유하였으나 관군의 반격을 두려하여 수일 후에 이웃 군 재령으로 이동하여 그들의 상습수단인 방화 약탈을 감행하였다. 재령 읍내를 습격 점령한 동학당 무리들은 수개 부대로 하여금 재령군 남률면(南栗面)까지 진격하여 도선무사(道宣撫使) 어윤중의 군(軍)창고에서 저곡(貯穀) 300여석을 약탈하여 신천읍(信川邑) 용두리(龍頭里) 민영용(閔泳龍) 창고로 운반하여 일부는 매각하고 일부는 군수미로 사용하고 있었다. 안태훈 총사령은 영식 중근과 같이 정예부하 150여명을 거느리고 신천읍 용두리의 동학당의 진영을 급습하여 이를 궤멸시키고 그들이 버린 군량과 무기 중 일부는 피해자에게 돌려주고 일부는 산포군의 군량으로 충당하였다. 후일 이 군량미 사용 사건이 어씨가 오해한 원인이 되어 안씨 가문 일족에게 큰 화단의 발원이 되었다.

13. 생포된 순안군수(遂安郡守) 이하 한 발 차리로 구명

『박석골』 첫 출전에서 승리를 거둔 의사는 실전에 어느 정도의 자신과 확신을 갖게 되었다. 수안, 이천(伊川) 방면으로 패퇴한 동학당 무리들이 발호하여 백성이 입은 화가 대단히 큼을 전해 듣고 마음깊이 뜻한바 있어 심복인 송화군(松禾郡), 정심(鄭沈) 이하 50여명의 대원을 이끌고서 위풍당당하게 원정의 장도에 오르게 되었다. 이 원정부대가 수안읍에 도착한 날은 때마침 그곳 장날이었다.

며칠 전 봉산군(鳳山郡) 정방산성으로부터 이동한 동학당 무리 약 200명이 바로 전날 밤에 읍내에 침입하여 군아를 습격하고 무기와 금품을 약탈하며 군수 윤모와 좌수(座首)를 체포한 후 갖은 심한 형벌을 제멋대로 행하고 또한 부족하였는지 두 사람을 말 등에 결박한 후 시내를 돌며 공포(空砲)를 난사하는 등 만행을 감행하므로 그들은 실로 거의 죽은 위험한 상태에 임박하였던 것이다. 척후병으로부터 이 급보를 받은 의사는 하늘이 마련하여 주신 천재일우의 호기회를 잃어서는 아니 된다 결심하고 사기충천하여 전 대원을 독려하며 파죽지세로 읍내로 돌격했다.

동학당 무리가 모인 군아와 멀지 않은 북쪽 고지(高地)에 공격 거점을 잡은 후 우레와 같이 맹렬하게 쏘았다. 무인지경처럼 방심하고 포학을 자행하던 동학당 무리는 뜻밖에 산포군의 갑작스런 습격을 당하여 장졸이 모두 어찌할 바 몰라 당황하여 대항할 여유도 없이 제반 군장비는 물론 자기의 의상, 장비품 마저 버리고 사분오열 도주하여 버렸다. 수괴(首魁) 2, 3명은 총상을 당하여 뒤늦게 도주하려는 것을 체포하여 해주감영으로 압송하고 동학당 무리에게 부화뇌동한 병졸과 농민들은 장래를 엄하게 훈계하고 소지한 총기 등을 몰수한 후 전원 귀향하여 농사에 종사하도록 하였다.

구사일생의 위기일발에서 구명된 윤군수와 좌수는 너무나 감격하여 눈물을 흘리며 여러 번 의사에게 뜨거운 감사를 올리었다.

그 후, 전세는 역전되어 이천군 충점촌(沖店村)에서는 대부대의 동학도들에게 포위를 당하여 일시 위험한 상태에 빠져 이틀 낮밤을 산속 계곡에서 야영하였으나 의사의 기략으로 동학당 무리의 포위망을 돌파하고 다시 우세한 동학당 무리를 반공격파하여 다수의 포로와 노획품을 얻는 대승을 거두었으므로 같은 곳에 함께 거주하는 천주교 프랑스인 강(姜) 신부는 의사의 무용을 칭찬하여 군사를 위로하는 군복과 술과 안주를 보냈다는 미담은 아직도 이곳 지방 부로(父老) 사이에 전해지고 있다.

14. 구월산 영막(營幕)의 극적 회견

동학군 팔봉포(八峰包)에는 김창수(金昌洙)라는 당년 18세의 총각 접장(接長)이 있었다. 그가 바로 후일 임정 수석인 백범 김구이다. 그는 독특한 훈련을 받은 포군 부대를 이끌고 동쪽에서 번쩍 서쪽에서 번쩍 황해도 일대에 출몰하며 관군을 괴롭히고 산포군의 안중근과 같이 신동 대장이라고 효명(驍名)[8]을 날렸다. 그는 얼굴 생김이 뛰어나고 기골이 대단하여 빛나는 눈빛은 범접하기 어려운 것이 있었다. 당시 정치의 부패를 극도로 통탄한 김 청년은 호남 전봉준의 당당한 태도에 깊이 매력을 느껴 시폐(時弊)를 구함에는 동학 중심의 대중운동 밖에는 방책이 없다고 생각하였다.

그는 과감히 동학당의 두령 원용일(元容日)을 방문하여 소신을 피력하고 지도를 청하였다. 원용일은 그 박력한 기백에 감동하여 즉석에서 동학당 입당을 쾌히 허락하는 동시에 특별히 팔봉포(八峰包) 접장의 책임을 주었다. 총각 접장의 명성이 높아지자 원근 각지에서 그 밑으로 들어가는 포군(包軍)이 계속되어 얼마 안 되어 600명의 부하를 갖게 되었다. 그는 단군의 성지로 유서 깊은 당장경(唐莊京)의 구지 구월산 단군굴 깊은 계곡을 포군의 근거지로 정하고 신출귀몰한 행동을 전개하여 관군부대로 하여금 감탄을 자아내게 하였다. 신임 황해감사 조희일(趙熙一)은 재삼 밀사를 보내 온갖 감언이설로 회유와 협박을 시도하였으나 그는 한번 웃고는 움직이지 않았으므로 감사는 백계가 무책이었다. 이때에 산포군 대장 안중근은 스스로 앞장서서 말을 몰고 가 포군 접장 김 청년과 친히 무릎을 맞대고 담판을 하기로 결심하고 김 청년을 구월산 굴영(窟營)으로 방문하여 용감 솔직한 태도로 흉금을 피력하여 방문한 이유를 설명하였다. 김 청년도 안중근의 의기에 감동되어 즉석에서 청계산장으로 안진사를 뵈러가기로 쾌히 승락하였다. 안의 구월산 행이나 김의 청계장 방문이 당시의 정세로는 모두 모험적 행동으로 오늘날 국군장교가 단신으로 평양을 방문한다는 것과 다름이 없는 일이다. 서로 마음이 통하는 사이가 아니고서는 어찌 실행할 수가 있으리오. 안 진사는 김 청년을 만나보고 대의명분과 순역득실(順逆得失)을 들어 자부(慈父)가 애자(愛子)를 가르쳐 깨닫게 함과 같이 도탑게 정리(情理)를 보이었다.

김 청년은 크게 깨닫고 단연코 무익한 항전을 청산하고 대의의 기치 하에 참여하기를 맹세하였다. 이후 안, 김 두 사람은 둘도 없는 사이가 되어 광복대업에 헌신하게 되었다.

일본의 조정은 대한침략 정책에 호시탐탐하던 때이다. 하루는 김 청년이 대동강 연안 치하포(鴟河浦) 지방을 여행 중 행색이 괴이한 일인 두 명이 배회함을 보고 그

8 편역자: 무용(武勇)으로 알려진 이름.

행장을 수색한 즉 지방지도와 비밀문서가 발견되었다. 다시 그 문서를 조사한 즉 의외에도 민비 시해의 하수인의 일명 일본병 중위 쓰치다 조스케(土田讓亮)임을 발견하였다. 김 청년은 의분이 폭발하여 즉시 그 중 한 명을 타살하고 나머지 한 명을 도륙코자 한즉 그자는 평양방면으로 도주하였다. 사건이 악화되어 김 청년은 일본 관헌에 체포되어 당시 최고심(最高審)인 평리원공판(平理院公判)에 회부되어 사형선고를 받았다. 그는 형을 집행하기 전날 밤 고종황제의 밀명으로 집행을 연기하고 인천 감옥에서 대기 중 김 청년은 그 자당(慈堂)의 지애(舐愛)로 탈옥의 기회를 얻었다. 한동안 전라도 지방으로 피하여 탁발행각의 걸승생활을 하다가 다시 귀향하여 육영사업에 모든 정력을 경주하기 수년 마침내 한실(韓室)의 사직이 전복되고 일본 장수 테라우치(寺內)가 한반도에 침입함을 보고 동지 안명근(의사의 종제), 한순직(韓淳稷), 한재호(韓載鎬) 등과 더블어 이를 주살할 계획을 추진 중 사전에 탈로되어 또다시 영어생활을 하다가 해외로 탈출하여 민족진영의 거성으로서 조국광복을 위하여 혈투하였음을 아는 자는 모두 알고 있는 사실이다.

15. 도내(道內)의 평북(平復)과 산포군의 해산

거칠고 사나운 위세를 다하여 도내를 전율케 하던 동학당의 난도 청계동 산포군의 필살적 포거(砲擧)에는 대항할 시책이 끊어져 황해도 전역이 평정되었다. 1895년 9월말 600명의 산포군 부대는 과거 1년여의 위대한 공적을 남기고 해산키로 되어 청계동 본부에서 그 해산식을 거행하였다. 안태훈 총사령의 눈물겨운 사사(謝辭)와 황해 감사 대리 및 인근 수령들의 감축사가 있은 후 특별히 빚은 술과 특별히 마련한 고기로 600명의 전 대원을 위로하였다. 일동은 대단히 감격하여 눈물을 흘리며 후일 국가 유사시에는 언제든지 명령이 내려지면 다시 헌신하겠다는 굳은 서약을 하고 그들 산포군은 일단 해산하였다.

16. 어 대신의 저곡(貯穀) 공용문제(供用 問題) 긴박화

안태훈 진사는 1896년 병신 4월에 동학당의 평정과 포군부대 해산의 경과를 중앙에 보고하기 위하여 상경하였다. 먼저 친교가 깊은 판서 김종한(金宗漢)을 그 사저로 방문하고 경과를 보고한 즉 김 판서는 안진사의 대단한 활동을 격찬하며 주연으로 정중히 대우하였다. 다음 날에 다시 해서순무사(海西巡撫使)로 토무업무(討撫業務)의 직접 책임자인 탁지대신 어윤중을 방문하고 지방소모관으로서의 경과보고를 하였더니 의외에도 한마디 치사도 없을 뿐 아니라 자기 집 추수 곡식인 재녕조(載寧租) 300석의 반납을 요구하였다. 안진사는 그 저곡(貯穀)의 태반이 이미 동학도들이 소비한바 되었고 나머지 창고에 있는 곡식은 산포군의 군량 등으로 공용(供用)된 사정을 자세하게 진술하여 그의 양해를 구하였으나 어 대신은 완강히 이를 거절하므로 그대로 물러났더니 어 대신은 자기의 권세를 역으로 이용하여 안태훈 일족이 모반의 뜻을 품었다고 고종황제에게 몰래 아뢰어 이를 체포코자 무장한 훈련대병 12명을 이해 6월 24일에 청계동으로 급파하였다. 김종한 판서는 이 사실을 전해 듣고 대경실색하여 친우인 어 대신을 방문하고 사리에 맞지 않은 처사임을 역설하고 납득케 하여 파송대병을 모화관 부근에서 되돌렸다. 풍운이 급박한 대사태를 위기의 순간에서 저지한 것은 오직 김종한 판서의 의협적 주선의 힘이라 하겠다.

17. 정진상(丁鎭祥)의 『상재상서(上宰相書)』와 안 진사의 천주교 귀의

안태훈 진사는 서울에 있을 때 친구 이 참봉의 소개로 『상재상서(上宰相書)』라는 소책자를 입수해서 읽었다. 이 책자는 이조의 경학 다산 정약용(丁若鏞)의 친조카인 하상(夏祥)이 1839년 천주교도 대박해 당시 옥중에서 집필한 각신(閣臣) 재상(宰相)에게 보낸 일종의 진정서와 같은 기술이다.

하상은 경기도 양근(楊根) 출신으로 대대로 명유(名儒)의 후예이다. 부친 약종(若鍾), 숙부 약용(若傭), 계부(季父) 약전(若銓)이 모두 천주교 독신자로서 유배 체포되어 갇히는 등 무수한 박해를 받으면서도 마침내 교의를 어기지 아니하고 집안 모두가 열렬한 신앙을 유지하였다. 하상은 천성이 온후하고 순결하였으며 학덕의 교양이 깊어 일반의 평판이 높았다. 선교사의 초빙과 교적의 수입을 위하여 당시 지엄한 국금을 무릅쓰고 변장하여 도보로 북경밀행이 놀랍게도 전후 7회에 걸쳤다. 마침내 관헌에 체포되어 장기 투옥 중에 요로 재상에게 보내기 위하여 집필한 글이 바로 이 『상재상서』인 것이다. 그 모두(冒頭) 일절에 『엎디려 생각하건대, 맹자가 양자와 묵자를 배척한 것은 그 방자함이 유교에 해로울 것을 두려워하였기 때문이고, 한유가 불교와 도교를 배척한 것은 그 미혹됨이 백성을 어지럽게 할 것을 두려웠기 때문이다. 옛날에 군자가 법을 세우고 금지 사항을 두는 것은 반드시 그 의리와 그 해로움이 어떠한가를 따지고 나서 당연히 금할 것은 금하고 금하지 말 것은 금하지 않았다고 하였다』[9]하였으니 그 논지가 적절하고 문장이 또한 웅장하고 막힘이 없어 한번 읽어보면 사람들이 높이 받들 만한 박력을 함축한 일대의 명작이다. 당시 입조(立朝) 대관 중에도 그 지당한 이론에 감동되어 탄압 완화를 주장한 자도 있어서 결국 주륙의 형화(刑禍)를 면하고 사면의 은전을 얻은 것도 이 위대한 문장의 힘이라 할 것이다. 총명한 유자 안 진사는 이 책자를 여러 번 읽은 동안에 호기적(好奇的) 흥미는 일보 전진하여 신앙의 발심이 되었다. 다시 『천주실의(天主實義)』, 『칠극(七克)』, 『성교수난사적(聖敎受難事績)』 등의 교적을 구하여 교리연구에 정진하게 되었다. 그가 종현성당(鍾峴聖堂)[10]에서 처음으로 상종한 것이 홍(洪) 신부인데 동 신부는 프랑스 알짜쓰 출신의 독일생 프랑스인으로 파리 성바우로대학에서 신학과 사학을 전공한 재한 선교사 중의 가장 이채로운 인물이다. 그리고 그의 본국에 있는 부친은 유력한 해운업자로 거액의 자산가라고 한다. 홍 신부는 이 신구도자를 위하여 은근한 응대를 하며 공교(公敎)의 요리(要理)뿐 아니라 찬연한 태서문화의 현상과 세계의 대세를 누누이 상명하게 설명하였다. 이에 안 진사는 공맹의 유학 외에는 모두 이단시하고 동양 예의의 나라 외에는 모두가 이적이라고 자단하는 고루한 관견(管見)을 버리고 세계적 신문화 수입의 매개가 되는 천주교도의 일원으로서 정식세례를 받고 베드로라는 교명을 얻었다. 안진사는 입교의 소개자인 이 참봉을 동반하고 향리 신천군 두라면 청계동에 돌아와 혼자 힘으로 성당을 건축하고 프랑스인 주교 민덕효 사(師)에 간청하여 홍 신부를 청계동 교회의 주임 신부로 청빙 이주케 하였다. 홍 신부는 청계동 성당으로 부임 후 중근 및 그의 종형제간인 안명근과 합력하여 사립 진명학교(進明學校: 후 해성(海星)학교로 개칭)를 창설 경영에 주력하여 본무인 선교사업 이외에 육영 계몽운동에도 막대한 공헌을 하였다.

---

9 편역자: 伏以孟氏之攫闢楊墨者恐其肆害於儒門也韓愈之攻斥佛老者恐其惑亂於黔首也古之君子立法設禁必考其義理之如何爲害之如何然後當禁者禁之不當禁者不禁云云.

10 편역자: 명동성당.

18. 만인계출(萬人契出) 문제로 벌어진 참극을 기지로 저지

1894년 여름 안씨 일가의 주최로 신천읍에서 만인계를 만들었다. 추첨의 방법으로 1등 장원 15,000양을 필두로 이하 여러 등급의 당첨금을 교부하는 것이다. 주최자 이하 관계자들은 추첨대 위에 올라 규정에 정해진 방법대로 추첨을 집행한 것이 추첨기의 어떠한 고장으로 1등표가 2개 동시에 나왔으므로 이를 취소하고 재추첨할 것을 선언하였다. 군중 속에서 추첨방법에 농간협잡이 있다하여 주최자를 때려죽이라고 노하여 소리를 지름에 흥분한 수만의 군중들은 사리를 불문하고 부화뇌동하여 철권(鐵拳)이 난무하며 풍운이 매우 급하였다.[11] 차력왕이란 별명을 가진 송화(松禾) 장사 허영태(許永泰)가 이를 제지코자 한즉 군중은 더욱 흥분하여 영태는 순식간에 그들의 철권 하에 정신을 잃고 쓰러지고 말았다. 옆에서 이 광경을 보던 안의사는 대담하게 단상에 올라서며 주먹으로 탁자를 두드리고 『만일 추첨 방법에 농간이 있다면 이 총으로 자살을 할 터이니 잠깐만 기다리라』고 총을 보이며 당돌하게 한마디 하였다. 물 끓듯 하던 수만의 군중은 기이하게도 조용해졌다. 의사는 대표자 수명을 단상에 불러올리고 추첨의 방법과 구조를 철저하게 설명한 후 대표자로 하여금 군중을 향하여 다시 설명케 하였더니 그처럼 격분하였던 군중들도 이를 양해하고 무사히 추첨을 진행하였다는 호장한 남성적 일화가 있다.

19. 오만 무쌍한 청의(淸醫) 곡주부(曲主簿)에게 정문(頂門)[12] 일침

안악 읍내에 통칭 곡주부라는 청인 한방의가 있었다. 당시는 청나라 장수 원세개(袁世凱)가 서울에 주둔하여 국토를 호령하던 때이다. 따라서 청인들의 한국인에 대한 태도는 오만불손하기 짝이 없던 것이다. 안 진사는 숙환의 재발로 곡의(曲醫)의 진찰을 청하려 안악의 곡가(曲家)를 찾아갔다. 곡의 태도가 너무도 방약무인하므로 그 불친절함을 지적하였더니 곡은 도리어 무례한 욕설을 하고 진찰을 거절하였다. 헛되게 간 부친으로부터 이 말을 들은 의사는 크게 분개하여 급히 달려가 곡가 문전에

11 편역자: 분위기가 험악해졌다.
12 편역자: 머리 위의 숨구멍이 있는 자리.

다다르자 말을 탄 그대로 곡을 불러서 나오자마자 가지고 있던 장총을 내대며 『무례한 네 놈을 죽여버린다』 고 큰 소리로 일갈하니 곡은 그 자리에 엎드려 사죄하므로 이를 용서하였다. 사건은 청영사가 항의를 하여 일시 국제 문제화 되었으나 그 후부터 지방 재류 청국인들의 태도는 현저히 개선되었다.

20. 장연(長淵) 부호 김태혁가(金泰革家)와의 확집(確執)[13]

장연군 굴지의 부호이며 다년간 동군 향장(鄕長)으로 일군을 호령하던 김태혁은 평소 자신의 부력과 권세를 방자하게 믿고서 전횡이 무쌍하였다. 김은 향장의 지위를 이용하여 은결(隱結), 허결(虛結)을 남발하여 군민에게 가렴주구(苛斂誅求)를 자행하고자 하였다. 안의사는 장연군 내에 거주하는 친척이나 소작인들에게 대하여 이런 무리한 가렴주구에는 일절 복종할 필요가 없다는 것을 설명하였더니 김 향장은 안가(安家) 소작인 아무개를 공납 불응한다는 이유로 이를 투옥하였다. 의사는 분개하여 자신이 장연읍에 직접 말을 타고 가서 김을 만나 그 부당성을 지적하여 즉시로 석방할 것을 엄중히 말하였으나 김은 그 요구를 단번에 거절하고 불응할 뿐 아니라 『이 젖냄새 나는 어린애가 무슨 분수도 모르는 말을 하느냐』 하고 모욕을 하므로 대노한 의사는 후환을 불고하고 김을 포박하여 말 꼬리에 묶어 청계동까지 단숨에 납치하였다. 이 지나친 용맹이 문제화되어 안, 김 두 가문의 일대 확집(確執) 사건으로까지 발전되었다. 이로 인한 소송사건은 평리원 최고심까지 올라가 수년간 그 귀추가 세상에 큰 주목거리가 되었다. 이는 지나친 용기가 가져온 천려일실(千慮一失)[14]이라고 할 만한 고대의 무용전(武勇傳)의 한 장면을 그대로 실연한 것이라 하겠다.

13 편역자: 자신의 의견을 굳게 지켜 양보하지 않음.
14 편역자: 지혜로운 사람이라고 여러 가지 생각 가운데 한 가지쯤 잘못된 것이 있다.

21. 혜민곡제(惠民穀制)와 윤감사(尹監司)의 역린(逆鱗)[15]

신임 황해 감사 윤덕영(尹德榮)은 취임한 후 첫 정사로 혜민곡 제도의 실시에 착안하였다. 이 제도란 것은 그 자의(字義)와 같이 추수기(秋收期)에 민곡(民穀)을 수집 입고하였다가 춘궁기 빈민을 구휼하는 제도인데 표면의 목적과 명목은 좋았으나 명실이 상반되어 탐관오리의 한 착취방법으로 내용이 변질되었던 것이다. 청계동 안씨 가문 일족에서는 이 제도의 민폐가 지대함을 열거하여 감사의 정책 실시를 극력 반대하였다. 윤감사는 왕실의 외척으로 지방의 하나의 토반(土班)에 불과하는 안씨 가문 일족이 그 안중에 있을 리가 없다. 그러나 동학란 평정의 특별한 공로 등을 생각하여 심복 부하 감영 주사 안치삼(安致三)을 청계동으로 파견하여 양해를 구하였다. 안 진사 부자는 안치삼의 설명에는 귀를 기울이지 아니하고 혜민곡 제도의 폐해와 그 동기의 불순 등을 지적하여 이를 통렬하게 비난하고 안치삼을 면박하여 보냈다. 감사는 분개하여 죄인을 잡는 하급 관리를 불러 안문 일족을 체포하라고 엄명하였다.

5명의 포졸이 신천 청계동으로 급히 가서 안문 일족의 가택을 수색하고 안 진사 부자를 체포코자 하였으나 산포군의 잔류부대 10여명이 실력으로 대항하여 이를 용납하지 아니하였으므로 포졸들은 하염없이 물러났다.

22. 안 진사의 함종(咸從) 피난과 시문 풍류의 반세(半歲)

당면한 적수 윤덕영은 권문(權門)의 거두요 한편으로 재작년 어 탁상(度相)과의 창고 곡식 사용 문제도 현안 중에 있어서 안문 일족은 한 가지 어려움이 지나자 다시 한 가지 어려움이 다가오는 수난기에 당면하였다. 설상가상으로 안 진사는 숙병인 신경통으로 의사로부터 다른 곳에서 요양하라는 권고를 받았다. 안 진사는 종래 생사를 같이하던 동지 한재호(韓在鎬)를 찾아 남포항을 방문하고 한재호, 이재걸(李在杰), 이희담(李喜潭) 등의 옛 벗들과 요양할 적지를 상의한 결과 함종읍(咸從邑) 외계

---

15 편역자: 용의 턱 밑에 난 비늘을 건드리면 용이 크게 노한다는 말로 임금의 분노를 비유한 말.

동(外桂洞)에서 유력한 교우 곽정학(郭廷學)의 집을 선택하게 되었다. 곽씨는 함종읍에서 일류 명문이며 식객이 넘치는 대가였다. 박준팔(朴俊八)의 동반으로 말 등에 몸을 의지하고 삼화읍(三和邑)을 지나 80리 노정인 함종읍 외계동의 곽씨 사랑에 도착하여 여장을 풀었다.

주옹(主翁) 곽씨는 실의의 객 안 진사를 가장 은근하게 맞이하여 식사와 잠자리에 온갖 우의를 극진히 하였다.

함종읍은 동으로 응암령(鷹岩嶺)을 등지고 서쪽으로 10리쯤에 봉황포의 주박지(舟泊地)를 인접하여 그 밖은 망망한 황해(黃海)에 면하여 감률(甘栗)과 미하(米鰕)로 유명한 서해안의 소읍이다.

어씨 및 곽씨가 누대의 호족인데 이조의 척신으로 일시 국정을 요리하던 어유구(魚有龜)도 이곳 출신이요 군용곡(軍用穀) 사건으로 안 진사의 당면한 적수격인 어윤중 탁지대신도 그 선조가 함종임은 하나의 기이한 인연이라 하겠다. 바다 모퉁이의 소읍으로서는 비교적 이름 있는 인물이 많이 나온 곳이다.

안 진사는 문무가 겸전한 호쾌한 인물이다. 일발필중하는 총궁(銃弓)의 지예(至藝)는 말할 것도 없거니와 시인으로서도 황해도 내에서 삼비팔주(三飛八走)라는 11대가(大家) 중 비(飛)의 한 사람이다.

안 진사의 인격에 흠복(欽服)되어 원근 각지로부터 찾아오는 문인묵객은 일일이 열거할 수 없었다. 주인 곽옹과 인동(隣洞) 애현(崖峴) 교회의 회장인 배현서(裵鉉舒) 옹은 모두 당대의 이백(李白)으로 자처하는 시주(詩酒)의 대호(大豪)이다. 매주 일요일에는 교회의 의식이 끝나면 이들 시문객들은 안 진사를 중심으로 성리(性理)의 강구와 시주영작(詩酒詠酌)으로 자못 여념이 없었다. 그들은 한 잔을 기울이며 일구를 읊어 이른 바 음풍영월의 청한(淸閑)한 일월을 보내기 무릇 반년을 보낸 후 안 진사는 풍류의 계동 생활을 마치고 고향 청계동으로 돌아갔다.

23. 조국광복의 대지 품고 제1차 망명길 상해로!

우리 국권약탈을 호시탐탐 노리던 왜괴(倭魁) 이토 히로부미(伊藤博文)의 침략적 마수는 마침내 명성황후의 시해를 도모하는 등 적극적 행동으로 노골화하였다. 1905년 방년 27세의 안중근 의토는 홍 신부를 종용히 방문하고 국권신장을 위하여서는 침략의 왜괴 이토 히로부미를 비롯하여 하세가와 요시미치(長谷川好道) 등 몇몇 괴수를 도륙치 않으면 안 되겠다 하고 몰래 흉중깊이 품고 있던 구국의 결의를 표시하였다. 홍 신부는 교리가 허락치 못 할 것을 역설하며 자중할 것을 요구하였기 때문에 일장의 격론을 연출하였다. 경골일철(硬骨一徹)의 격정가인 그는 격앙한 나머지 탁상에 놓인 옥연(玉硯)[16]을 들어 탁상을 두드렸다. 옥연은 세 조각이 되고 말았다. 홍 신부는 온화한 얼굴로 위로하며 다른 정상적 방법으로 조국을 위하여 건투하라고 격려하고 굳은 악수로 서로 헤어졌다.

홍 신부는 그 옥연의 파편을 환국 후까지 기념품으로 보관하던 중 훗날 안봉근(安鳳根: 의사의 종제)이 독일 유학 때 프랑스로 홍 신부를 방문하였더니 붙인 파연(破硯)을 내보이며 30년 전의 추억담으로 감회 깊은 여러 시간을 보냈었다는 일화가 있다.

이웃나라 청국이 소위 시모노세키(馬關) 조약에 의하여 일본에게 강할(强割)되었든 요동반도를 3국 간섭의 힘으로 무난히 수복한 사실을 상기할때 마다 구국일념에 불타는 의사는 다음과 같은 연상을 거듭 하였다. 『우리조국의 국권을 광복 신장하는 방법도 이들 제삼국의 뜨거운 동정과 협조를 얻지 아니 하면 안 될 것이다. 천주교의 유력한 외국인 선교사를 통하여 국내정세의 긴박한 사태를 급속히 그들의 본국 정부에 전달하여 외교적 원조를 발동케 하는 것이 무엇보다도 가장 유효한방법이 되리라』 고 착상하여 그 실천의 첫걸음으로 동양의 제일 국제도시인 청국 상해로 도항하였다. 그는 축발(蓄髮)[17] 하고 한복을 입고 프랑스 조계내 어떤 큰 호텔에 투숙하였으나 언어의 불통으로 곤란한 경우가 많았다 한다.

천주교 성당으로 프랑스 대주교를 방문하고 필묵으로 온 이유를 통하던 중 의외에도 재녕 주재 프랑스인 곽 신부와 상봉하여 동 신부의 통역으로 국정의 불안과 일본의 침략상황을 자세하게 진술하고 동정있는 알선을 간청하였다. 주교는 안의사의 구국열의에 깊이 감동되어 가장 친절히 응대하며 『하늘은 스스로 돕는 자를 돕는다』 는 격언을 인용하여 속히 환국하여 교육과 유세로 민족계몽과 실력배양에 진력하라고 간절히 권고하였다. 주교는 특별히 체재여비를 은혜롭게 도와주며 곽 신부와 동반 귀국을 권하였으므로 의사는 결국 예상했던 별다른 아무런 성과도 얻지 못하고 지부(芝罘), 우장(牛莊)을 경유하여 3삭 만에 귀국하였다.

---

16 편역자: 옥으로 만든 벼루.
17 편역자: 바싹 깎았던 머리를 다시 기름.

24. 안 진사의 재녕(載寧) 객서(客逝)와 성대한 반장(返葬) 의식

안태훈 진사는 1905년 가을 장남 중근이 상해로 떠난 직후 재녕군 신환포(新換浦) 중근 부인친정인 김능권(金能權) 집에서 숙환의 재발로 인하여 마침내 불귀의 객이 되었다. 그 유해는 청계동으로 반장(返葬)하였는데 신천, 재녕의 프랑스인 선교사와 산포군 관계의 옛 동지 등을 비롯하여 수천의 회장자(會葬者)가 있어 지방에서는 보기 드문 성대한 장례였다.

25. 국채보상운동과 장신구(裝身具) 헌납

일본의 대한침략의 음성 수단인 국채정책에 기인한 수차의 배상금과 차관금 등으로 정부는 막대한 채권을 부담하고 있었다. 안목과 식견이 있는 애국자들은 국채망국론을 높이 외치며 국채보상회를 조직하고 국민의 정재(淨財)를 모아서 상채자원(償債資源)에 충당하자는 대대적 국민운동을 전개하였다. 의사는 상해에서 환국한 후 상채운동의 필요성을 통감하고 대구에 있는 국채보상회 본부 서상돈(徐相敦) 회장에게 자청하여 관서지부를 개설하고 자신이 지부장이 되었다. 하루는 부인 김씨에게 국채 보상의 취지를 설명하고 가족전부의 장신구 일체를 헌납할 것을 요구하였다. 부인은 주저(躊躇) 함이 없이 금은반지, 비녀, 월자(月子)[18] 등 자신의 장신구 전부를 제공하고 모당(母堂)과 제수(弟嫂)들 분만은 다시 본인들과 상의할 것을 제의하므로 의사는『국사는 공이오, 가사는 사이다. 지부장인 우리 가정이 솔선수범하지 아니하고 다른 사람을 지도할 수 없다.』하여 모든 가족분을 몰수하여 헌납케 하였다. 이 소식이 전파됨에 일반 사람들은 크게 감동하여 각 가정이 앞 다투어 납입하는 애국의 좋은 움직임이 각처에 전개되었다.

---

18 편역자: 여자들이 머리숱이 많아 보이도록 머리 속에 땋아서 더하여 넣었던 가짜 머리.

26. 상채(償債) 운동을 냉매(冷罵)한 왜한(倭漢)을 타복(打伏)

평양에서 상채(償債) 보국의 대 연설회가 있었다. 그 석상에서 군중에 섞였던 왜인 한 명이 『너희들이 무슨 꿈을 꾸느냐』 하고 냉소하는 폭언을 하였다. 사회자의 한 사람인 안의사는 분기절정에 달하여 그 자를 즉석에서 쳐 쓰러뜨려 거의 죽을 정도의 중상을 입혔다. 일본 관헌은 형사를 동원하여 체포하고자 하였다. 의사는 남포로 피신한 후 안면 있던 일인 총포상 아이우치 신키치(相内鎮吉) 집에 화약을 구입하러 갔더니 의협심이 있는 아이우치는 미리 평양에서 발생한 사건을 알고서 『여기서는 신변이 위험하니 단발을 하라』고 권하여 아이우치의 손으로 처음으로 단발을 하였다는 것은 속임 없는 사실담이다.

27. 돈의학교장(敦義學校長) 취임과 남포 이주

남포교회의 주임 선교사 프랑스인 방(方) 신부는 신병으로 남포를 떠나게 되었다. 그가 경영하던 돈의학교는 일정한 기본 재산도 없고 경영비의 원조를 받을 만한 협력자도 없이 방 신부개인 경영이나 다름이 없는 형편이었다. 후임으로 온 프랑스인 신숭겸(申崇謙) 신부는 30미만의 청년이었으나 교육 사업에는 별로 열의를 갖지 못한 편이었다. 경영의 주인공을 상실한 학교의 운명은 해체의 위기에 봉착하였다. 안의사는 이를 인수하여 혼자 힘으로라도 유지 경영할 결심을 가지고 그 의사를 신(申) 신부이하 학교 관계자들에게 표명하였다. 학교의 운명을 우려하던 관계자와 학부형들은 의사의 쾌거에 환희와 감사를 금치 못하는 동시에 급속히 실현되기를 요망하였다.

그는 돈의학교장 취임과 동시에 모든 집안이 남포로 이주할 것을 결정하고 먼저 용정리(龍井里) 성당 구내에 주택 한 동을 매수하였으나 20명 가까운 대가족의 수용은 곤란하므로 주택 앞 공터를 이용하여 목조 주택 한 동을 증축한 후 온 가족이 이거하였다.

그는 교장 취임 즉시로 경영 훈육의 방침을 일신하여 교사(校舍)를 증축하며 교사(教師)를 증원하고 생도를 더 모집하여 학교면목을 새롭게 하였다.

교련에는 목총과 나팔, 북을 사용하여 순전히 군대식 훈련을 실시하였다.

다음해 1906년 가을 남포에서 평남북, 황해 삼도의 공사립학교연합 대운동회가 개최되어 60여개교의 생도 약 5,000명이 한 곳에 집합하여 학과(學科), 술과(術科) 등의 연합경기가 전개되었는데 이때에 돈의학교가 단연 제1위의 압도적 성적을 획득한 것은 오직 의사의 열렬한 교육열의 결실 그대로의 발현이었다.

28. 완패(頑悖)한 왜 직공을 응징

1905년 돈의학교장 직에 오른 후 이주차 남포 용정리 천주교당 구내에 주택 증축 공사를 시공 당시에 공사의 대부분은 우리나라 업자에게 맡겼으나 철판 개복 공사만은 용접 기술관계로 일본인 직공을 사용키로 하였더니 이 일본인 직공은 약속대로 공사를 하지 않으므로 다른 공사 진행에도 장애가 많았다. 부득이 평양에서 우리나라 직공을 초청하였더니 일본인 직공은 이를 이유로 공인들에게 난폭한 행동을 하여 공사 진행을 방해하려 하므로 안의사는 그 자를 철권으로 제재하여 악덕 행위를 응징하였다.

29. 안도산(安島山)의 대사자후(大獅子吼)[19]와 일관헌의 폭소(暴騷)

1906년 남포 신상회사(紳商會社)에서는 당시 미국으로부터 환국한 도산 안창호 선생을 맞이하여 세계정세에 관한 일대 강연회가 개최되었다.

평소 그의 인격과 웅변을 흠모하던 남포항민들은 개회 전부터 쇄도하여 회장 내외는 입추의 여지가 없이 초만원을 이루었다. 도산은 주최자인 신상회사장 원용덕(元容德)의 소개로 단상에 오르자 우뢰와 같은 대중의 박수갈채는 잠시간 발언을 하지 못할 정도였다.

당일의 강연 제목은 『촉이천만동포지분기(促二千萬同胞之奮起)』였다. 도산은 침략정책의 거두 이토 히로부미(伊藤博文)가 한국침략의 치명제(致命劑)인 5조약을 성안하

---

19 편역자: 사자처럼 우렁차게 부르짖으며 열변을 토하는 것.

여 한규설(韓圭卨) 내각에 제시하며 조인을 강요함에 한 참정 이하 각신들은 당황실색하여 밤낮으로 내각 회의만을 중복할 뿐 확답을 못하였다. 이토는 위협 수단으로 무장한 일병(日兵)을 요소에 배치한 후 하세가와 요시미치(長谷川好道) 대장과 고야마(小山) 헌병사령관을 대동하고 밤중에 경운궁(慶運宮)에 침입하여 어전회의 중의 원로대신들을 협박하며 한참정의 퇴석을 강제로 억류하는 등 온갖 폭압으로 체결된 소위 5조약 조인까지의 사실을 일일이 백일하에 폭로시키고 다시 말을 이어 이 강제위협으로 조인된 침략조약이 발표되자 민영환(閔泳煥), 조병세(趙秉世), 이상설(李相卨), 이한응(李漢應), 윤두병(尹斗炳), 홍만식(洪萬植), 주병준(朱秉濬) 등의 애국 열사들이 잇따라 혹은 독약을 먹고, 혹은 할복 등으로 장렬히 자결한 전말을 폭로하고 다시 이토는 한국통감이라는 직명으로 내한하여 황상(皇上)을 위협하여 궁중 경찰권을 강탈하고 제멋대로 친일파 내각을 조직하여 국권의 완전박탈을 도모하고 있다는 사실을 백일하에 갈파하였고 계속하여 『흥한망한(興韓亡韓)이 바로 오늘에 달려 있으니 우리 2천만 형제자매는 맹성일번(猛省一番)하여 오늘 이 시간으로 분기하지 아니하면 국가사직의 운명은 조석에 있다 운운』 도도하게 수천 마디의 열변을 토하자 회의장을 가득 채운 남녀노소는 대단히 감격하여 비할 데가 없어 흐느껴 울기가지 하였다.

강복부동(剛腹不動)하기 철석과 같은 안의사도 도산선생의 불을 토하는 듯한 대열변에 감분되어 죽음을 맹세하고 원수를 갚겠다는 굳은 결의를 공고히 하였다.

오전에 개최되었던 제1회 강연은 남포 개항 이래 미증유의 대성황으로 종료하였고 오후에도 계속하여 다시 제2차 강연회를 열게 되었다.

이번에는 장소를 용정리 소재 오성학교(五星學校) 교정으로 변경하여 쇄도하는 청중을 가능한 한 사람이라도 더 많이 수용하려고 하였다.

도산선생은 연제를 『재해외동포의 현 실정과 내지 부로(父老)의 각오』 라는 평범한 제목으로 돌렸다. 먼저 북미본토 하와이 지방에 재류하는 한국 교민들의 현상을 보고한 후 국내에 있는 여러분의 발분을 촉구한다는 의미로 발언을 계속하는 도중에 임석하였던 왜경은 돌연히 발언을 중지시키고 청중의 해산을 명하였다. 수만의 청중들은 의외의 해산명령에 격앙하여 해산이유를 지적하라고 질문이 계속되어 혼란 상태에 들어갔다. 왜경은 허가한 장소를 임의 변경한 것이 불법집회라는 이유로 즉시 해산할 것을 주최자 측에게 재차 명령하였으나 청중들은 왁자지껄 항의와 질문만을 계속하므로 왜경은 칼을 빼서 군중을 강제해산 축출하였다.

주최자들은 이사청(理事廳)[20]에 동행되어 치안방해, 불법집회 등의 명목으로 위협적 신문을 당하였다. 결국 이사관 아키모토 토요노신(秋本豊之進)에게 직접 담판을 하여 이후로는 주의하라는 한마디로 무사히 결말되었으나 일반인의 격앙은 절정에 달하였던 것이다. 안의사에게 하얼빈거의의 굳은 결의를 하게 한 큰 동기는 실로 이때에 배태된 것이라 할 수 있다.

30. 만찬 참석 약속 어김에 고집의 항의!

도산선생이 남포 체재 시에 발생한 넌센스의 일막이었다. 남포에 온 당일 일행의 만찬은 안의사택에 접대하기로 선약이 되었던 것이다. 주최자의 착각으로 도산일행은 후포리(後浦里) 모씨(某氏) 집의 초청을 받아 연설회장에서 후포리로 직행하였다. 안의사 집에서는 식탁만단(食卓萬端)[21]의 준비를 완료하고 내빈 일행의 도착을 기다리고 있었으나 약속한 시간이 경과하도록 아무 소식이 없으므로 이상히 생각하여 사정을 알아본즉 일행은 후포리 모씨 집에 초청되었다는 사실이 판명되었다. 안의사는 열화같이 발노하여 주연이 무르익은 모씨 집을 급히 방문하여 단도직입적으로 신랄한 항의를 폭주하며 자리에서 일어날 것을 재촉하므로 일행은 식사 도중에 안의사 집으로 동반되어 2차 만찬회를 접대 받았다는 사실은 당시의 유명한 화제꺼리였다.

31. 개가 아이를 문 사건에 얽킨 인정 미담

안의사는 집을 지키거나 사냥을 위하여 대개 2~3 마리의 개를 두는 것이 상례였다. 하루는 옆집의 아동이 밥 먹는 개를 희롱하다가 다리가 물려 상처를 입었다. 의사는 자신이 친히 두세 차례나 그 아동의 가정을 방문하고 간곡한 위문을 하였다. 가벼운 상처를 입은 아이를 병원에 입원시켜 부상이 완쾌된 후에도 열흘이나 지나

---

20 편역자: 1905년 을사조약에 의해 통감부와 함께 설치되었던 지방통치를 위한 기관.

21 편역자: 여러 가지 음식을 차려 놓고.

서 퇴원케 하였다. 그 부형이 고사하는 것을 금품을 후하게 주어 위로하는 성의를 표하여 일반 사람을 감격케 하였다.

32. 고(高) 감리의 단주동기

1906년 여름 돈의학교 부설 영어강습회의 수료식이 있었다. 감리 고영철(高永喆)은 수료식에 참석하여 축사를 할 약속이었다. 정각이 지나도록 감리가 임석하지 않으므로 의아하여 사정을 알아 본 즉 때마침 휴일이었으므로 감리는 약속을 망각하고 우인들과 어떤 요정에서 주연이 베풀어져서 주흥(醉興)이 달아올랐다. 감리가 임석하지 않은 채 수료식은 그대로 진행하였으나 안의사는 다음날에 고 감리를 방문하고 어제 약속을 어긴 것을 엄중히 책망하였다. 고 감리는 자신이 신용이 없음을 충심으로 사과한 후 이를 계기로 일생 동안 단주(斷酒)를 결행하였다.

33. 횡폭한 왜 상인배에게 통봉일막(痛棒一幕)

1906년 고향인 황해도 지방에서 안의사를 내방한 지인 몇 사람이 남포 일인(日人) 잡화상인 키토의 상점(鬼頭商店)에서 서양 솥 외 여러 가지를 의사 집에 돌아온 후에 비로소 서양 솥에 구멍이 있음을 발견하고 물건을 바꿔줄 것을 요구하였더니 점원은 이를 거부하였으므로 서로 시비 끝에 욕만 먹고 돌아왔다. 안의사는 이 말을 듣고 분개하여 점주 키토(鬼頭)에게 엄중한 항변을 하였더니 키토는 도리어 『야만인들의 소행이라 운운』하는 난폭하고 무례한 말을 하므로 이에 격노한 안의사는 그 자를 소지하였던 단봉(短棒)으로 맹타하여 유혈이 낭자하였다. 일행은 일본 경찰에 끌려가서 백방으로 위협을 당하였으나 사죄의 요구를 모두 거부하였다.

그뿐만 아니라 조리 있는 말로 일관되게 키토의 상도의에 배위된 행위임을 지적 항의한 결과 구멍 난 솥은 다른 것으로 교환키로 하고 사태는 무사히 해결되었다.

34. 조국을 떠나는 고별인사와 자당의 일언천균(一言千鈞)[22]

1907년 통감 이토 히로부미(伊藤博文)의 한국침략의 마수는 종횡무진하여 폭압정책은 더욱 심해졌다. 안의사는 이러한 국가위급시를 당하여 가슴깊이 중대 결의한 바 있어 국권회복의 자유활약의 신천지를 택하여 국제항인 해삼위(海參威)[23]로 망명탈출할 것을 결정하였다.

물론 심신을 바쳐 훈육사업에 종사하였던 돈의학교장의 직도 자연히 사임하게 되어 하루는 전교 직원과 생도를 교정에 집합케하고 『부월당전임망필천(鉞當前臨亡必踐), 정확재후견의필왕(鼎鑊在後見義必往)』[24]이라는 제목으로 의미심장한 고별사를 남기고 학교운영 문제는 임안당(任安當), 이재걸(李在杰) 두 사람에게 맡기고 이별하였다.

그는 최후 고별에 임하여 늙으신 자당(慈堂) 앞에 엎드려 불효함의 사죄를 올렸다. 자당은 『가사는 생각하지 말고 최후까지 남아답게 싸우라』하고 일언천균(一言千鈞)의 격려를 주었다. 그는 자당의 간단한 훈계에 백만의 원병을 얻은 것과 같이 용기백배하여 조국을 떠나갈 수 있었다. 이 늙으신 자당이 내린 훈계는 출국 후 그의 일거수일투족에 큰 추진력이 되었다는 것은 그의 옥중 술회기로 증명되고도 남은 바 있다.

35. 광복 창의의 책원지 해삼위(海參威)로 드디어 망명!

애국애족의 철석같은 신념은 마침내 해외망명의 길을 택하게 되어 가방하나 지팡이 하나의 가벼운 차림으로 걸어서 원산으로 들어가 배편을 기다리고 있었다. 침략자 일본의 세력은 이미 육해 교통 수송 방면에까지 침투되어 러시아 방면 여행에 대하여는 일본 관헌의 경계가 더욱 엄중하였다. 전번에 1905년 상해 도항 때 쓰라린

22 편역자: 천금과 같은 한마디.
23 편역자: 블라디보스토크.
24 편역자: 도끼가 앞에 있어 곧 죽을 지라도 반드시 실천하고, 끓는 솥이 뒤에 있어도 의를 보거든 반드시 가리라.

고난을 체험한 바 있으므로 안의사는 만일의 실패가 없도록 주도면밀한 계획 하에 연안 기항의 소형선박을 택하지 않고 러시아 국적 한인 교민 최봉준(崔鳳俊) 경영의 준창호(俊昌號)에 편승하기로 하였다. 동 선박은 해삼위로 향한 도중 성진(城津), 청진(淸津)의 두 곳 기항(寄港)은 있으나 동선 사무장 박응상(朴應相)은 남다른 기개와 의협을 가진 애국청년으로 동족의 망명자 밀선에 많은 공헌을 한바 있었다. 그런 관계로 의사는 해삼위 망명에 특별히 같은 배를 선택하였다. 항해 3일 만에 청진에 도착하였다. 기항 중 불행히도 일본 임검(臨檢) 경관에게 밀항사실이 발각되어 하선하게 되었다. 왜경에게 여러 가지 까다로운 조사를 당한 연후 석방된 몸이 되었으나 망명구국의 일편단심은 변함이 없었다. 밀항망명이 실패하자 이번에는 육로로 회령(會寧)을 경유하여 종성군(鍾城郡) 상삼봉(上三峰)으로 두만강을 건너서 간도 화룡현(和龍縣) 지방곡(地坊曲)에 도착하였다. 용정촌(龍井村) 국자가(局子街)를 경유하여 목적지인 해삼위에 도달하기까지에는 실로 1개월여의 고난의 결정이었다. 예전부터 알던 신한촌(新韓村) 이치권(李致權) 집에 여장을 풀고 얼마동안은 각국 인사를 방문하여 내외정세의 탐지 연구 등으로 일과를 보냈다. 이리하여 왕래 교유하게 된 인물로는 그곳 발행 유일의 한국어 신문인 대동공보(大同共報)의 사장 유진률(兪鎭律), 같은 신문 주필 이강(李剛) 씨를 비롯하여 윤능효(尹能孝), 김성무(金成武), 곽재실(郭在實), 우덕순(禹德淳), 김만식(金萬植), 민장(民長), 양성춘(楊成春), 김치보(金致甫), 김학만(金學萬), 차석보(車錫甫), 최봉준(崔鳳俊), 송성춘(宋成春) 등 여러분이었다.

그때 러시아 거주 한국 교민을 대별하면 대일(對日) 무력파와 자중파의 양파로 분류할 수 있었다. 무력파의 주요인물로는 전 주러프공사 이범진(李範晋), 이위종(李緯鍾)의 부자와 이범윤(李範允), 서일(徐一), 김두성(金斗星) 등인데 내외 각지 의병의 거두 관북(關北)의 김좌진(金佐鎭), 오동진(吳東振), 홍범도(洪範圖), 이강영(李康英), 허와(許譌), 이돌석(李突錫), 이운찬(李運讚), 이진용(李鎭龍), 전을용(田乙龍), 유상돈(柳相敦), 채응언(蔡應彦) 등과 내외 호응하여 일군과 직접 무력항쟁을 하자는 주장파이며 후자의 자중파는 러시아에 있는 한인 교민 중 비교적 항산(恒産)의 기초를 가지고 있는 유산계급에 속한 자들로서 최봉준(崔鳳俊), 최재형(崔在亨) 등은 그 중 대표적인 인물이라 할 수 있다. 그들이 주장하는 것은 승리의 공산이 없는 대일 무력항쟁으로 정신적 물질적 희생을 내는 것보다는 교육과 산업방면에 주력하여 민족의 실력을 양성하는 것이 방책이라고 역설하였던 것이다.

안중근의사는 러시아에 들어간 지 얼마 안 되었지마는 무력파 중에서도 가장 쟁쟁한 인물로 지목되어 이범윤 일파와는 밀접하여 떨어진 수 없는 관계를 맺고 있었다.

36. 계동청년회(啓東青年會) 총회에서 사찰(司察) 집무중 의외의 철권세례(鐵拳洗禮)

1907년 여름 어느 날 해삼위의 유일한 교민 단체인 그곳 신한촌 계동청년회에서는 그곳 한국인단체 사무실로 사용 중인 계동학교 강당에서 임시총회를 개최하게 되었다.

안의사는 아직 신입회원이었으나 그 인격의 편린이 일반에게 널리 인식되었던 소치로 80여명의 회원 중에서 만장일치로 사찰(司察)이라는 역원(役員)으로 선출되어 회의가 진행되고 있었다.

회의가 진행 중 『애골 최』라는 청년은 회칙과 사회자의 제지를 무시하고 무리한 질문을 반복할 뿐 아니라 잡담, 훤조(喧噪)[25]를 함부로 하므로 안의사는 여러 번 『애골 최』에게 주의와 제지를 가하였더니 이에 불만을 품은 최 청년은 안의사에게 무리한 힐난을 시작하여 마침내 안의사의 왼쪽 뺨을 강타하였다. 평소에 이길 줄만 알고 질 줄을 모르는 안의사의 선천적 기품을 잘 아는 사람들은 철권이 난무하는 살벌한 풍경 일막이 전개될 것으로 짐작하고 만장의 시선이 총집중되었으나, 그는 예기하였던 바와는 정반대로 태연히 미소를 띠우며 순순히 최 청년을 설유하였다. 그 금도(襟度)[26] 넓은 아량에 감격한 최 청년은 깊이 자기의 경거망동을 사과하고 회개함에 안의사는 이를 관대하게 용서하여 회의는 예정대로 진행되어 대동단결을 더욱 굳건히 하였으니 이는 오직 대의를 취하고 소아(小我)를 돌아보지 않는 남아의 기백이라 할 것이다.

---

25 편역자: 시끄럽게 떠듬.
26 편역자: 남을 포용할 만한 너그러운 마음과 생각.

37. 기총현상(騎銃懸賞)의 시사(試射) 일발즉중(一發即中)

안의사의 신의 경지에 오른 사격술과 총기에 대한 지나친 애착심은 때로는 탈선 행각을 연출하는 사례도 없지 않았다. 그가 러시아에 들어간 다음해(1908년) 『하바로우스크』에 살고 있는 러시아 국적 한교(韓僑) 이대웅(李大雄) 집을 방문하였을 때에 사랑채에 러시아식 기총(騎銃)이 걸려있으므로 이를 요청하여 보다가 그 구조가 특이함에 만지고 만지며 놓으려하지 않으므로 주인 이씨는 농담으로 옆에 놓인 작은 도끼를 『이 작은 도끼를 200보 밖에서 명중시키면 그 기총을 거저 주겠다』고 하였다. 안의사는 정색으로 이를 수락하고 그 자리에서 탄환을 장전하고 발사하여 한 발에 명중시켰다. 이씨는 하는 수 없이 약속대로 그 기총을 안의사에게 주었다. 이 총은 성능이 특수하여 취급이 가장 간편할 뿐만 아니라 명중률이 우수하였으므로 안의사는 그 총을 항시 몸에 지니고 애지중지하였으며 의병거사 때마다 이 총을 사용하였다.

38. 백두산의 의병장 홍범도(洪範圖)와의 연락기도 수포화

안의사는 함북 무산군(茂山郡) 삼사면(三社面) 서두수(西頭水) 상류지대에 주둔한 의병장 홍범도와 군사연락을 취하기 위하여 백두산 아래 농사동(農事洞)까지 모험 진입하였다가 마침내 왜인 수비부대에게 발견이 되어 백두산 아래 남서 밀림 중에서 초근목피로 연명하며 구사일생으로 해삼위로 돌아오는 고난을 당한 바 있었으나 그 투지는 더욱더 강화 일로로 힘을 써서 대규모의 거의 계획을 실천화하고자 전념할 뿐 이었다.

39. 의병부대의 편성과 왜수비군과의 접전

러시아와 국제사정 기타 지리상 관계로 의병부대의 근거지는 연추(煙秋) 부근으로 결정하고 그곳에 본부와 훈련소를 설치하고 새로 모집한 1200명의 병력을 수용한 후 주야로 맹훈련을 계속하였다. 훈련주임으로는 우덕순(禹德淳) 및 엄인섭(嚴寅燮),

강봉익(姜鳳翼), 갈화춘(葛花春), 김영진(金榮鎭), 김재익(金載益), 이창도(李昌道) 등의 간부가 있었다. 무기, 탄약, 복장 등의 조달에는 엄인섭, 이치권, 유진률, 이강 등 여러 동지가 주선하는 노력으로 러시아 관헌의 원조가 많았고 군자금과 군량 등은 연추의 박춘(朴春), 계택건(桂澤健)과 수청(水靑)의 김호춘(金浩春), 조순응(趙淳應), 이태웅(李泰雄), 김학호(金學浩), 윤삼성(尹三星), 김천화(金千華) 등의 간선 원조로 충당하였다.

1908년 4월 초순경 어느 날 밤 야음을 이용하여 동지 엄인섭과 같이 2개 소대의 정예병을 선발하여 이를 인솔하고 두만강 최하단인 경흥군(慶興郡) 노면(蘆面) 상리(上里)에 주둔 중이던 왜군 수비대 본부를 급습하였다. 때마침 경성(鏡城) 주둔 헌병대장 중좌 진군길(陳軍吉)이 한인 경시 김강용웅(金江龍雄) 이하 십수 명의 부하를 인솔하고 국경지대 수비상황을 순시차 출장 중이었다. 안의사는 천재일우의 호기라 하고 맹공을 가하여 피차 총격을 교접하기 수시간 적병 2명을 사살하고 수명의 중경상을 가하였으나, 의병부대에는 한 명의 낙오도 없이 전원 무사히 연추 본영으로 개선하였다.

무산(茂山) 지방에는 홍범도 장군이 부하 3,000명을 영솔하고 주야로 신출귀몰하며 게리라 전술로 왜군 수비대를 뇌살(惱殺)하던 때이다. 그러나 홍장군 부하 3,000병사 중에는 무기가 부족하여 목총과 농구 같은 원시적 병기로 종군하는 자가 태반이었다. 이들에게 무기를 공급하여 양군이 합세하면 4,000명 이상의 장비를 완비한 정예를 얻을 수 있으므로 이 기간 병력으로 함남북 지방의 왜군을 충분히 격파할 수 있으리라는 것이 안중근의사의 마음 속 계산이었다. 장비와 군량 등의 만반의 출동준비를 완료하고 같은 해 7월 23일 우덕순, 엄인섭 등의 간부와 같이 800명의 정총병력을 영솔하고 훈융진(訓戎鎭) 대안(對岸)에 포진하여 수십 차례의 척후전을 교전하면서 본대는 화룡현 태립자(太立子)를 경유하여 두만강을 건너 회령군(會寧郡) 운두면(雲頭面)으로 진공한 것이 같은 해 8월 5일이었다.

부근 일대는 해가 보이지 않는 밀림이고 험악한 산이므로 군량, 숙영(宿營) 등 대부대의 행동이 지극히 곤란함을 알게 되었다. 전 대원 중에서 150명의 결사대를 선발하고 여타 대원은 삼삼오오의 유격반을 편성하여 국경일대에 산개시켜 출몰자재의 행동을 전개키로 방침을 결정하였다. 안의사는 선발한 결사대원을 이끌고 무산군 삼장(三長), 삼사(三社), 연사(延社) 방면으로 계속 진격하였다. 도중 의외에도 밀림 중에서 왜군 대부대의 매복요격을 만나 여러 시간의 접전이 전개 중 피아의 사상이 적지 않았으나 특히 결사대원 중 12명 고귀한 희생이 있었음은 안의사 일생을 통하여 씻을 수 없는 천추에 통탄할 일이었다. 우덕순 동지도 이 교전에서 왜군에게 체포되어 함흥에서 사형의 판결을 받고 수형 중 그 후 파옥 탈출하여 다시 러시아로 망명하였던 것이다.

안의사는 부하를 수습하고 재정비하여 곳곳의 왜군부대를 기습하면서 홍범도 장군과의 접선 연락을 기도하였으나 고전만을 거듭할 뿐 마침내 성공치 못하고 사방의 정세 또한 아군에 불리하므로 크나 큰 한을 품고 다시 두만강을 건너서 마음 속 깊이 권토중래(捲土重來)의 재기를 도모하며 광복의 책원지 해삼위로 외로운 모습으로 적막하게 쓸쓸히 귀환하였다.

40. 신영구(新營溝) 교민들의 무모한 폭거는 후일 제사로 변모

전후 2회의 무력전 실패 이후 해삼위의 한교(韓僑)의 대다수는 자중론에 기울어져 안의사의 즉시 혈전설(血戰說)에는 모두 반대하였다. 입영 이후의 동지며 제1회 무력전 당시의 전우이던 경원(慶源) 출신의 최재형(崔在亨) 같은 사람은 안의사의 재기즉행론(再起即行論)에는 정면으로 반대하였다. 어디까지나 강인한 마음의 안의사는 하루 밤을 최와 격론한 뒤에 변절연화(變節軟化)한 그에게 피로써 숙청을 단행하겠다고 5·6회나 장전한 장총을 드는 것을 동석자들의 제지로 겨우 무사하였다.

안의사는 자신에게 집중되는 말도 안 되는 비난에는 귀를 기울이지 않고 단신으로 모병, 군자금의 조달, 유세 등으로 동분서주하여 편안한 날이 없었다. 1909년 이른 봄 어느 날 연추(煙秋)를 떠나 수청(水靑)으로 향하던 도중 신영구(新營溝) 앞산을 단신으로 넘게 되었다. 이를 전해 들은 신영구 촌민 중 조폭 청년 5·6명이 무리를 만들어 추적하여 불의의 암습을 가하여 안면부에 전치 수주일을 요하는 중상을 가한 후 정신을 잃고 쓰러진 틈을 타서 어디로인지 도주하였다. 안의사는 수시간 후에 정기를 회복하여 목적지인 수청에 도착하였다. 이러한 폭거사건이 있은 후 수개월이 경과하여 안의사의 하얼빈 거의사실이 전파되자 신영구 주민들은 크게 전일의 경솔하였던 폭거를 회개 자책하고 전 동민의 총의로 두터운 제물(祭物)을 전일 폭거하였던 장소에 펼쳐놓고 경건하고 엄숙한 제사를 지내 삼가 의혼(義魂)의 명복을 기원하였다 한다.

41. 처장(凄壯)! 연추(煙秋) 달밤에 동지들과 단지혈맹!

대오 당당하게 발족하였던 국경진공 작전도 거듭 당한 쓰라린 상처와 수난으로 동지 중에는 재기할 용기마저 상실하고 초연히 항전진영을 떠나간 자 한두 사람이 아니었다. 안의사를 중심으로 기개있는 동지들은 이 정세를 보고 통탄함을 마지않았다. 하루는 연추 교외 하리(下里) 어느 동지 집에 중견 동지 김기룡(金基龍), 백낙김(白樂金), 강두찬(姜斗燦), 황화병(黃火炳), 대치홍(瀏致弘), 박봉석(朴鳳錫), 강기순(姜基順), 김백춘(金伯春), 김화춘(金春華) 등을 초청하고 금후의 광복 대업 추진 방책에 관하여 가장 진지하고 열렬한 논의가 전개되었다.[27]

『조국이 있고서야 명예도 있고 재산도 있으니 구구한 일신일가(一身一家)의 안일한 행복에만 열중하고 조국광복을 도외시하는 수전노들과 열정 없는 회색분자들은 차제에 단호히 숙청의 철추를 내리는 것도 부득이하다』고 좌중의 어느 동지가 제의하자 일동은 쌍수 갈채로 열렬히 찬성한다는 뜻을 표하였다.

『전번 거의결맹식 석상에서 자신의 한 목숨을 조국에 바친다고 솔선 서약한 맹우 중에 사소한 감정문제로 도중에서 공적인 맹서를 망각하고 광복진영을 저버린 박지약행(薄志弱行)의 분자가 얼마나 많았습니까. 이러한 무의무치(無義無恥)한 무리들은

---

27 편역자: 정천동맹(단지동맹)에 대해 「안중근 제6회 공술」(신운용 편역, 『안중근·우덕순·조도선·유동하 등 공술기록』(안중근 자료집 5), (사)안중근평화연구원, 2014, 49~50쪽)에는 다음과 같이 기술되어 있다.
"1. 안중근(安應七) 맹주 교육가 의병 31세 평안도
2. 김기룡(金基龍) 경무관 의병 30세 평안도
3. 강기순(姜起順) 의병 40세 평안도
4. 정원규(鄭元桂) 의병 30세 함경도
5. 박봉석(朴鳳錫) 의병 32세 함경도
6. 유치홍(柳致弘) 의병 40세 함경도
7. 조순응(曺順應) 의병 25세 함경도
8. 황병길(黃吉秉) 의병 25세 함경도
9. 백남규(白南奎) 의병 27세 함경도
10. 김백춘(金伯春) 의병 25세 함경도
11. 김천화(金天化) 의병 26세 강원도
12. 강계찬(姜計瓚) 의병 27세 평안도"
또한 「공판시말서 제1회」(신운용 편역, 『안중근·우덕순·조도선·유동하 공판기록 - 공판시말서』(안중근 자료집 9), (사)안중근평화연구원, 2014, 30쪽)에는 다음과 같이 기술되어 있다.
"모두 열두 사람이었지만 그 성명은 김기룡(金基龍)·강기순(姜基順)·유치현(劉致鉉)·박봉석(朴鳳錫)·백락청(白樂奎)·강두찬(康斗瓚)·황길병(黃吉秉)·김백춘(金伯春)·김춘화(金春化)와 나 외에 두 명의 이름은 지금 기억나지 않는다."

단호하게 숙청대 위에 올리지 않으면 안 될 것이다』라고 어느 동지가 발언함에 일동은 일치 찬동하였다. 그 방법과 범위 일체는 안의사에게 일임하고 새로운 동지규합과 군자금의 모금, 유세방법의 철저, 부대 공격의 재결행 등등의 제의안건을 모두 만장일치로 가결한 후 안중근의사는 여러 동지들 앞에 옷깃을 바로 하고 앉아서 『오늘밤 우리들 맹우들의 굳은 결약을 천지신명에게 고하고 그 실천을 더욱 공고히 하는 뜻에서 각자가 이 자리에서 피로 증명하자』하고 안의사 자신이 왼쪽 손 무명지 제1관절 부분을 한번 칼로 끊으니 손가락 끝은 뜨거운 선혈을 뿌리면서 탁상에서 생동(生動)하였다. 의사는 항시 흉중에 깊이 간직하고 있었던 태극기를 펼쳐들고 경건한 십자성호를 옆에 놓은 후 『대한독립만세 안중근』의 9자를 혈서하고 국권회복에 원수를 갚겠다는 결의를 더욱 굳세게 하였다.

이 비교할 데 없는 장엄한 광경을 목격한 다른 동지들도 서로 앞을 다투어 단지하여 흐르는 선혈로 차례차례 각자의 성명을 태극기 위에 연서하였다. 때마침 중추(中秋)의 밝은 달은 환하게 창밖에 비치어 연추 남부의 한적한 농촌은 구국남아의 감격적인 눈물에 젖어 장엄한 일막의 극적인 광경을 전개하였다.

42. 의병활동은 마침내 한 마리의 큰 고래 응시!

연추(煙秋) 하리에서의 혈맹 이후로 의용병 재거(再擧)의 계획은 본격적으로 추진되고 있었다. 혈맹동지들은 각지를 유세하며 병사와 자금의 획득에 전력한 결과 교포는 물론 러, 청 양국의 일부인사들까지도 원조해주겠다는 약속을 하였다. 한국교민 유일의 재벌가로 의용병 군자금 후원에 굳은 약속을 한바 있는 최재형(崔在亨)은 도중 무슨 심경의 갑작스런 변화인지 자금원조의 약속을 실천할 성의를 보여 주지 않았다. 그 뿐만 아니라 다른 한국 교민들에게까지 의병계획의 무모함을 역설하여 발효하였음인지? 군자금후원의 약속을 해소하는 인사가 적지 않았다. 확고한 자력과 기반을 가지고 있는 최재형 한사람의 향배 여하는 의용군이 계획하였던 사업전체의 추진에 지대한 영향을 파급케 하였다. 안의사는 뜻한 바 있어 최씨를 방문하고 사리를 다하여 간곡한 설명으로서 의용군 활동에 적극 협조해주기를 요청하였으나 최는 종시 냉담한 태도로 이를 거절하였다. 한국 교민 중 가장 재벌가인 최재형의 이처럼 무성의한 태도로 말미암아 의병재거의 대사업은 중도에서 좌절되어 실현의 가망성이 희박하게 되었음을 자탄하고 극도의 격분을 금치 못하여 수일을 고민한 결과 최후의 중대한 결의를 하였다. 『이런 반조국적 수전노는 제일착으로 숙정대위에 올려야 할 인물이라』고 규정을 내렸다. 그리하여 해삼위의 중견 동지의 의견을 타진하고자 의병재거 계획안과 장문의 불순분자성토서 원고를 작성 휴대하고 해삼위로 급행한 것이 1909년 10월 21일(음 9월 8일)이었다.

그날 밤 해삼위에 도착한 후 제일 먼저 방문한 곳이 대동공보사 주필 이강(李剛)이었다. 그는 성토서와 의병재거 계획안의 방대한 원고를 내놓으며 신문에 발표하여 줄 것을 요구하는 동시에 흉중의 단호한 결의를 피력하였다. 그러하였더니 이강은 의외에도 『어제 형에게 해삼위로 올 것을 재촉하는 전보를 보냈는데 받아보았는지요』하며 전일 발간된 요동보(遼東報)와 대동공보(大東共報)를 내 보였다.

제1면 외전란에 3단 표제로 『일추상(日樞相)[28] 이토공 노만(露滿)시찰』이란 도쿄 특전이 게재되어 있었다. 전문 내용은 매우 간단하였으나 해삼위 각 언론기관에서는 이 문제를 중대시하여 초특종 기사로 취급하였다. 대동공보사에서도 이토 히로부미(伊藤博文)의 러시아와 만주 여행 사명(使命)에 대하여 장문의 사설을 게재하였다.

이토의 러시아, 만주 방문의 사명에 대하여 3종의 관측이 전하고 있다. 첫째는 『영·미의 신지케-삼단이 계획하는 금제철도(齊鐵道) 부설문제에 대하여 일러의 기회균등적 참가를 요구키로 러시아 장상(藏相)과 회견하려는 것이라』는 것과 둘째는 『수상 가츠라 타로(桂太郎)의 내의(內意)를 받아 한국합병에 관한 러시아 측의 사전 양해를 구하기 위함이라』는 것이오, 셋째는 『인도에 대한 우월권을 인정하는 대상으로 청만 대륙에서의 특수 지위를 일본에 인정하라는 교섭을 러시아 당국에 절충하려는 것이라』고 한다.

좌우간 이토의 이번 만주여행이 단순한 풍경을 보기 위한 시찰의 평범한 관광이 아닌 것만은 틀림이 없었다.

안의사는 득의만만한 미소를 보이며 『한 그물의 잡어보다 한 마리의 고래가 낫다』하고 무릎을 쳤다. 이것은 물론 국경에 진공하여 왜군의 수비병졸, 잡배를 몇 십 명이나 몇 백 명을 죽이는 것보다 이토이라는 큰 고래 한 마리를 잡은 것이 우세하다는 의미이다. 이강에게 이토의 만주시찰의 정확한 일정과 출발하고 도착하는 시각,

---

28 편역자: 일본 추밀원 의장.

동반 인물 등의 조사를 의탁하였다. 마음이 서로 통하는 유일한 지기(知己) 이강은 안의사의 의중을 예상하였던 것이다.

43. 하얼빈 거의결행의 모의!

안의사의 굳은 결의와 실행력을 누구보다도 잘 알고 있는 이강은 의거추진의 적극적 후원을 맹약하고 그날 밤 대동공보사장 유진률, 민장 양성춘을 방문하고 이 중대한 사안을 토로하였 더니 두 사람도 적극 찬성하였으므로 즉시 해삼위 한교 동지 중 광복운동에 열렬한 미국에서 돌아온 김성무(金成武), 우덕순, 정재관(鄭在寬), 이윤효(尹能孝) 등이 대동공보사장실에서 밀회하여 이토 저격의 실행책에 대하여 중대한 모의가 극비리에 논의되었다.

하얼빈 역 의거실행의 총수에는 안중근의사 자신이 그 임무를 맡기로 하고 보조역으로 우덕순, 천완일(千完一)을 결정하여 천완일에 대하여서는 이강이 교섭하기 위하여 그날 밤으로 그를 방문하였으나 천완일은 여행으로 부재중이었으므로 대리인을 구하기로 하였다.

무엇보다도 필요한 무기의 입수는 마침 동석하였던 유진률, 양성춘 두 사람이 호신용으로 한정씩 휴대하고 있었으므로 이를 사용하기로 즉석에서 결정하고 이토의 사진은 김성무(金成武)가 갖고 있던 일본잡지에서 3매를 뽑고 여비로는 윤능효가 잡화를 팔아 모은 200원을 제공하여 그 중에서 60원으로 외투 두벌을 러시아인 경매시장에서 구입하기로 하였다. 부족금은 이강이 그 지인인 하얼빈의 러시아 국적 한인 김성백(金聖伯)에게 편지를 하여 융통하기로 중의를 모아 결정하였다.

44. 웅지 안고 장도에 등정! 러시아어 통역자 구득에 배려!

안의사와 우덕순 두 사람은 10월 21왈 오전 8시 55분 유진률과 같이 해삼위역을 출발하여 장도에 올랐다. 세간의 시선을 회피하기 위하여 역에는 이강과 양성춘 두 사람만이 대표로 전송 나왔으며 장엄한 거사가 반드시 성공하기를 남모르게 격려하였다. 유진률 한 사람만은 도중 『뽀꾸라니치나야』 역까지 동행하여 굳은 악수로 그들의 무운(武運)을 기원하고 해삼위로 돌아왔다. 『포역』에 하차한 두 사람은 한의사 유경집(劉敬緝)을 방문하고 『가족을 맞이하기 위하여 채가구(蔡家溝) 방면으로 여행하게 되었다』라고 거짓으로 말한 다음 그의 아들 유동하(劉東夏)를 러시아어 통역 겸 동행하기를 간청하였더니 유는 마침 『하얼빈』에서 한약재를 구입할 용건도 있었던 참이라 즉석에서 이를 흔쾌히 허락하였다.

다음말 10월 22일 안, 우 두 사람은 당년 18세의 유동하 소년을 동반하고 『하얼빈』으로 직행하여 유동하 소년의 자형인 김성백(金聖伯) 집에 투숙하였다. 김씨에게는 물론이고 유동하에게도 의거 직전까지 이토 저격이라는 목적과 용건은 극비에 붙이고 가족을 맞이하러 나간다고만 말하였다. 그곳에서 러시아에 있은 지 20년의 경험으로 러시아어와 러시아사정에 정통한 교포 조도선(曹道先)을 만나서 안의사는 그에게도 가족을 맞이하러 간다는 것을 빙자하여 러시아어 통역을 부탁하였더니 동행하기를 쾌히 승락하였다. 네 사람은 사진사를 청하여 기념촬영을 하였다.

45. 의거지 하얼빈에 도착 후 대사필성(大事必成)을 기하여 맹활약!

10월 24일 안의사는 유동하를 중개로 김성백에게서 여비로 50원을 차용하려 하였으나 구하지 못하고 유동하만을 하얼빈에 남겨두고 우덕순, 조도선을 동반 채가구역으로 직행하여 러시아인이 경영하는 채가구역 구내 지하실 양식점에 투숙하면서 구내의 지형과 열차의 발착시간, 귀빈열차의 통과여부 등을 비밀히 조사하며 대사의 성공을 목적으로 만반준비를 하고 있었다. 25일 하얼빈의 유동하로부터 『명조래차』[29]라는 전보가 왔으므로 채가구역의 임무는 우, 조 두 사람에게 부탁하고 안의사 자신은 하얼빈으로 급히 돌아왔다.

이제까지 극비로 하였던 일행의 진정한 사명을 26일 아침 유동하에게도 비로소 알려 끝까지 대사완성을 위하여 협력하기를 청하였다. 유동하 소년은 처음 순간은 의외의 발언에 경악한 듯 하였으나 유동하도 또한 일개 평범한 소년이 아니었다. 용감하고 총명한 천품의 소유자였으므로 즉석에서 이를 쾌히 승락하고 대사완수를

29 明朝來此.

위하여 일신을 희생할 것을 맹서하였다.

안의사는 만일의 준비로 김성백에게서 170원을 차용하여 해삼위 이강, 유진률, 양성춘 등에게 그간의 경과보고 겸 장내의 행동방침을 상기한 서신 3통을 유동하에게 주면서 즉시우송 할 것을 부탁하였다.

목표인물 이토 히로부미(伊藤博文)가 탑승한 특별 열차의 하얼빈역 도착시간은 조금씩 가까워왔다. 안의사는 통역이며 조수격인 유동하 소년을 대동하고 8시 이전에 역으로 나가서 역전 다방에서 정세를 살피고 있었다. 역 구내외는 문자 그대로 철통같은 경계망을 벌려 나는 새도 침입할 수 없으리 만치 삼엄한 광경이었다. 러, 청 양국의 고관, 육해군 장성, 각국 외교관, 재류 일본인들이 속속히 모여드는 광경으로 보아 이토가 온다는 것은 틀림이 없다고 생각되었다. 안의사는 의중 쾌재를 부르면서 유동하와 같이 일본인 군중에 섞여 들어가 역구내로 진입하는 데까지는 무난히 성공하였다. 그러나 러시아 헌병은 일부 군중에 대하여 엄중한 신분검색을 실시하였다. 순서에 의하여 안의사를 검색코자 한 즉 기민한 유동하 소년은 러시아 헌병에게 유창한 러시아로 이분은 일본인 신문기자라고 대변하였다. 그리하여 위기일발의 장면을 무난히 통과한 후 유동하는 김성백 집으로 돌아갔다. 안의사는 득의만만한 미소를 띠우며 가슴깊이 간직한 권총을 어루만지면서 이토의 도착을 기다리고 있었다.

46. 조국침략의 왜괴(倭魁) 이토 히로부미(伊藤博文) 드디어 의탄이 한번 번쩍이자 죽다!

이보다 앞서 이토 히로부미(伊藤博文)(당시 일본 추밀원 의장)은 10월12일 조정의 고관대작들의 성대한 전송을 받으면서 다수의 수행원을 대동하고 토쿄역을 출발하였다. 도중 오오이소(大磯), 소로각(滄浪閣)에서 2박하고 16일 시노노세키(下關) 발 여객선 테츠레이호(鐵嶺號) 편으로 대련으로 직행하여 18일 동양 제일이라는 대련부두에 상륙하였다. 21일에는 여순의 전적(戰績)을 시찰하고 봉천(奉天)[30]으로 들어가 24일

30 편역자: 심양.

무순탄광을 순시하고 25일 봉천에서 장춘으로 향하여 북행하였다. 그날 밤 장춘에 도착하여 청국 도대(道臺) 주최의 환영연에 참석한 후 러시아 측에서 보내온 귀빈열차에 그곳까지 마중 나온 동청철도 민정부장 『아푸아나시에』 및 동 영업과장 『이낀스에』 소장 이하 경호사관들과 동승하고, 26일 아침 9시에 하얼빈역에 도착하였다. 이토는 마중 나온 『까깝쵸프』 러시아 대장대신과 열차 내에서 약 30분간 중요회담을 하였다. 이 회담이야말로 당시 열국주목의 초점이었던 아세아 대륙에서의 러·일 세력 범위 분야에 관한 중대회의 서막이었을 것이다. 이토는 동 대신과 회담을 마친 후 그의 선도로 『플래이트홈』에 나와서 마중나온 내외관민과 인사를 교환하고 경호군 명예군단장인 동 장상의 요청에 의하여 구내에 도렬한 동 군단병을 사열한 후 몇 걸음을 역행하여 귀빈마차로 향하던 순간에 도열 군부대의 후방에 자리 잡은 일본인 군중 속으로부터 맹호처럼 뛰어나온 양복차림의 한 청년이 있었으니 그가 바로 안중근의사였다. 안의사는 천재일우의 호기를 놓칠세라 권총을 높이 들어 요란하게 연속 발사하였다. 이토와의 거리 불과 십여 걸음 내외였다. 처음 3발은 이토에게 명중되어 그 자리에 쓰러지는 것을 만철 총재 나카무라 제코(中村是公)가 부축하였고 수행 중이던 카와카미(川上) 하얼빈 총영사와 비서관 모리 타지로(森泰二郎)·모리 카이난(森槐南)·타나카(田中) 만철 이사는 제4·5·6탄에 각각 1발씩 명중되어 중경상을 당하고 최후 1발의 나머지 탄환은 러시아인 『미호후-로』에게 제지당하여 쏘지 못하였다.

이토는 러시아 장교와 수행의사 나리타(成田), 고야마(小山) 등에 의하여 열차 내로 반입된 후 붕대 등으로 지혈 응급조치를 취하려 한 즉 휴대용 단장(短杖)을 휘두르면서 양주 『브랜디』를 가져오라 하여 두 잔을 마신 후 절명할 순간에 『모리 카이난(森槐南)도 다쳤느냐』는 최후의 한 마디를 남기고 번거러웠던 그의 일생은 한민족 원한을 대표한 안의사의 의탄이 번적 빛나자 드디어 끝났다.

장엄처열(壯嚴凄烈)! 견위수명(見危授命)! 안중근의사는 당황한 빛 하나 없이 쌍수를 높이 들고 아연실색한 관헌 군중 앞에서 『코레아우라』(대한만세)를 연창한 후 여유 있는 태도로 러시아 동청철도 경찰서장 『니키포로프』 에게 포박되었다.

47. 거사 직후의 러시아 헌병과의 일문일답

러시아 헌병은 안의사를 하얼빈역의 일실로 끌고 간 후 다음과 같은 일문일답을 하였다.

헌병
그대는 어느 나라 사람인가. 주소와 성명은?

안
나는 한국인이다. 본적은 대한국 평안남도 진남포 용정동 183번지, 성명은 안응칠이다.

헌병
직업과 연령은?

안
직업은 한국 의용병참모중장, 연령은 31이다.

헌병
현주소는?

안
해삼위항 신한촌에도 살고 연추 교외 하리에서도 살고 있다.

헌병
무슨 이유로 일본인 이토공작을 살해하였는가?

안
이토는 우리 대한의 독립주권을 침탈한 원흉이며 동양평화의 교란자이므로 대한 의용군사령의 자격으로 총살한 것이며 안응칠 개인의 자격으로 사살한 것은 아니다.

헌병

이토 저격의 목적을 달성한 후 자살이라도 할 생각은 없었던가?

안

그런 생각은 없었다. 나는 동양의 평화와 조국의 독립을 위하여 왜괴를 타도한 것인 즉 이토 한 놈만을 죽이고 죽을 생각은 없다. 만일 내가 실패할지라도 제2·제3의 후속 참간(斬奸)[31] 용사가 속출할 것이다. 이토는 한국의 독립을 보호한다고 여러 번 공약을 하고도 5조약과 7조약을 강제로 체결하여 한국의 외교·내치·국방권을 모조리 침탈하고 침략의 마수를 뻗치는 우리의 공적이다. 귀국에 대하여도 불의, 무명의 전쟁을 유발하여 침략전단을 일으킨 것도 이토 일파의 침략주의자들의 계략에서 나온 것이며 이번 귀국을 방문한 목적도 우리 한국을 병탄하려는 간악한 계획을 실현하려는 준비행동에 불과한 것이다.

헌병

동지는 몇명인가?

안

동지는 2천만이다. 그러나 이번 의거는 나의 단독행동이었다. 이후에도 참간의 의용대는 속출할 것이다.

헌병

『코레아 우라』를 3창한 이유는?

안

목적 인물 이토가 쓰러진 것을 보고 통쾌함은 물론이오, 또한 대한남아의 의거임을 여러 사람에게 알리기 위하여 『코레아우라』 (대한만세)를 연창하였던 것이다.

---

31 편역자: 간악한 사람을 베어 죽임.

이 사건으로 재류동포로 러시아 관헌에게 체포된 사람이 30명 이상이나 되었으나 조사한 결과 대부분은 석방되고 여순 왜옥(倭獄)까지 압송된 사람은 25일 채가구역에서 단총소지 이유로 체포된 우덕순, 조도선 두 사람과 하얼빈에서 안중근이 이강 앞으로 부친 서한 3통을 우송코자 회중하였던 관계로 체포된 유동하 등이며 유동하의 부친 유경집과 탁공규(卓公奎) 등 여러 사람은 증인으로서 러일 양국 관헌에게 엄중한 신문(訊問)을 받은바 있었다.

48. 부인의 만리여정에 경악사만 중복!

우연한 영감이라 할까? 아니면 혹 신의 계시라고 할까? 의사 부인 김아려(金亞麗) 여사는 영식 준생과 영양(令嬢) 현생을 대동하고 부군을 찾아 10월 26일 오전 7시에 『뽀구라니지나야』 세관에 근무 중인 정대호(鄭大鎬)의 귀임을 계기로 그에게 동행을 의탁하여 남포역을 출발하였으니 향발 2시간 후에 부군이 거의한 사실은 전연 몰랐던 것이다. 친가 오빠 김능권(金能權)은 평양까지 동승 전송 나왔었다. 일행이 봉천을 지나 관성자(寬城子) 역에 도착하니 러시아 관헌들이 한인 여행객에 대하여는 남녀노소를 막론하고 엄중한 검문, 검색을 실시하였다. 부인의 출발역이 진남포였기 때문인지 어떤 이유도 말하지 아니하고 경찰서로 인도하여 수감하였다.

같은 방에 수감 중이던 어떤 부인이 다른 부인에게 향하여

갑

하얼빈에서 이토를 죽인 사람이 누구라던가요?

을

평양 사는 안서방(安書房)이라던데요.

갑

총으로 쏘았다지요.

을

권총 여섯 발 중에 이토에게 세발 맞고 세발은 다른 일본사람 세 명이 맞았다 하오.

김여사(金女史)는 이 말을 옆에서 듣다가 혹이나 주인의 신상에 무슨 이변이나 생기지 않았나 하여

부인
언제 그런 일이 생겼습니까?

병
26일 아침에 하얼빈 정거장에서 야단법석이 있었지요.

부인
쏜 사람은 평양사람이라지요?

병
평양사람이 아니라 진남포 사는 안응칠이라는 30세 가령 되는 사람이랍니다.

김여사는 기절하리만치 놀랐다. 그러나 내심 쾌재를 부르면서도 일면 경악한 빛을 억제하면서

부인
그 사람은 잡혔나요?

병
즉시 그 자리에서 러시아 헌병에게 체포되었답니다.

김여사는 또 한번 실신하리만치 놀랐다. 부군의 신상에 생긴 괴변임에 틀림없었다. 시시각각으로 추상한 예감은 제대로 적중하는 것이다. 극도의 불안과 초조로 한시도 몸을 진정할 수 없었다. 극력 평정을 유지하려고 노력하였으나 대담하던 같은

객실의 부인들은 좀 이상하게 주목하는 것 같았다.

일각일순이라도 속히 현지로 가서 사실여부를 확인해야 되겠다는 일념뿐이었다.

초조한 하루 밤은 지나고 날이 밝았다. 아침 급식이 들어왔다. 아이들은 공복이 심하여 한 술씩 먹었다. 식사 후에 김여사는 형사실로 호출되어 어제 유치한 일인 형사에게서 신문(訊問)을 받았다.

형사

본적, 주소, 씨명, 연령은?

부인

본적은 재령, 주소는 평양, 씨명은 김아려(일명 소사(召史)), 연령은 32세라고 대답하였다

형사

진남포역에서 차표를 산 것은 무슨 이유인가?

부인

진남포 용정동에 친척 정대호씨가 있으므로 동행하기 위하여 같이 진남포에서 승차하였다.

고 대답한즉 형사는 다른 방에 수감 중인 정씨를 불러 물어보았다. 답변이 서로 부합하므로 석방 되어 당면한 호구는 탈출하였다.

김여사는 정대호와 같이 하얼빈시로 급행하였다. 그곳에서는 이토 살해사건으로 천지가 소동하며 민심이 흉흉하였다. 거사의 장본인이 부군임에 틀림없었다. 진퇴유곡에 빠진 부인 김여사 일행은 여관을 정한 후 남포 본댁으로 급보를 타전하여 영제(令弟)를 러시아로 보내라고 요구하였다. 아버지를 그리워 우는 아이들 때문에도 일각이라도 시급히 부군을 대면코자 하는 마음 태산과 같았으나 도저히 목적을 달할 방법은 없었다.

49. 유가족에 대한 일관헌의 폭압!

남포항 본댁에는 매일과 같이 이사청 일본경찰이 찾아와서 심지어 천정과 온돌까지 뚫고 수색하여 사진과 편지를 압수하고 형사대가 부근일대에 매복하여 일체 외부와의 연락을 차단하고 있었으므로 김여사가 하얼빈시에서 타전한 급보도 그들 왜경의 손에 들어갔다가 10여일이 지나서야 비로소 배달되었던 것이다.

본댁에서는 그 전보를 받기 전에도 무슨 큰 이변이 생긴 것이라고 짐작은 하였었다. 그러자 이토 히로부미가 살해당하였다는 것과 그를 죽인 사람이 안응칠이라는 신문기사가 보도되었으므로 사건의 일부는 충분히 추측하고 있었던 차에 형수인 김여사로부터 전보를 받고 영제 공근(恭根)은 공립보통학교 교원의 직을 사퇴하고 사형(舍兄) 정근(定根)과 가족일부를 대동하여 하얼빈에 도착한 것이 1909년 11월 중순이었다. 기다리던 형수와 서로 만나 눈물겨운 경과담을 교환하고 우접(寓接)[32]할 장소를 목릉(穆陵)으로 결정하였다.

그러나 그때는 이미 사건이 러시아 관헌으로부터 일본 관헌의 손으로 이관되어 안의사 외 관계자 일동은 여순의 관동도독부 지방법원 검찰국으로 이미 압송된 후였다. 목능 작은 집에 여장을 푼 후 정근과 공근 두 사람은 다시 여순으로 옮겨서 그곳에 근거를 정하고 접견, 차입(差入)[33], 교신과 변호인의 선임 등에 급급하였으나 일관헌의 폭압으로 만사가 여의치 못하였다.

50. 사건관할에 관한 러 · 일 양국간의 교섭

일관헌은 러시아 당국에 대하여 사건의 인도를 요구하였으므로 현지의 러시아 관헌은 그들의 본국 정부의 지령도 없이 안의사를 비롯한 4명의 신병을 관계기록과 함께 당일 오후 10시 일본 총영사관 경찰서로 인도하였다.

러시아 측 중앙정부에서는 사건의 중대성을 보고 자국 측에서 직접 처리할 것을 엄명하였다. 하얼빈 러시아 관헌에서는 다시 일본관헌에 교섭한 결과 그 날로 러시

---

32 편역자: 남의 집이나 타향에서 임시로 삶.

33 편역자: 구치소나 교도소에 수감된 사람에게 음식이나 옷, 돈 따위를 들여보냄.

아 감옥으로 이감케 되어 국경 제8구 시심재찰소 판사 『스토라토프』로부터 신문(訊問)을 받게 되었다. 일면 일본 정부에서는 경호 조루(粗漏)의 책임을 추궁하며 사건의 인도를 엄격하게 말해 왔으므로 러시아 측은 당시 대일국교의 미묘한 사정에 입각하여 이를 강경히 거부하지 못하고 시키는 대로 응락하여 사건은 또다시 일본 총영사관으로 이관하게 되었다.

사건인수에 성공한 일본정부에서는 한국에 있는 통감 소네 아라스케(曾禰荒助)에게 명하여 경시 나가타니 류조지(永谷隆造志) 외 검사 1명을 파송시켜 사건의 진상을 조사케 한 후 같은 해 10월 31일 관동도독부 여순지방법원으로 송치하여 미조부치(溝淵) 검찰관 및 마나베(眞鍋) 판관의 심리를 받게 하였다.

안중근의사는 미조부치(溝淵) 검찰관에게 『자신의 이번 의거는 대한국의용대 참모중장으로서의 전투행동을 단독 실행한 것이며 결코 어떠한 개인으로서의 이토 히로부미 일개인을 암살한 행위가 아니므로 일반범인과의 동일한 재판 취급은 받을 수 없다』하고 강경히 주장하며 재판관할권의 부당성을 지적 항변하였으나 하등 효과도 없이 재판심리는 일본 측의 일방적 의견만으로 진행되었다.

51. 민선 변호인의 거부와 일방적 폭압재제

검찰관의 법정 구속기한은 만40일임에도 불구하고 무법하게도 만3개월 이상을 유치한 후 다음해(1910년) 2월 5일에 비로소 예심도 경유하지 않고 직접 기소 절차를 취하였다.

이러한 불법조치와 대한침략 음모의 큰 비밀이 세계열국에 백일하에 폭로될 것을 두려워하여 일본 정부에서는 이러한 국제적 대사건의 공판임에도 불구하고 민선 변호인의 선임을 일체 거부하고 자국 변호사 카마다(鎌田), 미즈노(水野) 두 사람만을 관선으로 변호케 할 뿐이었다.

민간 변호인으로서 일체의 비용을 스스로 부담하고 자진하여 법정에서 변론하기를 희망한 안병찬(安秉瓚) 변호사를 필두로 해삼위 대동공보사장 유진률, 이강 두 사람의 주선으로 머무르고 있던 한국 교포가 초빙한 『이(李)하일노부』[34]및 상해 영국인 변호사 1명, 러시아 변호사 1명 등 8명의 변호신청이 있었으나 일본 정부 측에서는 이를 전적으로 거부하였으므로 세계법조계의 비난이 자자하였다. 이러한 국제적 여론을 감안하여 일인 변호사 기시(紀志)같은 자는 마나베 재판장을 직접 면대하여 공판의 부당성을 지적 항변한 바 있었다.

1910년 2월 7일 오전 10시 공판 첫날에 방청석에 있던 안의사의 영제 정근은 분개심이 너무 커서 『이러한 불공정한 재판은 받을 필요가 없다』고 절규하였으나 마나베 재판장은 재판장의 관리로 하여금 이를 제지케 한 후 공판은 일방적으로 진행되었다. 그 사이 5회의 공개공판과 1회의 비공개 공판만으로 같은 달 14일 결심을 선고하였으니 세기적 중대한 사건의 소홀한 취급에 열국 법조계의 여론은 들끓었던 것이다.

52. 미조부치(溝淵) 검찰관의 기소개요

(1) 피고의 성격

앞 부분 생략. 피고 안중근은 피고 4명 중의 두목이다. 조부는 안인수(安仁壽)라 하며 진해현감(鎭海縣監)을 역임한 바 있고, 부친은 안태훈(安泰勳)이라 불리는 진사였다. 재산도 상당히 있어 안중근 자신의 말하는 바에 의하면 원래는 천석, 지금도 수백석의 토지가 있다 한다. 두 아우가 말하는 바에는 현재는 풍년이면 100석, 흉년이면 5~60석이라 한다. 좌우간 황해도 신천의 명문가이다. 그 지위는 고관대작의 반열에 속하지 않는다 하여도 1894년(명치 27) 동학란이 일어나자 아버지 태훈은 관찰사의 명을 받아 이를 토벌하여 명성이 높았다. 일가일문은 일찍부터 프랑스의 천주교에 귀의하여 그 신앙이 견고하다. 안중근이 영세 받은 것은 17세 때이라는 것은 피고와 그 두 동생이 진술하는 바이다. 집에 남은 재산이 있으므로 형제 3인은 모두 다 교육을 받아 두 형제는 중등 교육을 마쳤다. 그러나 안중근은 정규의 학업을 받

34 편역자: 미하일로프.

지 않았다. 그런 집에 탄생하여서도 다만 경서(經書)와 통감(通鑑) 제9권까지와 한역(漢譯)된 만국사와 조선사를 읽을 따름이라 한다. 한국의 대한매일[35], 황성신문, 제국신보, 샌프란시스코의 공립신문, 블리디보스토크의 대동공보 등에 의하여 정치사상을 함양하였다. 또 진남포에 이사한 후 배일(排日) 연사 서북학회의 안창호의 연설을 듣고 크게 감동한 바 있다는 것은 두 동생이 진술하는 바이다. 진남포에서 타인과 석회상을 경영하였으나 실패하고 많은 부채를 지게 되었다. 기질이 강직하여 사사건건 부모형제와 의견이 부합하였다 함은 안중근 자신과 형제들이 진술하는 바이며, 처자에 대하여도 극히 냉정하고 자기를 믿는 힘이 강하여 선입감이 주가 되어 용이하게 다른 사람의 말을 용납하지 않는다. 전술한 신문과 안창호 기타의 연설에 의하여 한번 정치사상이 주입되자 형제처자를 버리고 고향을 떠나서 배일파들이 집합하고 있는 북한과 러시아령으로 가서 점진파 또는 급진파와 교제하여 처음에는 교육 사업을 일으키려 하였으나 성공치 못하고 의병에 몸을 던져 제멋대로 하는 무뢰배 참여하기에 이른 것이다.(이하 생략)

(2) 죄범의 동기

결의를 함에 이른 모양은 이토공에 대하여 개인적 욕망이나 원망이 있는 것이 아니라 개인으로서 생명을 빼앗는 것은 하지 못할 일이지만 동양평화와 한국독립을 위해서는 이것을 멸망시키지 않을 수 없다. 이것을 위하여 부모형제도 버린 것이다. 운운 (이하 생략)

(3) 범죄의 기회와 행위의 상태

안중근과 우덕순은 9월 8일(양력 10월 21일) 오전 8시 55분 블라디보스토크를 출발하여 3등의 우편열차로 소왕령(蘇王嶺)에 이르러 그곳에서부터는 2등으로 바꾸어

---

35 편역자: 대한매일신보.

타고 하얼빈에 도착하였다.

이것은 『뽀쿠라니-치나야』에는 세관이 있어서 3등 승객의 조사가 엄중하므로 발각을 염려한 까닭이다. 도중부터 유동하를 동반하고 9일(양력 22일) 오전 9시 하얼빈에 도착하여 김성백 집에 투숙하고, 10일(양력 23일) 조(曺)를 데리고 와서 통역할 것을 위촉하고 11일 (양력 24) 오전 9시 채가구로 향하였다. 안이 채가구에서 하얼빈에 돌아온 것은 러시아력 9월 11일일(양력 24일) 무렵. 유(劉)의 전보에 내일 아침 즉 12일(양력 25일) 아침 이토공이 도착한다는 내용이 있었으므로 채가구에서는 새벽에 통과하는 열차가 없으므로 안은 이것으로 말미암아 큰 불안을 일으킨 것이다. 안이 채가구에서 돌아온 것은 여비의 부족을 보충할 목적이었다고 하나 결행 목전에 이르러 여분의 금전이 어찌 필요하랴. 그것은 발뺌 하는 말임을 알 것이다.

또 3인이 그곳에 있는 것보다는 서로 분산하는 것이 편리하다는 의견을 갖고 있었다는 것은 안이 일단 스스로 진술한 바이다. 또 그 우, 조와 이별할 때에 『하얼빈의 상황에 따라 다시 돌아오겠다. 너희들은 기회가 있으면 이곳에서 결행하라』 고 말하여 두었다는 것은 안, 우의 공술(供述)을 종합하면 명백하다. 안은 하얼빈으로 돌아가 그 준비계획이 틀림을 보고 유(劉)를 질책하기까지 하였으나 그 착오가 오히려 호기를 얻게 된 것이다. 러시아력 9월 13일(양력 10월 26일) 아침에 하얼빈 정거장 안에는 일본인의 자유 입장을 허가하게 되었다. 일본인과 유사한 한국인은 일본인과의 구별 단속이 없으므로 안은 큰 활개를 치며 환영인의 집단에 들어가 그를 저격하여 이토공을 죽이게 된 것이다.

그 모양은 러시아 대장대신의 증언으로서 믿을 수 있다. 안이 사용한 총기는 예리한 『브라우닝』 식 7연발로 또 여분의 한 발을 장전하여 있었다. 피고는 권총에 노련한 자다. 한 발이라도 공탄이 없고 3발은 이토공에 명중하였다. 피고가 필성(必成)을 기한 공포할 십자로 잘린는 탄환은 인체의 단단한 부분에 닿으면 구리와 『니켈』 포피의 분리를 촉진하는 효용이 있어 상처를 크게 한 것이다. 폐를 관통한 2개의 탄환은 흉강내의 대 출혈을 일으켜 십 여분 후에 절명하였다. 어느 증인의 말에 의하면 이토공이 범인이 한국인이라는 말을 듣고 『어리석은 녀석』이라 하였다지만 사실은 그렇지 않다. 이토공은 범인의 국적 취조가 있기 전에 절명한 것이다. 공을 저격한 부작물(副作物)로 공과 파고의 사이에 있던 카와카미 총영사는 다른 일탄에 의하여 좌상박(左上膊)에 일탄을 받아 부상한 것은 관계자의 증언과 감정으로 보아 많은 말을 할 필요가 없다. 파고는 공작이라고 상상한 선두의 인물에 총구를 향하여 참으로 착오 없이 하려고 방향을 바꾸어 3탄을 발사하였다. 탄환 2개는 모리, 타나카 두 사람을 부상시킨 것이다. 그 부상은 감정한 바와 같이 별로 열거할 필요가 없고 남은 한 탄환은『플이트폼』에 있었다고 십자형으로 잘린 부분에 나사모가 들어가 있는 것을 러시아 관헌이 보낸 것이다. 이 탄환이 나카무라와 무로다 두 사람의 바지를 관통한 것일 것이다. 우, 조는 채가구에서 결행하려고 하였으나 러시아력 9월 12일 밤 이후 13일(양력 10월25일, 26일) 이토공 탑승의 열차통과시는 물론 그 후의 경계가 엄중하여 용변을 빙자하여 외출하려고 하였으나 성공하지 못하여 온갖 장애를 넘어 대사를 결행하려고 한 우도 어떠한 수단도 행하지 못하였다. 내용으로는 전일부터 안에게서 분배된 십자형으로 잘린 탄환을『브라우닝』7연발총에 장전하고 장탄중의 일탄은 상부 총신 내에 있어 안전장치를 풀고『방아쇠』를 누르면 즉시 연속 발사할 수 있었지마는 마침내 발사할 기회가 없었고 조도 역시 그 5연발에 5발을 장전하면서도 원한을 품고 체포되어 그 목적을 이루지 못한 것이다. 유는 어떠한 점에서 공이 있느냐 하면 통신 연락기관이 되어 안을 하얼빈으로 오게 하여 다시 채가구로 가지 않고 도리어 성공의 기회를 얻게 한 것이다. 안으로 하여금 만약 채가구에 그대로 있게 하였다면 이토공의 생명은 빼앗지 못하였을 것이다. 그 결과에 대하여 유의 행위는 방조임은 논할 필요도 없다. 조에게 공이 있다 함은 실행을 같이하려고 하였으나 우와 같이 결행에 이르지 못하고 예비에 머무른 것이다.

1. 본사건의 소송법상의 문제

(1) 본건을 취급하는 것이 당 법원의 관할인가 또 그 수속이 적법한가 아닌가는 선결 문제이다. 이 문제가 부정된다면 그 이상 실체법상의 유죄, 무죄형의 종류 정도를 논할 여지를 볼 수 없다. 또 이 문제의 성질은 소송당사자의 주장을 얻을 것이 아니다. 실로 재판소의 직권조사의 사항에 속한 것이다.

(2) 본직은 본건이 본원의 관할인 것을 선명하려고 한다. 그 이유로는

(가) 하얼빈은 청국 영토로서 동청철도 부속지인 동시에 공개지이다. 청국에 대하여 치외법권을 소유한 각국은 이곳에 있어서 자국신민에 대하여 법권을 소유하고 있다. 일본과 한국은 청국에 대하여 각자 국민에 대하여 치외법권을 소유함은 조약상 명료하다. 따라서 본조에 대하여 러시아 또는 청국

에 재판권이 없음은 명료하다.

(나) 하얼빈주재 제국총영사는 1899년(명치 32년) 3월 법률 제70호, 1900년(명치 33) 4월 칙령 제153호에 의하여 일본 신민을 관할하므로 단지 이 조약만이라면 일본관헌은 외국인인 한국 신민의 관할권을 갖을 수 없지만,

(다) 명치 1905년(명치 38년) 11월 17일 일한보호협약 제1조에 의하여 한국 외에 있는 한국 신민의 보호는 제국 관헌이 이를 행하게 되어 있다. 제국에 있어서 법원의 하나로 인정된 학설과 실례가 있으면 이 일한협약에 의하여 제국 총영사의 직무관할에 관한 법령은 확충된 효력을 가짐으로써 총영사는 일본 신민 외에 한국 신민도 관할함은 당연하다. 그러므로 소송법상 본건 피고사건이 하얼빈 제국 총영사의 관할에 속함도 역시 명백하다.

(라) 다시 1908년(명치 41년) 법률 제52호 제3조는 외무대신의 영사재판권의 관할이전에 대한 명령권을 승인하였다. 그래서 본건은 1909년(명치 42년) 12월 27일의 동 대신의 발령에 의하여 관할이 결정됨은 이론의 여지가 없다.

(3) 또 같은 날 법원에 관할이 이송된 후로는 법원의 수속법인 1908년(명치 41년) 9월 22일 칙령 제213호 관동주 재판사무취급령에 따라 취한 수속은 합법한 것이다. 동영에 의하면 중죄사건은 반드시 예심을 할 필요가 없음은 동 제73조에 명기한 바이다. 본건은 피해자, 범인, 범죄의 장소, 그 방법 등이 천하의 이목을 끌었으나 그 사실은 간단하여 검찰관에 있어서 당연 강제력을 가할 수 있던 현행범이었으므로 조사의 결과 즉시 공판을 구한 것은 우리 국내에서 시행되는 형사소송법과는 다르지만 전혀 위법이 있는 것이 아니다. 요컨대 관할이 다르다. 또는 공소 불수리론(不受理論)의 여지가 없음을 언명한다.

2. 실체법상의 문제

피보호국 신민에 대하여 보호국 관헌의 관할과 수속은 명확하나 그 적용될 실체법이 어떠한 가에는 의론의 여지가 있다. 반대설을 상상함에 한국 신민에 대하여서는 일본관헌이 한국법을 적용해야 된다고 할 것이다. 어찌하여 그런가 하면 일한보호조약 제2조에서는 일본은 한국이 타국에 대한 조약을 집행할 책임을 진다고 명기되어 있다. 또 1899년(광무3년) 9월 10일 청한통상조약 제5조항은 한국 신민에는

한국법을 적용한다는 명문에 견주어 보면 본건에 적용할 실체법은 한국법 즉 형법대전이 아니면 안 된다고 할 것이나, 그러나 본직은 이에 반대하여 앞서 든 보호협약에 소위 보호는 그 형식적 실질같이 제국법에 준거할 것이라고 믿는다. 어찌하여 그런가 하면 한국이 청국에 대하여 권리만을 소유할 때에는 청국에는 어떠한 부담도 생기지 않는다. 이 범위 내에 있어서는 한국의 치외법권의 내용은 일한보호협약에 의하여 자연 변경을 허락하는 것이고 또 일본이 협약의 정신에 따라 외국에서는 보호협약 아래에서 준일본인으로써 제국의 법령을 따를 것이라고 해석함이 상당한 바인데 한국민의 신분 능력에 속한 법률 관계는 우리 법령 제3조에 의하여 그 내용으로써는 한국법령을 따를 것이지만 법리상으로 말하면 사람의 신분능력은 그 본국법을 따른다는 제국법령에 준거하는 것이다. 본건과 같은 범죄와 형벌관계에 있어서 한국인에 적용되는 것은 즉 제국형법이다. 제국형법의 적용에 대하여서도 의론이 있을 것이다. 혹은 특별 적용 즉 형법 제2조, 제3조 제3항의 보호주의로써 열거한 때에 한정한다는 설이 없지는 않겠지만 본직은 전부 적용을 주장한다. 즉 보호협약의 정통해석 상 청국에 있는 한국인은 일본신민에 준하여 각 법령 소정의 범죄전부를 형법에 의하여 논할 것이라고 믿는다.

韓國人 執筆 安重根 傳記 Ⅲ

脫草本

一 大韓季年史 中 安重根 記事

鄭喬

安重根殺伊藤博文於哈爾賓

時,日本與淸國協約, 得滿洲之吉林·會寧間鐵路敷設權, 自安東縣達于奉天, 淸國人民譁然, 而米國政府有抗議, 俄國對於吉林鐵道線, 以競爭之心, 求洮南鐵路敷設權於淸國, 俄國大藏大臣, 以視察極東次, 來于哈爾賓[1], 博文欲往會而密議滿洲事, 乘汽車, 二十六日[2]午前九時到哈爾賓, 俄國大藏大臣來訪于列車內, 約二十分相與談話後, 駐在哈爾賓日本領事村上[3], 導之而下車, 淸·俄兩國軍隊及文武官·各國外交官等其他人民等皆歡迎之, 博文步行詣其前, 以次行握手禮, 回日本人列立處, 忽目俄國軍隊整列便, 我國人 安重根 發七連發拳銃, 第一次彈丸三個中博文, 二次射中日本領事右腕胷部, 第三次射中秘書官 森槐南右腕胷部, 最後射中滿州鐵道理事日本人田中右足, 鐵道總裁中村是公, 抱起博文, 而俄國官人等, 救護還歸汽車內, 日本醫生小山, 以繃帶纏束之, 與他醫生, 共赴俄國病院, 與其醫師共爲急治之, 過三十分後遂死, 卽午前十時也, 重根着洋服, 其放銃凡六發, 而僅不過一分, 三日前博文, 語小田技師曰, 余則被人暗殺本望也, 果如其言, 中丸時第一丸, 自右腕上膊二分之一, 通右肋部留於心臟下部, 第二丸自第五肋骨貫通胷部留於第六肋骨, 第三丸貫通上膊中部, 博文中丸後坐汽車內曰多中彈丸也, 俄大藏大臣來慰問, 博文曰呀呀爲韓國, 未結語而呻吟, 聞森槐南亦中丸, 曰森亦中耶, 遂死, 俄國官人卽拿重根, 嚴重調查後, 送于日本領事, 時博文所乘列車嚴爲警戒, 二十五日夜, 過西河時, 見禹延俊·曹道先兩人持拳銃, 卽爲捕縛,重根自元山, 由浦鹽斯德,

---

1 俄國領地也.

2 舊曆九月十三日.

3 편역자: 川上.

二十五日午後七時至哈爾賓云, 被拿時顏色從容自若, 博文之屍二十六日午前十一時發哈爾賓, 午後五時到長春, 俄公使以下諸官員, 皆以喪服吊送, 至于長春, 日本國人聞博文之死, 莫不驚愕, 日帝遣其侍從及侍從武官而急送軍艦, 赴大連灣, 迎其屍, 我皇太子[4]亦使附武官金應善, 往大磯博文家, 吊于其妻梅子[5], 又使之赴大連灣, 自是日[6]日本憲兵一名, 把守李完用私邸之門, 統監府亦嚴爲警備, 宋秉畯[7]請巡査三名于日本政府, 護其旅舘, 二十七日帝以電, 吊博文之喪于日皇, 遣侍從院卿 尹德榮, 太皇帝遣承寧府摠管 趙民熙爲勅使, 赴大連灣慰問之, 摠理大臣 李完用, 以內閣代表, 亦往, 漢城府民會長俞吉濬以府民代表亦赴之, 二十八日午前十時義王赴統監府, 下午二時各府·部·院·廳奏任官, 亦赴統監府, 吊博文之喪, 下午三時, 帝幸統監府慰問之, 詔停坤元節[8]之賜宴諸臣, 賜博文謚文忠, 詔停朝市三日, 內部大臣 朴齊純, 奉旨發訓于十三道, 是日完用等, 午前十時到大連, 載博文屍之軍艦已發, 急追至三山島冲, 於船上傳勅吊, 午後一時歸航, 二十九日歸國, 日本贈博文從一位, 詔以國葬, 禮葬之, 同日博文屍歸其國, 二十九日我內閣以二十萬圜贈博文之喪葬, 又贈祭祀費三萬圜, 三十日帝遣勅使宮內府大臣 閔丙奭, 大皇帝遣承寧府副摠管 朴齊斌, 往會博文之葬于大磯, 農商工部大臣 趙重應, 以內閣代表往焉[9], 三十一日俞吉濬亦赴之, 十一月一日[10]帝國新聞社[11]長鄭雲復[12], 國民新報社[13]員一人, 以各新聞代表亦往焉, 一進會前副會長洪肯燮以其會總代亦赴之[14], 同日[15]丙奭等至日本東京, 以倉猝無所準備, 以電話通于其宮內省, 借所乘馬車而進見日皇, 留于洋製旅店, 時市民輿論沸騰, 以爲暗殺博文之事, 出於韓國貴顯人, 則當雪忿於今番特派使之文字, 以郵遞來于旅店者, 不計其數, 其警察官吏保護極嚴, 大關係

4 時在日本東京.
5 時博文子博邦, 往于大連.
6 卽二十六日.
7 時在日本東京.
8 三十日也.
9 重應以銀製花瓶一箇, 贈博文家.
10 舊曆九月十九日.
11 光武二年京城人民所設者.
12 是行也, 雲復對日本人曰日本當合併韓國, 日本人卽揭于新聞, 後, 國民大演說會聲討其罪, 而於群衆中演說之雲復, 又受日本人之金, 而爲其偵探人, 至國亡亦如之.
13 一進會所設者.
14 肯燮以銀製花瓶一個, 贈博文家, 與宋秉畯, 密議, 韓日合併聲明書布告事.
15 卽十一月一日.

事以外, 不計[16]外出, 丙奭等如在死地, 我皇帝之親國書, 亦傳於其宮內省大臣, 而僅參博文之葬[17], 四日[18]帝幸統監府, 參博文公葬追悼會, 皇太子[19]服喪, 往會其葬, 同日, 帝下詔褒美博文之功, 內閣及府民, 設官民大追悼會于奬忠壇, 發起人李完用及各部大臣與諸官吏·義王·永宣君 李埈鎔·諸皇族及宮內府大小官吏·漢城府民會長代辦副會長尹孝定[20]往會之, 孝定勒使京城內外各坊曲任員及議員與人民往參之, 學部大臣李容稙發訓, 勒令官私立學校職員, 率其學徒來參之, 各新聞社停其刊報而往會之, 警視廳令五署人民揭半旗於門首, 纏麻布於旗桿, 以表吊意, 內部大臣 朴齊純發訓於漢城府及十三觀察道·使學校休學一日, 又禁歌曲·音樂, 奬忠壇南麓, 設白布帳, 內安博文之位牌, 書曰太子太師大勳位文忠公[21]公爵伊藤博文殿下神位, 其前排祭物床及香桌祭物, 則以我國舊禮設飯羹·酒果·脯醢·糆餠·蔬菜·魚肉等物, 前後左右羅列, 或懸揷紅紗燈籠, 皇后命女官六人往參之, 官民及軍隊·學徒來者, 七八千人, 完用及閣 院廳官吏詣位牌前, 樂作, 完用鞠躬焚香, 獻爵, 祭文委員讀完用等祭文, 後完用及各大臣與官吏行鞠躬禮而退, 義王及李埈鎔以下諸皇族官吏等, 就位牌前, 樂作, 侍從院卿尹德榮, 鞠躬焚香獻爵, 讀德榮等祭文後, 德榮及諸皇族宮內官吏行鞠躬禮而退, 尹孝定及士民就位, 樂作, 孝定鞠躬焚香獻爵, 讀孝定等祭文後, 孝定及士民行鞠躬禮而退, 樂作, 軍隊行敬禮于位牌而退, 樂作, 各學校職員及學徒行敬禮于位牌而退, 執事者焚其位牌, 撤床, 祭文頗多, 而爲除其煩複, 只用三通, 而皆極讚博文之功德, 五日分送其祭物於各官廳.

十一月日本送安重根於旅順關東都督府高等法院

自哈爾賓日本領事, 發憲兵十一名·巡査四名護送之, 二日夜重根及連累者八人, 過奉天, 而送旅順, 重根體幹短少, 面目秀麗, 慷慨之氣溢現於顔色, 有痘痕, 背着

16 편역자: 許.
17 九日丙奭等還.
18 博文葬日.
19 在日本.
20 時兪吉濬以會博文之葬留日本.
21 以上我朝所賜.

洋服, 坐於特別護送第二等列車, 其車內日本憲兵巡查充溢, 而過去之每停車場, 多數日本憲兵·巡査, 圍繞車室, 嚴爲警戒[22], 三日朝重根到旅順, 巡査三名, 各從重根等, 一名背後執縛繩, 二名在左右, 扶其腕, 特重根與一人, 又有各憲兵附從, 分載於一臺之馬車, 不經市街, 迂廻山路, 直送于該地監獄署, 沿路巡查等, 擔銃嚴爲警戒, 重根有自若之態[23], 以日本關東都督府高等法院長平石·檢事溝口[24]等, 尙滯在哈爾賓, 不得行正式豫審, 而只行警察調査, 此則參謀長 明石·政務局長 倉知立會云[25], 重根弟定根年二十六歲, 迄于今春, 授業於京城養正義塾[26], 恭根年二十二歲, 官拜鎭南浦公立普通學校判任四等訓導, 以七級俸, 支過一家之計活, 聞其兄之事, 不安在官, 而辭其職, 十六日[27]遞, 重根自哈爾賓, 護送大連灣時, 於汽車內, 罵日本巡査輩曰汝等當以志士待我, 勿以汝輩手近於我神聖之體, 其在獄中泰然熟睡, 人皆吃驚其大膽無敵, 旅順假法庭日夜嚴爲審問, 關其審查之書類, 漢俄日文, 積置數架, 將一一翻譯調查, 又發金多額, 自國內各地及海蔘威·哈爾賓·上海等地, 蒐集電報, 照會文字, 而自各地, 每日幾十枚來到[28], 諸人或談論之際, 及妻子事, 則有戚然流涕思故鄕者, 獨重根以爲憂國志士, 不思妻子, 行刺事無他關係者, 唯自己一人之意思, 素性嗜酒, 自二三年前誓以韓國獨立前不飮[29], 重根以下八人連累者, 終其豫審, 地方法院長眞鍋, 手自審査其書類, 其犯跡甚廣, 北韓方面, 尙今繼續取調[30], 重根兩弟與在滿洲之阪井統監府警視一人, 在我國之通譯平服巡查一人·在大連灣之平服巡查三人, 十八日夜赴旅順, 以與其兄商會事, 爲其兄在獄外周旋事, 爲養其老母, 率其兄之妻子歸國事, 請於在旅順之日本官吏, 聞其兄之妻及子在俄國布克羅尼支那耶地, 二人赴其地, 二人皆精通日本語, 而留於日本人旅店[31], 是時京城人士, 以重根事嫌疑者, 被捉於警視廳者甚多, 皆以無罪得釋, 惟平壤人安昌浩被囚於龍山日本軍司令部, 以其有病, 二三日間保放, 昌浩兒時入於耶蘇新敎, 留京城,

22 日本大阪每日新報據大連灣電.
23 大阪每日新報據旅順電.
24 편역자: 溝淵.
25 十三日大連電.
26 上村人所設, 而敎法律也.
27 舊曆十月初四日.
28 日本之朝鮮日日新聞所揭者, 而十二月初二日謄載我皇城新聞.
29 大阪每日新聞所以揭載者而十二月五日謄皇城新聞.
30 十日日本東京電.
31 大阪每日新報二十三日皇城新聞謄載.

後遊米國, 知天下之大勢及國家之將亡, 不勝忠憤慷慨, 元年[32]歸國, 或赴社會而演說, 或對人言論, 必激切勸諭, 以扶宗國之傾危, 日本人甚憚之, 以是囚之, 昌浩大聲叱責曰汝輩以無緣由, 欲殺韓國之志士乎, 仍仆地氣絶, 日本人招其友人, 使舁之以去, 稱以保放[33], 日本辨護士紀志·英國辨護士都克羅斯, 皆願爲重根辨護, 而都克羅斯, 誓以正當, 重根亦許之[34], 以連累重根事, 滯囚於旅順, 日本之監獄人七名, 先以無罪釋之, 金麗水·金成玉·金衡在·卓公圭, 二十四日以無罪得放而日本巡查二人, 護送向哈爾賓[35], 重根聞其兩弟之來, 乃言曰彼若欲見我, 則見之, 我則決無欲見之心, 及得監獄官之許可而相見, 恭根失聲哭泣, 重根亦不抑制其心思, 颯然赤氣現於顔色, 少頃三人皆以靜穩之態相對, 兩弟先以其母所寄十字架[36], 置於重根之頭上, 傳母之言曰余於現世, 難期再會汝面, 汝就今後神妙之刑, 速洗現世之罪惡, 必爲來世善良天父之子, 再爲出世也汝受刑之時, 神父[37] 爲汝而特遠路跋涉, 代汝身而捧懺悔矣, 汝於其時依神父手下之教式, 從容辭去現世, 重根答曰誓依教, 其後兩弟問其兄嫂母子帶歸後如何措置之意, 重根冷答曰區區妻子, 汝等從便處理[38].○先是南宮億[39]爲皇城新聞社長,與主筆記者張志淵, 議如金永準·李容翊·李根澤之流, 極惡大憝事, 一不揭載于新聞, 人莫不唾罵其諂附于政府, 檍素與一進會員韓錫振最親善, 雖不入其會, 而密通其聲息, 及申箕善之爲參政[40]也, 箕善亦密通於一進會, 錫振遂薦檍於箕善, 得拜官制釐定所委員, 志淵素貪鄙, 受人之賄賂而載其事於新聞, 當五條約締結之時, 社員劉在護[41]勸志淵載條約顚末於新聞, 志淵恐恸不敢, 在護及其他社員屢言之, 乃揭之而題曰, 是日也放聲大哭, 以此, 志淵被囚於警務廳, 不久得釋, 遂辭其主筆, 劉[42]瑾[43]代志淵, 凡載義兵之事必稱暴徒[44], 若

32 편역자: 一九〇六年.
33 昌浩保放事揭于二十五日皇城新聞.
34 揭二十八日皇城新聞.
35 四人以本國人移駐于哈爾賓者.
36 重根母入耶蘇舊教.
37 授重根洗禮之法國宣教師.
38 據大阪每日新報謄載二十八日皇城新聞.
39 편역자: 檍.
40 事在光武八年.
41 前度支部主事.
42 편역자: 柳.
43 前度支部主事.
44 時他新聞揭之曰義兵或曰義匪.

安重根·李在明[45] 必揭之以行凶者·或凶犯, 世人唾罵之曰雖書以行刺者·或刺客, 未爲不可, 而何其謟附日本人與李完用輩之甚也, 瑾略解文字, 性本猜險, 凡國人之稍有稱譽, 而無勢力者, 必揭於新聞, 而論其疵.

○時一進會員大邱郡地方委員[46] 尹大燮及其同黨金榮斗, 新寧[47]地方委員黃應斗, 受宋秉畯·李容九之密囑, 發告急書于各道·各郡, 略曰凶徒 安重根, 暗害伊藤太師, 大傷韓日兩國交誼, 我人民, 當渡日本, 以謝罪之意, 上書于日皇陛下, 倍加親睦兩國友誼矣, 各郡選民衆代表各一人, 速赴京城, 於是十三道七十餘邑地方委員, 十一月三十日會于京城寺洞臨時會議所, 選十三人, 稱以謝罪團, 以渡日本之意, 請願于內部及警視廳, 十二月六日警視摠監 若林賚藏招大燮·榮斗, 問其意, 諭之以皇室勅使·政府特派·社會代表, 已問喪慰吊於伊藤公爵, 則君輩無煩再往, 大燮等固請之, 賚藏只許其往吊伊藤墓前, 諸會員以爲謝罪二字, 不得施, 則只設追悼會爲可, 以此致函于統監府, 大燮與其女婿淸河[48]地方委員都太仁謀, 而誘會員六人, 夜竊會中文簿而去, 諸會員始知大燮之爲一進會員, 卽爲黜其會, 十六日宣川[49]地方委員桂膺奎等三人,住見應 斗叱責之, 奪其代表人民謝罪團委任狀而來, 大燮·應斗等, 只携慶尙道人民代表委任狀, 十八日赴日本. 二十一日膺奎等十三人以謝罪事, 無委任於一進會員, 揭于皇城新聞, 二十七日膺奎等七人以各道人民代表, 行伊藤博文追悼會於興仁門外永道寺, 四月一月[50] 六日夜大燮·應斗二人到日本新橋驛, 八日往拜博文墓, 告謝罪文, 博文家人邀而宴待之, 十四日二人及還. 十一月一日商務組合所長先是負商餘黨設立此所前都事李學宰, 以立碑頌伊藤博文之功德事, 設頌德碑建議所, 發文於各大臣及他卿宰, 請捐金以助,五日前判書閔泳雨與李敏英等二十餘人, 設東亞讚英會, 以鑄博文銅像, 表彰其功德事, 發文于各大臣及紳士, 而亦請捐金, 以監査院卿張錫周[51]爲摠裁, 錫周極力於是事, 十六日警視廳招學宰·泳雨, 問其經費與立碑鑄像處所之事, 二人答以收金期限, 定以十個月, 經費則十四萬

---

45 事詳見下.
46 元年度支部置地方委員一人於各郡.
47 屬慶尙北道距京城六百四十里.
48 屬慶尙北道距京城八百十里.
49 屬平安北道距京城九百十里.
50 편역자: 一月.
51 張博本咸鏡道賤人, 慕兩班, 挈其父祖以上神主, 爲繼後於嶺南故儒賢旅軒先生顯光之繼后子孫改名錫周, 人皆唾笑之.

圜, 處所則北部順化坊內碑閣, 將建築以八十餘間, 銅像將委鑄於日本, 而價金預定以四萬圜, 十八日學宰等更議定以鑄銅像.

安重根爲日本人所殺

一月 初, 日本旅順法院, 豫査重根, 而其連累者爲二十餘人, 訊問調査及他關係書類, 至三千餘件, 平壤辯護士安秉瓚, 爲重根之辯護, 以書告于內閣而得許, 傾其家產, 備旅費百圜金, 致書于日本理事廳, 得旅行劵, 十一日發向旅順, 同郡紳士宋在燁, 自辦其旅費而同往, 十七日秉瓚到旅順, 歷訪見日本關東都督府與高等法院·地方法院·旅順民政署·警察署官人及其他諸辯護士, 說以 安重根 裁判辯護事來到之意, 待法院長之來[52], 安定根寄旅費五十圜于京城辯護士會, 請送辯護士一人, 其會議定以遣卞榮晩[53], 二月二[54] 日定根發電于榮晩曰, 日本不許我國辯護士, 則勿爲煩來, 時爲辯護重根事, 請願于日本旅順 高等法院之各國辯護士, 俄國人二名·英國人二名·西班牙人一名·我國人二名, 一則安秉瓚, 一則秉瓚之事務員高秉殷, 二十七日法院長自日本歸來, 以爲各國人皆不能精通日本語, 有所不便於裁判, 只許日本人辯護, 二月一日正午秉瓚·秉殷·重根弟定根·恭根, 欲面重根, 日本檢察官·典獄·通譯生等立會, 而檢察官對秉瓚曰, 公願爲重根之辯護, 自我法院不許外國人之辯護士, 選我國人矣, 公於裁判時使我辯護士, 陳君之意, 秉瓚曰夫人有防衛己之身體及名譽之權, 故任意定其辯護, 今重根以重罪, 願選其辯護, 何故不許, 而選其不願之辯護乎, 曰西洋辯護士亦不許, 則不必長提, 仍使見重根, 秉瓚傳其母之言曰此世君之母子不得更相見, 則其情當何如哉, 又曰余來此而不得遂我之願, 是所慨歎, 重根曰君爲我遠來甚感而請公裁判前勿爲還國, 其弟又言日本人不許秉瓚之辯護, 重根曰非余求生, 此滿腔所懷, 有誰明言, 又謂兩弟曰我死後埋于哈爾賓公園近地, 秉瓚問曰君之名爲應七[55]何也, 答曰我生三日後, 祖父[56]見胎內黑痣有大如

---

52 法院長時在日本.
53 前主事, 而年最少者.
54 舊曆十二月二十三日.
55 時重根之名以應七稱之.
56 名仁壽.

朞子者七, 以爲應七星命以小字, 余在外國時稱之以此, 曰其痣尙存乎, 曰然, 秉瓚贈重根以六法全書一卷, 午後三時與秉殷等退至旅舘, 秉瓚泫然下淚, 仍吐血氣塞, 同留人[57]警惶, 卽請日本醫士而治之, 同日法院公布以 安重根 殺人·禹連俊·曹道先殺人豫備·劉東夏殺人幇助罪名, 不經豫審, 直付公判, 其第一回公判, 定以七日午前九時, 開于高等法院第一號法庭, 而連日開庭, 每日發傍聽券三百枚, 放鄭大鎬, 大鎬於重根行刺之翌日, 以帶重根妻子, 到哈爾賓事, 被逮, 而竟以無罪, 午後五時釋之, 還哈爾賓, 重根從弟明根, 自鄕上京城, 五日至南門驛, 六日上午八時乘汽車向旅順, 西部警察署爲察其動靜, 使日本刑事巡查一名, 追往之, 七日[58] 日本人始開重根等公判, 至十二日凡五回[59], 願傍聽者甚衆, 故警察官吏等一行整列, 給傍聽券, 七日午前八時三十分許其入場, 各國人約二百八十名, 普通傍聽席, 人肩相磨, 我國人辯護士安秉瓚·同事務員高秉殷·英國辯護士竇屈尼嘶·通譯日本人西川玉之助·俄國辯護士米奚伊路于·通譯我國人韓基東, 特列坐於辯護人席側一椅子, 而構內婦人席, 日本文武官夫人及俄國領事夫人, 新聞記者席, 各新聞記者, 裁判官席背後, 日本中將 稅所·少將 星野·經理部長湯本·高等法院長 平石, 警視摠長 佐藤·俄國領事等列席, 被告 安重根[60]·禹德淳[61]·曹道先·劉東夏[62] 四人, 載新着馬車, 典獄·看守長二人·看守十人·警衛巡查及憲兵·騎兵, 擁護, 復巡查·憲兵, 列置於沿路, 處處警戒極嚴密, 八時三十分頃, 馬車至法院門前, 四十分入庭, 裁判長 眞鍋十藏·檢察官 溝然[63]孝雄·書記 渡邊良一·通譯生岡本[64]末喜等, 出席, 官選辯護士水野吉太郎·鎌田正治亦出席, 後典獄一人·看守長二人·看守六人·警視警部各一人·巡查四人, 嚴重戒護, 去重根等手錠, 解其縛腰之繩後, 十藏告開庭之旨, 問被告等氏名·年齡·住所, 重根年三十一, 原籍韓國平安南道鎭南浦, 出生地黃海道海州, 德淳年三十三, 原籍 韓國京城東部養士洞[65], 出生地忠淸北道堤川,道先年三十七, 原籍韓

57 卽秉殷·定根·恭根時日本巡查一人來守其旅舘.
58 舊曆十二月二十八日.
59 十一日以日本紀元節故止之.
60 一名應七.
61 一名連俊.
62 一名江露.
63 편역자: 溝淵.
64 편역자: 園木.
65 在興仁門內附近.

國咸鏡南道洪原[66], 鏡浦面, 出生地同地, 東夏年十八, 原籍咸鏡南道元山港, 出生地同地, 其後孝雄起立, 陳起訴事實曰, 被告 安重根 , 決意以殺害樞密院議長公爵 伊藤博文及其隨行員, 明治四十二年十月二十六日午前九時, 於露國東淸鐵道哈爾賓, 發射豫準備之拳銃, 使公爵致死, 且使公爵隨行員摠領事川上俊彦·宮內大臣秘書官 森泰二郞·南滿洲鐵道株式會社理事田中淸太郞之各手足胷部, 負銃創, 右三名不到於死者, 被告禹德淳及曹道先, 與安, 以共同的目的, 欲殺害伊藤公爵, 留於東淸鐵道蔡家溝驛, 爲豫備之事, 爲露國衛兵之所妨, 未遂其目的者, 劉東夏知安等之決意, 當通信·通譯之任, 幇助其行爲者, 孝雄陳述其犯罪事實後, 十藏先審問重根, 答曰重根本名, 三年前離鄕里赴浦鹽, 時以小字應七行世, 父泰勳登進士第, 五年前棄世, 母趙氏也, 生於海州, 移居信川[67], 有弟二人, 名曰定根·恭根, 十六歲娶妻生二男·一女, 十七歲入耶穌[68]舊敎, 受洗禮於法國宣敎師洪神甫[69], 又習若干法語, 舊學問, 則幼時受千字文·童蒙先習·孟子書于家庭, 生活則初依故鄕之財產, 後賴友人之補給, 又問曰離本國後三年間做何事, 昂然對曰計達我之目的, 一, 教育在外之我同胞, 一, 義軍之經營, 又問曰獨立思想起自何時, 曰自數年前抱此思想, 仍勵聲曰, 曩者日露戰爭當時, 日本天皇陛下宣戰詔勅中, 有扶植韓國獨立維持東洋平和之言, 韓國一般人民感激, 祝日軍之勝利, 數千里長程, 運輸軍粮器械, 修治道路橋梁, 而日露媾和成立結果, 日軍凱旋, 韓人歡迎之如自國軍之凱還, 確信鞏固韓國之獨立, 不意至於千九百五年十一月, 伊藤以大使來韓國, 以多數金額, 與國賊一進會頭領幾名, 而嗾使之, 發表所謂宣言凶書, 且以兵力威脅皇室及政府, 倡提五條約, 我皇帝陛下不爲裁可, 參政大臣亦不調印, 但世所謂五賊, 卽五大臣捺章, 似此無効條約, 稱以完全成立, 剝奪堂堂之我大韓帝國國權, 四千年國家二千萬生靈, 未免邱墟魚肉, 寧不憤慨, 自是全國人民, 一切懷慷慨之志, 共唱不服, 有志紳士痛論時事, 或上疏或長書, 忠憤攸激, 或自刎而死, 或飮藥而死, 或被幽而死, 或却食而死, 如此殉節者, 不知幾十人, 四方義兵, 蜂起, 與日兵交戰死者亦不知其幾十萬名, 猶且不滿足, 强制締結七協約, 解散軍隊, 太皇帝廢位, 司法權稱以

66 距京城九百二十里.
67 屬黃海道距四年前復移住鎭南浦.
68 편역자: 蘇.
69 편역자: 父.

委任, 而奪去國內各般利益, 盡數攫取, 故韓國人民不問上下, 其痛怨愈久愈甚, 達於骨髓, 腐心切齒, 此非但韓國之不幸, 抑亦東洋全局之不幸, 伊藤之罪惡如斯貫盈, 尙且以其奸猾手段, 謂以韓國人民樂從, 日本之保護政策, 發表各國, 欺瞞世界, 於是乎韓國有志者輩, 爲發表伊藤之殘忍行爲與韓人不服之意思, 多數出遊於外國, 余則思惟伊藤, 原來以日本第一流人物, 恃其有非常之權力, 對我國暴惡行動最甚者, 則爲先誅之後, 認定以韓國獨立, 可以恢復, 東洋平和, 可以維持, 三年前離本國, 常懷此志, 往來海蔘威[70], 今達其目的, 主辱臣死乃是當然底事, 且余三年間於北間島附近, 募集義兵, 與日兵屢已交戰, 今番以義兵參謀中將資格, 開獨立戰爭於哈爾賓, 襲擊敵將伊藤, 欲獻其白髮頭於我軍, 決非以個人之資格行之者, 大韓帝國參謀中將今日爲賊之捕虜, 此地所謂公判之取調, 大爲不可, 又曰今番伊藤行路, 軍隊護衛如何嚴重, 余爲國家獻身的思想, 三年間恒有者, 決心以必行其宿志, 故, 有志者事竟成, 又曰余之出遊外國目的, 如已上略述, 且遊說在海外之我國同胞, 常鼓吹其忠君愛國之思想, 迄恢復國權, 雖當如何之困難·苦楚·忍耐, 而見機而作用意從事於戰鬪, 壯年者以義兵與日軍戰鬪, 老者勵其職分, 與供軍粮其他助力, 幼者就敎育, 補充後備, 勸勉實業, 農者農, 商者商, 或以劒·或以舌·或以筆, 救援國家之危急, 是國民之義務, 每努力於恢復大韓國權, 維持東洋平和, 十藏曰質問外, 注意陳述, 重根大言曰, 彼伊藤之行爲, 以何等方法聲明於世界, 信以捷徑余之目的, 彼之行爲何無一次說明, 又問當年實行之事, 答曰認得其事實, 又曰發砲後, 不知伊藤之爲如何, 時則午後零時十五分, 十藏公布以一時間休憩, 當時傍聽人, 有自大連及他處昨夜來到者, 二百名, 傍聽劵旣盡, 尙有數百人待於門外, 以午時前後, 交替入場之際, 雖日本人, 檢査其身邊, 法庭內外巡査·憲兵·嚴重警戒, 午後一時半再開公判, 復問重根, 答曰余到哈爾賓之前二日, 自烟秋至海蔘威, 閱遠東報及大東共報, 始知伊藤之來滿州, 與禹連俊相議, 直發向哈爾賓, 於途中布句羅尼齒那野下車, 與通譯劉東夏到哈爾賓, 欲南下, 以旅費不過三十圜, 往在哈爾賓入籍於俄國者本國人金成博[71]之家, 而留宿二日, 與禹連俊·曹道先, 出蔡家溝, 有未備之事中兼以在哈爾賓 劉東夏之不分明電報屢到, 使禹·曹二人, 留待於蔡家溝,

70 即浦鹽也.
71 편역자: 金成白.

更還哈爾賓留宿於成博[72]家, 知翌日[73] 伊藤之將來到, 決意以不失機會, 卽整頓準備, 早朝七時往哈爾賓停車場, 入驛內茶店, 休憩餘[74]茶, 苦待伊藤之來到, 心內思究, 以擧事於乘馬車時, 倘於下气車時之中, 特別列車到着, 音樂隊先奏樂, 露國兵丁行敬禮, 余以決行事之意, 卽出茶店, 赴露國軍隊整列之後面, 伊藤已下車, 受多數出迎者之擁護歡迎, 過露國兵丁之前, 進向領事團之方面, 余不知伊藤之面目, 甞見新聞紙上所揭之寫眞, 又於當場, 不着軍裝, 而衣平服, 又其爲老人, 而立在先頭, 推知以伊藤, 潛行於露兵之後, 求其機會, 伊藤返於領事團之際, 行過余之面前數三步, 在於十步相距之地, 時乎時乎, 突入露兵列立之間, 約十步所隔地點, 以七連發拳銃, 向伊藤之右側, 而狙擊之, 三發三中, 則露兵驚動於砲聲, 退散逃走於後面, 余於此時自然現出於前面, 然此若輕率而誤擊, 則不可, 故更連射三發, 於是露國憲兵, 來到捕縛, 投其短銃於地, 以世界普通使用之羅丁[75]語, 三呼古里牙后羅(大韓帝國萬歲), 其後不知伊藤之生死, 十藏問曰, 其時無自殺抑逃走之思想乎, 答曰裁判官以爲我旣達目的, 然余以此非爲惟一能事, 姑不思之,以遂成摠目的, 此一成功, 不過作爲我黨大目的, 韓國獨立之一機會, 余以韓國獨立義軍參謀中將, 完全韓國獨立與平和, 作平生事業者, 則其時雖持洋刀, 不爲如自殺·逃走之卑劣擧動, 雖一刻生存, 永爲公表日本之暴擧于世界也, 且殺伊藤非惡事也, 何故企自殺抑逃亡乎, 十藏曰, 伊藤公爵三十分後絶命, 隨員三人負傷, 則爲所感何如, 答曰隨員負傷實所不安, 伊藤之死達余之願望, 十藏問其斷指之理由, 答曰, 昨年春間, 在露領地烟秋附近之一寒村哥里, 會故國同志者[76]金基烈·白樂吉·朴根植·金泰連·安啓麟·李周天·黃化炳·姜斗瓚·劉坡弘(二人忘其姓名)等十一人, 以爲吾輩雖千辛萬苦, 恢復大韓獨立, 維持東洋平和, 誓告于上帝, 一齊斷左手之藥指[77], 同盟後以其鮮血, 大書獨立自由四大字於大韓國旗, 又以其血, 寫趣旨書, 該同志者各散, 今不知其去處, 又曰義軍摠大將江原道金斗星, 其部下各地有李範允等副將, 而余, 則金大將之直屬特派獨立隊長, 爲露領地一帶司令官, 受大活動之命, 或演說糾合同志, 待機會, 而若伊

72 편역자: 成白.
73 十月二十六日卽舊曆九月十三日.
74 편역자: 飮.
75 편역자: 典.
76 一作我義軍同志者.
77 第四指也.

藤之來滿州差遲, 時日不急, 率我獨立隊義勇兵若干, 而出哈爾賓, 堂堂攻擊之, 又集資力, 購軍艦進向對馬海峽, 要伊藤所乘气船而砲擊之, 唱凱歌之計畫, 余爲四千年我祖國, 爲二千萬我同胞, 爲東洋大局之平和, 殺蹂躪我民國權利, 攪亂我東洋平和之奸賊, 一擧此, 則余之目的, 如斯正大, 故余以國民之一大義務, 欲殺身成仁, 十藏曰, 汝之所持拳銃, 刻十字形於其彈丸之尖端, 此適中於人身一度, 則與以非常傷害者, 重根不答, 十藏曰, 以決行今番此事之意思, 有自作之詩乎, 答曰有之, 此陰曆九月十日夜, 於蔡家溝爲略叙余之所懷而作詩曰, 丈夫處世兮其志大矣, 時造英雄兮英雄造時, 雄視天下兮何日成業, 東風漸寒兮壯士義滅[78], 憤慨一去兮必成目的, 豈度至此兮時[79]勢固然, 鼠竊伊藤兮豈肯捨此命, 同胞同胞兮速成大業, 萬歲萬歲兮大韓獨立, 萬歲萬歲兮大韓同胞,[80]十藏問與禹連俊爲關係之事實若干後, 以八日午前九時續行審問, 公佈閉庭於四時五分, 當日只審問重根, 故他被告及辯護士不爲發言, 重根以兩手執懸前之橫木, 正視十藏, 時時取出其洋服挾囊之手巾, 拭其顔, 極平靜答辯其審問, 而自己事少不掩置, 其各處同志者之事, 似有庇護, 此日傍聽者爲滿員, 八日午前九時五分開第二回公判, 十藏問禹連俊, 答曰余本名德淳, 於露國得旅劵時, 通譯誤書以連俊, 父士永現住於忠淸道堤川郡, 四五年前移住京城, 受通鑑·孟子等書於私塾, 後於東大門外, 營雜貨商, 四年前來海蔘威, 以烟草行商爲業, 宗敎, 則五年前, 奉耶穌[81]新敎, 以不爲信仰, 故不受洗禮, 與安重根, 始相知於海蔘威, 其時重根爲藥商, 迄今無談話政治上事, 曹道先·劉東夏, 今始初面, 其謀殺伊藤事, 在陰曆九月八日, 重根來訪請同往, 自己旅舘發殺害伊藤

---

78 편역자: 熱.
79 편역자: 事.
80 편역자:
"丈夫處世兮 其志大矣
時造英雄兮 英雄造時
雄視天下兮 何日成業
東風漸寒兮 壯士義熱
憤慨一去兮 必成目的
鼠窃伊藤兮 豈肯比命
豈度至此兮 事勢固然
同胞同胞兮 速成大業
萬歲萬歲兮 大韓獨立
萬歲萬歲兮 大韓同胞"(신운용·최영갑 편역, 『안중근 유고-안응칠 역사·동양평화론·기서』(안중근 자료집 1), (사)안중근평화연구원, 2016, 58~59쪽).
81 편역자: 蘇.

之論, 而余亦以大韓民國, 仇視伊藤者, 故卽同其意, 準備急速發行, 十藏問其仇視伊藤之原因, 答曰光武九年十一月, 伊藤以大使來韓國, 提出五條約之時, 以多數日兵, 擁圍宮城, 百般威嚇, 强請該條約之裁可於我 皇帝陛下, 上曰, 朕確信貴皇帝宣傳詔勅中扶植韓國獨立之句語, 今此說果是意外, 朕自祖宗以來有大事, 則諮詢於大小官吏與在外儒賢而決處, 且至於國內紳士採訪施行, 故朕以自意不可擅斷, 終不裁可, 參政大臣亦不調印, 但誘引韓國所謂五賊輩, 使捺章, 則此無効之條約, 伊藤反韓·日兩國皇帝陛下之聖旨, 專恃其權勢, 恣意決行, 蹂躪韓國民之輿論, 一朝剝奪四千年我國家神聖之國權, 韓國二千萬同胞無一人不憤激者, 余亦大韓國民之一分子, 何不痛憤乎, 余於當時在京城, 以老母在堂, 不得入參於反對運動, 自是獻身於國家之思想斗起, 代表二千萬國民, 欲誅罰元惡伊藤, 未得其機會, 陰曆本年九月七日夕, 重根專來曰今次伊藤漫遊於滿州, 乘此機, 而狙擊之, 伸雪國耻民辱如何, 卽帶以護身用, 前於米哥列地方, 以八圜買於露人之八連發拳銃, 與重根同行, 乃更大言曰大抵有志者事竟成, 男兒奮發一次勇心, 必無何事不成之理, 伊藤之護衛雖嚴密, 狙擊一個人, 如反掌, 今番若重根不決行此事, 吾決心以獨力決行, 又曰九日到哈爾賓一宿後, 十日與安·曹二人, 同赴蔡家溝, 其夜以嘲罵伊藤之意, 作歌, 以國文卽叙述余之目的者, 其歌曰, 逢矣乎逢矣乎, 逢仇敵之汝, 欲一度之逢汝, 一平生之願兮, 何相見之晩也, 欲一番之逢汝, 水陸幾萬里, 或輪船·或火車, 盡千辛萬苦, 經露淸兩地之時, 坐之時立之時, 仰天而祈禱, 察之察之, 主耶穌[82]察之, 東半島 大帝國依我願而救之, 嗚乎, 奸惡彼老賊, 我等民族二千萬, 迄于滅亾, 錦繡江山三千里, 無聲而欲奪, 窮凶極惡彼手段, 大公無私至仁極愛我之主, 大韓民族二千萬, 如均爲愛憐, 使逢彼老賊於如此停車場, 千萬番祈禱, 忘晝夜而欲逢, 竟逢伊藤, 今日汝之命, 懸於我之手, 至今汝之命絶, 汝亦寃痛矣, 乙巳年新條約後, 不知有今日耶, 今日汝之北向, 我亦是不知, 修德則德來, 犯罪則罪來, 莫知以只汝, 汝同胞五千萬, 自今日爲始, 一個二個逢着, 以我手殺之, 嗚呼我同胞, 一心專結後, 恢復我國權, 圖富國强兵, 世界有誰壓迫, 我等之自由爲下等之冷遇, 速速爲合心持勇敢之力, 盡國民之義務, 又曰於同地三人聯名寄書於大東共報社, 翌日重根還歸哈爾賓, 余與道先共探伊藤之來, 慮其現露, 不敢問於人, 如是問答之際, 時鍾

82 편역자: 蘇.

報上午, 十藏公布休息, 當日午前重根兩弟與安秉瓚·高秉殷[83], 同入傍聽席, 開場前見重根之入來, 定根高聲呼之曰, 吾等, 爲面會兄主, 而如此來旅, 此後難爲對面, 則兄主以一次面會, 弟等請求於法院如何, 因叫號哭泣, 法官令兩人退場, 不得傍聽, 英國辯護士魯克露嘶, 同日自上海來旅順, 欲爲重根辯護, 日本法院不許往法院, 對其不許陳不平之所懷, 求重根公判之中止, 法院拒之, 午後一時四十分復開庭, 問德淳, 答曰在蔡家溝, 留宿於露國人茶店, 翌日重根稱以旅費不足, 正午搭車還哈爾賓, 余於其時借得彈丸五六發·金四圜於重根, 同夜與道先同宿, 翌日自未明, 停車場附近人馬頻繁, 往來喧嚻之聲, 甚極, 問於道先, 則答以日本大官過去, 準備其歡迎, 於是知伊藤之將過去, 時乎到矣, 重根不在, 余一人當擊殺之, 如此決心, 後以無心容態問其仔細於道先, 則道先本不知我等經營之大事者, 故睡而答語, 屋外露兵整列, 至於茶店主不許一步之外出, 大爲失望躕躇中气車已過去, 不勝落膽, 頹臥塌上, 算其後方針中, 至午前十一時頃, 露國憲兵二人, 突然入來, 搜索吾等之身, 押收所帶短銃, 同時捕縛, 余於當時重根之行事于哈爾賓, 漠然不知, 怪其捕縛之理由, 十藏次問豫備犯人曹道先, 時則午後三時, 道先答曰, 余十五年前離鄕里, 移轉露領亞羅几, 滯伊婁句嘶克及其他數處, 營洗濯業及通譯等事, 兩親業農於咸鏡南道洪原郡, 妻露人, 名露齊, 無子, 余年今二十四, 文不解一字, 然露語則甚熟, 昨年八月自海蔘威來哈爾賓, 寄留於露國人家, 九月十日, 無曾前一次相面之 安重根 來言, 自己家族從本國而來, 爲出迎急行, 至于寬城子, 不解露語, 以通譯同行云, 故應之, 翌朝同安·禹兩人, 赴蔡家溝爲二人之通譯, 在哈爾賓之劉江露電報于重根, 卽有明朝來着之意味, 而所持短銃數年前爲護身用, 而買置者, 決非今番新購, 而毫無關係於重根等之事, 同時閉庭, 卽午後四時三十分, 九日開第三回公判, 傍聽者自早朝會集如前, 兩日充滿於庭内中, 英國辯護士茶克露嘶, 帶其通譯, 與安秉瓚着席於同列, 重根兩弟及高秉殷亦在於傍聽席, 午前九時三十分被告四人出庭, 同四十分開庭, 十藏問補助犯人劉東夏, 答曰余本咸鏡道元山人, 二年前與母共離鄕里漂泊, 逢其父業藥局,其後來於現住所露領布夫羅尼齒那耶地方, 亦業藥局, 受若干書籍, 學識不足, 少無關係於宗教, 十六歲娶妻而無子, 本名東夏, 稱以江露, 在哈爾賓被逮於露兵時之僞名, 與安重根自昨年陰四月以來相知, 日常往來

83 爲秉瓚通譯而.

于余家, 而禹德淳素不知者, 昨年九月八日夕刻, 重根來訪, 請以通譯同往哈爾賓, 適其時余亦以貿來藥品次, 欲赴該地之際, 卽諾而同行, 其時重根只言出迎其家族, 故不知其他事實, 九日夕刻到哈爾賓, 三人同宿於金成博[84]家, 翌日三人同撮寫眞, 以重根之所托請貸金五十圜於成博[85], 而不見許, 其夜又與重根·德淳同宿, 以兩人之所請, 書給露文於寄大東共報之書凾外封, 不知其內之文意, 翌十一日朝, 重根與德淳及曹道先共同赴蔡家溝, 夕陽重根在蔡家溝, 送電報而有何時來耶之文意, 余於重根發行前, 有聞其出迎家族之同時, 亦爲出迎大官伊藤之談話事, 故余思之, 以此必問伊藤之來着, 而據同地之所聞傳說, 答電以明朝來着, 翌日重根藉托以電文不明, 來歸于哈爾賓, 余又以重根之名義打電, 求金五十圜於在海蔘威之李珍玉[86], 如重根之所陳, 而無過乎確知其金子之送與不送, 十藏卽呼重根, 問關於此之事, 重根曰余欲使東夏, 借金於金成博[87]之際, 自李珍玉處有送金通知, 故使東夏確問之也, 於是重根等四人, 審問畢其全部, 上午十一時三十分, 十藏於午後以調查證據書類之意公布後, 告其休息, 午後一時十五分更開庭, 朗讀其引受於露國官憲之哈爾賓地方裁判所判事及同地警察署長之審查書·蔡家溝駐屯軍曹及其他二三取調書類·日本檢察官調查, 則有證人古谷久綱·小山善·德[88]之書類, 總領事川上·滿鐵理事田中之陳述, 又讀鑑定人小山善·德軍醫正岡[89]·博士尾見等之診察鑑定書·其他各證人十三名取調書及聞取書, 至一千十八枚之長文, 起訴狀, 則省略後指摘其公判所陳, 與檢察調查相反之點, 問鄭大鎬同來之重根妻子, 與重根面會時, 重根答以其妻子無互相關係之不知人, 及出示重根之寫眞, 於五歲小兒, 則此是余之父也之事, 其後鄭大鎬陳供以確是重根之妻子之事, 自蔡家溝獨還哈爾賓, 爲三人待於一處, 爲非計, 且因警戒嚴重云者, 全爲旅費關係之事, 重根·連俊與彈丸之處所相違之事, 後對審曹·劉兩人以同謀與否, 兩人不但極辯其不參謀議, 而否認檢察官之所取調之關於電報往復·金錢授受等事, 十藏調查其證據物, 重根短銃夫羅奧寧式長五寸四分·柄二寸五分·鋼鐵所製, 德淳短銃夫羅奧寧式尼乞製, 其長短及

84 편역자: 白.
85 편역자: 白.
86 편역자: 유진률(兪鎭律).
87 편역자: 白.
88 편역자: 德岡.
89 편역자: 德岡軍醫正.

形狀與重根銃同, 道先銃夫羅奧寧式尼乞製, 長六寸二分·柄二寸, 重根所寄於東夏電報, 則露文, 故使東夏以露語朗讀, 出示重根·德淳, 在蔡家溝[90] 表將殺害伊藤之目的, 以慷慨激烈之音調唱和之詩歌二首[91], 與決行暗殺之意, 寄海蔘威大同共報社編輯長李剛[92]之書[93], 其文曰敬啓者本月九日[94] 午

後八時安着當地[95] 滯留于金老爺聖伯[96]氏宅中, 接見當地着遠同報, 則伊藤本月十二日[97]發程於寬城子, 搭乘露國鐵道摠局之特別列車, 同日午後一時到着哈爾賓, 弟等[98] 與曹道先稱以共出迎家族事, 前往[99] 寬城子驛, 距同驛約十里[100] 地葛布停車場, 待此[101]擧事心算[102], 此諒之, 事之成否, 在天[103] 幸望同胞, 善禱之援助,[104]且借用金五十圜, 於當地金聖伯氏以充旅費, 則至急還償千萬切望, 大韓獨立萬歲, 九月十一日午前八時投呈, 禹德淳 印 重根 印 浦鹽斯德[105]大東共報社李剛座下, 追白今朝八時出發南行, 故, 向後事, 當地到着後更報, 其後十藏對被告等曰有利益於被告之事, 陳述於此際, 又有請求之事求之, 重根·德淳曰別無何等請求, 然吾等對殺伊藤事, 期無世人之悞解, 欲陳自來懷抱之三大目的, 道先曰別無所請, 東夏曰別無所言, 早爲歸家矣, 滿堂哄笑, 於是辨護士以爲許陳述安·禹二人之三大目的爲可, 十藏曰, 然則簡單陳述, 而若有妨害公案[106]之語, 禁傍聽, 因以此公布, 重根以己於獄中所書殺害伊藤理由十五條爲骨子, 乃言曰余殺伊藤於哈爾賓, 以伊藤奪韓國之獨立, 哈爾賓之暗殺, 韓國獨立戰爭之一部分, 又我等立於

---

90 一作在哈爾賓 金成博家.
91 詩歌並見上.
92 入籍俄國者.
93 詩歌並書寄于剛者.
94 陽十二月二十二日.
95 卽哈爾賓也.
96 即成博.
97 陽十月二十五日.
98 一作吾等.
99 一作赴.
100 一作數驛.
101 一作伊藤.
102 一作決定.
103 一作在天運.
104 一作幸望待同胞之善禱而與援助.
105 卽海蔘威.
106 편역자: 安.

日本法庭, 受日本之裁判, 敗北於戰爭, 而爲捕虜, 內地義兵常與日本軍衝突事, 以獨立戰爭見之可也, 又曰余非以個人之資格, 行此事, 而以韓國義軍參謀中將, 爲國家爲東洋平和而行之, 如前日之所說明, 而日本背日·露開戰當時之宣言, 以强壓締結韓·日協約, 則日本攪亂東洋者, 又伊藤往年弑害閔后時爲首謀者, 且爲韓國外臣, 欺我皇帝陛下, 廢立皇位, 伊藤非但韓國之逆賊, 日本天皇之大逆賊, 日本先帝孝明天皇[107]言未畢, 十藏中止其陳述, 以被告之陳述, 爲妨害於公案[108], 禁公開, 使傍聽人退庭, 時則午後四時十分, 其後安·禹兩人之陳述無處可聞, 閉庭於午後四時二十五分, 十日午前九時三十分開第四回公判, 檢察官溝淵孝雄起立, 先言事實論曰, 先察被告之性格, 劉東夏未成年者中, 兼以侍下人, 無政治之思想者, 其性質頗猛猂, 曹道先無學問中兼以迄今履歷, 不生政治的思想, 意志極薄弱, 到底非經營獨立的人物, 禹德淳有多少學問, 又於浦鹽非但執大東共報之集金役, 察其時時與同社員往復, 被告依新聞明白, 有政治的思想, 其性質實難化之物, 安重根以韓國人, 便非但有善美之性格, 其父有相當之財產, 以生活上中流以上, 無愧乎爲地方名族, 宗敎信天主敎, 至於受洗禮, 然則安, 以其地位上比較的少學問, 其性質剛直, 其意志强硬, 且富政治思想, 其動機, 安, 營石炭商而失敗, 聞安正根爲各者之政治演說, 其思想熱沸, 因離鄕里後, 遊浪四方, 參加義兵, 以犯罪動機言之, 劉·曹兩人, 不足論, 至於安及禹被告等陳供, 以基因政治思想, 據露國官憲之調查明白, 因於私嫌以犯罪決意言之, 安自曾前熟思, 聞伊藤渡滿之事後決定, 而禹, 自被誘於安之時, 曹及劉似是犯罪前二日, 而有意[109], 然則劉·曹, 犯罪豫備, 禹, 幇助者, 安現行犯, 時當正午, 十藏公布休息, 午後一時二十分, 復開庭, 孝雄陳述其關於訴訟法上裁判管轄權限之法律論數百言, 略曰被告犯罪處所, 東淸鐵道, 所屬其領土權在於淸國, 則裁判權不在於露國者明白, 又參照千八百九十九年韓·淸條約第五款, 日本明治三十二年三月法律第七十號·同三十八年十月十七日韓·日協約第一條·同四十一年法律第五十三號及關東都督府法令第七十三號, 裁判權在於當地方法院者, 當然, 次據實體法論之, 被告適用日本刑法至當, 故被告 安重根 謀殺人現行犯, 則依刑法第百九十五條, 處於死刑, 對安有死刑, 猶三之未遂,

107 重根將言伊藤博文弑孝明之事.
108 편역자: 安.
109 本文省略故不得載.

以爲結局合併罪, 依四十五條歸於結局死刑, 限於存國法, 爲維持社會秩序·保護人之生命, 不容恕於天下之罪, 故思此以正當, 禹及曹之刑就量情中, 唱法律之不備, 不得已明文所許之範圍以內, 信以處極刑, 即懲役二年以內[110], 禹之所行與曹同刑太輕, 依現行法豫備犯二年以內, 故此以上不得請求, 禹與曹難得其權衡思料以重爲妥當, 有明文於法律, 故不得已相同之事, 劉東夏不無察其事情, 與性格年令而見之, 應於人之誘惑, 又於安之前, 不敢反抗之狀況, 不敢云强制, 而從安命令之人, 以其事情, 於容恕有餘, 以第百九十九條三個之主刑中三年以上懲役用本刑, 照第六十三條·第六十八條第三號, 減輕二分一, 又酌量於一年六月以上七年六月以下範圍以內, 以其最短期一年六月爲望, 且安之犯罪供用拳銃, 禹·曹之欲供用拳銃, 依刑法第十九條第二號望沒收事, 十藏問被告以有益陳述之有無, 辨護士曰事係重大, 不啻有愼重究思之必要, 時刻不足, 則本日止之, 明日申請, 午後四時閉庭, 十二日[111] 午前九時半開第五回公判, 官選辯護士鎌前起立曰, 本事件傾動世界視聽之重大事件, 則望愼重裁判, 使世界知爲模範的公判, 因曰, 以裁判權管轄問題論之, 本件之犯罪當地, 淸國領土, 被告, 韓國人, 日本人之犯罪, 日本領事有裁判之權利, 難應用, 此於韓國人, 又對光武三年韓·淸條約及光武九年韓·日保護條約等論之, 韓國之外交權非爲消滅, 但日本不過代理, 則韓國臣民, 以日本刑法, 治之不可, 適用韓國刑法爲可, 同刑法無如本事件, 關於海外犯罪之條項, 故不可罰被告, 今假令罰以日本刑法, 被告非但誤解伊藤政策, 如檢事論告, 施以極刑, 非伊藤公之所希望者, 其薨去後至今所明暸推察者, 以事實論言曰, 對安與禹其自由及證據, 皆別無他意, 曹及劉, 有全然反對之意, 見劉全無政治的思想, 法庭陳供之時, 聞其速爲歸家之言, 認定彼爲不參入重大事件者, 曹觀其態度及擧事前二日發送呼來其妻子之書面等三四事實, 與安不共謀爲的實, 曹·劉二人, 論以從犯不可云, 十藏使通譯以右辯護事實, 言及於彼告, 正午半時旣過, 命休息, 午後一時半繼開公判, 官選辯護士水野論述刑之量定曰, 被告安, 智識不足, 故誤解盡忠國家之方針者, 則實有同情之點, 又韓國現狀, 如日本喧論尊王攘夷之維新以前日本, 其排日黨, 亦類似當時之憂國志士, 安殺害伊藤, 誤解韓日保護條約, 比較於日本維新以來暗殺櫻井門外之事·馬關事件之小山·大津事件之津田·星亨事件

110 一年十一個月二十九日.
111 舊曆正月初四日.

之伊庭等處刑, 被告安, 有一層同情之點, 或者以爲此等罪人, 處於輕刑, 此等事件續出, 然此不足採用之妄論, 科重刑於賭生命, 而犯罪者作何等警戒, 又被告者, 伊藤亦在地下, 不快於被告之處重刑矣, 何者, 伊藤公其少壯時, 燒燼品川英國公使館, 主唱尊王攘夷說, 而酷似被告安之事, 頻頻行之, 又此事特別列國之所注目, 則若過重處刑, 未免日本惜伊藤公之同時, 以惡被告之憾情上判決之批評, 然則依刑法一百九十九條, 處最輕刑罪, 卽役三年可也, 又於禹德淳應用以上論告, 施以比較的輕刑, 曹·劉二人不知情者, 則論以無罪爲望, 其後十藏, 向被告求最後陳述, 曹·劉二人曰原來少無關係於安, 空然受嫌疑者爲遺憾, 禹德淳曰余參加於此事件, 乃素志, 故其目的業已陳述, 則不必架疊, 惟寄一言, 破韓日兩國間之障壁, 今後奉遵日皇陛下之宣傳詔勅, 韓國人民勿過虐待, 復韓國之獨立, 是所希望, 安重根 氣色自若, 滔滔雄辯數時間, 大聲陳述, 皆是悲慘慷慨之言, 不忍盡記, 略曰, 伊藤五條約締結後, 爲韓國統監, 虐待韓人, 廢立皇帝, 故余爲東洋平和·韓國獨立, 賭一命而行此事, 則余決非如彼檢事官及辯護士等之言, 而誤解伊藤之政策, 又余非以一個人之怨恨行事, 乃國民之義務, 則於余不可行以普通刑事被告人, 依國際公法, 行審判於列國人立會中爲至當, 且韓國辯護士爲辯護而專來, 不許可, 而只以日本辯護士, 塞責, 則不無偏頗之惑, 因向檢察官及辯護士, 一場論駁, 最後曰, 余祈韓國獨立外, 全無所望, 時已午後四時二十分, 十藏以十四日判決, 公布而閉庭, 十四日開第六回公判, 定期時刻前傍聽者如堵中, 俄國法學博士耶夫親嘶箕夫妻·辯護士米何伊露富及俄領事舘員·我國辯護士安秉瓚·安重根 兩弟定根·恭根及其從弟明根[112], 參席焉, 午前十時半開庭, 滿庭數百人皆注眼於裁判長 眞鍋十藏, 新聞記者等執筆而竢, 於是十藏對被告四人, 言判決宣告, 安重根 依殺人罪處死刑·禹德淳依幇助殺人罪懲役三年·曹道先·劉東夏依殺人幇助罪各懲役一年六個月, 沒收重根·德淳之拳銃及彈丸, 道先·東夏之銃丸還給後, 十藏對被告, 說明各罪犯之事實與判決之理由, 又曰對此判決, 有所不服, 控訴於五日以內, 德淳·道先無言, 東夏但曰使余速爲歸家而已, 重根曰尙欲陳述意見, 則非控訴, 而不得耶, 時重根·德淳, 顏色自若曰, 吾等知之已久矣, 道先·東夏, 俛首而已, 在公判前日本法院, 遣日本人善我國語者, 間三日或間五日, 往說重根曰若於公判

112 明根二月十三日到旅順.

時, 只一言以殺害伊藤之事, 誤解伊藤之政策, 則無事放釋矣, 重根正色答曰余殺伊藤有三大目的, 豈云悞解其政策乎, 及宣告之時莞爾笑曰無有踰於此之極刑耶, 水野吉太郎往監獄中, 訪見重根, 問其控訴與否, 答曰余不服其裁判, 而行控訴, 似顧生命, 當熟思而決之, 吉太郎遂傳新聞所揭者重根母謂重根, 以勿辱家門之名之事, 凡公判時, 重根終始以爲殺伊藤, 只自己一人之事, 而斷無他人之關係及幇助者, 德淳以爲自初決行殺伊藤之事, 而其機會, 歸於重根, 道先·東夏以爲自初不知其事, 而少無干係云, 先是安秉瓚病愈, 而欲還國, 安定根·恭根二人, 懇以待公判後發程, 憐其意遂止, 同傍聽以不得爲重根辯護, 不勝憤歎, 時道先妻在俄領伊婁句嘶克, 重根·東夏妻, 俱在淸俄國境綏芬河, 欲赴旅順, 恐被辱於日本人, 而不敢, 十五日安秉瓚赴監獄, 別重根, 重根以其遺言, 訣告我大韓同胞曰余爲回復大韓獨立, 維持東洋平和, 三年間風餐露宿於海外, 竟未得達其目的, 死於此地之日本監獄, 惟我二千萬兄弟姉妹, 各自奮發, 勉勵學問, 振興實業, 期於回復我自由獨立, 則死者無憾,秉瓚十六日發旅順而歸國, 傳其言, 聞者莫不悲之, 李甲·安昌浩·金明濬[113] 李鍾浩·容翊之孫[114], 四人, 以 安重根 之嫌疑者, 自去年十一月被囚於泥峴·龍山·開城日本各憲兵隊, 十九日夕, 始以無罪釋之, 重根十七日午後一時, 見日本高等法院長 平石, 托以無誤解自己之殺伊藤事, 復陳其他所懷, 後曰, 余決以潔死, 則不爲控訴, 其說話之間, 至于四時, 乃以絶筆書數句曰天地翻覆, 義士慨嘆, 大厦將傾, 一木難支, 時有寄書于平石而威嚇者, 匿其名, 書曰平壤李花洞, 重根, 在獄中從容自若, 記述自己之生平行蹟, 又著東洋平和論, 草稿至五十餘枚, 以日本人之所求, 揮毫於書畵者甚多, 對獄吏以溫順之態, 又述懷寄友人[115] 在旅順者曰, 思君千里, 望眼欲穿, 以表寸誠, 幸勿負情, 庚戌正月於旅順獄中大韓國人 安重根 書, 其筆法頗巧, 有書家之風, 以已斷之無名指押捺之, 三月二日[116]黃海道信川[117] 天主敎堂神甫[118]洪錫九因重根之請, 自載寧屬黃海道[119]發程, 九日到旅順, 同日重根從弟明根, 欲見重根, 自仁川乘輪船而發向旅順, 錫九見重根, 而

113 前秘書丞.
114 官至參書官.
115 公判時受知遇者.
116 舊曆正月二十一日.
117 距京城四百六十里.
118 편역자: 父.
119 距京城四百五十里.

約二時間敎誨, 以宗敎上懺悔遂訣別, 重根對錫九語以歸傳韓·法兩國敎友與同胞, 以平和手段, 復大韓獨立, 初灑熱淚, 十二日錫九發旅順, 明根亦與重根泣別, 伴錫九而回國, 十三日至開城, 十四日錫九赴鎭南浦, 爲傳重根所托之言於其親戚故舊, 明根往信川, 日本法院將行重根死刑於二十五日至二十七日間, 重根以耶蘇十字架受刑[120]祭日申請於法院, 而定之以二十五日, 十六日重根更請以方今起草東洋平和論, 而僅脫稿其緖言, 則期限內難以竣成其全部, 更延以十五日, 又求以執刑時着血染洋服, 則難上天國, 請給新製韓國衣服一件, 又有所遺托事, 請許見其二弟, 日本人, 定重根死刑期於二十五日, 以其日爲乾元節, 據統監府電報, 更定以二十六日[121], 重根誓以本國獨立前, 雖死後不歸國, 請埋於哈爾賓之地, 時重根已述其本傳, 而東洋平和論, 則只脫稿其三四節, 二十五日重根與其二弟訣別曰, 我死後汝輩萬事, 全受母親之指導, 勿怠孝養, 又書贈所親日本人曰, 人心惟危, 道心惟微, 庚戌三月於旅順獄中大韓國人 安重根 書, 二十六日重根着其從弟明根所齎來之白色明紬周衣·黑色洋服袴及本國鞋, 從容待其執刑, 日本檢察官溝淵孝雄·典獄栗原·通譯園本等, 臨場立會, 栗原朗讀執刑文, 問其遺言之有無, 重根曰余至於此, 本爲東洋平和, 則更無遺憾, 而望此處立會日本官憲, 今後盡力於韓日親善, 東洋平和, 其後約三分間行最後祈禱, 默然登刑臺, 唱東洋平和萬歲, 儼然受刑, 卽十時四分, 乃伊藤博文被殺之時, 經十一分而逝, 臨場日本醫士檢其屍, 納於厚松板棺, 移安于監獄內敎堂, 禹德淳·曹道先·劉東夏, 皆凄然叩頭再拜行吊, 而德淳不勝哀痛, 重根之二弟懇請其屍之歸國, 葬於其故鄕信川[122], 日本人不許, 午後一時葬于旅順共同墓地, 其二弟不堪哀號痛哭, 五時發車歸國, 是日未明洪錫九於信川敎堂內, 會重根之親族及天主敎徒, 爲重根行懇篤祈禱, 而說重根之遺言, 在旅順之天主敎堂內法國敎徒, 亦行遙吊禮, 時日本人, 撮重根寫眞於葉書, 賣於京城, 人民爭買之, 二十八日內部以爲治安妨害而禁之, 南部警察署, 招其寫眞舘主人, 諭以妨害治安而放之, 日本政府賜裁判長眞鍋一百五十圜·檢察官溝淵二百五十圜·統監府通譯園木二百圜·典獄栗原一百五十圜·其他官員二十一名皆有

120 自二十五日二十七日爲耶蘇被刑日.
121 舊曆二月十六日.
122 欲遵其母之命.

賞金, 禹德淳後以內亂[123]謀殺罪受缺席[124]裁判於咸興地方裁判所, 自旅順日本關東都督府派巡査二名, 七月十六日[125] 押到于仁川警察署, 十八日護送于釜山, 而復往于咸興, 日本人竟殺之.

123 謂義兵也.
124 謂不現於法庭也.
125 舊曆六月初十日.

二 梅泉野錄 中 安重根 記事

黃玹

梅泉野錄 卷之六

1.

○ 二十六日[1] 安重根殺伊藤博文于哈爾濱, 重根生於甲山, 流寓無定, 今爲平壤人, 年方三十一, 欲殺博文, 以雪國耻, 暗自締構, 已數年, 是春誓同人曰, 今年不能斬此賊, 誓當自殺, 夏秋間, 聞博文將巡滿洲, 自海蔘威跟至, 適會博文, 至哈爾賓, 約與露官相見, 方其下車也, 重根混俄兵, 連發拳銃, 三發三中, 博文墜車, 舁入病院, 三十分鍾乃死, 銃凡一連六發, 其三中護倭, 皆不死, 博文中右腹及背部, 未一日, 電飛東西洋, 萬國皆驚, 以爲朝鮮尙有人, 重根與同謀十許人俱被縛, 笑曰, 吾事已成, 死也誰知, 報至京師, 人不敢頌言稱快, 而萬肩齊聳, 各自灑酒奥室, 以相慶賀, 李完用·尹德榮·趙民熙·俞吉濬, 矯兩宮命, 即赴大連吊慰, 上幸統監府親吊, 謚博文爲文忠公, 賻祭奠費三萬元, 贈其遺族拾萬元, 李學宰等, 議建博文頌德碑, 閔泳雨議建銅像, 奔走若狂, 倭人令止之.

2.

上差閔丙奭, 太皇差朴齊斌爲吊使, 金允植以元老代表并赴日本, 時日本朝野大

1 陰九月十三日.

驚哀慕, 以國葬葬博文, 衆怒未解, 如潮湧火燃, 及見丙奭等至, 其愚氓爭欲加害, 以洩之, 倭官嚴警獲免, 皇太子以博文嘗爲太師, 爲之師服三月, 重根囚于旅順倭人獄, 博文以前數日, 語其屬小山曰, 爲人所暗殺, 是吾望也, 人以爲語讖.

3.

○ 以安重根連累被拘者凡九人, 洪原 曺道先·京禹連俊·明川 金麗生·豊基 柳江露·京丁大鎬 金成玉·慶北 九潭·哈爾濱 金衡在·威南·貞公瓊年皆三十餘, 而惟金成玉爲四十九, 柳江露爲十八云, 重根弟定根年二十八, 修學于京城養正義塾, 泰根[2]年二十四, 爲鎭南浦普通學校副訓導, 聞重根事, 皆自免退學.[3]

4.

○ 義將文泰洙, 襲倭伊院驛停車場, 火之, 因博文之死, 倭之通行尤頻, 泰洙乘機奮發, 遠近震擾, 倭大驚, 戒嚴甚備.

5.

○ 統監府邸綠泉亭, 失火旋滅, 騷訛頗興, 倭愈疑惧, 自伊藤之死, 咸謂大憝旣剪, 國勳稍紓, 倭愈激怒, 政令峻苛, 幾如束濕, 或者謂 安重根 無救於亂亡.

---

2 편역자: 恭根.

3 安重根·禹德淳·曺道先·劉東夏·卓公圭·金成玉·鄭大鎬·金麗水·金衡在.

6.

○ 太皇聞伊藤之死, 天顔大悅, 笑語移時, 倭警覘呼子友一郎聞之, 大憾, 查其言根, 審其眞僞, 至於訊問內人, 或曰侍從李容漢, 告許以媚倭也.

7.

○ 新寧人黃應斗, 地方委員也, 倡言伊藤公之變, 不可無謝罪之擧, 尹大燮·金台煥·梁貞煥等, 和之, 威勒各郡, 郡送委員, 前赴日本, 委員等派斂資斧, 地方大擾.

8.

○ 新寧郡守李鍾國, 設伊藤追悼會, 與朴祥琦·黃應斗等大言曰, 往者閔泳煥·崔益鉉陋漢之死, 擧國哀慕如親戚, 而今此恩人伊藤公之死, 無一人悲之者, 我韓之亡, 非朝伊夕也, 因督應斗等, 創謝罪團, 東赴日本.

9

○ 閔泳翊在上海, 出金四萬元, 雇法·俄辯護士, 幫助安重根獄案.

10.

○ 倭人創中央福音傳道舘, 倭以 安重根·李在明等, 皆出於耶教, 忌惡之殊甚, 然力不能禁, 乃椒福音傳道之說, 誘人入教, 勿念國家興亡, 勿計自家死生, 惟一心信天, 則福音自至, 盖欲我民消鑠其忠義之氣, 墮於虛寂之域也, 愚民頗惑焉, 是時倭之設教, 有曰神宮敬義會·曰淨土宗·曰神籬教·曰天照教, 今用此術.

11.

○ 安重根弟定根·恭根, 自旅順貽書京中辯護士會, 願韓人辯護一員, 以援重根, 京中人相顧莫敢發, 平壤辯護士安秉瓚, 慨然自薦, 以十日起程, 向旅順.

12.

○ 重根之母, 訪辯護士到平壤, 詞色毅然, 類烈丈夫, 人謂之是母·是子.

13.

○ 安重根始到哈爾賓時, 作詩歌, 與同行禹德淳唱和, 歌曰, 丈夫處世兮, 其志大矣, 時造英雄兮, 英雄造時, 雄視天下兮, 何日成業, 東風漸寒兮, 必成目的, 鼠竊鼠竊兮, 豈肯此命, 豈度至此兮, 時勢固然, 同胞同胞兮, 速成大業, 萬歲萬歲兮, 大韓獨立.

14.

○ 倭入關東都督府, 設裁判場于旅順口, 公判安重根事件, 至是判 安重根 死刑, 禹德淳役三年, 曺道光·劉宗夏[4] 役一年半, 重根生于海州, 移居信川, 四年前, 又移平壤鎭南浦.

---

4 편역자: 劉東夏.

15.

○ 安重根死刑定期, 以本月二十六日, 重根聞其報, 辭色寢食如平時.

16.

○ 二十六日 庚寅, 安重根被殺于旅順監獄場, 內外國人無不壯而憐之, 始重根數伊藤十五大罪, 一, 弑明成皇后, 二, 光武九年十一月勒成五條約, 三, 隆熙元年七月勒成七協約, 四, 廢太皇帝, 五, 解散軍隊, 六, 殺戮良民, 七, 掠奪利權, 八, 禁止韓國敎科書, 九, 禁止新聞購覽, 十, 行銀行劵, 十一, 攪亂東洋平和, 十二, 欺瞞日本天下, 十二, 禁棄敎科書, 十四, 弑日本孝明天皇, 十五, 闕, 倭人賣重根像, 致厚貲.[5]

17.

○ 安重根家人欲依重根遺言, 歸葬哈爾濱, 倭人不許, 使葬于旅順監獄內葬地, 盖重根臨死, 託以國權未復之前, 勿返故山, 可殯于哈爾濱, 以志遺慟云, 京師人買重根畵像, 旬日得千金, 倭人
禁之, 重根遺詩二句曰, 丈夫雖死心如鐵, 義士臨危氣似雲.

---

5 一、韓國閔皇後 弑殺之罪 二、韓國皇帝 廢位之罪 三、勒定五條約 與七條約之罪 四、虐殺無故之韓人之罪 五、政權勒奪之罪 六、鐵道礦山 與山林川澤 勒奪之罪 七、第一銀行劵紙貨 勒用之罪 八、軍隊解散之罪 九、敎育妨害之罪 十、韓人外國遊學 禁止之罪 十一、敎課書 押收燒火之罪 十二、韓人欲受日本保護云云 而誣罔世界之罪 十三、現行日韓間 競爭不息 殺戮不絕 韓國以太平無事之樣 上欺 天皇之罪 十四、東洋平和 破壞之罪 十五、日本天皇陛下 父 太皇帝 弑殺之罪(신운용·최영갑 편역, 『안중근 유고-안응칠 역사·동양평화론·기서』(안중근 자료집 1), (사)안중근평화연구원, 2016, 111쪽).

18.

○ 海蔘威居留韓人, 屢行 安重根 追悼會.

19.

○ 海蔘威韓人柳承夏, 募金營建 安重根紀念碑.

20.

○ 閔丙奭募金, 擬建伊藤博文頌德碑.

21.

○ 倭人刊行一册曰, 伊藤公葚式餘韵, 頒給各官廳, 又刊遺詩一册曰三百詩, 存寄金允植, 使分各官.

三 騎驢隨筆 中 安重根

宋相燾

安重根

安重根 小名應七, 以其胸有七黑子也, 因以爲字, 其先, 順興人, 後居黃海道 海州, 世爲州吏, 至父泰勳, 讀書拔成均進士, 泰勳, 好奇節, 太皇中起兵擊東學亂徒之在本道者, 重根幼時, 徙信川郡, 受經史於父, 十四, 以母趙氏命, 從本郡所在法國敎師, 受天主敎, 是時, 國中多各國人, 而日本人侵壓獨甚故, 國人多投西敎, 以爲庇依焉, 重根旣長, 英拔任氣, 不拘敎律, 好遊獵山中, 善用銃, 射小鳥輒落, 光武九年, 日人因克俄之勢, 遣其大臣 伊藤博文, 統監我國, 重根憤然有恢復之志, 以關西風氣, 素號勇烈, 乃移居平壤之鎭南浦, 結納豪傑, 散萬金之財, 以興學校, 十一年, 伊藤, 脅太皇內禪, 重根聞而大怒曰日人已皆有我國乎, 欲縱火日人之在平壤者, 其友勸止之, 重根乃入京城, 往民會中, 流涕說國家危急狀, 因之江原道, 糾義兵, 殺日人數百, 爲日人所執, 囚七日不得食, 旣而用計逸歸, 歎曰噫, 井深而綆之短也, 因自言曰, 淸西北間道及俄領海蔘威之間, 本國人不堪吏虐而逃僑者, 前後無慮數十萬, 而統監事出之後, 恥而避居者, 亦頗往往而有敎之皆兵也, 吾可往乎, 及行, 恐爲日人所譏執, 請敎師與俱爲若宣敎者, 歷間道入海蔘威, 西北間道者, 鴨綠江北沿江上下之地也, 始爲我與淸國之交界, 久後淸侵拓有我地, 故我人之居者服我服, 而納租稅於中國矣, 重根往來海蔘威 間道之間, 結豪傑數人, 與誓報國爲作盟, 詞曰汝必出力, 復大韓獨立, 有渝此約, 卽雷火落於汝之頭上, 焚燒汝之身體, 且累及汝之五族, 向衆讀訖, 拔刀斬左手第四指, 以指血, 寫盟詞如人之數, 各懷之, 遂激起僑衆, 作義兵隊, 推衆中一人爲大將, 而己爲參謀中將, 卒兵數千人入咸鏡道, 擊日人千里轉鬪, 多所殺傷, 至吉州敗而退還, 將圖再擧, 時日人以間道本韓地爭于淸者有年, 隆熙三年, 以兵脅淸, 責還間道, 旣而讓間道于淸, 請借淸 滿州鐵路之權, 淸畏而許之, 各國聞而怒, 相與言曰, 我輩亦當分淸地, 以均霑利益, 淸國爲之大震, 當是時, 伊藤新解統監任, 欲與英俄二國大臣, 會于清哈爾濱之港, 談所以操縱淸國之事, 九月, 從數人以來, 後重根在海蔘威, 聞而喜曰, 吾可以先除伊藤乎, 以告同盟人禹德淳, (或云連俊)德淳願從之, 德淳者, 京城東署銀匠也, 憤統監事, 走至海蔘威, 賣菸以爲業焉, 重根遂與德淳, 各帶鎗向哈爾濱, 至布克拉厄齊亞之車站, 重根計以爲哈爾濱者, 俄人最多之地也, 欲察伊藤動靜, 非得我國人通俄語者, 以爲之輔不可也, 乃於本站, 求得咸南道 元山人劉東夏, 祕其事語之曰, 伊藤人傑也, 聞今將至哈爾濱, 吾輩盍往一觀乎, 東夏曰諾, 於是, 三人, 俱至哈爾濱, 旣而東夏以事辭, 乃更求得通俄語者洗濯商曹道先, 道先 江原人也, 重根在旅舍, 作歌以見志歌曰, 丈夫處世兮, 蓄志當奇, 時造英雄兮, 英雄造時, 東風吹寒兮, 搖動漢水, 憤慨一往兮, 吾必反爾, 惟我同胞兮, 速恢大業, 萬歲萬歲兮, 大韓獨立, 德淳以俚歌和之, 旣罷, 重根與德淳 道先, 同往蔡家溝, 以探伊藤來信, 始來時以資金垂盡, 囑東夏, 代借金于我人住哈爾濱者, 旣至蔡家溝, 東夏覆曰, 借金不得, 重根策人多資少, 或誤事機, 乃謂德淳等曰, 公等可留此, 待我辨資, 遂獨還于哈爾濱, 則有報云, 伊藤以明日至矣, 重根乃晨起詣俄車站, 立于俄軍隊之後, 以待之, 重根本作西裝, 故俄人認爲日人, 而莫知爲我人也, 及伊藤至下火車, 觀軍容, 與重根相距未十步, 重根素未見伊藤, 惟嘗於報紙所載小像, 竊識之, 乃從容取槍射之, 三丸中右腹及背, 伊藤遂死, 重根擧手而舞, 大呼大韓萬歲, 露人囚之月餘, 移就于旅順所在日人關東法院之獄, 十二月, 法院長眞鍋開公判, 我國及中國西洋人會者數百, 先是, 我國人住海港及美洲者, 聞公判期, 爲重根, 募金七千, 請辯護士于各國, 於是, 英國律師德雷司·俄國律師末罕依洛夫及西班牙律師等, 皆嚮應而至, 眞鍋計各國律師必救重根, 是日, 宣言曰不通日本語者, 不得升堂, 由是, 德雷司等, 皆不得與於公判, 日本律師紀志見眞鍋所爲, 慷慨語眞鍋曰, 此判不公, 是墮損我大日本令名於天下也, 吾請辯護, 眞鍋亦拒之, 獨用心腹律師二人, 爲辯護士, 引出重根于庭, 重根爲人, 身長五尺四寸, 鼻微隆, 眉目淸秀, 楚然儒也, 在庭, 意氣安閒, 以兩手, 橫度于背, 數數引巾拭面, 眞鍋循律例, 先問姓名年籍, 然後次及伊藤事, 若何爲害我伊藤公, 重根曰爾國之擊俄也, 爾皇宣戰書于我謂將保護韓之獨立我國之人, 胥以心感, 乃克俄之後, 伊藤不遵爾皇之意, 貪功樂禍, 以兵脅我, 而敗我獨立, 此我大韓臣民萬世之讎也, 安得不殺, 眞鍋曰, 聞爾黨有義兵參謀中將, 是誰也, 重根扼腕曰, 所謂參謀中將者我也, 向使伊藤來稍遲, 我當精訓義旅以圍擊于哈爾濱殺之, 不幸訓未成而猝遇伊藤, 故吾不得已出於刺客之行, 豈非天哉, 數日,眞鍋又引重根訊之, 重根曰, 夫伊藤之敗我獨立, 固吾讎也, 而又擅廢我太上皇, 夫伊藤之於我太上皇外臣也, 外臣亦臣也, 以臣廢君, 寧能免誅乎, 語至此, 解聲宏壯, 目光如電, 斥伊藤爲亂臣, 而叱之曰, 伊藤之罪, 上通于天, 伊藤之行我大韓皇帝之廢立如此, 墮我大韓國之獨立如此, 敗東亞之平和如此, 且又溯之昔日, 則我明成皇后閔氏之弑謀, 伊藤實主之, 爾國之先皇帝, 眞鍋聞之大驚失色, 急揮手止之, 且令傍聽者退, 故其辭之終, 無聞之者, 其云先皇帝者, 謂伊藤行弑也, 訊至明年正月者凡六, 重根終始一辭, 少無屈色, 辯護士等曰, 安重根 所言之主義, 皆是誤解, 雖曰復讎而實否也, 且我關東法院, 有我裁判保護國之權, 則 安重根 當以死論, 論旣定, 眞鍋使人謂重根曰, 子若言誤解主義者, 生, 重根叱之曰, 汝等所謂誤解主義者何, 伊藤所爲, 背人道滅天理, 我之所爲, 踐正道行大義, 此義明明, 兒童皆知, 而乃謂我爲誤解乎, 夫汝殺我固當, 惟我生一刻, 則汝國有一刻之憂, 而眞是非之表白於天下, 必有日矣, 聞者咸爲歎息, 至有泣下者, 廷罷, 重根出, 英國 德雷司重重根之爲人而惜之, 攬衣勸令再訴, 重根笑謝, 昂首入于獄, 明日日人, 宣其罪, 重根母率重根二弟定根·恭根來訣, 不肯見重根, 但令定根等, 代告之曰, 嚮吾諭汝勿屈志, 汝今幸能遵守, 吾他日歸見汝父於地下, 庶幾有報辭, 吾訣止此矣, 日人, 以三月繯殺之, 重根時年, 三十二, 有二子一女, 初重根聞判期, 貽書二弟曰, 吾死, 不忍埋於日本人所監之土, 可埋之哈爾濱, 以表我之成志, 至是, 二弟如其言, 日人不許, 使葬旅順獄內之地, 重根不甚涉學, 然能操筆疾書, 其在獄中, 作東洋平和論數萬言, 死後, 各國人爭以萬金購其札, 德淳 東夏 道先三人, 重根被俘後, 又皆爲日人所獲, 公判之日, 德淳切齒而對, 亦頗慷慨, 日人處之監禁三年 道先 東夏皆言不知重根之情, 然日人亦罪之, 次於德淳.

論曰海州, 負名山面大海, 爲海西一大都會, 自高麗時, 出名儒崔沖, 號爲海東孔子, 而重根今又生于其地, 樹立天下閎大俊偉之節, 蓋亦地氣使云, 方統監事出, 先後立節者, 有閔泳煥·趙秉世·洪萬植·許蔿·李儁等諸人, 然或受國厚恩, 或承使命也, 若重根則一布衣耳, 其所爲顧不益賢哉, 或謂人臣之死於國者, 每出於志之不成, 而今重根之死, 能成其志, 使宇內之人, 胥以一驚, 如聞雷霆於深夜獨寢之中, 此前世所未聞也, 雖然, 彼其成亦天耳, 若其被俘二百日之間, 不屈志以生者, 人也斯其實難者矣.

右傳中西洋辯護士一節, 初以辯護士不請自來爲文者, 因滬報之略也, 近考黃梅泉所錄以改之, 旣而示朴白庵, 則朴又加辯正, 竝及他事, 蓋朴素與安烈士, 同州相善, 又嘗見安弟所記錄, 故能特詳也, 玆依其言, 改印二頁, 甲寅正月澤榮.

外傳

安重根 頗有膂力, 自幼少時, 有忠孝血性, 其居信川也, 父嘗借錢於清商, 至期, 清商來索錢不得, 詬罵而去, 重根自外獵歸, 聞之曰奴乃辱吾父耶, 挾銃追至安岳郡, 射殺之, 逃入京師, 時, 日本 公使 林權助屢求索於我, 剝奪國權, 重根忿欲殺之, 乃結壯士二十人, 約與共事而患其少, 乃往保安會, 見主會者, 通其情曰若於貴會, 加得三十人, 事可得成, 主會者危而謝之, 重根曰豎子不足與謀, 遂去海蔘威, 久而始歸, 及父死, 徙居平壤, 平壤勇俠之士皆重之而來歸焉, 重根素好飮酒, 及入間道謀擧義, 慨然斷之曰待我韓恢復然後, 始可飮也, 旣殺伊藤, 與諸連累人,同繫日獄, 諸人或悲歎流涕, 重根笑曰諸君, 皆丈夫耳, 何忽自小如此, 每寢達夜鼾睡如平常, 或吟詩以自壯, 詩曰丈夫雖死心如鐵, 烈士當危氣似雲, 其餘無傳者, 在判場向裁判長眞鍋言曰彼連累諸人, 何與於伊藤之死, 殺伊藤者, 獨我也, 其弟定根·恭根來見于獄曰他日, 可與嫂侄偕來否, 重根揮手止之曰區區妻子可復戀耶, 方其第五判也, 日人有水野者, 重重根而惜其死, 言于眞鍋曰今韓之形, 與我國改革之初, 相同, 重根之爲此, 固也, 伊藤公有知, 必奇之, 子若殺重根, 是得罪於伊藤公也, 眞鍋不聽, 竟殺之, 重根之在獄也, 各國人寫其像者常守獄門外, 門開輒撮之, 日人, 亦慕其義, 爭買其像, 官司下禁令於寫眞館而不止矣.

四 三韓義軍 參謀中將 安重根傳

白山逋民[1]著

緖言

昔謝文羽 痛哭西臺 招見丞相之魂 嗚咽淋漓 歷千古而不滅 黃梨洲 竄身南雷 收殉難諸人之蹟 表章不遺餘力 是蓋天理人情之不容已者 微此 則天地之正氣 絶矣 顧余無狀 亦抱二氏之痛者也 自首遵踪 異域飄零 瞻望故國 禾黍蕭條 吾所愛兄弟之死於異族之手者 歲不知其幾千 滔滔黃海 冤血長流

凡平日 稍以志氣才識 現其頭角者 無一能逃其網焉 每一念 及五內如割 天乎天乎 胡寧忍斯 西臺之哭招忠魂 南雷之收拾遺蹟 誠有不能已於情者 而東西奔竄 無暇把毫 負我忠義之兄弟 多矣 至若涉層溟 屠巨鯨 聲震寰宇 光燦古今者 惟吾安君重根 轟轟乎 烈烈乎 固有不待後死者之表章 而手之無窮也

然自余之來華也 凡官紳學生農工商賈之人 罔不間安君之遺事者 以吾韓人 而不能擧其歷史 則亦烏可謂之有人心者耶 旅館寒燈邊 風颯颯 援筆述此 以副天下人之祈求也

蓋據安君之歷史 而論之曰 捨身救國之志士也 曰爲韓報仇之烈俠也 是猶未足以盡安君矣 安君 具世界之眼光 而自任平和之代表者也 蓋以天下之大勢言之 金甌一統 據亞洲之中心 而關係大局之平和 擾亂者 中國也 以唇齒之密接 而關係中國之安危者 韓國也 日本海中之島國 島人之性 每馳思域外 銳於進取 又其地處 東洋之要衝 西船之東來者 先泊於此 其受西人之觀威 較早於中韓故 倣倣西法 驟臻富強 遂突然先進矣 苟其維持大局 對於鄰邦 不取侵略主義 爲互相扶將之計 則東亞之平和 可企 而世界之戰禍 可弭也 乃其政策 不出乎此 以為不侵佔隣疆 據為領土 則不可以發展其勢力也

---

1 편역자: 朴殷植.

由是 數十年來 以韓滿經營四字 為惟一無二之方針 甲午之役 已有要索遼東半島之問題矣 及夫戰勝俄人 以為天下莫余阻也 得隴望蜀 愈見其野心之勃勃 所謂韓滿經營之目的 不達則不止以區區島中之生活 馳突於大陸方面 不亦榮哉

然而漭漭神州 不容彼之獨自橫行 而列強眈眈 逐鹿紛紛 若是 則不止中國之擾亂 而抑亦各國之競逐 無時可已 將億兆之生命財產 糜爛於砲火世界 是豈人道之所許者耶 然則 甘為戎首破壞 大局之平和者 誰實尸之

彼伊藤日本之代表 而侵略主義之主動者也 安君對於世界 希望平和者 故認彼為平和之公敵 而以為不除此 則天下之禍 不可弭也 擲吾一已之生命 購得世界之和平和 則無上幸福也 主義相反 勢不俱生 乃其結果之至此者也 以是論之 安君 具世界之眼光 而自任平和之代表者 豈僅曰 為韓報仇者哉

第一章 家庭之遺傳

安重根者 韓國黃海道海州人 父泰勳 進士 善詩文 為人慷慨 有氣節 甲午 (西歷一千八百九十五年) 東學黨 倡亂 氣焰甚熾 舉國繹騷 泰勳召募鄉兵 以討之 重根年十七 後父軍擊賊

重根 幼有雋才 通經史 工書藝 及長 善騎射 臍下有棋子者七 狀如北斗 故初名應七 軀幹長大 氣宇軒昂 以膽勇 為鄉人所懼服 家素饒財 以父子俱尚任俠 故揮霍 而盡討東學 時 宰相有賈公穀者 概有私資 泰勳 奪為兵餉 亂定 賈迫之急 遂入天主教 教中人 素聞其盛名 懽迎籍甚 由是 重根亦為天主教人 時國政 日紊 官吏競為貪婪 以剝民膏 泰勳 籍教會團體 以抗官吏 雖得人民之懽心 而大被官吏之仇嫉 幾危其身 中歲 徙黃海道信川 又徙平安道到甑南浦[2] 而居焉 吾邦人民 積狃昇平 不習武事 陷於文弱之極點 而泰勳 教子弟 兼治文武 故重根 射藝絕倫 能於馬上 射落飛鳥 此其後來 活動之原因也

---

2 鎭南浦.

第二章 日人併韓之時期

我國與日本 隔一海峽 彼之圖我 遠則豐臣秀吉有壬辰之入寇 近則西鄕隆盛 有丙子之征韓論 前後經營 何其慘談也 甲午 中東之役 彼欲分離中韓關係 聲言朝鮮之獨立 而其干涉內政 攫取利權之手段 何嘗以獨立之實與之也 況乙未八月 我國母之被弑 出於彼人之凶手 則我國民 忍共戴一天乎 甲辰 日本與俄國 開戰 日皇又宣言于天下曰 扶植韓國之獨立矣 及其戰勝而議和也 俄人認日本於韓國 事軍政事經濟上 有卓絕之利益 於是 伊藤博文 以統監來矣 乙巳十一月十七日 伊藤與公使林權助 大將長谷川好道等 率兵入闕 勒締保護條約 元老閔泳煥趙秉世等 死爭不得 遂自殺以殉國焉 人民之反對者 併被逮捕 或遭慘殺 嗚呼 四千二百餘年歷史之舊國 遂隷伊藤統治之下矣

第三章 獻身國家之思想

時 重根在甑南浦[3] 閱大韓每日申報 則保護之約成矣 不覺放聲大哭 卽告于母氏曰 國家糜爛 至此 兒不敢自愛其身也 遂與弟恭根正根 入漢城 使之肄業于法律學校 以求學界之同志 往來平讓漢城之間 糾合志士 奬勵教育 以為回復國權之準備 嘗在甑南浦[4] 對衆人 痛論時事 略無顧忌 日巡兵 詰其過激 重根 怒毆日兵仆地曰 爾何干涉我家事乎 其不畏强禦 多有如此者 顧忌

此時 吾國志士界 有安昌浩者 理想家也 雄辯家也 事業家也 早歲 遊歷美洲 吸取文明 其還國也 在統監政治之曰 痛祖國之沉淪 慨民智之幼穉 每對衆演論 詞氣激烈 心血怒湧 聽者 莫不雪涕 其組織會社 建設學校 皆井井有規極 合文明制度為全國之模範 所至 男女塞道懽迎 爭呼安先生 其為國人 信之仰如此 重根 往從之遊 聆其言論 尤深佩服焉

---

3 鎭南浦.
4 鎭南浦.

第四章 去國出洋

嗚呼 日人 併韓之機 漸熟 至于丁未七月 而海牙密使問題 又起矣 是歲 荷蘭海牙府 開萬國平和會議 前議政府參贊李相卨 前平理院檢事李儁 前駐露公使參書官李瑋鐘三人 走海牙府 控日人強壓毒害之狀 各國公使 置之不問 日政府 乘此為最好機會 伊藤 及長谷川好道 林董等 帶兵入闕 逼皇帝 禪位太子 要結七條協 一切行政司法官吏任免 均由統虑分 解散各軍隊 侍衛 第一大隊隊長朴勝煥[5] 痛哭自刎 部下兵士 激忿 與日兵 接戰射殺 大尉梶原 日人大怒開大砲 轟擊煙焰漲天 是日 兵士人民 死者千餘人 于時 重根 自平壤入漢城 悲覩此狀 不勝怒憤 顧瞻四方 網羅彌天 揮腕無地 乃與同志金東億 入俄領海參威 以其為韓人移住最繁之地 而係日人勢力範圍之外 可得行動之自由故也

第五章 斷指同盟

年來 韓人 移住俄領沿海州 及各處者 至數十萬戶 就中有志者 開設學校及報館 鼓吹祖國思想 重根 往來各地 備嘗艱苦 忍耐飢渴 大聲疾呼 唇焦舌枯 得同志者 禹德淳 曺道先 柳東夏等七人 斷指結盟 血書大韓獨立爲國報仇八字 約以同死 陰募義旅 將乘機擧事 寄書大韓每日申報館 其書略曰 修身齊家治國 為人之大本也 心體相合 而保其身 家族相合 而保其家 人民相合 而保其國 其理一也 今我國家 陷敗至此 國民之不和合 即其一大原因 不和之病 由於驕傲 種種害毒 皆萌於此 蓋優於己者猜 弱於己者侮 與己埒者爭 俱不相下 烏得和合哉 醫驕傲之病者 謙遜是也 卑己敬人 甘人責己 某於責人 又能以己功讓人 何患不和合哉 昔寬國王 使諸子 折一條鞭 個個斷折 更與以一束鞭 使之折 不能折條 王曰 汝等 若各自為心 必為人所折 合為一心 人不敢折 吾人 當念此言也 惟我民族 不能一心 故疆土為倭奴所奪 而猶為倭奴 翰我內情 樂為彼倀 借彼毒手 陷我忠良 抑獨何心 思之及此 痛恨骨冷 此蓋驕傲二字所祟也 苟能打破此二字 而持和合二字 父詔其子 兄勗其

5 朴昇煥.

弟 勗 決死以圖復國 高建太極旗 同我眷屬相見 獨立館唱大韓獨立萬歲 震動六大洲 是吾願也 貴社 亦宜以是鼓動我同族 則區區之望也

第六章 伊藤之赴哈爾賓 瘦骨稜稜滿禿毛

異哉 伊藤之來北滿也 皤皤衰髮 稜稜瘦骨 驅馳海陸 觸冒風雪 為營何事 蓋韓滿經營 卽彼 惟一目的 韓國經營 十分完滿 滿洲進取 行將繼續 與彼俄國 拋棄宿憾 聯結新好 協商滿洲問題 非元老宿望代表一國者 不可 是以北滿此役 不委之於他人 而矍鑠老翁 自任之矣 醉卦美人膝 握醒天下權 卽此老之自負語也 然而使此老 不死於鋒鏑 而死於美人膝上 則烏足為丈夫之價值哉 此日之行 殆天所以成就其人也 已酉十月 視察滿洲 將會俄國大藏大臣於哈爾賓 於是 韓國義士安重根 禹德淳 躍然而起矣 重根作詩 而歌之曰 丈夫處世兮 無國何歸 時造英雄兮 英雄造時 雄飛天下兮 障我者誰 東風漸寒兮 成功之秋 一舉狙擊兮 快雪國羞 同胞同胞兮 勉成大業 萬歲萬歲兮 大韓獨立 德淳 亦作歌 而和之曰 逢兮逢兮 逢讎仇兮 我欲逢爾 奔走四方 惟爾求兮 今日相逢 天假其便 快報國讎兮

第七章 天降霹靂

伊藤 以十月二十五日 宿寬城子 朝發鐵道 午至哈爾賓 日官吏駐滿者 懽迎甚衆 露大藏大臣 亦至 兵衛甚盛 重根 着洋服懷拳銃 混入俄兵間 伊藤纔下車 狙伏發丸 三發皆中 伊藤胸腹肩脅 更發三丸 亂射日人川上總領事 森秘書官 田中理事 均被重傷 重根 見伊藤倒地 以拉丁語大呼大韓萬歲 露巡兵 卽行捕縛 重根笑曰 我豈逃者也 此報一播 天下之人 莫不動色吐舌 曰韓國有人 韓國有人 露國寫眞師 榻重根射伊藤狀 為供世界演劇觀 日人 以六千圓購之云 朝鮮詩人 金澤榮遊淮南聞此報 有詩曰 平安壯士目雙張 快殺邦讎似殺羊 未死得聞消息好 狂歌亂舞菊花榜 海參港裏鶻摩空 哈爾賓頭霹大紅 多少六洲豪健客 一是匙箸落秋風 從古何嘗國不亡 纖纖一例壞金湯 但令得此撐天手 却是亡時有光

第八章 旅順公判

於是 俄人 以重根交付日人 押致旅順監獄 將行公判 韓國律士 及俄國英國荷蘭律士 併為辯護 及開公判 不許各國人辯護 只許傍聽 日裁判官行審問 重根抗辯曰 苟欲恢復韓國獨立 維持東洋平和 則必先除伊藤老賊然後 可圖也 又主辱臣死分耳 我以死決心 為國家獻身 出遊海外 遊說我民族 鼓起忠君愛國之心 募集壯士為兵 教育幼年為後備 一以勉實業 一以勵義務 以圖大事 是我之目的也 裁判官曰 伊藤公爵 實奉天皇陛下命令 撫爾國民 語未終 重根厲聲曰 曩者日俄戰爭 日本皇帝 宣戰詔勅有曰 扶植韓國獨立 維持東洋平和 我韓人民 用是感激 祝日軍勝利 修治道路 運輸兵餉 及日軍凱旋 我韓人喜躍相賀曰 自此吾國 獨立益鞏固矣 乃伊藤 迫我政府 締結五條七條等約 大加不利於我國 移我外部 奪我通信機關 廢我法部 解散我軍隊 至於廢立我皇帝 動籍兵力 專行強壓 國內義兵 由是激起 愈殺愈熾 忠志之士殺戮殆盡於是乎 我韓人 視統監為仇敵 日本皇帝 詔勒所謂韓國獨立東洋平和 皆歸於網我韓民而已 伊藤之陰謀譎計 不可復揜 乙未 弑我皇后 亦由伊藤之凶謀陰嗾 彼伊藤者 違反日本皇帝詔勒 陰虐我韓民 不惟我皇室之逆賊 亦日本皇帝之逆賊 我用是讎視伊藤老賊 到處遊說 我民族激起義兵 我自以參謀中將 激起韓日戰爭 今日殺伊藤老賊 認以韓國獨立戰爭 自處以義兵參謀中將資格 今此法庭引出 亦以戰爭被虜認之 不當以刺客問我也

意氣益厲 辯詞滔滔 愈逼近彼國陰事 裁判官色變 遽麾退傍聽 遂止公開 粤明年庚戌三月二十六日 竟以殺人律處絞 禹德淳 曹道先 柳東夏 以帮助殺人處役 重根在獄中 意頗閒暇 述東洋平和論數萬言 蓋發表其平日所抱主義 而莫之傳為可憾焉日人之索書者 踵門不絕 寫至數百餘幅 辯護士安秉瓚歸國 重根囑之曰 為我告同胞 我不過為急激一着者 願我同胞 熱心教育 擴充實力 以復我國權 則死者 當蹈舞泉下矣 臨刑神色自若 連呼東洋平和 先是 謂弟恭根等曰 我死 願埋哈爾賓路傍使天下之人 知其為亡國民之骨也 恭根等 欲從其命 為之請屍 日人不許 遂埋之旅順之邱矣 各國人 爭購其肖像 寫眞師 有致厚者 富云

第九章 禹德淳之小史

昔鄭商人弦高 以販牛為業 能救鄭國之難 此商界之傑 而國民之範也 今韓國義士禹德淳 亦雜貨商耳 其愛國血忱 直與安重根 並耀青史 天下之商業同胞 其亦有感發興起者乎 禹德淳 忠清道堤川人 家貧業商 轉至漢城 開雜貨店 僅支生活 無暇學問 然愛國之忱 出於天性 喜讀新聞 至時勢危迫 國權損失 輒涕泣不食 乙巳保護條約成 舉國人士悲憤 若狂莫知所出 禹德淳曰 吾國存 然後民存 若國之不存 則吾之產業 非吾有也 吾之妻子 慨非有也 吾之生命 非吾有也 吾寧毁吾產業 棄吾妻子 捐吾生命 以救國家 可也 然三千里山河 舉在羅網之中 一言一動 不能自由 則尚何事之能為哉 吾聞海參威 多吾同胞之移住 亦有志士 創辦學校報館等事業 而係在日人範圍之外者 求吾活動方面 舍此焉往 遂入海參威 訪求同志 與安重根 斷指結盟 至是 聞伊藤之來哈也 欲於要路擊之 而未知何處與彼相遇 於是 兩人決計一在蔡家溝俟之 一往哈爾賓圖之 德淳 乃留蔡家溝 送重根赴哈 淚涔涔 欲墮不異蕭蕭易水 白衣冠送別時也 見者 頗怪之 及夫伊藤之来也 巡兵 閉其客店 不許出視 德淳 從窗隙覘之 伊藤已過矣 忿極氣塞 頹臥炕上 良久乃起 及其對簿 辭氣激厲 與重根 所對無異 傍聽諸人 莫不壯之 此時公判 處三年役 日人 又恐其將來有如何行動 乃加以他罪 移囚咸興監獄 德淳 遂自殺 雖其目的所就 讓於重根 而其志氣之犖犖 則無愧為天下之烈士也

第十章 安李金三義士之小史

嗚呼 惹 夫四千二百餘年歷史之韓國 至(西歷一千九百十年)庚戌八月並 其空名而去矣 日本陸軍大臣寺內正毅 以總督來韓 宣佈日韓合併 廢隆熙帝 為昌德宮王 各處兵巡 警備甚嚴 重根從弟明根 陰結壯士 謀殺寺內 欲於火車中 以炸彈擊之 事洩被捕 入法庭對簿 辭氣亢厲 傍聽者 皆曰 眞無愧為安義士之弟也 以謀殺未遂 處終身役 連累受刑者 至數百人 先是 平壤人李載明 金貞益 聞日人將締合併條約 以為急先除賣國賊黨 則彼之勒約 或可阻之也 載明刺李完用 完用被重傷不死 載明乃以殺人律處絞 貞益欲刺李容九 被捕以謀殺處役 載明耶穌教人 幼失父 十三歲從西洋赴教師宣美洲 以勞動 得盤資回國 貞益 至貧 寄傭人家 服役之暇 就勞動夜

學堂受業 語其情踪 皆至微者 乃為國討賊之舉 出人意表 驚動一世 由此觀之 市販側微之間 未嘗無奇男子也

結論

著者 見華人之論 安君事者曰 斯人也 一目顧朝鮮 一目顧中國 可見其崇拜之至矣 夫此崇拜英雄之思想 實為振興國家之要素 而據英雄之蹟 大書特書 屢書不一書 表章之闡揚之 則執筆者責也 若執筆者之慢于是 則非所以啟發國民之良心也 非所以培養國民之元氣也 烏在其為精神教育乎 況對今日現狀 此種經歷史 尤為對症之良劑 何以言之 國家之與替 在乎國民之心理 其國民富於義俠心者 重公德 懋公益 急公義 遇有患難 爭擲肝腦 以赴救之 衆志團結 國力健全 若其乏於義俠心者 祇知有私 不知有公 國家休戚 付諸膜視 不痛不癢 痲木不仁 竟陷於腐敗之極點而已 然則 今日國民教育 非宗尚義俠 以風厲之恐 不能救 此痲木不仁之症以成強健活潑之體也 進而言之 道德家救世之勇 亦何嘗不有是哉 墨子 摩頂踵放利天下 則為之 楚欲伐宋 墨子之門人 為諫楚救宋 之楚而死者 七十餘人 此其義俠之宗也 王陽明 黃梨洲 亦皆有義俠之風者 故其為道也 富於自信 勇於實行 發揚蹈厲 最有功於世教矣 世之志於精神教育者 其曷注意于是哉

編者曰 安氏者 三韓之奇男子也 論者 或目之為刺客 據其供辭 則認為韓國獨立戰爭 而以義兵參謀中將 自任者也 又或稱之為韓報仇 據其供辭 則以恢復韓國獨立 維持東洋和平 自命者也 素以恢復韓國獨立 維持東洋和平 自命者 乃終出於狙擊暗殺之一途 反以成彼扶桑驕兒 伊藤 梟傑之名 此必有其大不得已者 存也 夫物不得其平則鳴 異族陵侮 爰有種族革命 政治黑暗 爰有政治革命 顧革命之回慘淡經營 非旦夕功 於是 狙擊與暗殺 乃嘗為其導火綫 與急先鋒焉 此亦愛國義士 不得已之用心 而可為後人所鑒諒者也 是編 為白山逋民氏所著 寄交本社 略為詮此以公諸世 並附載安昌浩 金澤榮 禹德淳 安明根 李載明 金貞益 諸氏事略 俾知三韓大有人 在人心不死 卽國魂不亡之徵云爾 鐵甆陳无適識

趙熙濟

安重根 海州

安重根 小名應七 以其胸有七黑子也 因以爲字 生於黃海道海州 其先本順興人 及家海州 世爲州吏 至父泰勛 讀書爲上舍生 爲人雄傑好奇略 太上皇三十一年 於所寓居信川地 遇東學賊之侵擾 起兵擊走之 重根 自幼少時 讀書之餘 必挾弓矢 弄槍械 習馳馬 能於馬上 射落飛鳥 泰勛之擊賊 常爲先鋒以成功 弱冠有大志 慨然歎曰 國家文弱甚 而外憂日深 此非尙武時哉 家故饒多食指 而不治產業 出遊傍郡邑 交結俠勇 遇兵器之良者 輒購之 光武八年 日本攻克俄羅斯 因侵韓奪國權 重根告父曰 我國 恃俄羅斯爲援 今也 日本 旣克俄羅斯 何所憚而不咋我 然則 我之可與爲脣齒者 中國而已 往遊中國 交結才俊 與圖維持 兒之願也 遂行歷遊上海等地 居數月 聞父喪還時 日本伊藤博文 已統監我矣 重根旣葬 以平安道三和甑南浦爲中國往來之要地 徙居之 傾家財起學校 于平壤城中廣募生徒以育之間 與平壤大俠安昌浩等 入京師聚西北學校等諸生 數設國家危急狀以聳動之 十一年 伊藤 脅太上皇內禪 隨散京外兵 重根忿憤思恢復 以國中無可措手地 俄羅斯海蔘葳之港韓人多僑居 可與有爲 遂往海蔘葳 於僑衆中 得俠士 關東金斗星 提川禹德淳等二十人 相與斫指誓救國 遂以忠義激勸僑衆 一歲間得丁壯三百人 授以戰藝 以義兵大將 讓于斗星 而己爲義兵參謀中將 其餘諸人 亦各分署其職 隆熙三年六月 重根聚兵誓曰 昔文天祥 以鄕兵八百圖元 趙憲 以七百儒生而擊倭 今我衆雖少 何畏日本 況我國中之義士 在在蜂起 與京外兵士之罷散者 相合以困日本者 三年矣 鼓行而前 響應必多 公等其各盡力 遂引兵渡豆滿江 入慶興郡 襲擊日本戍兵 斃五十人 進至會寧 爲日本人大軍所逆擊 衆皆潰散 重根 與二人 逸而免 十二日 僅得再食而歸

伊藤 解統監任 自以旣得韓 可以進圖淸國 十月 陽託遊覽來淸滿洲 與英吉利俄

羅斯二國大臣 相約會談於哈爾濱之港 重根 聞而喜曰 天其送此賊乎 乃言于德淳曰 亡我韓者 非伊藤耶 聞今將至哈爾濱 願與子圖之 德淳曰 諾 遂各懷槍 行哈爾濱 至吉林 重計以爲哈爾濱者 俄羅斯人最多之地也 欲察伊藤動靜 非得我國人通俄羅斯語者 與之俱不可也 乃求得劉東夏 曺道先二人 與俱至哈而濱 是夜 重根在旅舍 意慷慨以憤作歌 述其志以唱之 歌曰 丈夫處世兮 畜志當奇 時造英雄兮 英雄造時 北風其冷兮 我血剛熱 慷慨一去兮 必屠鼠賊 凡我同胞兮 毋忘功業 萬歲萬歲兮 大韓獨立 德淳 以俚歌和之 明日 重根 與德淳道先 同至寬城子 以探伊藤來信 既而欲辦資金留二人 而還哈爾濱則 有報云 伊藤明日至 重根 晨起詣車站 立于俄羅斯軍隊之後 以待之 重根 本作西裝故 軍隊認爲日本人 而莫知爲我人也 及伊藤至下火車 與俄羅斯大臣 握手作禮 禮畢徐步向各國領事所 重根相去未十步 重根 素未見伊藤 惟嘗於報紙所載之小像 竊識之 乃披軍隊 而入擧槍射之三丸 中胸腹 伊藤遂死 又射伊藤從者三人 亦皆仆 於是 重根 大呼大韓萬歲 軍隊就而縛之 重根 大笑曰 我豈逃者哉 遂被囚于俄羅斯裁判所月餘月餘 日本人移囚于旅順所在日本關東法院之獄 始日本之統監我也 宣言於各國 以爲韓人感悅 於日本之保護 至是 恐各國人有嘖言 令法院長眞鍋 遣通韓語者 境喜明 圓木次郎 就獄說重根曰 子未喩伊藤公統監韓之主義耳 伊藤公之施於貴國 皆以造國家生民之福也 子何爲害之 今若幡然開悟 以過悟自首 日本政府 必將憐君之志 奇君之才而立 子寬釋 如此 子之前塗功業 可量也哉 重根笑曰 好生惡死 人之情也 然吾若苟生 豈至於此 子毋誘我 二人 色沮而退 明日 復往誘說百端 重根不肯聽 眞鍋聞之 決意殺之 十二月 開公判 我國中國 及西洋人 會觀者 數百人 先是 重根弟 定根恭根 以將有公判 請律師之辯護於眞鍋 眞鍋 慮他國律師 必直重根 然又難違各國之律例 陽許之 於是 我人之往美利堅 及海蔘葳者 募金七千 請辯護士於西洋英吉利律師德雷司 俄羅斯律師米罕依洛夫等 紛紛相繼而來 韓律師 義州安秉瓚 亦慷慨自薦 而至 眞鍋 皆諉爲不通日本語而拒之 獨用日本律師二人爲辯護士 引出重根于廷 重根爲人 身長約五尺四寸 神彩飄飄然 在廷意氣安閒 以兩手橫交于胸間 數數引巾拭面 眞鍋 循律例先問姓名年籍然後 次及伊藤事曰 若何爲害我伊藤公 重根曰 貴國之擊俄羅斯也 貴皇宣戰書于我謂將保護韓之獨立 我國之人 胥以心感 乃既克俄羅斯之後 伊藤不遵貴皇之意 貪功樂禍以兵脅我 而敗我獨立 此我大韓臣民 萬世之讎也 安得不殺

眞鍋曰 聞爾黨有參謀中將 是誰也 重根扼腕曰 所謂參謀中將者 我也 曩者 吾

欲與義兵大將金斗星 提兵過海 擊殺伊藤 適時遇伊藤來故 遂以一身先行 以行復讎 而至於此則 我於貴國 卽一敵將之被擒者也 而貴國待之而刑獄之一囚何哉 夫伊藤之敗我獨立 固吾讎也 而又擅廢我太上皇 夫伊藤之於我太上皇外臣也 外臣亦臣也 以臣廢君 寧死能免誅乎 語至此 聲益宏壯 目光如電 數伊藤而罵之曰 伊藤之罪 上通于天 伊藤之行 我大韓皇帝之廢立如此 墮我大韓國之獨立如此 壞東洋之平和如此 且泝之昔日則 我明成皇后之弑謀 伊藤實主之貴國之先皇帝 眞鍋聞之大驚失色 急揮手止之 且令傍聽者退故 其辭之終無聞之者 其云先皇帝者 謂伊藤行弑也 判至明年正月者六 重根終始一辭 辯護士曰 安重根 謬解伊藤公保韓之主義 雖曰 復讎 實否也 當以死論 眞鍋 又使人謂重根曰 子今將死矣 若言謬解者生 重根 叱之曰 汝等 所謂謬解者 何 伊藤所爲之背人道滅天理 童孺之所知也 而乃謂我爲謬解乎 夫汝殺我 固當 惟我生一日則 汝國有一日之憂 而眞是非之表白於天下也 必有日矣 竟不之擾屈焉 眞鍋 遂以辯護士所論之罪 宣之 三月二十六日 繯殺之 重根 時年三十二 始宣罪之後 二弟就訣 重根曰 我死不忍埋於日本所監之土 可姑埋哈爾濱公園之傍 以待國權之復也 至是 二弟 欲如其言 日本不許 使葬獄內之地 重根平生 不甚涉學 然聰明過人 操筆能疾書 在獄中 作東洋平和論數萬言 亦或吟詩以自遣 日本及各國人 爭出金購其札 前後在獄二百餘日 飮食如常 每夜鼾睡至明 死之日 脫西裝改着新製韓衣服 笑語以就刑 德雷司語安秉瓚曰 吾閱天下人及天下之獄 多矣 未嘗見如此烈士 吾歸當爲天下誦之 德淳東夏道先三人 伊藤死後 亦尋皆被捕 公判之日 德淳 切齒而對 亦頗激昂 日本人處之監禁三年 東夏道先 自言不知重根之情 然日本人 亦罪之次於德淳

안현생

혁명가 안중근 의사에 대해서는 지금까지 기사로 혹은 전기, 연극 등으로 적지 않게 소개되었으며 이와 같은 기사나 전기, 연극은 사실과 다소 어긋나는 점도 없지 않았다.
그러나 지금까지 소개된 바와는 달리 안중근 의사의 딸인 안현생(安賢生) 여사의 이번 이 회고담은 새로운 사실을 허다히 밝힘으로써 독자 여러분에게 새로운 관심을 주리라고 믿는다. 원래 안중근 의사는 2남 1녀를 두었다. 그러나 불행히도 안현생 여사의 맏동생은 어릴 때 세상을 떠났고, 그 다음에 태어난 장남 안준생(安俊生)씨는 피란 간 부산에서 온갖 고생 끝에 신병으로 타계했다. 그리하여 안중근 의사의 직계로는 안 여사 한 분만이 남고 그 밖에 안 의사의 질녀 안미생(安美生)·안련생(安蓮生)씨가 있다. (실화 편집부)

거사 후에 우리 가족이 더듬어온 길

세상 떠나신 선친에 대해서 여러분이 쓰신 글들을 많이 보았습니다만 저 자신이 붓을 들기는 이것이 처음입니다. 이렇게 청을 받고 붓을 드니 하고 싶은 말도 많고 머리 위에 떠오르는 지난 일도 많습니다만 무엇으로부터 말을 시작해야 좋을는지 모르겠습니다. 그러나 생각나는 대로 대충 적어보기로 하겠습니다. 선친이 돌아가신 것은 지금으로부터 46년 전 3월 26일이었습니다.

그때 제 나이 여덟 살이고 보니 큰 기억이라고는 있을 수 없었습니다만 자라면서 조모님을 비롯하여 여러 선생님으로부터 말씀을 들었습니다. 원래 저의 집 고향은 황해도였습니다만 조부모님 때부터 진남포(鎭南浦)에서 살았습니다. 선친께서는 일찍이 집을 떠나 망명길에 나섰고 숙부 한 분은 서울법정학교에 다녔고 한 분은 진남포에서 일찍이 선친이 창설한 학교 교원으로 있었습니다.

이리하여 어머님과 어린 동생은 조모님과 함께 살고 있었습니다만 선친께서는 의거하신 해에 노령(露領·러시아 영토) '버그라니스'에 살림을 장만했으니 온 집안 식구더러 오시라고 편지를 보내왔습니다. 그러나 살림살이로 보든지 식구로 보든지 솔가할 수는 없었지요. 그래서 조모님 말씀이 비록 망명길을 떠나기는 했으나 가족이 그리울 것이며 그날그날이 적적할테니 저의 어머님과 어린애들만이라도 보내는 것이 좋겠다고 하셨습니다. 그러시면서 장녀로 태어나 조모님의 지극한 귀여움을 받아오던 저까지 보내면 쓸쓸하셔서 견딜 수 없다고 저만은 조모님께 남게 되었습니다.

이와 같은 조모님의 말씀대로 어머니는 어린 동생을 데리고 길을 떠났습니다. 딱딱한 사회적 환경과 딱딱한 집안 분위기에서 자란 어머니는 이때 처음으로 기차를 타시게 되었고 처음으로 얼굴을 가리고 다니던 장옷을 벗고 구두를 신었습니다. 이와 같이 여장(旅裝)을 꾸미시고 집을 떠나 기차가 장춘(長春·당시 新京)에 이르렀을 때 정거장에는 총을 메고 칼을 찬 헌병이나 경찰을 비롯하여 유달리 일반 사람이 홍성대고 있었답니다.

그래서 처음 길 떠난 어머니도 의아스럽게 생각하였지만 주위 사람들도 저마다 의아스럽게 보고 있었는데 나중에 알고 보니 이토 히로부미(伊藤博文)의 시체를 실은 기차가 마주 서 있었습니다.

그러나 어머니는 이와 같은 중대한 사건이 일어난 줄도 모르고 하얼빈에 도착하여 선친이 연락하신 대로 그곳 김성백(金聖佰)씨 집을 찾아갔습니다. 한데 김성백씨를 비롯하여 집안사람들이 조금도 반가워하는 기색이 없을뿐더러 거의 무표정하게 아무런 말도 없었습니다. 그러나 아는 이라고는 한 분도 없는 하얼빈이라 어머니는 그래도 그 집에 들어갔습니다.

그때 어머니는 그곳에 선친하고 함께 계시던 모씨가 들어오더니 선친께서 이토 히로부미를 죽였다는 소식을 전함으로서 비로소 알게 되었습니다. 더구나 그분 말씀이 곧 일본 경찰이 잡으러 올텐데 절대로 안중근의 아내라고 말해서는 안 된다고 주의를 주셨습니다. 그분 말대로 얼마 후 말소리 요란스럽게 일본 경찰이 와서는 어머니와 어린 것을 잡아갔습니다.

어머니로서는 객지에 나선 것도 이것이 처음이요 경찰서에 가보기도 처음이었습니다. 일본 경찰은 선친과 ×××씨의 사진을 내보이면서 잘 알지 않느냐 하고 묻기 시작하였습니다. 그러나 순간 어머니는 선친의 사진을 '모르는 사람'이라고 하면서 한쪽에 밀어내고 모씨는 오빠 되는 분이라고 말하였습니다. 어머니가 이처럼 고집해도 이미 알아낸 일본 경찰은 "안중근의 아내인 줄 알고 있는데 왜 거짓말을 하는 거야"하면서 욕설을 퍼부었습니다. 그러나 어머니가 끝내 부인하자 그들은 어머니와 어린 것을 유치장에 가두었습니다.

평소 어떻게 생겼는지 생각조차 해본 일이 없는 어두컴컴한 유치장에서 어머니는 어린 동생보고 울라고 시켰습니다. 아마 그렇게 하면 시끄러워서라도 곧 내보내리라 믿었는지 모르지요. 그것은 어쨌든 어린 동생이 자꾸 울기만 하자 일본 경찰은 나오라고 하면서 다시 조사를 계속하는데 그때 어머니는 어린 동생보고 이젠 울지 말라고 하니 "엄마, 아까는 울라고 하더니 왜 이젠 울지 말라고 해요" 이렇게 말하였고 이것을 들은 일본 경찰은 또다시 욕설을 퍼부었답니다. 결국 어머니는 3일 동안 유치장 생활을 하시다가 나왔습니다. 어머니의 외로웠을 심정은 누구든 이해할 수 있는 일이지요. 그 후 선친이 의거하신 소식이 널리 알려지자 이곳저곳에 흩어졌던 여러 분들이 하얼빈에 모이기 시작했고 그분들의 주선으로 선친이 마련하신 버그라니스에서 고독한 살림을 시작하게 되었습니다.

李王의 밀사라고 모계(謀計)하는 일본 경찰

한편 일본 경찰은 진남포 저희 집을 수색하고 서울에서 공부하시는 숙부도 조사하고 야단이었지요. 일이 이렇게 되니 저의 집안사람들이 국내에서 마음 편히 살 수는 없는지라 조모님, 숙부님 모두 조국을 떠나게 되었습니다.

낮에는 여관에 묵고 밤이면 걸어서 함경도-만주로 해서 러시아령인 버그라니스에 이르렀고 그곳에서 다시 동청철도(東淸鐵道) 연변에 있는 목릉에 집을 옮겼습니다. 그 후 한 사람 두 사람 숙부님의 가족도 한곳에 모이게 되었고 그리하여 그곳에서 우리 집안사람들이 살게 되었는데 그곳을 지나오고 지나가는 혁명가 분들은 꼭 들러서 위로해주곤 했습니다.

한편 선친의 의거에 대해서 말하면 일찍이 의용군(義勇軍)을 조직하고 두만강에서 일본 사람과 접전(接戰)하시던 선친은 다시 해삼위(海蔘威·블라디보스토크)에서 동지들과 함께 의거할 계획을 세우고 있었습니다. 그리하여 이토 히로부미가 온다는 소식을 듣자 구체적으로 준비하기 시작하였습니다. 동지의 한 분인 우덕순(禹德順)씨는 본래 은방을 한 경험이 있는지라 총알도 몸에 박히면 한층 괴로움을 당하도록 모가 나게 만들었다고 합니다. 그리하여 하얼빈까지의 지리를 따져 우덕순씨, 유동하(柳東夏)씨 그리고 선친 세 분이 세 곳에 대기하고 있었지요. 그러나 우덕순씨도 그와 같은 의거의 기회를 만나지 못했고 유동하씨도 그러했습니다. 그리하여 마지막 기회인 하얼빈에서 선친이 이등을 죽였지요.

선친은 이등이 온다는 소식을 듣고 그와 같이 동지들과 계획을 세운 다음 소련에서 자라 소련말 중국말에 능통한 유동하씨와 함께 하얼빈에 도착해서는 위에서 말한 바 있는 김성백씨 집에 투숙하였습니다. 그리하여 20일 가까이 대기하고 계시다가 마침 10월 26일! 그날이 왔습니다. 이등을 맞이하기 위해서 소련의 고관들도 많이 나왔고 경비도 준엄했습니다만 선친께서는 용의주도하게 이등 가까이까지 뚫고 들어가셨습니다. 그리하여 총을 뽑기 시작했는데 이에 앞서 해삼위에서 동지들과 약속하기를 이등에게는 총 세 발을 발사할 것, 그렇게 함으로서 절명(絶命)을 보장할 수 있으며 나머지 총탄도 주의해서 발사하되 소련 사람이 맞을 경우 국제적인 문제도 있으니 주위에 있는 일본 고관에게 발사하기로 했답니다.

그래서 선친께서 이등을 향해 일 발을 발사했으나 워낙 군악(軍樂)소리가 요란스러웠기 때문에 주위 사람들은 총소리를 듣지 못했고 이 발을 발사하자 그때 비로소 주위 사람들이 총소리를 알아듣기는 했으나 순간 당황해서 어쩔 줄을 몰랐답니다. 삼 발을 발사하자 이등은 땅에 쓰러지고 선친은 계속해서 주위에 있는 일본 고관들에게 난사(亂射)하여 팔에 맞은 놈, 머리가 깨지는 놈이 속출했답니다. 이제 뜻했던 바 일에 성공하신 선친은 권총을 내던지고는 바로 그 장소에서 "대한민국 만세"를 힘 있게 외쳤지요. 이리하여 일본 경찰은 대한민국 만세를 외치는 선친을 마차에 실어 여순구(旅順口)에 이송하였습니다.

취조가 시작되었으나 선친께서 자기의 일거일동을 명백히 하는지라 고문할 필요도 없었고 길게 조사할 것도 없었습니다. 그러나 그들은 하나의 모계(謀計)를 꾸미기 시작했습니다. 그것은 선친더러 목숨을 살려줄 테니 공판정에서 이왕(李王)의 명을 받고 이등을 죽였다고 진술할 것을 강요한 것입니다. 이때 선친께서는 "목숨을 아낄 내가 아니요, 그렇게 목숨을 아끼는 나라면 이런 중대한 일을 하지도 못했을 것이다" 이렇게 말씀하시면서 천부당만부당한 말을 그만두고 빨리 사형해 달라고 했습니다. 선친의 태도가 그와 같이 확고하니 일본 경찰도 그와 같은 그들의 계획을 단념하지 않을 수 없었지요.

"나라를 찾거든 고국에 묻어달라!"고 유언

그리고 일본 경찰도 선친께 대해서는 극진한 대우로서 음식은 요구하는 대로 제공했답니다. 의거하신 10월 26일에서 사형당하시던 다음 해 3월 26일까지의 만 5개월 동안 추운 형무소 생활을 계속하신 선친의 고생이야 이루 말할 수 없었겠지요.

선친께서 사형언도를 받자 그때 서울에 와 있던 프랑스인 홍(洪) 신부님은 선친의 마지막 길에 '연미사'를 올리고 유언을 듣기 위해서 여순구로 왔습니다. 그러나 정식으로 주교(主敎)의 승낙을 얻을 수 없는 일이어서 홍 신부님은 주교에게 비밀에 부치고 개인적으로 그것을 행했기 때문에 나중에 신부 자격을 잃게 되었지요. 즉 홍 신부님은 선친을 위해서 희생된 것인데 그 후 홍 신부님은 비록 신부의 자격은 잃었어도 고국에 가서 그대로 신부의 복장을 하시고 아침저녁으로 기도를 계속했답니다.

사형을 집행하기 전에 홍 신부님이 연미사를 올리고 마지막 유언을 들을 때에는 저의 숙부 두 분도 참석하였습니다. 선친의 유언은 간단했지요. "나라를 찾거든 나의 시체를 고국에 묻어달라"라는 한마디였습니다. 그들은 3월 26일 오전 10시 정각에 정기장치로 사형을 집행했고 그때 숙부님 두 분이 일본 경찰에게 시체를 내달라고 요청하였습니다만 일본 경찰은 이를 거절하면서 숙부님을 밖으로 떠밀어냈습니다.

숙부님 두 분은 워낙 어리신 때라 눈물이 앞을 가로막아 그대로 여관에 돌아가 밤새 붙잡고 울기만 했답니다. 아침에 배달되는 신문을 보고 선친을 ××에 매장한 것을 알게 되었지요. 한편 선친의 의거가 있기 전에 제정 러시아에서는 교포 7만명을 노령으로부터 퇴거(退去)하도록 명령을 내린 바 있었습니다.

그러나 선친의 의거가 있자 한국에 이와 같이 훌륭한 분도 있느냐고 하면서 퇴거 명령을 철회했을 뿐만 아니라 좋은 땅을 제공하기까지 했답니다. 또한 저희들을 감격하게 한 것은 해마다 선친이 돌아가신 3월 26일이면 중국 사람을 비롯한 외국 사람들까지도 그 묘지를 찾아주었다는 사실입니다. 일본 사람들도 그날이면 분향을 했습니다. 얼마 전 향항(香港: 홍콩)을 거쳐 중국에서 돌아 온 사람이 전하는바 지금도 그 묘지를 찾아주는 사람이 많다고 합니다.

8·15 해방이 되면서 선친의 유언대로 고국에 모시려고 했습니다만 국제정세가 미묘했던 관계로 뜻을 이루지 못했습니다. 셋째 숙부님은 일찍이 중국에서 세상을 떠나시고 둘째 숙부님은 "형님이 그렇게 유언하셨는데 어찌 나만이 고국으로 돌아갈

수 있느냐"라고 하시면서 고국에 돌아올 것을 거부하고 국제정세가 좋아지면 선친의 유언대로 선친을 모시고 고국에 돌아가겠다고 말씀하셨습니다. 그 후 공산당이 정권을 잡게 되었고 숙부님은 상해와 대만을 오고가고 하시다가 중국에서 세상을 떠났습니다.

한편 제가 고국으로 돌아온 것은 해방된 다음해 11월 11일이었습니다. 이렇게 늦게 돌아오게 된 것은 물론 선친을 모셔야 한다는 데도 이유가 있었지만 다른 돌발사건이 하나 있었습니다. 그것은 해방 당시 중국 상해에 우리 교포 몇 천명이 살고 있었는데 주인(남편)이 한교민단(韓僑民團) 단장으로서 일을 보아오다가 그해 12월 4일 나쁜 사람들로부터 저격을 당해 세상을 떠나게 된 불행한 사실이었습니다. 그리하여 저는 주인의 유골을 모시고 돌아와야 하였기 때문에 그처럼 늦게 돌아오게 되었지요.

두 딸과 함께 고국에 돌아온 저는 당장 의지하고 찾아갈 곳이 없었습니다. 오직 있다면 제가 어릴 때 약 4년간 불란서 '까이리' 수녀님과 지낸 일이 있어 그 계통을 찾는 일이었습니다. 그리하여 명동 성모병원으로 갔더니 마침 정(鄭)의례시나 수녀님이 저를 알아보고 고맙게 대해주셨습니다. 수녀님은 추운 날씨라 제 손을 잡고 자기 입김을 불어주시면서 방으로 안내하였습니다. 그곳에 우선 짐을 맡겨두었지요. 상해에 있을 때 듣기에 입을 옷이며 가구가 귀하다고 하기에 중요한 것만 꾸려 가죽 가방 다섯 개와 보통 짐 다섯 개로 만들어 수녀님 댁에 보관시킨 거지요.

조국을 찾은 첫날에 당한 지능적 사기!

한데 고국에 돌아오자 또다시 예기치 않았던 불행을 당하게 되었습니다. 제가 상해를 떠날 때 저와 딸 둘로 여자들만이라 이웃사람의 소개로 어떤 청년과 같이 오게 되었습니다. 그 청년은 짐을 꾸릴 때에도 거들어준다고 하면서 어느 속에 무엇이 들고 어느 속에는 어떠한 것이 들어 있다는 것을 저만큼 알고 있었지요. 그리하여 함께 돌아와 성모병원까지도 같이 왔었고 저는 짐을 그곳에 맡겨두고는 아는 사람들을 찾기 위해서 밖으로 나왔지요.

다음 날 옷을 갈아입기 위해서 수녀님을 찾고 그 뜻을 말했더니 짐을 둔 방문을 열어주셨습니다. 한데 가방 다섯 개가 눈에 띄지 않기에 제 생각으로는 수녀님께서도 가방 다섯 개만은 중요한 것이 들었으리라 믿고 자기 방에다 따로 보관했으리라 믿었지요. 그래서 "수녀님, 가방은 방에다 보관하셨군요"라고 한마디 하자 순간 수녀님은 매우 당황한 표정이 되어 잠시 말이 없었습니다. 다음 순간 말씀하기를 전날 저와 그 청년이 나간 지 한 시간 후 청년은 다시 돌아와서 지금 호텔 방을 하나 얻고 당분간 그곳에 투숙하기로 되었기 때문에 제가 시켜서 왔다고 하면서 가방 다섯 개를 갖고 갔다는 것입니다.

실로 어쩔 줄을 몰랐습니다. 수중에 돈은 없고 이제 입을 옷까지 잃었으니 앞으로 어떻게 하나 생각해봐야 도리가 없었습니다. 그 청년은 처음부터 계획적으로 한 일이라 다시 찾을 수도 없으리라 단념하고 우리 세 모녀는 막연한 생각에 사로잡혀 있었지요. 한데 고마웠던 것은 이(李) 신부님이 신학교 기숙사 방 하나를 빌려주셨습니다. 비록 다다미방이기는 했으나 의지할 곳 없는 우리 모녀에는 사랑스러운 보금자리였지요.

이제 방은 얻었으나 먹을 것이 문제였습니다. 그래서 하루는 정의례시나 수녀님의 소개로 금강전구주식회사 사장인 박정근(朴定根)씨를 방문하고 그곳에서 생산되는 전구로 장사를 하기로 했습니다. 이와 같이 장사하기로 이야기는 됐습니다만 우선 전구를 100개 받아오려면 낡은 전구 100개를 가지고 가야 하는데 제 주위에서는 그것을 구할 도리가 없었지요.

이것 역시 교회 안에서 모아가지고 전구를 받아서 팔기 시작했습니다. 이집 저집, 이 가게 저 가게 찾아다녔지만 그리 잘 팔리는 장사도 못될뿐더러 아는 사람을 만날까봐 퍽 어색했습니다. 그러나 하루 이틀이 지나면서 다소 익숙해지기도 했고 밥 세 끼를 먹을 만한 최소 한도의 수입은 있었습니다. 전구 하나를 팔면 20전이 이익으로 남았고 그리하여 하루 이삼백원 수입으로 세 식구는 그날그날을 보냈지요. 그러나 전구가 제대로 생산되면 100개건 200개건 받을 수 있었으나 생산이 제대로 되지 못할 때에는 최소한의 수입마저 끊어지는 날도 있었습니다. 더구나 전구를 잘못 받아 오면 몇 개씩 손해를 보게 되는지라 공장에서 하나하나 시험을 해가면서 100개 200개를 받는 수고는 그때가 추운 겨울이라 이루 말할 수 없었습니다.

그러나 이와 같은 최소한의 생활도 다시 풍파를 만나게 되었으니, 그것은 학교에서 기숙사를 수리하여 학교에서 써야 하는지라 저와 같이 방을 얻어 쓰고 있던 몇 사람은 부득이 방을 비워야 했습니다. 이와 같이 방은 꼭 비워드려야 했으나 우리 세 모녀는 당장에 갈 곳이 없었지요. 그래서 저는 며칠을 두고 생각했답니다. 누구를 찾아가면 꼭 도움을 받을 수 있을까? 하고 이 사람 저 사람을 머리 위에 그려보면서 하나하나 판단을 내렸지요.

그러던 끝에 선친을 잘 아시고 저와도 중국에서 학교 시절 가까이 지냈던 주모씨를 방문하고 사정 이야기를 했더니 그분이 그때 돈으로 적지 않게 주셨습니다. 그래서 우선 안국동에 방 하나를 얻고 나머지 돈을 밑천으로 해서 우리 모녀의 살림을 확립하기로 했습니다. 그리하여 김모씨의 말이 된장, 간장을 받아서 군부에 납품하면 생활은 유지할 수 있다기에 그 사람 말대로 안국동에 '안생공사(安生公司)'라는 간판을 걸고 그 사람과 함께 장사를 시작했습니다.

또다시 사기당하는 온정의 거금

그것이 1947년 7월이었습니다. 한데 그 김모씨는 장사는 말할 것도 없거니와 고국 사정에 어두운 저를 속이고 장사밑천으로 고스란히 사복을 채웠지요. 속았다는 괘씸한 생각은 물론이거니와 주씨로부터 얻은 그 적지 않은 돈을 이렇게 헛되게 없애버린 미안스러운 생각이 앞서 몹시 괴로웠습니다. 이제 또다시 생활이 곤란한 데다가 방세도 다시 내야 할 텐데 제 힘으로는 도저히 감당할 수가 없었습니다.

또다시 어느 누구를 찾아 동정을 바랄 생각은 없었습니다. 그래서 우울히 지내는 어느 날 저의 사정을 잘 아는 신모씨가 퍽 동정하시면서 8군단에서 지은 후생주택 하나를 주선하여 주셨습니다. 그것이 지금 살고 있는 집이지요. 서울시에 가서 집 열쇠를 받아들고 우리 세 모녀는 너무도 기뻐서 손을 마주잡고 눈물을 흘렸습니다. 이제 좋든 나쁘든 집은 장만이 되고 남은 것은 먹고살아 나갈 생활방도였습니다.

그 당시 저는 인사를 드리기 위해서 민정장관(民政長官) 안재홍씨도 방문하고 경무부장 조병옥씨도 방문하였던바 조병옥씨 말씀이 모자 무두 경무부에 나와서 일을 하면 어떠냐고 하셨습니다. 그러나 주위 사람들의 만류도 있고 해서 양자로 있는 사람을 경위(警衛)로 취직시켰습니다. 다만 이러니 저러니 해서 두 달인가 석 달 후에야 비로소 발령을 받았지요.

근무는 인천이라 추운 겨울날 북아현동 산 밑에서 새벽 일찍이 출근하여 밤늦게야 돌아오고 그렇게 지내다가 마침내는 폐가 나빠서 신음하기 시작했습니다. 그래도 그 수입으로 근근이 살아오기는 했으나 여순반란사건 때 전투대에 참가하여 부상을 입고는 병상에 눕게 되었지요. 이래서 생활은 이루 말할 수 없을 만큼 참혹했습니다. 장(張) 여사가 때때로 쌀을 갖다 주셨고 찬값도 이삼천원씩 주셨습니다.

그러다가 그때 신한공사(新韓公司) 총재로 계시던 C씨가 영등포에 있는 땅 천평을 주셨습니다. 그래서 그곳에서 돼지를 치고 집에서는 닭을 쳤습니다. 이것이 6.25 직전까지 돼지 서른다섯 마리, 닭 백 마리가량으로 늘었습니다. 6·25동란을 맞이하여 양자 되는 사람이 경찰이라 해서 영등포에 있는 돼지는 그들이 죄다 가져갔습니다.

집에 있던 닭은 파편을 맞아 죽기도하고 나머지는 생활이 궁할 때라 잡아먹기도 하고 이러하여 모두 없어졌지요. 6·25 때 공산당 사람들이 여러 차례 찾아오기는 했으나 양자는 병으로 누워 있고 집안 살림도 말씀이 아닌지라 별반 해롭게 굴지는 않았습니다. 더구나 9.28수복 때 제가 살고 있는 북아현동이 최전선이 되어 이웃집들은 적지 않게 피해를 입었습니다만 저희 집 장독대와 우물에는 파편 하나 떨어지지 않았습니다.

1·4후퇴 때 양자는 끝내 세상을 떠나고 저와 딸 둘은 대구에 내려가 저는 천주교에서 세운 효성여자대학에서 불문학을 가르쳤습니다. 대구시장께서 쌀 배급을 주셔서 그럭저럭 생활은 유지되었고 큰딸은 육군중령으로 있는 지금의 사위와 결혼을 하였지요. 제가 효성대학에 나가다가 하루는 얼음판에서 넘어져 절골을 당하고 그때 혈압이 230으로 고혈압에 몹시 신음한 바 있었는데 지금도 그 병세 때문에 적지 않은 괴로움에 잠겨 있습니다.

이렇게 모진 고생을 하면서도 저는 늘 선친의 교훈을 잊지 않습니다. 고생하고는 모진 고생이기도 하지만 선친에 비한다면 이것이 무슨 고생이 될까 자탄하면서 지내왔습니다. 서울로 돌아올 때에는 그곳 학생들이 모아둔 고마운 전별금도 있었고 그리하여 다시 옛집으로 들어왔습니다.

안중근 의사를 역이용하는 사람들?

생활은 사위 몫으로 배급 나오는 쌀로 그럭저럭 유지해왔고 해가고 있습니다. 둘째딸은 리더스다이제스트 사에 근무하여 집안 살림도 조금씩 도우면서 저금을 계속 해오다가 이제 시집갈 나이가 되었으나 좀 더 공부를 해야 한다고 지난 1월 20일 로스앤젤레스로 떠났습니다.

서울에 돌아왔어도 생활 때문에 네다섯 명의 개인교수도 했으나 혈압이 자꾸 높아가고 그래서 그것도 그만두었지요. 다만 집주위에 꽃을 재배하는 것을 일삼고 그날그날을 보내왔습니다. 앞으로 저의 오직 하나 큰 희망은 선친의 유언대로 선친을 고국으로 모셔오는 일입니다. 그러나 지금의 이와 같은 국제정세에서는 당분간 어려우리라 생각되어 퍽 마음이 괴롭습니다.

또한 제가 불쾌하게 생각하는 것은 선친의 이름을 이용하는 사람들입니다. "나는 안중근 의사의 어떻게 되는 사람이요"하면서 이곳저곳을 찾아다니며 불미한 일을 하고 있다는 풍문을 허다히 듣고 있습니다. 풍문만이 아니나 실제 만나본 일도 있습니다.

지난번에 '안희자'라는 여성이 저를 찾아와서는 언니라고 하면서 자기도 선친의 따님이라고 해요. 그래 세상에 이런 일이 어디 있습니까! 저는 하도 어처구니가 없어서 딸은 저 혼자뿐이라고 간단히 대답해 주었지요. 그랬더니 그 사람 말이 자기는 어릴 때부터 홀로 객지에 나왔기 때문에 기억이 확실치는 않으나 그렇다면 질녀가 되는지도 모른다고 엉뚱한 말을 하지 않아요. 그래 질녀가 있기는 해도 이미 세상 사람들이 아시는 바와 같이 안미생, 안련생 두 사람밖에 없어요.

또 자기가 일본에서 자랐다고 하기에 그럼 일본 어디서 자랐느냐고 물었더니 기억할 수 없다고 대답해요. 우리 집안사람은 일본에 갈 리도 없고 갈 수도 없다는 것은 누구든 이해할 수 있는 일이에요. 저는 길게 말할 흥미조차 없어 저를 찾아온 목적이 뭐냐고 했더니 태연스럽게도 다음과 같이 말하는 거예요. 지금 땅도 얻게 되고 그리하여 학교를 짓고 저를 교장으로 모시겠는데 다만 필요한 것은 자기가 선친의 따님 혹은 질녀가 된다는 것을 증명해달라고 하지 않아요. 세상이 혼란하기로서니 이런 일이야 어찌 꾸며질 수 있겠습니까. 저는 다시는 찾아오지도 말라고 하면서 돌려보냈지요.

평소 하고 싶은 말도 많았고 느낀 바도 않았던지라 두서없는 말 길게 늘어놓은 것 같습니다. 저는 하루바삐 선친을 고국에 모실 수 있는 그날이 돌아오기를 빌면서 끝을 맺습니다.

七 安重根義士 傳記

安鶴植

一, 救國之士誕生에 瑞光의 三重奏

鐵血의 愛國者이며 抗日의 英雄인 安重根義士의 誕生地는 伯夷, 叔齊의 百世淸風碑로 有名한 黃海道 海州 首陽山下 廣石川畔에 자리 잡은 安門世居의 一古家이다. 이 由緖 깊은 邸宅은 韓日合倂 以後에 倭僧들로 하여금 이를 改修하여 東本願寺라는 一個 寺刹로 冒用하였으니 이 또한 우리 韓民族에 對한 倭政의 蔑辱的 施策의 하나인 것이다.

人傑은 地靈이라 함은 傳來의 古說에 不過하나 이 絶世의 救國巨星 安重根義士의 誕生에 많은 異蹟과 瑞兆가 隨伴하였음은 假飾 없는 事實이다. 그의 父親 泰勳이 祖父(義士의 曾祖)의 墓를 海州 金山面 冷井洞 瑩域으로 移葬 時에 壙穴 內에서 五色이 燦然한 古代 磁甁 一雙이 發掘되었다. 地師가 "이는 高僧 道詵의 埋標라"하므로 이를 槨內에 넣어 埋安하였다. 이런 일이 있은 後 未幾에 妻 趙氏(義士의 母) 꿈에 乾方에 七座의 奇星이 나타나 瑞彩燦然한 夢兆있더니 그날부터 胎氣가 있어 西紀 一八七九年 七月 一六日 마침내 男兒를 出産하였다. 그가 바로 後日에 韓末의 國運庇塞을 痛嘆하여 祖國侵略의 倭魁 伊藤博文을 射殺하여 倍達의 넋을 萬邦에 宣揚한 安重根義士이다.

背部에 七個의 黑點이 있어 北斗七星과 彷佛하므로 『應其七星』이라하여 應七이라 이름하니 이는 義士의 幼名이다. 또 『도마쓰』라고도 부르니 이는 天主敎 神父가 命名한 敎名이다.

二, 天才的 射擊術에 萬人이 驚歎

義士는 幼時부터 氣骨聲色이 出衆非凡하고 眉目이 炯秀하여 後日에 萬人을 號令領率할 人物이 되리라는 것은 足히 疑心할 餘地가 없었다. 賦性이 豪邁早達하여 三歲에 能語하고, 四歲에 能讀能算하며, 七·八歲에는 能射能騎하여 神童이라고 불리었다.

儒家의 子孫으로 태어난 그는 일직이 家庭에서 四書와 通鑑等의 儒籍을 修習하였으나 그 豪放不羈한 性格은 尋章摘句만을 能事로 아는 文章學說에는 秋毫의 興味도 느끼지 못하였고 다만 山野를 달려 狩獵을 하며 弓術, 石戰, 炬戰 等을 즐기는 것만이 唯一한 趣味이었다.

每年 正月이면 年中行事의 一種처럼 施行하는 大洞對墨坊 猪洞間 石戰炬戰의 對抗戰에는 義士가 參加한 大洞部落이 恒時 勝利의 榮冠을 獨占하였다.

義士의 操銃術은 可謂 入神의 妙法을 習得하였다 하리만치 그 當代의 火繩銃이라는, 構造며 性能이 오늘날 一種의 玩具에 不過한 우리나라 在來銃으로도 一發必中하는 妙技를 發揮하였다. 萬人이 傍觀하는 試射場에서 韓末의 鑄貨『葉錢』을 數三十步 前方에 매달고서 그 中央角孔을 命中하여 傍觀者들을 感歎케 하는 事例는 義士의 射擊術로는 그리 어려운 일이 아니었다.

三, 黃海道 名門으로 由緖 깊은 家系

義士의 先代는 黃海道 地方의 班門, 豪族들과 比肩하면서 累代를 海州에서 世居하여 相當한 德望과 財力을 兼備한 道內에서도 屈指의 名門이었다. 義士의 高祖父 때에 至하여는 鋸萬의 資産을 마련하여 海州, 鳳山, 延安 一帶에 많은 私有田畓을 買收하여 黃海道에서 二, 三位를 다투는 富豪家門으로 有名하였다. 이때부터 물려받은 家産을 그대로 持續하면서도 無産層들로부터의 德望이 높았으니 이는 그 當時의 致富家들의 通念이라고도 할 수 있는 守錢意識에 汲汲하지 아니하고 恩惠를 廣施한 證左이다.

義士의 祖父인 仁壽翁은 일찍이 鎭海縣監의 官職을 歷任한바 있었으므로 地方에서는『安鎭海宅』으로 通稱하였다. 翁은 末年에 難治의 疾病 中風病으로 오랜

歲月을 病床에 누워 當代의 名醫들을 招聘하여 靈藥이라면 무릇 求하지 못한 것이 없었으나 壽命이란 어길 수 없는 것인지? 마침내 回癒하지 못하고 新居地 淸溪洞에서 終命하였다.

四, 景福宮 重修와 安門沈衰의 禍端

西歐文明의 導化를 封鎖하고자 鎖國政策을 强力히 實施한 韓末의 大院君은 景福宮 創建의 大工事를 設案하였다. 當代의 官僚들은 誰何를 莫論하고 擧皆가 賣官賣職으로 自我榮達과 自家致富에만이 汲汲하였고 國政을 올바로 보살핀 자는 거이 없었다. 그러므로 國家政策은 亂脈相을 不免하였고 國家財政은 貧弱함이 그 極度에 達하였다. 民生苦는 日益加重하여 塗炭속에서 해여나갈 수 없었으나 政府로서의 길이란 束手無策하였다. 如斯한 國家財政狀態로서는 景福宮 創建이라는 巨大한 工費의 支出은 實로 不可能한 現狀이었다. 大院君은 工費全額을 民間들로부터 捻出한 허울 좋은 願納金으로 이를 充當하기로 決定하고 全國 官僚들에게 命하여 願納金 募金 政策에 專念하도록 하였다. 그러나 이 願納金制度의 副作用으로 貪慾官僚들의 搾取의 弊端은 더욱 民生苦를 塗炭속에 빠트리게 하였고 列强勢力의 韓國에 對한 侵略的 野慾만을 誘發胎動하게 하였다. 특히 黃海, 平安, 咸鏡의 西北 三道에 대한 李氏朝鮮 建國 以來 中央政權으로부터의 差別施策은 이루 形言할 수 없었다. 그것은 三道에 居住한 그들 自身이나 그들 先代에 中央要路에 起用된 者가 極히 少數였기 때문에 官衙에서 如何한 施政不均의 苛酷한 橫暴을 加하더라도 이를 反撥·抗議할 아무런 實力對決을 못하였기 때문이다. 따라서 景福宮 創建 願納金制度의 被害는 어느 地方보다도 가장 尤甚하였다. 所謂 地方에서 食粟에 支障이 없을 정도의 中流層 以上의 家門이라면 누구나 그 힘에 過重한 巨額의 願納金 納付 督促에 不得己 住宅과 家財를 放賣하고 流離四方하는 者가 적지 않았다.

累代의 富豪家門으로 이름을 떨친 義士一門에도 銀 七千兩이라는 巨額의 願納않인 願納金이 黃海監營으로부터 割當賦課 되었다. 銀 七千兩이라면 當代의 換物價値로서는 可驚할만한 巨額이다. 그러나 이처럼 强徵한 願納金은 그 全額이 中央政權으로 納付되어 景福宮 創建費에 充用되는 것이 아니고 그 殆半額이 中間官僚

들의 奪取의 好餌가 되고 만 것이다. 그러므로 民生의 怨聲은 日益高潮 하였다.

五, 世居의 海州에서 後圖의 淸溪洞으로 移住

義士의 祖父 仁壽翁은 이 어이없는 願納金 賦課 通知를 接하고서 長男 泰鎭 以下 六兄第를 한 자리에 合席시키고 앞으로 擇해야 할 家庭問題를 討議하였다. 性稟이 强硬한 義士의 父親 泰勳과 泰鍵 兩兄弟는 橫暴無比한 黃海監營의 願納金 賦課를 斷乎拒絶 抗議하자고 極口 主張하였으나 長男 泰鎭 以下 餘他 兄弟들의 『民不勝官』이라는 封建意識에 사로잡힌 隱退 自重論에 歸結되어 마침내 累代를 繼承한 延安郡에 있는 俗稱 『낙모루』 大農場과 其他 家山 等을 放賣하여 眞實로 願하지 않는 이러한 假飾된 허울 좋은 願納金의 巨額을 完納하였다. 民生 問題를 都外視한 이러한 貪虐政策에 對한 不滿과 憎惡感은 마침내 遁居의 決意를 하게 되었다. 仁壽翁은 世居의 地 故山海州를 버리고 새로운 後圖의 適地를 擇하여 移住하기로 內定하고 아들 六兄第를 각기 分派하여 道內 全域을 周遊遍踏하게 하였더니 그 중 貳男 泰鉉의 眼目에 發見된 곳이 바로 信川郡 斗羅面 淸溪洞이라는 곳이다.

淸溪洞은 李朝의 義賊 鄭來秀의 舊居地로서 九月山에 버금가는 海西의 峻嶺인 天峰山脈으로 둘러있는 倒笠形態의 盆地로서 自然의 要地이다. 三面은 山麓으로 周遙되었고 東쪽만은 天然的으로 關門을 이루고 있다. 關門 앞에 望泰山이라는 險惡한 山이 가로막고 左右로 狹路가 있으니 所謂 『一夫當官에 萬夫莫開』하는 天險의 要塞地로서 軍略的 要地이기도 했다. 동네 中央에는 天峰山谷에서 흘러나린 淸溪川의 맑은 물이 畵幅처럼 潺流하여 그 勝景은 遁居處士의 興趣를 더욱 돋구어주고 있다. 한편 天峰山谷 一帶는 天日도 볼 수 없는 原始林으로 白晝에도 猛獸가 소리쳐 우는 險山幽谷이기도 했다. 居住民이라고는 겨우 十二, 三戶의 火田民들이 原始 그대로의 生計를 營爲하고 있었다.

仁壽翁은 이곳 淸溪洞에 後圖의 보금자리를 마련하길 決定하였다. 먼저 家垈와 山林을 買收하고 次男 泰鉉으로 하여금 木工 等 役夫들을 다리고 入洞하여 二十餘間이나 되는 住宅 三棟을 新築하라 하였다. 그런 後에 來客 四·五十名을 能히 收容할 수 있는 巨大한 舍廊과 婢僕들이 寓居할 行廊 一棟도 附設하였다. 三個處에

食水 우물을 마련하였고 아울러 淸溪川의 맑은 물을 舍廊 앞으로 引水하여 蓮池를 만들고 玩月吟諷의 觀賞樓台도 建築하였다. 洞口岩壁에는 『淸溪洞川』이라고 大書刻字하였다. 이처럼 終了되자 海州에서 待機中이던 安門 一家 百名 가까운 大家族이 累代를 情들어 世居한 故山 海州를 버리고 新圖地 淸溪川洞으로 移住하였다.

幽谷의 새소리를 비롯하여 潺潺한 물소리며 簫瑟 같은 바람소리만이 大自然의 音律인양 單調로운 寂寞을 깨트리던 原始部落 淸溪洞이 安門 一族을 마지하여 一朝에 活氣充滿하였다. 따라서 『淸溪洞川』의 이름도 俄然히 世間에 알려지게 되었다.

六, 砲手群의 營舍化된 新營住宅一廓

義士의 一發必中하는 天才的 操銃妙術은 所聞에서 所聞을 퍼트리며 遠播하였다. 當代의 砲手들은 서로 射擊術을 겨누어 볼려고 모여드는 자가 많았고 淸溪洞 安邸 一廓은 그들의 集結地로처럼 되었다. 年中 어느 때를 莫論하고 普通 十餘名, 많으면 四五十名 程度의 食客 砲手群들이 먹고 있었다. 그들 砲手의 頭目으로는 盧濟錫, 林道雄, 朴致範, 韓重錫, 韓在鎬等이 가장 錚錚한 人物들이다. 이들은 體力의 向上과 技術의 鍊磨를 目的으로 個人射擊高點競技며 甲乙紅白으로 分班하여 實施하는 對抗競技 等을 隨時로 試演하였다.

少年 砲手로 이름을 떨치었던 義士는 그때마다 拔群의 成績을 擧揚하여 參觀者의 感歎을 받았다. 특히 十四歲 때의 秋期分班 對抗競演에서 義士의 所屬인 紅斑의 成績이 不振하여 到底히 挽回할 可望이 없었다. 그러던 것이 紅斑 最終 射手인 義士가 指定試彈 五發을 最優點으로 어김없이 命中시키어 紅斑이 勝利를 거둔 사실은 當代의 砲手들 間에 오래도록 傳해진 話題이다.

七, 韓末의 庇政과 列强勢力의 角逐

大院君이 天主敎徒 大量 虐殺과 斥洋鎖國의 一貫政策도 滔滔히 波及되는 國

際的 時代潮流는 막아낼 수 없었다. 結局은 門戶開放, 通商修交, 新敎自由等으로 市政策의 一大轉換을 아니할 수 없었다. 列强諸國은 使節의 派遣, 軍隊의 駐屯, 宗敎의 宣布 等으로 間斷없이 自國勢力을 우리 韓半島에 扶殖할려고 努力하였다. 그리하여 十九世紀 末期의 韓國情勢는 宛然히 列强勢力의 角逐場化됨을 難免하여 어느 때 그들의 食餌가 될려는 지 알 수 없는, 實로 風前殘燭의 危急狀態에 直面하였다.

그러나 當代의 執政官僚들은 四百年來의 因襲된 派爭觀念에 사로잡혀 一黨一家의 安逸과 榮達만을 專念하여 貪虐사취만을 能事로 하였고 國家社稷의 興廢에 對하여는 아무런 關心이 없었다. 民生은 날로 塗炭의 惱苦가 加重하여 官에 대한 怨嗟의 소리가 漸高하였다.

金樽美酒는 千人血이요
玉盤佳肴는 萬姓膏라
燭淚落時에 民淚落이오
歌聲高處에 怨聲高라

이 貪官汚吏를 諷刺한 詩句는 南原의 鄕愁에 젖은 古代傳說로만 보아넘길 것이 아니라, 古今 全體 官員들에 對한 警醒名句이다.

八, 東學亂의 勃發과 淸日開仗

一八九四年 正月에 全羅道 高阜郡에서는 貪官輩의 典型的 人物이라고 할 수 있는 郡守 趙秉甲의 虐政에 郡民들의 憤怒는 極度에 達하여 一觸卽發의 險勢에 놓였다. 이때 승려 出身인 東學黨員 全琫準은『나는 東學開祖 崔濟愚로부터 靈感을 繼承修道하였다』하고 無智한 大衆을 煽動하여 軍衙를 掩襲하니 郡守 趙秉甲은 脫走하고 其他 官員들은 敎徒들에게 逮捕投獄 當하였다.

이것은 이른 바 東學亂의 發端이며 後日의 淸日開仗의 도화선이 되었던 것이다.

全琫準의 東學敎理에 朦昧한 民衆의 雷火附同한 者가 날로 漸增하여 그들은 非常한 組織體系로서 官軍에 對抗하므로 官民의 被害는 이루 말할 수 없었다.

朝廷에서는 中央의 偵探官軍을 總動員하여 一方 討伐과 一方宣撫의 恩成竝行하는 兩面政策으로 鎭壓하려 하였으나 跋扈하는 東學徒들은 그 勢力이 沸騰하여 瞬息間에 湖南, 湖西, 嶺南의 各 地方을 席捲하다싶이 하였다. 朝廷에서는 마침내 自國兵力으로는 到底히 鎭壓할 수 없음을 自認하고 淸國으로 援兵을 要請하였더니 淸政에서는 오래 前부터 肚裏에 或種의 奸計를 품은 바 있었으므로 기다렸다는 듯이 이를 快諾하고 馬玉昆을 陸路 平壤으로 派遣하고 葉志超, 聶士成은 數千의 軍兵을 引率하여 水路牙山으로 上陸하게 하였다.

朝廷에서는 李重夏를 迎接使로 하여 이를 歡迎하였다. 이러한 事實을 알게된 日本은 淸國에 對하여 天津條約의 違反이라고 指摘 抗議하므로 兩國間의 情勢가 險難하더 結局 淸日戰爭을 開端하고 말았다. 靑軍은 意外의 變에 逢着하여 大敗의 苦盃를 마시게 되고 戰禍는 翌 乙未年 4月 8日에 終戰되었으나 淸國은 日本에 對하여 臺灣과 山東半島를 割讓하며 三億의 戰費를 賠償하고 韓國의 獨立을 保障한다는 所謂馬關條約이 締結되었으니 一個無名僧侶 全琫準으로부터 發源한 副作用으로는 너무나 巨大한 反響이라고 할 것이다.

東學亂 鎭壓을 目的으로 派送되었던 靑軍은 不意義 逢變으로 撤軍하였고 主客이 轉位되어 日軍 森尾, 鈴木 等의 一部 兵力이 官軍을 應援하여 東學徒 治平戰에 參加한 □現을 誘致하였다.

九, 東學亂의 西北飛火와 安山砲軍의 鎭壓作戰

東學亂의 禍는 波竹의 形勢로 물밀 듯이 黃海道까지 波及하였고 猖獗하는 黨徒들로 情勢가 자못 險惡하게 되었다. 監司 鄭顯奭은 成均館 進士에 及第한 以來 吟諷咏月로 閑日月을 보내고 있는 義士의 父親 安泰勳을 招聘하여 道內의 山砲手들을 統合하여 焦眉의 急難인 東學亂의 鎭壓戰에 同調하여주기를 懇請하였다.

安進士는 國內騷亂으로 말미암아 外侵이 있을 것을 恒時 憂慮하고 있었다. 그러므로 于先 國內情勢의 安定이 무엇보다 시급하다고 生覺되어 監司의 要請을 卽席에서 躊躇없이 快諾하였다. 鎭壓戰에 必要한 銃器와 彈藥은 監營으로부터 補給해주기로 하고 여러 가지 作戰 機密이 謀議되었다. 鄭監司는 滿足히 여겨 그 뜻을 朝廷으로 詳細히 奏報하였더니 卽時로 職牒이 下令되어 安進士는 海西地區招募官

으로 그의 仲兄 安泰鉉은 別軍官으로 各各 任命되었다.

安進士는 淸溪洞 自宅으로 돌아와서 于先 自己 집 舍廊에서 食客으로 起居中인 砲手 二十餘名에게 東學鎭壓의 必要性을 力說하였더니 全員이 從軍하기를 志望하였다. 安進士는 遠近各地의 山砲手들에게 東學 鎭壓戰에 從軍하기를 要請하는 跋文을 一齊히 發通하였더니 그 뜻에 呼應하여 淸溪洞으로 趨合하는 砲手가 八十餘名이나 되었고 從軍하기를 自願한 一般壯丁이 四百餘名에 達하였으니 이는 實로 安門一族의 平常時에 베푼 바 적덕에 對한 報答의 發顯이라 할 것이다.

安進士는 一般壯丁 四百餘名에게 操銃, 射擊의 妙法과 軍事訓鍊을 超速成的으로 實施한 다음 山砲軍과 合勢하여 全員을 三個中隊로 編成하여 第一中隊長에는 韓載鎬, 第二中隊長에는 任道雄, 第三中隊長에는 盧濟鎬, 作戰參謀에는 親弟 安泰健을 各各 任命하고 安進士 自身은 總指揮官이 되었다.

그의 長子 安重根은 當時 十五歲의 少年이었다. 그러나 性稟이 豪放하고 射擊의 名手인 그는 莊嚴한 鎭壓軍의 隊列에 參加하여 戰火가 交接하는 一線前方으로 從軍하기를 率先 志望하여 그 뜻을 굽히려하지 않았다. 安進士는 처음에는 이를 頑强히 拒絶하였으나 마침내 아들 重根의 善意의 固執에 依한 굳은 決意에 感動되어 結局 從軍하기로 許諾하였다. 이때 義士의 同僚 朴致範, 韓重善, 兩小年 砲手도 같이 出戰하기로 許容되었다. 이때까지 狩獵이나 試合에서만이 射術을 誇示하였던 義士는 實戰에서 그것도 또한 自己의 父親 앞에서 實力을 發揮할 機會를 얻고보니 기쁜 마음 어데다 比할바가 없었다.

海西의 東學徒 都接主 元客一과 副接主 任宗鉉의 兩人은 淸溪洞 山砲軍의 出戰 急報에 接하고서 크게 憤怒하여 安門 一族과 그에게 同調從軍한 砲手軍을 한사람도 남김없이 殲滅할 兇暴無道한 計劃을 樹立하여 應戰態勢를 完備하였다.

甲午年 陰十一月十三日 東學徒들은 一千七百名을 動員하여 武裝을 整齊한 後 淸溪洞北方 十里許에 位置한 俗稱 『박석골』까지 肉迫하여 夜陰을 기다려 波竹의 氣勢로 淸溪洞을 掩襲하려고 하였다. 이 不時의 急報에 接한 淸溪洞에서는 總司令인 安泰勳進士의 指揮下에 精銳兵力 三百名이 이에 對戰하게 되었다.

義士는 東學鎭壓의 첫 번째 싸움인 이 對戰에 參戰하기를 率先 志望하여 父親의 許諾을 받고서 騎馬에 軍裝을 갖춘 다음 突擊部隊의 先鋒이 되어 時時刻刻으로 물밀 듯이 肉迫해오는 東學徒의 陣中에 一齊 射擊을 加하였다. 東學徒들은 自己들의 先鋒隊가 모조리 倒壞함을 目睹하고서 對抗할 수 없음을 自認하고 魂飛魄

散하여 四分五裂 爭先 逃走하였다. 安山砲軍은 한사람의 戰死者도 내지 않고 士氣旺盛하게 凱旋하였으니 이것이 初陳對戰에서 擧揚한 戰勝이었다.

一〇, 累卵의 海州監營을 救援

淸溪洞『박석골』싸움으로부터 數三日이 지난 後 約 三千餘名의 東學徒들이 海州郡聚夜市에 出現하였다. 黃海監司 鄭顯奭은 官軍을 領率 對戰河였으羅 東學의 衆勢를 崩壞하지 못하고 後退의 길을 擇하였더니 東學徒들은 首府海州까지 直衝할 攻勢로 追擊을 繼續하였다.

鄭監司는 情勢가 官軍에게 不利함을 豫測하고 卽時 淸溪洞 安鎭士에게 急報를 發하여 援兵을 보내주기를 要請하였다. 安鎭士는 親弟 泰健과 令息 重根을 先鋒으로 韓載鎬, 盧濟錫, 鄭洸 等 가장 勇名을 떨친 砲手軍 百八十餘名을 選拔引率하고 一路 海州로 向하여 進軍하였다.

海州와 翠野의 中間에 集結한 東學軍을 發見하고 一齊히 布陣하여 猛射擊으로 奇襲을 加하였으나 衆勢를 自恃하는 東學部隊를 擊退하기는 容易한 일이 아니었다. 東學軍은 도로혀 數日 前의『박석골』作戰에서의 慘敗의 雪辱을 挽回하고져 安山砲軍을 向하여 反擊態勢를 强化하고 限死應戰하므로 한때는 形言할 수 없는 苦戰狀態에 빠졌다. 義士는 家親을 補佐하며 如前히 最先鋒騎馬部隊에서 突擊 또 突擊으로 一發必中의 猛射擊을 加하기 實로 二十四時間을 繼續하였고 積屍如山, 流血成川의 文字 그대로의 苦戰을 展開하였다. 그러나 安山砲部隊의 臨戰無退의 猛擊에는 그토록 頑强하던 東學徒들도 士氣가 挫折되어 支離滅裂의 慘敗를 當하여 四分五裂 退却하였고 風前殘燭의 危機一髮의 累卵에 놓였던 海州監營을 無事히 救援安保하였다.

一一, 信川君守 一家의 淸溪莊 避難

甲午年 陰 十二月 七日 黨魁 元容日, 任宗鉉 等은 앞서 二次에 亘한 敗戰의 苦杯를 맛보고도 다시 捲土重來를 꿈꾸며 敗殘의 隊伍를 收拾 再整齊하여 千數百

의 黨徒들을 糾合統率하고 正方山城안에 있는 官軍武裝器庫를 襲擊하여 在庫品 全部를 奪取하는데 成功하였다. 그들은 이 奪取한 武器 以外에도 낫, 광이 等 一種 原始的 代用 武器를 携帶하고 陰 十二月 十三日 未明을 期하여 信川郡衙를 猛襲하여 守備官軍을 駈逐하고 獄門을 開放하여 囚徒들을 釋放하는 한편 錢穀 等을 掠奪하고 官衙에 放火하며 官吏들을 逮捕監禁하는 等 가진 暴虐한 行爲를 餘地없이 敢行하였다. 郡守 全某는 僥倖히 虎口를 脫出하여 九死一生으로 家族들을 帶同하여 徒步로 斗羅面 淸溪洞 安邸로 避難하여 三冬 한철을 지낸 後 翌 春 三月에 還衙하였다.

一二, 黨徒의 南栗 侵攻과 魚允中의 貯穀 被奪 事件

黨徒들은 一時 信川을 占有하였으나 官軍의 反擊을 두려하여 數日 後에 隣郡 載寧으로 移動하여 그들의 常習手段인 放火掠奪을 敢行하였다. 載寧 邑內를 襲擊占領한 黨徒들은 數個部隊로 하여금 郡下 南栗面까지 進擊하여 道宣撫使 魚允中軍庫에서 貯穀 三百餘石을 掠奪하여 信川邑 龍頭里 閔泳龍 倉庫로 運搬하여 一部는 賣却하고 一部는 軍需米로 使用하고 있었다. 安泰勳總司令은 令息 重根과 같이 精銳部下 百五十餘名을 거느리고 信川邑龍頭里의 東學陣을 急襲하여 이를 潰滅시키고 그들이 遺棄한 軍糧과 軍器中 一部는 被害者에게 還付하고 一部는 山砲軍의 軍糧으로 充用하였다. 後日 이 軍糧米 使用 事件이 魚氏 誤解의 基因이 되어 安門 一族에게 큰 禍端의 發源이 되었다.

一三, 生擒된 遂安郡守 以下의 間 一髮의 救命

『박석골』 初陣에서 勝利를 거둔 義士는 實戰에 어느 程度의 自信과 公算을 갖게 되었다. 遂安、伊川方面으로 敗退한 黨徒들이 跋扈하여 民禍가 滋甚함을 傳聞하고 마음깊이 뜻한바 있어 心腹의 人物인 松禾郡 鄭沈以下 五十餘名의 隊員을 領率하고 意氣軒昂하게 遠征의 壯途에 오르게 되었다. 이 遠征部隊가 遂安邑에 到着한 날은 때마침 그곳 장날이었다.

數日前 鳳山郡正方山城으로부터 移動한 黨徒들 一團 約 二百名이 바로 前날 밤에 邑內에 侵入하여 郡衙를 襲擊하고 武器와 金品을 掠奪하며 郡守尹某와 座首를 逮捕한 後 갖은 酷刑을 肆行하고도 또한 不足하였는지 兩人을 馬背에 結縛한 後 市內를 廻示하며 空砲를 亂射하는等 蠻行을 敢行하므로 그들은 實로 半生半死의 危境에 臨迫하였든 것이다. 斥候로부터 이 急報를 받은 義士는 하늘이 마련하여 주신 千載一遇의 好機會를 잃어서는 아니 된다 決心하고 士氣衝天하여 全隊員을 督勵하며 破竹 一 氣로 邑內에 突入하였다. 黨徒들이 集結한 郡衙와 指呼之間이 되는 北方高地에 攻擊據點을 布陣한 後急靈과도 같이 猛射를 加하였다. 無人之境처럼 放心하고 暴虐을 恣行하든 黨徒들은 千萬意外에 山砲軍의 突襲을 當하여 將卒이 모다 蒼黃罔措하여 對抗할 餘裕도 없이 諸般軍裝備는 勿論 自己의 衣裳裝備品마저 버리고 四散五裂 逃走하여 버렸다. 首魁 二, 三名은 中丸負傷하여 뒤늦게 逃走하려는 것을 逮捕하여 海州監營으로 押送하고 黨徒들에게 雷同한 卒徒와 農民들은 將來를 嚴戒하고 所持한 銃器等을 沒收한 後 全員 歸鄕就農케 하였다.

九死一生의 危機一髮에서 救命된 尹郡守와 座首는 感激無比하여 눈물을 흘리며 再三再四義士에게 뜨거운 感謝를 올리었다.

其後 戰勢는 逆轉하여 伊川邑冲店村에서는 大部隊의 東學徒들에게 包圍를 當하여 一時 危險한 狀態에 빠저 二晝夜를 山谷에서 露營하였으나 義士의 奇略으로 徒의 重圍網을 突破하고 다시 優勢한 黨徒를 反攻擊破하여 多數의 捕虜와 鹵獲品을 얻는 大勝을 두었으므로 同地駐居 天主敎佛人 姜神父는 義士의 武勇을 絶讚하여 犒軍用軍服과 酒菓를 贈送하였다는 美談은 아직도 當該地方父老間에 傳하고 있다.

一四, 九月山營幕의 劇的會見

東學軍八峰包에는 金昌洙라는 當年 十八歲의 總角接長이 있었다. 그가 바로 後日 臨政首席인 白凡金九이다. 그는 獨特의 訓練을 받은 包軍部隊를 領率하고 東閃西忽 道一帶에 出沒하며 官軍을 惱殺하여 山砲軍의 安重根과 같이 好 一對의 神童隊長이라고 驛名을 날렸다. 그는 相貌가 英秀하고 氣骨이 寧馨하여 赫々한 眼光은 一種 犯하기 어려운 것이 있었다. 當時 政治의 腐敗를 極度로 痛歎한 金青年

은 湖南全捧準의 堂々한 聲明에 깊이 魅力을 받아 時弊를 醫救함에는 東學中心의 大衆運動 밖에는 方策이 없다고 生覺하였다.

그는 果敢히 黨의 頭領 元容日을 訪問하여 所信을 披漏하고 指導를 請하였다. 元은 그 迫力찬 氣魄에 感動하여 即席에서 加黨을 快許하는, 同時에 特別히 八峰包接長의 責任을 주었다. 總角接長의 令名이 높아지자 遠近 各地에서 그 傘下로 進叅하는 包軍이 續踵하여 未幾에 六百名의 部下를 擁有하게 되었다. 그는 檀君의 聖地로 由緖 깊은 唐莊京의 舊地九月山 檀君窟幽谷을 包軍의 根據地로 奠하고 神出鬼波[1]한 行動을 展開하여 官軍部隊로 하여금 束手發歎케 하였다. 新任 黃海監司 趙熙一은 再三 密使를 派하여 온갖 好餠甘說로 懷柔와 脅喝을 試하였으나 그는 一笑不動할 뿐이므로 監司는 百計窮策하였다. 이때에 山砲軍隊長 安重根은 自身이 挺身馳恭하여 包軍接長 金靑年과 親히 促膝談判을 行하기로 決心하고 金靑年을 九月山窟營으로 訪問하여 勇敢率直한 態度로 胸襟을 披瀝하여 來意를 通하였다. 金도 安의 意氣에 感動되어 即席에서 淸溪山莊으로 安進士를 進訪키로 快諾하였다. 安의 九月山行이나 金의 淸溪莊 訪問이 當時의 情勢로는 모두 冒險的 行動으로 오늘날 國軍將校가 單身으로 平壤을 訪問한다는 것과 다름이 없는 일이다. 一片靈犀가 서로 通하는 사이가 아니고서는 어찌 實行할 수가 있으리오 安進士는 金靑年을 引見하고 大義名分과 順逆得失울드러 慈父가 愛子를 難諭함과 같이 醇醇히 情理를 諭示하였다.

金靑年은 飜然大悟하고 斷然히 無益한 抗戰을 淸算하고 大義의 旗幟下에 趨叅[2]하기를 發誓하였다. 爾來 安·金 兩人은 無二의 極交가 되어 光復大業에 獻身하게 되었다.

日本의 朝野는 對韓侵略 政策에 虎視眈眈하던 때이다. 하루는 金靑年이 同江岸鴟河浦地方을 旅行中 行色이 怪異한 日人二名이 徘徊함을 보고 그 行裝을 搜索한즉 地方地圖와秘密文書가 發見되었다. 다시 그 文書를 調査한즉 意外에도 閔妃弑害 의 下手人의 一名인 日兵 中尉 土田讓亮임을 發見하였다. 金靑年은 義憤이 爆發하여 即時에 그中 一 名을 打殺하고 나머지 一名을 屠戮코자 한즉 그者는 平壤方面으로 逃走하였다. 事件이 惡化되어 金靑年은日官憲에 逮捕되어 當時의

1 神出鬼沒.
2 趨參.

最高審인 平理院公判에 廻付되어 死刑宣告를 받았다. 그는 行刑前夜에 高宗皇帝의 秘命으로 執行을 延期하고 仁川監獄에서 待期中 金青年은 그 慈堂의 紙愛로 脫獄의 機會를 얻었다. 一時 全羅地方으로 避하여 托鉢行脚의 乞僧生活을 하다가 다시 歸鄕하여 育英事業에 全精力을 傾注하기 數年 마침내 韓室의 社稷이 顚覆되고 日將寺內가 韓國半島에 侵駐함을 보고 同志安明根(義士의 從弟) 韓淳稷 韓載鶴等으로 더부러 이를 誅除할 計劃을 推進中 事前에 脫露되어 또다시 囹圄生活을 하다가 海外로 脫出하여 民族陣營의 巨星으로서 祖國光復을 爲하여 血鬪하였음을 아는 者는 모두 알고 있는 事實이다.

一五, 道內의 平復과 山砲軍의 解散

暴威를 다하여 道內를 戰慄케 하든 東學黨의 亂도 淸溪洞山砲軍의 必殺的 砲擧에는 對抗할 施策이 끊어져 黃海道 全域이 평정되었다. 一八九五年 九月末 六百名의 山砲軍部隊는 過去 一年有餘의 偉大한 功績을 남기고 解散키로되어 淸溪洞本部에서 그 解散式을 擧行하였다. 安泰勳 總司令의 눈물겨운 謝辭와 黃海監司代理 및 隣近守令들의 感祝辭가 있은 後 特釀特選의 酒肉으로 六百名의 全隊員을 犒慰하였다. 一 同은 感極揮淚하며 後日 國家有事之秋에는 언제든지 命令 一 下에 다시 獻身하겠다는 굳은 誓約을 하고 그들 山砲軍은 一應解散하였다.

一六, 魚大臣의 貯穀供用問題 緊迫化

安泰勳 進士는 一八九六年 丙申四月에 黨亂討平과 砲軍部隊 解散의 經過를 中央에 報告하기 爲하여 上京하였다. 먼저 親交가 깊은 判書 金宗漢을 그 私邸로 訪問하고 經過를 報告한 즉

金判書는 安進士의 殊勳을 激賞하며酒宴으로 鄭重히 待遇하였다. 翌日에 다시 海西巡撫使로 討撫業務의 直接 責任者인 度支大臣 魚允中을 訪問하고 地方召募官으로서의 經過報告를 하였더니 意外에도 一言의 致辭도 없을 뿐 아니라 自家秋收穀인 載寧租 三百石의 辨納을 要求하였다. 安進士는 그 貯穀의 太半이 旣히 東

學徒들의 消費한 바 되었고 殘餘 在庫穀은 山砲軍의 軍糧等으로 供用된 事情을 委曲히 陳述하여 그의 諒解를 求하였으나 魚大臣은 頑强히 이를 拒絕하므로 그대로 退歸하였더니 魚大臣은 自己의 權勢를 逆用하여 安泰勳一族이 不軌의 異圖를 품었다고 高宗皇帝에게 密奏하여 이를 逮捕코자 武裝한 訓練隊兵 十二名을 同年 六月二十四日에 淸溪洞으로 急派하였다. 金宗漢判書는 이 事實을 傳聞하고 大驚失色하여 親友인 魚大臣을 訪問하고 事理不當한 處事임을 力說納得케하여 派送隊兵을 慕華館附近에서 呼還하였다. 風雲이 將急한 超重大事態를 危機寸前에서 阻止한 것은 오직 金宗漢判書의義俠的 周旋의 힘이라 하겠다.

一七, 丁鎭祥의『上宰相書』와 安進士의 天主敎歸依

安泰勳進士는 滯京時에 友人 李叅奉[3]의 紹介로『上宰相書』라는 小册子를 入手翻讀하였다.

이 册子는 李朝의 碩學 茶山 丁若鏞의 親侄인 夏祥이 一八三九年 天主敎徒大迫害 當時 獄中에서 執筆한 閣臣宰相에게 보낸 一 種의 陳情文같은 記述이다.

夏祥은 京幾道楊根出身으로 代代名儒의 後裔이다. 父親若鍾 叔父若傭 季父若餘이 모두 天主敎篤信者로서 流配逮囚等 無數한 迫害를 받으면서도 마침내 敎義를 背棄치 아니하고 全家가 熱烈한 信仰을 維持하였다. 夏祥은 天性이 溫厚純潔하였으며 學德의 敎養이 깊어 一般의 聲譽가 蔚然하였다. 宣敎師의 招聘과 敎籍의 輸入을 爲하여 當時 至嚴한 國禁을 무릅 쓰고 變裝徒步로 北京密行이 匆驚前後 七回에 亘하였다. 마침내 官憲에 逮捕되어 長期投獄中에 要路宰相에게 보내기 爲하여 執筆한 一 文이 바로 이『上宰相書』인 것이다. 其冒頭 一節에『伏以孟氏之擢闢楊墨者恐其肆害於儒門也韓愈之攻斥佛老者恐其惑亂於黔首也古之君子立法設禁必考其義理之如何爲害之如何然後當禁者禁之不當禁者不禁云云』하였으니 그 論旨가 凱切하고 文章이 또한 雄渾하여 一覽에 令人推服할만한 迫力을 含蓄한 一代의 名作이다. 當時立朝大官中에도그 至當한 理論에 感動되어 彈壓緩和를 主張

3 參奉.

한 者도 있어서 結局 誅戮의 刑禍를 免하고 赦免의 恩典을 얻은 것도 이 偉大한 文章의 힘이라 할 것이다. 聰明한 儒者安進士는 이 冊子를 再讀三讀하는 동안에 好奇的興味는 一步 前進하여 信仰의 發心이되었다. 다시『天主實義』『七克』『聖教受難事績』等의 教籍을 求得하여 教理硏究에 精進하게되었다. 그가 鍾峴聖堂에서 처음으로 相從한것이 洪神父인데 同神父는 佛國 알싸쓰 出身의 獨逸生 佛人으로 巴里聖바우로大學에서 神學과 史學을 專攻한 在韓宣教師中의 가장 異彩있는 人物이다. 그리고 그의 本國에 있는 父親은 有力한 海運業者로 鉅億의 資產家라고 한다. 洪神父는 이 新求道者를 爲하여 慇懃한 應對를 하며 公教의 要理뿐 아니라 燦然한 泰西文化의 現狀과 世界의 大勢를 縷縷詳明하게 說示하였다. 이에 安進士는 孔孟의 儒學外에는 모두 異端視하고 東洋禮儀의 나라 外에는 모두가 夷狄이라고 自斷하는 孤陋한 管見을 버리고 世界的 新文化輸入의 媒介가 되는 天主教徒의 一員으로서 正式洗禮를 받고『베두루』라는 教名을 얻었다. 安進士는 入教의 紹介者인 李糸奉[4]을 同伴하고 鄉里 信川郡 斗羅面淸溪洞에 돌아와 獨力으로 聖堂을 建築하고 佛國人 主教閔德孝師에 懇請하여 洪神父를 淸溪洞教會의 主任神父로 請聘移駐케 하였다. 洪神父는 淸溪洞聖堂으로 赴任後 重根 및 그의 從兄弟間인 安明根과 合力하여 私立進明學校 (後海星學校로 改稱)를 創設 經營에 注力하여 本務인 宣教事業以外에 育英啓蒙運動에도 莫大한 貢獻을 하였다.

一八, 萬人契出 問題로 버러진 慘劇을 奇智로 阻止

一九八四年 여름 安氏 一家의 主催로 信川邑에서 萬人契를 設行하였다. 抽籤의 方法으로 一等壯元 一萬五千兩을 筆頭로 以下數等級의 當籤金을 交付하는 것이다. 主催者 以下 關係者들은 抽籤臺上에 올라 成規의 方法대로 抽籤을 執行한 것이 抽籤器의 어떠한 故障으로 一等札이 二個가 同時 出甬되었으므로 이를 取消하고 再抽籤할 것을 宣言하였다. 群衆中에서 抽籤方法에 弄奸挾雜이 있다하여 主催者를 때려죽이라고 怒號하매 興奮한 數萬의 群衆들은 事理를 不問하고 附和雷同

---

4 參奉.

하여 鐵拳이 亂舞하며 風雲이 甚急하였다. 借力王이란 別名을 가진 松禾壯士 許永泰가 이를 制止코저 한즉 群衆은 더욱 興奮하여 永泰는 瞬息間에 그들의 鐵拳下에 昏倒되고 말았다. 옆에서 이 光景을 보던 安義士는 大膽하게 壇上에 올라서며 주먹으로 탁자를 두드리고 『萬一出甬方法에 弄奸이 있다면 이 銃으로 自殺을 할 터이니 暫間만 기다리라』고 銃을 보이며 唐突하게 一 唱하였다. 물 끓듯 하던 數萬의 群衆은 奇異하게도 平靜하였다. 義士는 代表者 數名을 壇上에 불러올리고 抽籤의 方法과 構造를 徹底하게 說示한 後 代表者로 하여금 群衆을 向하여 다시 說明케 하였더니 그처럼 激憤하였[5] 群衆들도 이를 諒解하고 無事히 抽籤을 進行하였다는 豪壯한 男性的 逸話가 있다.

一九, 傲慢無雙한 淸醫 曲主簿에게 頂門 一針

安岳邑內에 通稱曲主簿라는 淸人漢方醫가 있었다. 當時는 淸將袁世凱가 서울에 駐屯하여 國土를 號令하던 때이다. 따라서 淸人들의 對韓人態度度는 傲慢不遜하기 짝이 없던 것이다. 安進士는 宿患의 再發로 曲醫의 診察을 請하려 安岳의 曲家를 往訪하였다. 曲의 態度가 너무도 傍若無人하므로 그 不親切함을 指摘하였더니 曲은 도리어 無禮한 辱說을 하고 診察을 拒絶하였다. 虛行한 父親으로부터 이 말을 들은 義士는 크게 憤慨하여 疾驅하여 曲家 門前에 다다르자 騎馬한 그대로 曲을 불러서 나오자마자 가지고 있던 長銃을 내대며 『無禮한 네 놈을 죽여버린다』고 大聲一喝하니 曲은 그자리에 俯伏하여 謝罪하드로 이를 容恕하였다. 事件은 淸領事로 부터 抗議를 提出하여 一時 國際問題化 되었으나 그後 부터 地方在留淸國人들의 態度.는 顯著히 改善되었다.

5 激憤하였던.

二〇, 長淵富豪金泰革家와의 確執

長淵郡屈指의 富豪이며 多年間 同郡鄕長으로 一郡을 號令하던 金泰革은 平素 自身의 富力과 權勢를 恣恃하고 專橫이 無雙하였다. 金은 鄕長의 他位를 奇質로 隱結、虛結을 濫發하여 郡-民에게 誅求를 恣行코저 하였다. 安義士는 長淵郡下에 居住하는 親戚이나 小作人들에게 對하여 이런 無理한 苛歛[6]誅求에는 一 切服從할 必要가 없다는 것을 說明하였더니 金鄕長은 安家小作人 某를 公納不應한다는 理由로 이를 投獄하였다. 義士는 憤慨하여 自身이 長淵邑에 直接 出馬하여 金을 會見하고 그 無理不當을 指摘하여 即時로 釋放할 것을 嚴談하였으나 金은 그 要求를 一蹴不應할뿐 아니라 『이 乳臭兒가 무슨 僭越된 言辭를 하느냐』 하고侮辱을 加하므로 大怒한 義士는 後患을 不顧하고 金을 捕縛하여 馬尾에 結付하고 清溪洞까지 一氣에 拉致하였다. 이 지나친 勇猛이 問題化되어 安·金兩門의 一大 確執 事件으로까지 發展되었다. 이로 因한 訴訟事件은 平理院最高審까지 올라가 數年間 其歸趨가 世上에 큰 注目거리가 되었다. 이는 過勇이 가저온 千慮의 一失이라고 할 만한 古代의 武勇傳의 一節을 그대로 實演한 것이라 하겠다.

二一, 惠民穀制와 尹監司의 逆鱗

新任黃海監司 尹德榮은 到任後 첫 政事로 惠民穀制度의 實施에 着眼하였다. 이 制度란것은 그字義와 같이 秋收期에 民穀을 蒐集入庫하였다가 窮春期貧民에게 惠賑하는 制度인데 表面의 目的과 名目은 좋았으나 名實이 相反되어 貪官汚吏의 한 搾取方法으로 內容이 變質되었던 것이다. 清溪洞 安門一族에서는 이 制度외 民弊가 至大함을 列擧하여 監司의 施政策을 極力 反對하였다. 尹監司는 王室의 外戚으로 地方의 一 土班에 不過하는 安門一族이 그 眼中에 있을 理가 없다. 그러나 東學亂 討平의 特別한 功勞 等을 生覺하여 腹心의 部下 監營 主事 安致三을 清溪洞으로 派遣하여 諒解를 求하였다. 安進士父子는 安致三의 說明에는 傾耳치

---

6 苛斂.

아니하고 惠民穀制度의 弊害와 그 動機의 不純等을 指摘하여 이를 痛罵하고 安致三을 面迫하여 보냈다. 監司는 憤慨하여 捕吏를 불러 安門 一族을 逮捕하라고 嚴命하였다.

五名의 捕卒이 信川淸溪洞으로 急赴하여 安門一族의 家宅을 搜索하고 安進士父子를 逮捕코자 하였으나 山砲軍의 殘留部隊 十餘名이 實力으로 對抗하여 이를 容許치 아니 하였으므로 捕卒들은 하염없이 退歸하였다.

二二, 安進士의 咸從避難과 詩文風流의 半歲

當面한 敵手 尹德榮은 權門의 巨頭이오 一方前年 魚度相과의 倉庫穀發用問題도 懸案中에 있어서 安門一族은 一難去 一難來의 受難期에 當面하였다. 雪上加霜으로 安進士는 宿痾인 神經痛으로 醫師로부터 轉地療養의 勸告를 받았다. 安進士는 從來生死를 같이하던 同志 韓在鎬를 찾아 南浦港을 訪問하고 韓在鎬 李在杰 李喜潭等의 舊友들과 療痾의 適地를 相議한 結果 咸從邑外桂洞에서 有力한 敎友 郭廷學邸를 選擇하게되었다. 郭氏는 咸從邑 에서의 一流名門이며 食客이 盈門한 大家이었다. 朴俊八의 同伴으로 馬背에 托身하고 三和邑을 지나 八十里 路程인 咸從邑外桂洞의 郭氏舍廊에 到着하여 旅裝을 풀었다.

主翁 郭氏는 失意의客 安進士를 가장 慇懃하게 맞이하여 食供과 寢宿에 온갖 友誼를 極盡히 하였다.

咸從邑은 東으로 鷹岩嶺을 등지고 西距十里許에 鳳凰浦의 舟泊地를 鄰接하여 그밖은 茫茫한 .大黃海에 臨面하여 甘栗과 米觸로 有名한 西海岸의 一 小邑이다.

魚氏 및 郭氏가 世居의 豪族인데 李朝의 戚臣으로 一時 國政을 料理하던 魚有龜도 이곳 出身 이오 軍用穀事件으로 安進士의 當面한 敵手格인 魚允中度支大臣도 其先이 咸從임은 一奇緣 이라 하겠다. 海陬의 小邑으로서는 比較的 名流人物이 多出한 곳이다.

安進士는 文武가 兼全한 豪快한 人物이다. 一發必中하는 射弓의 至藝는 말할것도 없거니와 詩人으로서도 黃海道內에서 三飛八走라는 十一大家中 飛의 一人이다.

安進士의 人格에 欽服파어 遠近 各地로부터 來叩하는 文人墨客은 一一히 列擧

할 수 없었다. 主人郭翁과 隣洞崖幌教會의 會長인 裵鉉舒翁은 모두 當代의 李白으로 自處하는 詩酒의 大豪이다. 每週 日曜日에는 教會의 儀式이 끝나면 이들 詩文客들은 安進士를 中心으로 性理의 講究와 詩酒詠酌으로 자못 餘念이 없었다. 그들은 一 否를 기우리며 一句를 읊어 이른 바 吟風詠月의 淸閑한 日月을 보내기 무릇 半歲를 보낸 後 安進士는 風流의 桂洞生活을 마치고 故里淸溪洞으로 돌아갔다.

二三, 祖國光復의 大志 품고 第一次亡命길 上海로!

우리 國權掠奪을 虎視眈眈 노리던 倭魁 伊藤博文의 侵略的 魔手는 마침내 明成皇后의 謀殺等으로 積極的 行動으로 露骨化하였다. 一九0五年 芳年 二十七歲의 安重根義士는 洪神父를 從容히 訪問하고 國權伸長을 爲하여서는 侵略의 倭魁 伊藤博文을 비롯하여 長谷川好道等 몇몇 魁首를 屠戮치 않으면 아니되겠다 하고 暗暗히 胸中깊이 품고 있던 救國의 決意를 表示 하였다. 洪神父는 教理의 許諾치 못할것을 力說하며 自重할 것을 要求하였기 때문에 一場의 激論을 演出하였다. 硬骨一徹의 激情家인 그는 激昂한 나머지 卓上에 놓인 玉硯을 들어 卓面 을 두드렸다. 玉硯은 셋쪼각이 되고 말았다. 洪神父는 溫容으로 慰諭하며 다른 正常的 方法으로 祖國을 爲하여 健鬪하라고 激勵하고 굳은 握手로 相別하였다.

洪神父는 그 玉硯의 破片을 還國後까지 記念品으로 珍藏中 後年 安鳳根이(義士從弟) 獨逸 留學時 佛國으로 洪神父를 訪問하였더니 結着한 破硯을 내보이며 三十年前의 追憶談으로 感懷 깊은 數時間을 보냈었다는 逸話가 있다.

隣邦淸國이 所謂 馬關條約에 依하여 日本에게 强割과었든 遼東半島를 三國干涉의 힘으로 無難히 收復한 事實을 想起할때 마다 救國一念에 불타는 義士는 다음과 같은 聯想을 거듭 하였다.

『우리祖國의 國權을 光復伸長하는 方法도 이들 第三國의 뜨거운 同情과 協援을 얻지아니 하면 안될 것이다. 天主教의 有力한 外國人宣教師를 通하여 國內情勢의 緊迫한 事態를急速히 그들의 本國政府에 傳達하여 外交的 援助를 發動케 하는 것이 무엇보다도 가장 有効한方法이 되리라』 고 着想하여 그 實踐의 第 一步로 東洋의 第一 國際都市인 淸國 上海로 渡航하였다. 그는 蓄髮韓服하고 佛組界內某大

호텔에 投宿하였으나 言語의 不通으로 困難한 境遇가 많았다 한다.

天主教聖堂으로 佛國大主教를 訪問하고 筆墨으로 來意를 通하던中 意外에도 載寧駐在 佛人 郭神父와 相逢하여 同神父의 通譯으로 國情의 不安과 日本의 侵略狀況을 委曲히 陳述하고 同情있는 斡旋을 懇請하였다. 主教는 安義士의 救國熱意에 깊이 感動되어 가장 親切히 應對 하며『天은 自助者를 助한다』는 格言을 引例하여 速히 還國하여 教育과 遊說로 民族啓蒙과 實力培養에 盡力하라고 諄々然勸告하였다. 主教는 特別히 滯在旅費를 惠助하며 郭神父와 同伴 歸國을 勸하였으므로 義士는 結局豫期하였던 別다른 아무런 處果도 얻지 못하고 芝罘、牛莊을 經由하여 三朔만에 歸國하였다.

二四, 安進士의 載寧客逝와 盛대한 返葬儀式

安泰勳進士는 一九0五年 가을 長男重根이 上海로 떠난 直後 載寧郡新換浦 重根夫人親庭인 金能權宅에서 宿衝의 再發로 因하여 마침내 不歸의 客이되었다. 그遺骸는 清溪洞으로 返葬 하였는데 信川, 載寧의 佛人宣教師外 山砲軍關係의 舊同志 等을 비롯하여 數千의 會葬者가 있어 地方에서는 보기드문 盛葬이었다.

二五, 國債報償運動과 裝身具獻納

日本의 對韓侵略의 陰性手段인 國債政策에 起因한 數次의 賠償金과 借款金等으로, 政府는 莫大한 債權을 負擔하고 있었다. 具眼達識의 愛國者들은 國債亡國論을 高唱하며 國債報償會 를 組織하고 國民의 淨財를 鳩合하여 償債資源에 充當하자는 大大的 國民運動을 展開하였다. 義士는 上海에서 還國한後 償債運動의 必要性을 痛感하고 在大邱國債報償會本部 徐相敦 會 長에게 自請하여 關西支部를 開設하고 自身支部長이되었다. 하루는 夫人金氏에게 國債 報償 의 趣旨를 說明하고 家族全部의 裝身具 一 切을 獻納할 것을 要求하였다. 夫人은 躊躇함이 없이金銀指環, 비녀, 月子等 自身의 裝身具全部를 提供하고 母堂과 弟嫂들 分만은 다시 本人 들과 相議할 것을 提議하므로 義士는『國事는 公이오 家事는 私이다. 支

部長인 우리 家庭이 率先示範치 아니하고 他를 指導할 수 없다.』하여 全家族分을 沒數히 獻納케 하였다. 이消息 이 傳播됨에 一般은 크게 感動되어 各家庭이 爭先願納하는 愛國美擧가 各處에 展開되었다.

二六, 償債運動을 冷罵한 健漢営 打伏

平壤에서 償債報國의 大演說會가 있었다. 그 席上에서 群衆에 섞였던 倭人 一名이『너회들이 무슨 꿈을 꾸느냐』하고 冷笑하는 暴言을 發하였다. 司會者의 一人인 安義士는 憤氣絕頂에 達하여 그 者를 即席에서 打伏하여 빈사(瀕死)의 重傷을 加하였다. 日官憲은 刑事를 動員하여 逮捕 코저 하였다. 義士는 南浦로 避身한後 熟面인 日人銃砲商 相內鎭吉家에 火藥을購入하려 갔더 니 俠男 相內는 미리 平壤에서 發生한 事件을 알고서『여기서는 身邊이 危險하니 斷髮을 하라』고 勸하여 相內의 손으로 처음으로 斷髮을 하였다는 것은 속임 없는事實談이다.

二七, 敦義學校長就任과 南浦移住

南浦教會의 主任宣教師 佛人 方神父는 身病으로 南浦를 떠나게되었다. 그가 經營하던 敦義 學校는 一定한 基本財產도 없고 經營費의 援助를 받을만한 協力者도 없이 方神父個人 經營 이나 다름이 없는 形便이었다. 後任으로 온 佛人申崇謙神父는 三十未滿의 青年이였으나 教育 事業에는 別로 熱意를 갖지 못한 便이었다. 經營의 主人公을 喪失한 學校의 運命은 解體의 危機에 逢着하였다. 安義士는 이를 引受하여 獨力으로라도 維持經營할 决心을 가지고 其意思 를 申神父以下 學校關係者들에게 表明하였다. 學校의 運命을 憂慮하던 關係者와 學父兄들은 義士의 快擧에 歡喜와 感謝를 禁치못하는 同時에 急速히 實現되기를 要望하였다.

그는 敦義學校長就任과 同時에 擧家가 南浦로 移住할 것을 決定하고 먼저 龍井里聖堂構內에 住宅一棟을 買收하였으나 二十名가까운 大家族의 收容은 困難하므로 住宅前空地를 利用하여 木造平家 一棟을 增築한 後 全家族이 移居하였다.

그는 教長就任即持로 經營訓育의 方針을 一新하여 校舍를 增築하며 教師를 增

員하고 生徒를

增募하여 學校面目을 새롭게 하였다.

敎練에는 木銃과 나팔, 북을 使用하여 純軍隊式訓練을 實施하였다.

翌 一九0六年 가을 南浦에서 平南北·黃海三道의 公私立學校聯合 大運動會가 開催되어 六十 餘個校의 生徒 約五千名이 一場에 集合하여 學科·術科等의 聯合競技가 展開되었는데 이때에 敦義學校가 斷然 第一位의 壓倒的 成績을 獲得한것은 오직 義士의 熱烈한 敎育熱의 結實 그 대로의 發顯이었다.

二八, 頑悖한 倭職工을 應懲

一九0五年 敦義學校長職을 受任後 移住次 南浦龍井里 天主敎堂構內에 住宅增築工事를 施工 當時에 工事의 大部分은 邦人業者에게 맡겼으나 鐵板蓋覆工事만은 溶接技術關係로 日人職工 을 使用키로 하였더니 該 日人職工은 約束대로 工事를 하지 않으므로 다른 工事進行에도 障 碍가 많았다. 不得已 平壤에서 邦人職工을 招請하였더니 日人職工은 이를 理由로 工人들에게 亂暴한 行動을 하여 工事進行을 妨害하려 하드로 安義士는 그者를 鐵拳으로 制裁하여 惡德 行爲를 膺懲하였다.

二九, 安島山의 大獅子吼와 日官憲의 暴騷

一九0六年 南浦紳商會社에서는 當時 美國으로부터 還國한 島山安昌浩先生을 마지하여 世界 情勢에 關한 一大講演會가 開催되었다.

平素 그의 人格과 雄辯에 欽仰하던 南浦港民들은 開會前부터 殺到하여 會場內外는 立錐의 餘地가 없이 超滿員을 이루었다. 島山은 主催者인 紳商會社長元容德의 紹介로 壇上에 오르자 萬雷와 같은 會衆의 拍手喝采는 暫時間 發言을 不許하였다.

當日의 演題는『促二千萬同胞之奮起』이었다. 島山은 侵略政策의 巨頭 伊藤博文이 韓國侵略의 致帝劑인 五條約을 成案하여 韓圭卨內閣에 提示하며 調印을 强要

함에 韓叅政[7]以下 閣臣들은 唐 慌失色하여 晝夜閣議만을 重復할뿐 確答을 못하였다. 伊藤은 威嚇手段으로 武裝한 日兵을 要 所에 配置한後 長谷川好道大將과 小山憲兵司令官을 帶同하고 夜半에 慶運宮에 侵入하여 御 前會議中의 元老大臣등을 脅迫하며 韓叅政[8]의 退席을 强制로 抑留하는 等 온갖 暴壓으로 締結된 所謂五條約調印까지의 事實을 一一히 白日下에 暴露시키고 다시 말을 이어 이 强制威脅 으로 調印된 侵略條約이 發表되자 閔泳煥, 趙秉世, 李相卨, 李漢應, 尹斗炳、洪萬植、朱秉游 等의 愛國烈士들이 接腫하여 或은 仰藥、或은 割腹等으로 壯烈히 自決한 顚末을 暴露하고 다시 伊藤은 韓國統監이라는 職名으로 來韓하여 皇上을 威脅하여 宮中警察權을 强奪하고 恣 意로 親日派賣國內閣을 組織하여 國權의 完全剝奪을 圖謀하고있다는 事實을 白日下에 喝破하였고 繼續하여 『興韓亡韓이 正在今日하니 우리 二千萬兄弟姉妹는 猛省一番하여 今日今時로 奮起하지 않이하면 國家社稷의 運命은 朝夕에 있다 云云』滔滔數千言의 熱辯을 叫吼함에 滿場의 男女老少는 感極無比하여 欷歔하는 極境을 展開하였다.

剛腹不動하기 鐵石과 같은 安義士도 島山先生의 言々吐火하는 大熱辯에 感奮되어 誓死復仇의 굳은 決議를 鞏固히 하였다.

午前에 開催되었던 第一回 講演은 南浦開港以來 未曾有의 大盛況으로 終了하였고 午後에도 繼續하여 다시 第二次 講演會를 열게되었다.

이번에는 場所를 龍井里所在 五星學校校庭으로 變更하여 殺到하는 聽衆을 可能限 한 사람이 라도 더 많이 收容하려고 하였다.

島山先生은 演題를『在海外同胞의 現情과 內地父老의 覺悟』라는 平凡한 題目으로 돌였다. 먼저 北美本土 布哇地方에 在留하는 韓僑들의 現狀을 報告한 後 內地父老諸氏의 發奮을 促求 한다는 意味로 發言을 繼續하는 途端에 臨席하였던 倭警은 突然히 發言을 中止시키고 聽衆의 解散을 命하였다. 數萬의 聽衆들은 意外의 解散命令에 激昂하여 解散理由를 指摘하라고 質問이 續發하여 混亂狀態에 들어갔다. 倭警은 許可한 場所를 任意變更한것이 不法集會라는 理由 로 即時 解散할 것을 主催者側에게 再次 命令하였으나 聽衆들은 喧喧唬唬 抗議와 質問만을 續發하므로 倭警은 拔劍하여 群衆을 强制解散 逐出하였다.

---

7 參政.
8 參政.

主催者들은 理事廳에 同行되어 治安妨害、不法集會等의 名目으로 威脅的 訊問을 當하였다. 結局 理事官秋本豊之進에게 直接 談判을 하여 今後로는 注意하라는 一言으로 無事히 結末 되었으나 一般의 激昂은 絕頂에 達하였던 것이다. 安義士에게 哈市擧義의 굳은 決意를 하게 한 큰 動機는 實로 이때에 胚胎된 것이라 할 수 있다.

三〇, 晩餐同卓의 失約에 固執의 杭議!

島山先生이 南浦滯在時에 發生한 넌센스의 一幕이었다. 來南當日 一行의 晩餐은 安義士宅에서 接待하기로 先約이 되었던 것이다. 主催者의 失念으로 島山一行은 後浦里某氏宅의 招請을 받아 演說會場에서 後浦里로 直行하였다. 安義士宅에서는 食卓萬端의 準備를 完了하고 來賓一行의 到着을 기다리고 있었으나 約束한 時間이 經過하도록 아무 消息이 없으므로 異常히 生覺하여 事情을 알아본즉 一行은 後浦里某氏宅에 招請되었다는 事實이 判明되었다. 安義士는 烈火같이 發怒하여 酒宴이 方濃한 某氏宅을 急訪하여 單刀直入的으로 辛竦한 抗議를 暴注하며 起席을 催促하므로 一行은 食事半途에 安義士宅으로 同伴되어 二次晩餐會를 接待받았다는 事實은 當時의 有名한 話題꺼리였다.

三一, 飼犬에 咬兒에 얼킨 人情美談

安義士는 守家와 銃獵을 爲하여 大槪 二, 三頭의 飼犬을 두는것이 常例이었다. 하루는 鄰家의 兒童이 飼犬을 戲弄하다가 脚部에 咬裂傷을 받았다. 義士는 自身이 親히 二, 三次나 그 兒童의 家庭을 訪問하고 懇曲한 慰問을 하였다. 微傷한 兒孩를 病院에 入院시켜 傷部가 快復된 後에도 旬日을 지나서 退院케 하였다. 그 父兄이 固辭하는 것을 金品을 厚贈하여 慰藉의 誠意를 表하여 一般을 感激케 하였다.

三二, 高監里의 斷酒動機

一九0六年 여름 敎義學校附設 英語講習會의 修了式이 있었다. 監理高永喆은 修了式에 參席하여 祝辭를 할 約束이었다. 定刻이 지나도록 監理는 臨席치 않으므로 疑訝하여 事情을 알아 본즉 때마침 休日이었으므로 監理는 約束을 忘却하고 友人들과 某料亭에서 酒宴이 배푸러저서 醉興이 陶陶하였다. 監理가 臨席치 않은 채 修了式은 그대로 進行하였으나 安義士는 翌日에 高監理를 訪問하고 前日의 失約을 嚴責하였다. 高監理는 自身의 無信을 衷心으로 謝過한 後 이를 契機로 一生斷酒를 決行하였다.

三三, 橫暴한倭商輩에게 痛棒一幕

一九0六年 故鄕인 黃海道地方에서 安義士를 來訪한 知人 몇 사람이 南浦日人雜貨商인 鬼頭商店에서 洋夨外數点을 購買하여 義士宅에 도라온 後에 비로소 洋夨에 破孔이 있음을 發見하고 換品하여 줄 것을 要求하였더니 店員은 이를 拒否하였으므로 서로 是非 끝에 辱만 受하고 도라왔다. 安義士는 이말을 듣고 憤慨하여 店主鬼頭에게 嚴重한 抗辯을 하였더니 鬼頭는 도리어 『野蠻人들의 所行이라 云云』의 暴慢無禮한 言辭를 發하므로 이에 激怒한 安義士는 그者를 所持하였던 短棒으로 猛打하여 流血이 浪藉하였다. 一行은 日警에 끌려가서 百方으로 威嚇을 當하였으나 謝罪의 要求를 一蹴拒否하였다.

그뿐만 아니라 理路一貫하게 鬼頭의 商道義에 背違된 行爲임을 指摘抗議한 結果 破夨은 代品으로 交換키로 하고 事態는 無事히 解決되었다.

三四, 祖國臨發의 告別人事와 一言千鈞의 慈堂訓告

一九0七年 統監伊藤博文의 韓國侵略의 魔手는 縱橫無比하여 暴壓政策은 尤甚하여 졌다. 安義士는 이러한 國家危急之秋를 當하여 가슴깊이 重大決意한 바 있어 國權回復의 自由活躍의 新天地를 擇하여 國際港인 海參威로 亡命脫出할 것을

決定하였다.

勿論心身을 바쳐 訓育事業에 從事하였던 敦義學校長의 職도 自然辭任하게 되어 하루는 全校職員과 生徒를 校庭에 集合케하고『斧鉞當前臨亡必踐, 鼎鑊在後見義必往』이라는 題下에 意味深長한 告別辭를 남기고 學校運營問題는 任安當·李在杰 兩氏에게 任託하고 訣別하였다.

그는 最後臨別에 老慈堂前에 俯伏하여 不孝의 謝罪를 올렸다. 慈堂은『家事는 生覺지말고 最後까지 男兒다웁게 싸우라』하고 一言千鈞의 激勵를 주었다. 그는 慈堂의 簡單한 訓戒에 百萬의 援兵을 얻은것과 같이 勇氣百倍하여 祖國을 떠나갈 수 있었다. 이 老慈堂이 나리운 訓戒는 出國後 그의 一擧手, 一動足에 큰 推進力이 되었다는 것은 그의 獄中述懷記로 證明되고도 남은바 있다.

三五, 光復倡義의 策源地 海參威로 드디어 亡命!

愛國愛族의 鐵石같은 信念은 마침내 海外亡命의 길을 擇하게 되어 一布一杖의 輕裝으로 陸路元山으로 들어가 船便을 기다리고 있었다. 侵略者 日本의 勢力은 旣히 陸海交通輸送方面에까지 侵透되어 露領方面旅路에 對하여는 日本官憲의 警戒가 더욱 嚴重하였다. 前番 一九0五年 上海渡航時에 쓰라린 苦難을 體驗한 바 있으므로 安義士는 萬一의 失敗가 없도록 周到綿密한 計劃下에 沿岸寄航의 小型船舶을 擇하지 않고 露籍韓僑崔鳳俊經營의 俊昌號에 便乘하기로 하였다. 同船舶은 海參威로 向한 途中 城津, 淸津의 兩地寄港은 있으나 同船事務長 朴應相은 남다른 氣槪와 義俠을 갖은 愛國靑年으로 同族의 亡命者密船에 많은 貢獻을 한바 있었다. 그런 關係로 義士는 海參威亡命에 特別히 同船을 選擇하였다. 航海三日만에 淸津에 到着하였다. 寄航中 不幸히도 日本臨檢警官에게 密航事實이 發覺되어 下船하게 되었다. 倭警에게 여러가지 까다로운 調査를 當한 然後 釋放된 몸이 되었으나 亡命救國의 一片丹心은 變함이 없었다. 密航亡命이 失敗하자 이번에는 陸路로 會寧을 經由하여 鍾城郡上三峰으로 豆滿江을 건너서 間島和龍縣地方曲에 到着하였다. 龍井村局子街를 經由하여 目的地인 海參威에 得達하기까지에는 實로 一個月餘의 苦難의 結晶이었다. 舊知인 新韓村李致權宅에 旅裝을 풀고 얼마동안은 各國人士를 訪問하여 內外情勢의 探知硏究等으로 日課를 보냈다. 이리하여 往

來交遊하게된 人物로는 同地發行唯一의 韓字紙인 大同共報의 社長兪鎭律, 同紙 主筆 李剛氏를 비롯하여 尹能孝, 金成武, 郭在實, 禹德淳, 金萬植, 民長楊成春, 金致甫, 金學萬, 車錫甫, 崔鳳俊, 宋成春等 諸氏이었다.

그때 露領居住韓僑를 大別하면 對日武力派와 自重派의 兩派로 分類할 수 있었다. 武力派의 主要人物로는 前駐露佛公使李範晋, 李緯鍾의 父子와 李範允, 徐一, 金斗星等인데 在內外各地義兵의 巨頭 關北의 金佐鎭, 吳東振, 洪範圖, 李康英, 許蔿, 李突錫, 李運讚, 李鎭龍, 田乙龍, 柳相敦, 蔡應彦等과 內外呼應하여 日軍과 直接武力抗爭을 하자는 主張派이며 後者의 自重派는 在露韓僑中 比較的恒産의 基礎를 가지고 있는 有産階級에 屬한 者들로서 崔鳳俊, 崔在亨等은 其中 代表格의 人物이라 할 수 있다. 그들의 主張한 바는 勝利의 公算이 없는 對日武力抗爭으로 精神的 物質的 犧牲을 내는 것보다는 敎育과 産業方面에 注力하여 民族實力을 養成하는 것이 得策이라고 力說하였던 것이다.

安重根義士는 入露한지 日淺하였지마는 武力派中에서도 가장 錚錚한 人物로 指目되어 李範允派는 密接不離의 關係를 맺고 있었다.

三六, 啓東靑年會總會에서 司察執務中 意外의 鐵拳洗禮

一九0七年 여름 어느날 在海港 唯一의 韓僑團体인 同港新韓村 啓東靑年會에서는 同地韓國人團事務室로 使用中인 啓東學校講堂에서 臨時總會를 開催하게 되었다.

安義士는 아직 新入會員이었으나 그 人格의 片鱗이 一般에게 널리 認識되었던 所致로 八十餘名의 會員中에서 滿場一致로 司察이라는 役員으로 選出되어 會議가 進行되고 있었다.

會議가 進行中 『애골崔』라는 靑年은 會則과 司會者의 制止를 無視하고 無軌道한 質問을 反覆할뿐 아니라 雜談, 喧噪를 함부로 하므로 安義士는 數三次 『애골崔』에게 注意와 制止를 加하였더니 이에 不滿을 품은 崔靑年은 安義士에게 無理한 詰難을 始作하여 마침내 安義士의 左便뺨을 强打하였다. 平素에 이길줄만 알고 질줄을 모르는 安義士의 先天的氣禀을 잘 아는 사람들은 鐵拳亂舞의 殺風景一幕이 展開될 것으로 斟酌하고 滿場의 視線이 總集中되었으나, 그는 豫期하였던 바와는 正反對로 泰然히 微笑를 띄우며 諄諄히 崔青年을 說諭하였다. 그 襟度넓은 雅量에 感激한 崔青年은 깊이 自己의 輕擧를 謝過하고 悔改함에 安義士는 이를 寬恕하여 會議는 豫定대로 進行되어 大同團結을 더욱 굳건이 하였으니 이는 오직 大義를 取하고 小我를 不顧하는 男兒氣魄이라 할 것이다.

三七, 騎銃懸賞의 試射 一發即中

安義士의 入神한 射擊術과 銃器에 對한 지나친 愛着心은 때로는 脫線行脚을 演出하는 事例도 없지않았다. 그가 入露한 다음해(一九0八年)『하바로우스크』에 在住한 露籍韓僑 李大雄宅을 訪問하였을 때에 舍廊에 露式騎銃이 걸려있으므로 이를 求見하다가 그 構造가 特異함에 만지고 만지며 놓으려하지 않으므로 主人 李氏는 弄談으로 옆에놓인 小斧를 보이며『이 小斧를 二百步밖에서 命中시키면 그 騎銃을 그저 주겠다』고 하였다. 安義士는 正色으로 이를 受諾하고 그 자리에서 裝彈試射하여 一發에 命中시켰다. 李氏는 하는 수 없이 約束대로 그 騎銃을 安義士에게 주었다. 이 銃은 性能이 特殊하여 取扱이 가장 簡便할뿐만 아니라 命中率이 優秀하였으므로 安義士는 그 銃을 恒時 身邊에 帶携하여 愛之重之하였으며 義兵擧事時마다 이 銃을 使用하였다.

三八, 白頭山의 義兵蔣 洪範麗와의 連絡企圖 水泡化

安義士는 咸北茂山郡三社面西頭水 上流地帶에 駐陣한 義兵將 洪範圖와 軍事連絡을 取하기 爲하여 白頭山下 農事洞까지 冒險進入하였다가 마침내 倭守備部隊에게 發見이 되어 白頭山 下 南西密林中에서 草根木皮로 連命하며 九死一生으로 海參威로 돌아오는 苦難을 當한바 있 었으나 그 鬪志는 더욱더 强化一路로 驀進하여 大規模의 擧義計劃을 實踐化하고저 專念할 뿐 이었다.

三九, 義兵部隊의 編成과 倭守備軍과의 接戰

露國과의 國際事情 其他 地理上關係로 義兵部隊의 根據地는 煙秋附近으로 決定하고 同地에 本部와 訓練所를 設置하고 新募한 千二百名의 兵員을 收容한 後 晝夜로 猛訓練을 繼續하였다. 訓練主任으로는 禹德淳 및 嚴寅燮, 姜鳳翼, 葛花春, 金榮鎭, 金載益, 李昌道等의 幹部가 있었다. 武器, 彈藥, 服裝等의 調達에는 嚴寅燮, 李致權, 俞鎭律, 李剛等 諸同志의 幹旋努力으로 露官憲의 援助가 많았고 軍資金 糧秣等은 煙秋의 朴春, 桂澤健과 水靑의 金浩春, 趙淳應, 李 泰雄, 金學浩, 尹三星, 金千華等의 幹旋援助로 充當하였다.

一九0八年四月初旬頃 어느날 밤 夜陰을 利用하여 同志 嚴寅燮과 같이 二個小隊의 精說를 選拔하여 이를 引率하고 豆滿江 最下端인 慶興郡蘆面上里에 駐屯中이던 倭軍守備隊本部를 急襲하였다. 때마침 鏡城駐屯 憲兵隊長 中佐陳軍吉이 韓人警視 金江龍雄 以下 十數名의 部 下를 引率하고 國境地帶守備狀況을 巡視次 出張中이었다. 安義士는 千載一遇의 好機라 하고 猛攻을 加하여 彼此銃火를 交接하기 數時間 敵兵二名을 射殺하고 數名의 重輕傷을 加하였으 나, 義兵部隊에는 一名의 落伍도 없이 全員 無事히 煙秋本營으로 凱旋하였다.

茂山地方에는 洪範圖將軍이 部下 三千을 領率하고 晝夜로 神出鬼沒하며 게리라戰術로 倭軍 守備隊를 惱殺하던 때이다. 그러나 洪將軍部下 三千兵員中에는 武器가 不足하여 木銃과 農具 같은 原始的兵器로 從軍하는 者가 殆半이었다. 이들에게 武器를 供給하여 兩軍이 合勢하면 四千名 以上의 裝備를 完備한 精銳를 얻을 수 있으므로 이 基幹兵力으로 咸南北地方의 倭軍을 充分히 擊破할 수 있으리라는 것이 安重根義士의 胸算이었다. 裝備, 糧秣等의 萬端의 出 動準備를 完了하고 同年七月二十三日 禹德淳, 嚴寅燮等의 幹部와 같이 八百의 精銃兵力을 領率하고 訓戎鎭對岸에 布陣하여 數十回의 斥候戰을 交戰하면서 本隊는 和龍縣太立子를 經由하여 豆滿江을 渡江 會寧郡雲頭面으로 進攻한 것이 同年八月五日이었다.

附近一帶는 天日이보이지 않는 密林險山이므로 糧秣, 宿營等 大部隊의 行動이 至極히 困難함 을 알게 되었다. 全隊員中에서 百五十名의 決死隊를 選拔하고 餘他隊員은 三三伍伍의 遊擊 班을 編成하여 國境一帶에 散開시켜 出沒自在의 行動을 展開키로 方針을 決定하였다. 安義士는 選拔한 決死隊員을 領導하여 茂山郡三長, 三社, 延社方面으로 繼續 進擊하였다. 途中 意 外에도 密林中에서 倭軍大部

隊의 埋伏邀擊에 遭遇하여 數時間의 接戰이 展開中 彼我의 死傷 이 不少하였으나 特히 決死隊員中 十二名의 高貴한 犧牲이 있었음은 安義士一生을 通하여 不雪의 千秋痛歎事이었다. 禹德淳同志도 이 交戰에서 倭軍에게 被捕되어 咸興에서 死刑의 判決을 받고 受刑中 그後 破獄脫出하여 다시 露領으로 亡命하였던 것이다.

安義士는 部下를 收拾·再整軍하여 處處의 倭軍部隊를 奇襲하면서 洪範圖將軍과의 接線 連 絡을 企圖하였으나 苦戰만을 거듭할 뿐 마침내 成功치 못하고 四圍의 情勢 또한 我軍에 不利 하므로 萬斛의 長恨을 품고 다시 豆滿江을 건너서 胸裏 깊이 捲土重來의 再起를 圖하며 光復 의 策源地海參威로 孤影寂寞하게 쓸쓸히 歸還하였다.

四O, 新營溝儒民들의 無謀한 暴擧는 後日 祭典으로 變貌

前後 二回의 武力戰失敗以來 在海韓僑의 大多數는 自重論에 기울어져 安義士의 即時血戰 說에는 擧皆 反對하였다. 入營以來의 同志며 第一回武力戰 當時의 戰友이던 慶源出身의 崔 在亨같은 사람은 安義士의 再起即行論에는 正面으로 反對하였다. 어디까지나 剛腹한 安義士 는 하루밤을 崔와 激論한 뒤에 變節軟化한 그에게 피로써 肅淸을 斷行하겠다고 五·六回나 裝 彈한 長銃을 드는 것을 同席者들의 制止로 겨우 無事하였다.

安義士는 自身에게 集中되는 衆難群謗에는 귀를 기울이지 않고 單身으로 募兵, 軍資金의 調 達, 遊說等으로 東奔西走하여 寧日이 없었다. 一九0九年 이른 봄 어느날 煙秋를 떠나 水靑 으로 向하던 途中 新營溝 앞山을 單身 넘게 되었다. 이를 傳聞한 新營溝村民中 粗暴한 靑年 五·六名이 作黨追跡하여 不意의 闇襲을 加하여 顔面部에 全治 數週日을 要하는 重傷을 加한 後 昏倒한 틈을 타서 어디로인지 逃走하였다. 安義士는 數時間 後에 正氣를 回復하여 目的地인 水靑에 到着하였다. 이러한 暴擧事件이 있은後 數個月이 經過하여 安義士의 哈爾濱擧義事實 이 傳播되자 新營溝住民들은 크게 前日의 輕率하였던 暴擧를 悔改 自責하고 全洞民의 總意 로 두터운 祭物을 前日 暴擧하였던 場所에 陳設하고 敬虔嚴肅한 祭典을 修行하여 삼가 義 魂의 冥福을 祈願하였다 한다.

四一, 凄壯! 煙秋月夜에 同志들과 斷指血盟!

隊伍堂堂하게 發足하였던 國境進攻 作戰도 거듭當한 쓰라린 槍痍와 受難으로 同志中에는 再 起할 勇氣마저 喪失하고 悄然히 抗戰陣營을 떠나간者 한두사람이 아니었다. 安義士를 中心으로 氣慨있는 同志들은 이 情勢를 보고 痛歎함을 마지않았다. 하루는 煙秋郊外下里 某同志家 에 中堅同志 金基龍, 白樂金, 姜斗燦, 黃火炳, 對致弘, 朴鳳錫, 姜基順, 金伯春, 金春華等을 招請하고 今後의 光復大業推進方策에 關하여 가장 眞摯熱烈한 論議가 展開되었다.

『祖國이 있고서야 名譽도 있고 財產도 있으니 區區한 一身一家의 安逸幸福에만 熱中하고 祖 國光復을 度外視하는 守錢奴輩와 灰色無熱分子들은 此際에 斷乎肅淸의 鐵鎚를 내리는 것도 不得已하다』고 座中의 어느 同志가 提議한즉 一同은 雙手喝采로 熱贊의 뜻을 表하였다.

『前番 擧義結盟式席上에서 自身의 一命을 祖國에 반친다고 率先 誓約한 盟友中에 些少한 感情問題로 途中에서 公誓를 忘却하고 光復陣營을 저버린 薄志弱行의 分子가 얼마나 많았읍니까. 이러한 無義無恥의 徒輩들은 斷乎肅淸臺上에 올리지 않으면 안될것이다』 라고 어느 同 志가 發言함에 一同은 一致贊同하였다. 그 方法과 範圍一切은 安義士에게 一 任하고 새로운 同志糾合과 軍資金의 募金, 遊說方法의 徹底, 部隊進攻의 再決行 等等의 提議案件을 모두 滿 場一致로 可決한後 安重根義士는 여러 同志들 앞에 端襟正坐하고서『今夜 우리들 盟友들의 굳은 結約을 天地神明에게 告하고 其實踐을 더욱 鞏固히 하는 意義에서 各自가 이 자리에서 血證을 行하자』하고 安義士 自身이 左手無名指 第 一關節部를 一刀로 斷切하니 指端은 뜨거운 鮮血을 뿌리면서 卓上에서 生動하였다. 義士는 恒時 胸中에 깊이 간직하고 있었던 太極旗 를 펼쳐들고 敬虔한 十字聖號를 옆에 놓은 後『大韓獨立萬歲安重根』의 九字를 血書하고國權 回復에 誓死復仇의 決意를 더욱 굳세게 하였다.

이 凄壯無比한 光景을 目擊한 餘他同志들도 相互爭先하며 切指하여 흐르는 鮮血로 차례차례 各自의 姓名을 太極旗面에 連署하였다. 때마침 仲秋의 明月은 皎皎하게 窓밖에 비치어 煙秋 南部의 閑寂한 農村은 救國男兒의 感淚에 얼켜 凄壯한 一幕劇景을 展開하였다.

四二, 義兵活動은 마침내 한 마리의 巨鯨 凝視!

煙秋下里에서의 血盟以後로 義勇兵 再擧의 計劃은 本格的으로 推進되고 있었다. 血盟同志들 은 各地를 遊說하며 兵員과 資金의 獲得에 全力한 結果 僑胞는 勿論 露·淸兩國의 一部人士 들 까지도 援助해주겠다는 約束을 하였다. 韓僑唯一의 財閥家로 義勇兵軍資金後援에 굳은 約 束을 한바 있는 崔在亨은 途中 무슨 心境의 卒變인지 資金援助의 約束을 實踐할 誠意를보여 주지 않았다. 그뿐만 아니라 다른 韓僑들에게까지 義兵計劃의 無謀함을 力說하여 發効하였음인지? 軍資金後援의 前約을 解消하는 人士가 不少하였다. 確固한 資力과 地盤을 가지고 있는 崔在亨 한사람의 向背如何는 義勇軍이 計劃하였던 事業全体의 推進에 至大한 影響을 波及케 하였다. 安義士는 뜻한 바 있어 崔氏를 訪問하고 事理를 다하여 懇曲한 說明으로서 義勇軍活 動에 積極 協援해주기를 要請하였으나 崔는 終始 冷淡한 態度로 이를 拒絕하였다. 韓僑中 가장 財閥家인 崔在亨의 이처럼 無誠意한 態度로 말미암아 義兵再擧의 대事業은 中途에서 挫折되어 實現의 可望性이 薄弱하게 되었음을 自歎하고 極度의 激憤을 禁치못하여 數日을 煩懷한 結果 最後의 重大한 決意를 하였다. 『이런 反祖國的守錢輩는 第一着으로 肅正臺上에 올려야 할 人物이라』고 規定을 내렸다. 그리하여 在海參威中堅同志의 意見을 打診하고자 義 兵再擧計劃案과 長文의 不純分子聲討書稿案을 作成 携帶하고 海參威로 急行한 것이 一九0 九年十月二十一日(陰九月八日)이었다.

同夜 海參威에 到着한 後 第一 먼저 訪問한 곳이 大東共報社主筆 李剛이었다. 그는 聲討書와 義兵再擧計劃案의 尨大한 原稿를 내놓으며 新聞에 發表하여 줄 것을 要求하는 同時에胸中의 斷乎한 決意를 披瀝하였다. 그러하였더니 李剛은 意外에도『昨日 兄에게 來海를 促하는 電報 를 놓왔는데 받아보았는지요』하며 前日 發判된 遼東報와 大東共報를 내 보였다. 第一面 外電欄에 三段標題로『日樞相 伊藤公 露滿視察』이란 東京特電이 揭載되어 있었다. 電文內容은 가장 簡單하였으나 在海港 各言論機關에서는 이 問題를 重大視하여 超特種記事 로 取扱하였다. 大東共報社에서도 伊藤博文의 露滿旅行使命에 對하여 長文의 社說을 揭載하 였다.

伊藤의 露滿訪問의 使命에 對하여 三種의 觀測이 傳하고 있다. 其一 은『英美의 신지케-트 團이 計劃하는 錦齊鐵道敷設問題에 對하여 日露의 機會均等的參加를 要求키로 露藏相과 會見하려는 것이라』는 것과 其二는『首相 桂太郎의 內意를 받

아 韓國合併에 關한 露側의 事前諒解를 求하기 爲함이라』는 것이오 其三은 『印度에 對한 優越權을 認定하는 代償으로 清滿大陸에서의 特殊地位를 日本에 認定하라는 交涉을 露國當局에 折衝하려는 것이라』고 한다

左右間 伊藤의 이번 滿洲旅行이 單純한 玩景視察의 平凡한 漫遊가 아닌 만은 틀림이 없었다.

義士는 得意의 微笑를 보이며 『한그물의 雜魚보다 한마리의 고래가 낫다』하고 무릎을쳤다. 이것은 勿論 國境에 進攻하여 倭軍의 守備兵卒, 雜輩를 幾十名이나 幾百名을 屠滅하느니보다 伊藤이라는 큰 고래 한마리를 잡은 것이 優勢하다는 意味이다. 李剛에게 伊藤의 滿洲視察의 正確한 日程과 發着의 時刻 同伴人物等의 調査를 依託하였다. 靈犀가 相通하는 唯一의 知己李剛은 미리 安義士의 意中을 豫期하였던 것이다.

四三, 哈 擧義決行의 謀議!

安義士의 굳은 決意와 實行力을 누구보다도 잘 알고 있는 李剛은 義擧推進의 積極的後援을 盟約하고 그날밤 大東共報社長 俞鎭律, 民長 楊成春을 訪問하고 이 重大한 事案을 吐露하였 더니 兩人도 積極 贊成하였으므로 即時 在海韓僑同志 中 光復運動에 熱烈한 美國歸來의 金 成武, 禹德淳, 鄭在寬, 尹能孝等이 大東共報社長室에서 密會하여 伊藤狙擊의 實行策에 대하 여 重大한 謀議가 極秘裏에 論議되었다.

哈驛義擧實行의 總帥에는 安重根義士 自身이 그 任에 當하기로 하고 補助役으로 禹德淳, 千完一을 決定하여 千에 對하여서는 李剛이 交涉하기 위하여 即夜로 그를 訪問하였으나 千은 旅行不在이었으므로 代人을 求하기로 하였다.

무엇보다도 必要한 武器의 入手는 마침 同席하였던 俞鎭律, 楊成春 兩人이 護身用으로 一挺 式 携帶하고 있었으므로 이를 使用하기로 即席에서 決定하고 伊藤의 寫眞은 金成武가 갖고 있던 日本雜誌에서 三枚를 切拔하고 旅費로는 尹能孝가 雜貨를 팔아 모은 二百圓을 提供하여 그中에서 十六圓으로 外套 두벌을 露人 競賣市場에서 購入하기로 하였다. 不足金은 李剛이 그 知人인, 在哈露籍韓人 金聖伯에게 便紙를 하여 融通하기로 衆議一決하였다.

四四, 雄志안고 壯途에 登程! 露語通譯者求得에 配慮!

安·禹 兩人은 十月二十一日 午前 八時 五十五分 俞鎭律과 同途 海參威驛을 出發하여 壯途에 올랐다. 世間의 視線을 回避하기 爲하여 驛에는 李剛, 楊成春 두사람만이 代表로 餞送 나왔으 며 壯擧의 必成을 남모르게 激勵하였다. 俞鎭律 한사람만은 途中『뽀꾸라니치나 야』驛까지 同行하여 굳은 握手로 그들의 武運을 祈願하고 歸海하였다.『포驛』에 下車한 두 사람은漢方醫 劉敬緝을 訪問하고『家族을 마지하기 爲하여 蔡家溝方面으로 旅行하게되었다』라고爲說한 後 그의 아들 劉東夏를 露語通譯兼 同行하기를 懇請하였더니 劉는 마침『哈爾濱』에서 漢藥材를 購入할 用件도 있었던 참이라 即席에서 이를 快諾하였다.

翌十月二十二日 安·禹 兩人은 當年十八歲의 劉東夏少年을 同伴하고『哈爾濱』으로 直行訪여[9] 劉東夏 少年의 姊兄인 金聖伯家에 投宿하였다. 金氏에게는 勿論이고 劉東夏에게도 義擧直前까 지 伊藤狙擊이라는 目的用件은 極秘에 붙이고 家族出迎이라고만 말하였다. 그곳에서 在露 二十年의 經驗으로 露語와 露國事情에 精通한 僑胞 曹道先을 만나서 安義士는 그에게도 家族 出迎을 憑藉하여 露語通譯을 付託하였더니 同行하기를 快諾하였다. 四人은 人寫眞師를請하여 記念撮影을 하였다.

四五, 義擧地 哈爾濱에 到着後 大事必成을 期하여 猛躍!

十月二十四日 安義士는 劉東夏를 仲介하여 金聖伯에게서 旅費로 金五0圓을 借用하려 하 였으나 求得하지못하고 劉東夏만을 哈爾濱에 남겨두고 禹德淳·曹道先을 同伴蔡家溝驛으로 直行하여 露人이 經營하는 同驛 構內地下室 洋食店에 投宿하면서 構內의 地形과 列車의 發 着時間, 貴賓列車의 通過與否 等을 秘密히 調査하며 大事의 必成을 目的으로 萬般準備를 하 고있었다. 二十五日 在哈爾濱 劉東夏로부터『명조래차』라는 電報가 왔으므로 蔡家溝驛의 擔 任은 禹·曺兩人에게 付託

9 直行하여.

하고 安義士 自身은 哈爾濱으로 急歸하였다.

이제까지 極秘로 하였던 一行의 眞使命을 二十六日아침 劉東夏에게도 비로소 通情하여 끝까지 大事完成을 爲하여 協力하기를 請하였다. 劉少年은 처음 瞬間은 意外의 發言에 驚愕한 듯 하였으나 劉도 또한 一個 平凡한, 少年이 아니었다. 勇敢聰明한 天禀의 所有者였으므로 卽席 에서 이를 快快히 承諾하고 大事完遂를 爲하여 一身을 犧牲할 것을 盟誓하였다.

安義士는 萬一의 準備로 金聖伯에게서 百七十圓을 借用하여 海參威 李剛, 俞鎭律, 楊成春 들에게 其間의 經過報告兼 將來의 行動方針을 詳記한 書信三通을 劉東夏에게 주면서 即時郵送 할 것을 付託하였다.

目標人物 伊藤博文이 搭乘한 特別列車의 哈爾濱驛 到着時間은 刻一刻가까워 왔다. 安義士는 通驛이며 助手格인 劉東夏少年을 帶同하고 八時 以前에 驛으로 나가서 驛前茶房에서 情勢를 살피고 있었다. 驛構內外는 文字 그대로 鐵筒같은 警戒網을 벌려 飛鳥도 侵入할 수 없으리 만치 森嚴한 光景이었다. 露·淸 兩國의 高官陸海軍將星 各國外交官 在留日本人들이 續續히 모여드는 光景으로 보아 伊藤이 來到한다는 것은 틀림이 없다고 生覺되었다. 安義士는 意中 快哉를 부르면서 劉東夏와 같이 日本人群衆에 混入하여 驛構內로 進入하는데까지는 無難히 成功하였다. 그러나 露憲兵은 一部群衆에 對하여 嚴重한 身分檢索을 實施하였다. 順序에 依하여 安義士를 檢索코자 한즉 機敏한 劉東夏少年은 露憲兵에게 流暢한 露語로 이분은 日本人新聞記者라고 代辯하였다. 그리하여 危機 一髮의 場面을 無難히 通過한後 劉東夏는 金 聖伯宅으로 돌아갔다. 安義士는 得意의 微笑를 띄우며 가슴 깊이 간직한 拳銃을 어루만지면서 伊藤 到着을 기다리고 있었다.

四六, 祖國侵略의 倭魁 伊藤博文 드디어 義彈一閃下에 殂落!

이보다 앞서 伊藤博文 (當時 日本樞密院議長)은 十月十二日 朝野顯要의 盛大한 錢送을 받으 면서 多數의 隨行員을 滞同하고 東京驛을 出發하였다. 途中 大磯, 滄浪閣에서 二泊하고 十六 日 下關發旅客船 鐵嶺丸便으로 大連으로 直行하여 十八日 東洋第一이라는 大連埠頭에 上陸 하였다. 二十一日에는 旅順의 戰蹟을 視察하고 奉天으로 들어가 二十四日 撫順炭坑을 巡視 하고 二十五日 奉天에서 長春으로 向

하여 北行하였다. 同夜 長春에 到着하여 淸國道臺主催의 歡迎宴에 參席한 後 露國側에서 보내온 貴賓列車에 同地까지 出迎나온 東淸鐵道民政部長『아푸아나시에』및 同營業課長『이낀스에』少將以下 警護士官들과 同乘하고 二十六日 아침 九時에 哈爾濱驛에 到着하였다. 伊藤은 出迎나온『고고훗윤』露大藏大臣과 列車 內에서 約三十分間 重要會談을 하였다. 이 會談이야말로 當時 列國注目의 焦點이었던 亞細亞大陸에서의 露·日 勢力範圍分野에 關한 重大會議의 序幕이였을것이다. 伊藤은 同大臣과 會談을 맞친 後 그의 先導로『푸랫트홈』에 나와서 出迎나온 內外官民과 人事를 交換하고 警護軍名譽軍團長인 同藏相의 要請에 依하여 構內에 堵列한 同軍團兵을 査閱한 後 數步를 逆行하여 貴賓馬車로 向하던 瞬間에 堵列軍部隊의 後方에 자리잡은 日本人群衆中으로부터 猛虎처럼 뛰어나온 洋服차림의 一靑年이 있었으니 그가 바로 安重根義士이었다. 安義士는 千載一遇의 好機를 놓칠세라 拳銃을 높이들어 轟然連續 發射 하였다. 伊藤과의 距離 不過 十數步內外이었다. 처음 三發은 伊藤에게 命中되어 그자리에 쓰러지는 것을 滿鐵總裁中村是公이 扶護하였고 隨行中이던 川上 哈爾濱總領事와 秘書官 森泰 二郞, 森槐南, 田中滿鐵理事는 第四·五·六彈에 各各 一發式 命中되어 重輕傷을 當하고 最後 一發의 殘彈은 露國人『미호후-로』에게 制止當하여 逸射되었다.

伊藤은 露國將校와 隨行醫師 成田, 小山等에 依하여 列車內로 搬入된 後 繃帶等으로 止血 應急措置를 取하려 한즉 携帶用 短杖을 휘두르면서 洋酒『부란듸』를 가져오라 하여 두 잔을 마신 後 絶命할 瞬間에『森槐南도 다쳤느냐』는 最後의 一言을 남기고 번거러웠던 그의 一生 은 韓民族 怨恨을 代表한 安義士의 義彈一閃下에 드디어 殂落하였다.

壯嚴凄烈! 見危授命! 安重根義士는 唐荒한빛 하나없이 雙手를 높이 들고 呵然失色한 官憲 群 衆 앞에서『코레아우라』(大韓萬歲)를 連唱한 後 從容自若한 態度로 露國東淸鐵道警察署長『니기포로추』에게 就縛되었다.

四七, 擧事直後의 露憲兵과의 一問一答

露國憲兵은 安義士를 哈爾濱驛의 一 室로 引入한 後 다음과 같은 一問一答을 하였다.

憲兵

그대는 何國人인가. 住所와 姓名은?

安

나는 韓國人이다. 本籍은 大韓國平安南道鎭南浦龍井洞一八三番地, 姓名은 安應七이다.

憲兵

職業과 年齡은?

安

職業은 韓國義勇兵參謀中將, 年齡은 三十一歲이다.

憲兵

現住所는?

安

海參威港新韓村에도 살고 煙秋郊外下里에서도 살고 있다.

憲兵

무슨 理由로 日本人 伊藤公爵을 殺害하였는가?

安

伊藤은 우리 大韓의 獨立主權을 侵奪한 元兇이며 東洋平和의 攪亂者이므로 大韓義勇軍司令의 資格으로 銃殺한 것이며 安應七 個人의 資格으로 射殺한 것은 아니다.

憲兵

伊藤狙擊의 目的을 達成한 後 自殺이라도 할 生覺은 없었던가?

安

그런 生覺은 없었다. 나는 東洋의 平和와 祖國의 獨立을 爲하여 倭魁를 打倒한 것인즉 伊藤 한놈만을 죽이고 죽을 生覺은 없다. 萬一 내가 失敗할지라도 第二·第三의 後續 斬奸勇士가 續出할 것이다. 伊藤은 韓國의 獨立을 保護한다고 再三·再四公約을 하고도 五條約과 七條約을 强締하여 韓國의 外交·內治·國防權을 모조리 侵奪하고 侵略의 魔手를 뻗치는 우리의 公敵이다. 貴國에 對하여도 不義、無名의 戰爭을 誘發하여 侵略戰端을 이르킨 것도 伊藤一派의 侵略主義者들의 計略에서 나온 것이며 이번 貴國을 訪問한 目的도 우리 韓國을 併貪하려는 奸惡한 野圖를 實現하려는 準備行動에 不過한 것이다.

憲兵

同志는 몇名인가?

安

同志는 二千萬이다. 그러나 이번 義擧는 나의 單獨行動이었다. 이後에도 斬奸의 義勇隊는 續出할 것이다.

憲兵

『코레아 우라』를 三唱한 理由는?

安

目的人物 伊藤이 殂落되는 것을 보고 痛快함은 勿論이오, 또한 大韓男兒의 義擧임을 여러 사람에게 알리기 爲하여 『코레아우라』(大韓萬歲)를 連唱하였던 것이다.

이 事件으로 在留同胞로 露官憲에게 逮捕된 사람이 三十名 以上이나 되었으나 調査한 結果 大部分은 釋放되고 旅順倭獄까지 押送된 사람은 二十五日 蔡家溝驛에서 短銃所持 理由로 逮捕된 禹德淳、曹道先 兩人과 哈爾濱에서 安重根發 李剛宛의 書翰 三通을 郵送코자 懷中하였던 關係로 逮捕된 劉東夏等이며 劉東夏의 父親 劉敬緝과 卓公奎等 數人은 證人으로서 露日 兩國官憲에게 嚴重한 訊問을 받은 바 있었다.

四八, 夫人의 萬里旅程에 驚愕事만 重複!

偶然한 靈感이라 할가? 抑或 神의 啓示라고 할가? 義士夫人 金亞麗女史는 令息 俊生과 令嬢 賢生을 帶同하고 夫君을 찾아 十月二十六日午前七時에 『뽀구라니지나야』 稅關에 勤務 中인 鄭大鎬의 歸任을 契機로 그에게 同行을 依託하여 南浦驛을 出發하였으니 向發 二時間 後에 夫君이 擧義한 事實은 全然 몰랐던 것이다. 親家오빠 金能權은 平壤까지 同乘 錢送 나 왔었다. 一行이 奉天을 지나 寬城子驛에 到着하니 露國官憲들이 韓人旅客에 對하여는 男女 老幼를 莫論하고 嚴重한 檢問·檢索을 實施하였다. 夫人의 出發驛이 鎭南浦였기 때문인지 何等 理由도 말하지 아니하고 警察署로 引致하여 收監하였다.

同房에 收監中이던 어떤 婦人이 다른 婦人에게 向하여

甲
哈爾濱에서 伊藤이를 죽인 사람이 누구라던가요?

乙
平壤 사는 安書房이라던데요.

甲
銃으로 쏘았다지요

乙
拳銃 여섯發中에 伊藤에게 세發맞고 세發은 다른 日本사람 세名이 맞었다 하오.

金女史는 이말을 옆에서 듣다가 或이나 主人의 身上에 무슨 異變이나 생기지 않했나하여

夫人
언제 그런 일이 생겼습니까?

丙
二十六日 아침에 哈爾濱 停車場에서 야단법석이 있었지요.

夫人
쏜 사람은 平壤사람이라지요?

丙
平壤사람이 아니라 鎭南浦 사는 安應七이라는 三十歲가령되는 사람이랍데다.

金女史는 氣絶하리만치 놀랐다. 그러나 內心 快哉를 부르면서도 一面 驚愕한 빛을 抑制하면서

夫人
그사람은 잡혔나요?

丙
即時 그자리에서 露國憲兵에게 被捕되었답데다.

金女史는 또한번 失神하리만치 놀랐다. 夫君의 身上에 생긴 怪變임에 틀림없었다. 時時刻刻 으로 推想한 豫感은 제대로 適中하는 것이다. 極度의 不安과 焦燥로 片時도 몸을 鎭靜 할 수 없었다. 極力 平靜을 維持하려고 努力하였으나 對談하던 同房婦人들은 좀 異常하게 注目하는 것 같았다.
一刻一瞬이라도 速히 現地로 가서 事實如否를 確認해야되겠다는 一念뿐이었다.
焦燥의 하루밤은 지나고 날이 밝았다. 아침 給食이 들어왔다. 兒孩들은 空腹이 甚하여 한술식
먹었다. 食事後에 金女史는 刑事室로 呼出되어 昨日 留置한 日人刑事에게서 訊問을 받았다.

刑事
本籍, 住所, 氏名, 年齡은?

夫人

本籍은 載寧, 住所는 平壤, 氏名은 金亞麗(一名 召史), 年齡은 三十二歲라고 對答하였다

刑事

鎭南浦驛에서 車票를 산 것은 무슨 理由인가?

夫人

鎭南浦龍井洞에 親戚 鄭大鎬氏가 있으므로 同行하기 爲하여 같이 鎭南浦에서 乘車하였다.

고 對答한즉 刑事는 別房에 收監中인 鄭氏를 불러 물어보았다. 答辯이 서로 符合하므로 釋放 되어 當面한 虎口는 脫出하였다.

金女史는 鄭大鎬와 同途 哈市로 急行하였다. 그곳에서는 伊藤殺害事件으로 天地가 騷動하며 民心이凶凶하였다. 擧事의 張本人이 夫君임에 틀림없었다. 進退維谷에 빠진 夫人 金女史 一 行은 旅館을 定한 後 南浦本宅으로 急報를 打電하여 令弟의 入露를 要求하였다. 아버지를 그 리워 우는 兒孩들 때문에도 一刻이라도 時急히 夫君을 對面코자 하는 마음 泰山과 같았으나 到底히 目的을 達할 方法은 없었다.

四九, 遺家族에 對 한 日官憲의 暴壓!

南浦港 本宅에는 每日과 같이 理事廳 日本警察이 찾아와서 甚至於 天井과 温突까지 뚫고 搜 索하여 寫眞과 便紙를 押收하고 刑事隊가 附近一帶에 埋伏하여 一切 外部와의 連絡을 遮斷 하고 있었으므로 金女史가 哈市에서 打電한 急報도 그들 倭警의 손에 領置 되었다가 十餘日 이 지나서야 비로소 配達되었던 것이다.

本宅에서는 그 電報를 받기 前에도 무슨 큰 異變이 생긴 것이라고 斟酌은 하였었다. 그러자 伊藤博文이 殺害當하였다는 것과 그 下手人이 安應七이라는 新聞記事가 報導되었으므로 事件 의 片貌만은 充分히 推測하고 있었던 차에 兄嫂인 金

女史로부터의 電報를 받고 令弟 恭根은 公立普通學校 敎員의 職을 辭退하고 舍兄 定根과 家族一部를 帶同하여 哈爾濱에 到着한 것이 一九0九年十一月中旬頃이었다. 기다리던 兄嫂와 相會하여 눈물겨운 經過談을 交換하고 寓接할 場所를 穆陵으로 決定하였다.

그러나 그때는 旣히 事件이 露官憲으로부터 日官憲의 손으로 移管되어 安義士外 關係者 一同 은 旅順의 關東都督府 地方法院檢察局으로 이미 押送된 後였다. 穆陵草廬에 旅裝을 푼 後 定 根·恭根의 兩人은 다시 旅順으로 轉行하여 同地에 根據를 定하고 接見, 差入, 交信과 辯護人 의 選任等에 汲汲하였으나 日官憲의 暴壓으로 萬事가 如意하지 못하였다.

五○, 事件管轄에 關한 露 · 日 兩國間의 交涉

日官憲은 露當局에 對하여 事件의 引渡를 要求하였으므로 現地의 露國官憲은 그들의 本國 政府와 指令도 없이 安義士를 비롯한 四名의 身柄을 關係記錄과 共히 當日午後十時 日本總 領事館 警察署로 引渡하였다.

露國側 中央政府에서는 事件의 重大性에 鑑하여 自國側에서 直接 處理할 것을 嚴命하였다. 在哈 露國官憲에서는 다시 日本官憲에 交涉한 結果 即日로 露監獄으로 移監케 되어 國境第 八區始審裁判所 判事『스토라토푸』로부터 訊問을 받게 되었다. 一面 日本政府에서는 警護粗 漏의 責任을 追窮하며 事件의 引渡를 嚴談하여 왔으므로 露側은 當時 對日國交의 微妙한 事 情에 立脚하여 이를 强硬히 拒否하지 못하고 唯唯應諾하여 事件은 또다시 日本總領事館으로 移管하게되었다.

事件引受에 成功한 日本政府에서는 在韓 統監 曾禰荒助에게 命하여 警視 永谷隆造志外 檢事 一名을 派送시켜 事件의 眞相을 調査케 한 後 同年十月三一日 關東都督府 旅順地方法院으로 送致하여 溝淵檢察官 및 眞鍋判官의 審理를 받게 하였다.

安重根義士는 溝淵檢察官에게『自身의 이번 擧義는 大韓國義勇隊 參謀中將으로서의 戰鬪行動 을 單獨實行한 것이며 決코 어떠한 個人으로서의 伊藤博文 一個人을 暗殺한 行爲가 아니므로 一般凡人과의 同一한 裁判取扱은 받을 수 없다』하고 强硬히 主張하며 裁判管轄權의 不當性 을 指摘 抗辯하였으나 何等 效果도 없

이 裁判審理는 日本側의 一方的意見만으로 進行되었다.

五一, 民選辯護人의 拒否와 一方的暴壓裁制

檢察官의 法定 拘束期限은 滿十四日임에도 不拘하고 無法하게도 滿三個月 以上을 留置한後 翌年(一九一0年) 二月五日에 비로소 豫審도 經由하지 않고 直接 起訴 節次를 取하였다.

이러한 不法措置와 對韓侵略陰謀의 大秘密이 世界列國에 白日下에 暴露될 것을 두려워하여

日本政府에서는 이러한 國際的大事件의 公判임에도 不拘하고 民選辯護人의 選任을 一切 拒 否하고 自國辯護士 鎌田·水野 兩人만을 官選으로 辯護케할 뿐이었다. 民間辯護人으로서 一 切의 費用을 自擔하고 自進하여 法廷에서 辯論하기를 出願한 安秉瓚辯護士를 筆頭로 海參威 大東共報社長 兪鎭律·李剛 兩人의 幹旋으로 在留韓僑가 招聘한『李하일노부』及 上海英人 辯 護士 一名、露國辯護士 一名 等八名의 辯護申請이 있었으나 日本政府側에서는 이를 全的으 로 拒否하였으므로 世界法曹界의 非難이 藉藉하였다. 이러한 國際的輿論을 勘案하여 日人 辯護士 紀志같은 者는 眞鍋裁判長을 直接 面對하여 公判의 不當性을 指適抗辯한 바 있었다.

一九一0年二月七日 午前十時 公判 初日에 傍聽席에 있던 安義士의 令弟 定根은 憤慨莫甚 하여『이러한 不公正한 裁判은 받을 必要가 없다』고 絕叫하였으나 眞鍋裁判長은 廷吏로하여 금 이를 制止케 한後 公判은 一方的으로 進行되었다. 其間 五回의 公開公判과 一回의 非公開

公判만으로 同月 十四日 結審을 告하였으니 世紀的重大한事件의 疎漏取扱에 列國 法曹界의 輿論은 沸騰하였던 것이다.

五二, 溝淵檢察官의 起訴槪要

(一) 被告의 性格

前略 被告 安重根은 被告 四名中의 頭目이다. 祖父는 安仁壽라 하며 鎭海縣監를 歷任한바 있고 父親은 安泰勳이라 불리 進士이었다. 財產도 相當히 있어 安自身의 말하는바에 依하면 元來는 千石 至今도 數百石의 土地가 있다 한다. 두 아우가 말하는 바에는 現在는 豊年이면 百石 凶年이면 四·五十石이라 한다. 左右間 黃海道信川의 名家이다. 그 地位는 高官大爵 의 班에 屬치 않는다 하여도 明治二十七年 東學黨亂이 일어나자 父泰勳은 觀察使의 命을 받아 이를 討伐하여 名聲이 높았다. 一家一門은 일직부터 佛國의 天主教에 歸依하여 그 信仰이 堅固하다. 安의 領洗받은 것은 十七歲 때이라는 것은 被告와 그 二弟가 陳述하는 바이다. 집에 餘財가 있으므로 兄弟 三人은 모두다 教育을 받아 그 二兄弟는 中等教育을 마쳤다. 그러나 安은 正規의 學業을 받지 않았다. 그런 집에 誕生하여서도 다만 經書와 通鑑第九卷까지와 漢譯萬國史와 朝鮮史를 읽을 따름이라 한다. 韓國의 大韓每日·皇城新聞·帝國新報·桑港 의 共立新聞 浦鹽의 大東共報 等에 依하여 政治思想을 涵養하였다. 또 鎭南浦에 移舍한 後 排日演士 西北學會의 安昌浩의 演說을 듣고 크게 感動한 바 있다는 것은 그 二弟의 陳述하는 바이다. 鎭南浦에서 他人과 石灰商을 經營하였으나 失敗하고 多大의 負債를 지게 되었다. 氣 質이 硬直하여 事事件件 父母兄弟와 意見이 不合하였다 함은 安自身과 兄弟들의 陳述하는 바이며 妻子에 對하여도 極히 冷靜하고 自己를 믿는 힘이强하여 先入感이 主가 되어 容易하게 他說을 容納치 않는다. 前述의 新聞과 安昌浩 其他의 演說에 依하여 한번 政治思想이 注 入되자 兄弟妻子를 버리고 故鄕을 出奔하여 排日派들이 集合하고 있는 北韓과 露領으로 가서 漸進派 또는 急進派와 交際하여 처음에는 教育事業을 일으키려 하였으나 成功치 못하고 義兵 에 몸을 던져 放縱無賴의 徒輩에 伍하기에 이른 것이다.(下略)

(二) 罪犯의 動機

決意를 함에 이른 模樣은 伊藤公에 對하여 私慾私怨이 있는 것이 아니라 個人으로서 生命을 빼앗는 것은 하지 못할 일이지마는 東洋平和와 韓國獨立을 爲하여서는 이것을 滅亡시키지 않 을 수 없다. 이것을 爲하여 父母兄弟도 버린 것이다. 云云 (下略)

(三) 犯罪의 機會 及 行爲의 狀態

安·禹는 九月八日 (陽十月二十一日) 午前八時五十分 浦鹽을 出發하여 三等의 郵便列車로 蘇 王嶺에 이르러 同地에서부터는 二等으로 바꾸어 타고 哈爾濱에 到着하였다.

이것은 『뽀쿠라니-치나야』에는 稅關이 있어서 三等乘客의 調査가 嚴重하므로 發覺을 念慮한 까닭이다. 途中부터 劉를 同伴하고 九日(陽二十二日)午前 九時 哈爾濱에 到着하여金聖伯方에 投宿하고 十日(陽二十三日) 曹를 데리고 와서 通驛할 것을 委囑하고 十一日(陽二十四日)午 前 九時 蔡家溝로 向하였다. 安이 蔡家溝에서 哈爾濱에 돌아온 것은 露曆九月十一日(陽二十四日)附、劉의 電報에 明朝即十二日(陽二十五日) 朝 伊藤公이 來着한다는 內容이 있었으므로 蔡家溝에서는 未明에 通過하는 列車가 없으므로 安은 이것으로 말미암아 큰 不安을 일으킨 것이다. 安이 蔡家溝에서 돌아온 것은 路費의 不足을 補充할 目的이었다고하나 決行目前에 이르러 餘分의 金錢이 何等의 用을 하랴. 그 遁辭임을 알 것이다.

또 三人이 그곳에 있는 것보다는 서로 分散하는 것이 利便이 있다는 意見을 갖고 있었다는 것은 安이 一旦 自陳한 바이다. 또 그 禹·曺와 離別할 때에 臨하여『哈爾濱의 模樣에 依하여 다시 돌아오겠다. 汝等은 機會가 있으면 이곳에서 決行하라』고 말하여 두었다는 것은 安·禹 의 供述을 綜合하면 明白하다. 安은 哈爾濱으로 돌아가 그 準備計劃이 틀림을 보고 劉를 叱 責하기까지 하였으나 그 錯誤가 오히려 好機를 얻게 된 것이다. 露曆九月十三日(陽十月二十六日) 아침에 哈爾濱 停車場 內에는日本人의 自由入場을 許可하게 되었다. 日本人과 類似한 韓國人은 日本人과의 區別取締가 없으므로 安은 큰 활개를 치며 歡迎人의 集團에 들어가 그를 狙擊하여

伊藤公을 죽이게 된 것이다.

그 模様은 露國大藏大臣의 證言으로서 믿을 수 있다. 安이 使用한 銃器는 鋭利한『부르닝』式 七連發로 또 餘分의 一發을 裝塡하여 있었다. 被告는 拳銃에 老練한 者다. 一彈이라도 空彈이 없고 三發은 伊藤公에 命中하였다. 被告가 必成을 期한 恐怖할 十字切截가 있는 彈丸 은 人體의 堅部에 抵觸하면 鉛과『닉켈』包皮의 分離를 促成하는 效用이 있어 創傷을 크게 한 것이다. 肺를 貫通한 二個의 彈丸은 胸腔內의 大出血을 일으켜 十數分後에絕命하였다. 어느 證人의 말에 依하면 伊藤公이 兇漢은 韓國人이라함을 듣고『어리석은 녀석』이라 하였다지만

事實은 그렇지 않다. 伊藤公은 兇漢의 國籍取調가 있기 前에 絕命한 것이다.公을 狙擊한 副 作物로 公과 被告의 사이에 있던 川上總領事는 他의 一彈에 依하여 左上膜에 一彈을 받아 負傷한 것은 關係者의 證言과 鑑定에 徵하여 多言을 不要한다. 被告는 公爵이 타고 想像한 先 頭의 人物에 銃口를 向하여 丁寧하게도 錯誤없이 하려고 方向을 轉하여 三彈을 發射하였다. 二彈丸은 森·田中 二氏를 負傷시킨 것이다. 그 負傷은 鑑定과 같이 別로 列擧할 必要가 없고 남은 一彈은『푸랫트홈』에 있었다고 十字形切截의 切目에 羅紗毛가 들어가 있는 것을 露官憲 으로부터 送致하여 온 것이다. 이 彈丸이 中村 及 室田 兩氏의 바지를 貫通한 것일 것이다. 禹·曺는 蔡家溝에서 決行하려고 하였으나 露曆九月十二日夜 以來 十三日(陽十月二十五日·二十 六日) 伊藤公 搭乘의 列車通過時는 勿論 其後의 警戒가 嚴重하여 用便을 憑藉하여 外出하려 고 하였으나 成就치 못하여 萬障을 排하고 大事를 決行하려고 한 禹도 如何한 手段도 行치 못하였다. 內容으로는 前日부터 安에게서 分配된 十字形 截痕이있는 彈丸을『부르닝』七連 發 銃에 裝塡하고 裝彈中의 一彈은 上部銃身 內에進出하고 있어 安全裝置를 解하고『방아쇠』를 누르면 即時 連續 發射할수 있었지마는 마침내 發射할 機會가 없었고 曺도 亦是 그 五連 發에 五發을 裝塡하면서도 怨恨을 품고 逮捕되어 그 目的을 達치못한 것이다. 劉는 如何한 點으로 加功하였느냐 하면 通信連絡機關이 되어 安을 來哈케 하여 다시 蔡家溝로 가지 않고 도리어 成功의 機會를 얻게 한 것이다. 安으로 하여금 萬若 蔡家溝에 그대로 있게 하였다면 伊藤公의 生命은 빼앗지 못하였을 것이다. 그 結果에 對하여 劉의 行爲는 幫助임은 論을 기 다릴 바 없다. 曺의 加功이라 함은 實行을 같이하려고 하였으나 禹와 同樣으로 旣遂에 이르 지 못하고 豫備에 머무른 것이다.

一, 本事件의 訴訟法上의 問題

(1) 本件을 取扱하는 것이 當法院의 管轄인가 또 그 手續이 適法 한가 않는가 는 先決 問題이다. 이 問題가 否定된다면 그以上 實體法上의 有罪·無罪刑의 種類程度를 論할餘地를 볼수 없다. 또 이 問題의 性質은 訴訟當事者의 主張을 얻을 것이 아니다.實로 裁判所의 職權調査 의 事項에 屬한 것이다.

(2) 本職은 本件이 本院의 管轄인 것을 宣明하려고 한다. 그 理由로는

(가) 哈爾濱은 淸國領土로서 東淸鐵道附屬地인 同時에 公開地이다. 淸國에 對하여 治外法 權을 所有한 各國은 同地에 있어서 自國臣民에 對하여 法權을 所有하고 있다.日本 及 韓國은 淸國에 對하여 各自國民에 對하여 治外法權을 所有함은 條約上 明瞭하다. 따라서 本條에 對 하여 露國 또는 淸國에 裁判權이 없음은 明瞭하다.

(나) 哈爾濱駐在 帝國總領事는 明治三一十二年三月 法律第七0號 明治三十三年四月 勅令第百 五十三號에 依하여 日本臣民을 管轄하므로 單只此條約만이라면 日本官憲에서 外國人인 韓 國臣民의 管轄權을 有할 수 없지만,

(다) 明治三十八年十一月十七日 日韓保護協約第一條에 依하여 韓國外에 있는 韓國臣民의 保 護는 帝國官憲이 此를 行하게되어 있다. 帝國에 있어서 法原의 하나로 認定된 學說 及實例가 있으면 이 日韓協約에 依하여 帝國總領事의 職務管轄에 關한 法令은 擴充된 効力을 有로함 으로써 總領事는 日本臣民外에 韓國臣民도 管轄함은 當然하다. 故로 訴訟法上 本件 被告事 件이 哈爾濱 帝國總領事의 管轄에 屬함도 亦是 明白하다.

(라) 다시 明治四十一年 法律第五十二號 第三條는 外務大臣의 領事裁判權의 管轄移轉에 對한 命令權을 承認하였다. 그래서 本件은 明治四十二年十二月二十七日의 同大臣의 發令에 依하여 管轄이 決定됨은 異論의 餘地가 없다.

(3) 또 同日로서 法院에 管轄이 移送된 後로는 法院의 手續法인 明治四十一年九月二十二日 勅令第二百十三號 關東州裁判事務取扱令에 從하여 取한 手續은 合法한 것이다. 同令에 依 하면 重罪事件은 반드시 豫審을 經함을 要치 않음은 同第七十三條에 明記한 바이다. 本件은 被害者 犯人 犯罪의 場所 其

方法等이 天下의 耳目을 聳動하였으나 其 事實은 簡單하여 檢 察官에 있어서 當然 强制力을 加할수 있던 現行犯이였으므로 調査의 結果 即時 公判을 求한 것은 我內地에 施行되는 刑事訴訟法과는 다르지만 何等의 違法이 있는 것이 아니다. 要컨데 管轄이 다르다. 또는 公訴不受理論의 餘地가 없음을 言明한다.

二, 實體法上의 問題

被保護國臣民에 對하여 保護國官憲의 管轄 及 手續은 明確하나 其 適用될 實體法의 如何한 것인가에는 議論의 餘地가 있다. 反對說을 想像함에 韓國臣民에 對하여서는 日本官憲에서 韓 國法을 適用해야 된다고 할 것이다. 어찌하여 그런가 하면 日韓保護條約第二條에서는 日本은 韓國이 他國에 對한 條約을 執行할 責任에 任한다고 明記되어있다. 또 光武三年九月十日 淸 韓通商條約第五款은 韓國臣民에는 韓國法을 適用한다는 明文에 比照하여 本件에 適用할 實 體法은 韓國法 即 刑法大全이 아니면 안된다고 할 것이나, 그러나 本職은 이에 反對하여 前 顯保護協約에 所謂 保護는 其 形式的實質같이 帝國法에 準據할 것이라고 믿는다. 어찌하여 그런가 하면 韓國이 淸國에 對하여 權利만을 所有할 때에는 淸國에는 何等 負擔이 생기지 않 는다. 이 範圍內에 있어서는 韓國의 治外法權의 內容은 日韓保護協約에 依하여 自然 變更을 許하는 것이고 또 日本이 協約의 精神에 따라 外國에서는 保護協約아래에서 準日本人으로써 帝國의 法令에 從할 것이라고 解釋함이 相當한 바인데 韓國民의 身分 能力에 屬한 法律 關 係는 我法令第三條에 依하여 그 內容으로써는 韓國法令에 從할 것이지만 法理上으로 말하면 사람의 身分能力은 그 本國法에 從한다는 帝國法令에 準據하는 것이다. 本件과 같은 犯罪 及 刑罰關係에 있어서 韓國人에 適用과는 것은 即 帝國刑法이다. 帝國刑法의 適用上에 對하여서도 議論이 있을 것이다. 或은 特別適用 即 刑法第二條·第三條第三項의 保護主義로써 列擧한 때에 限한다는 說이 없지는 않겠지만 本職은 全部 適用을 主張한다. 即 保護協約의 正統解釋 上 淸國에 있는 韓國人은 日本臣民에 準하여 各法令 所定의 犯罪全部를 刑法에 依하여 論할 것이라고 믿는다.

22

安重根殺伊藤博文於哈爾賓

時日本與清國協約得滿洲之吉林會寧間鐵路敷設權自安東縣達于奉天清國人民譁然而米國政府有抗議俄國對於吉林鐵道線以競爭之心求洮南鐵路敷設權於清國俄國大藏大臣以視察極東次来于哈爾賓俄國地也領博文欲往會而密議滿洲事乘汽車二十六日舊曆九月十三日午前九時到哈爾賓俄國大藏大臣来訪于列車内約二十分相與談話後駐在哈爾賓日本領事村上導之而下車清俄兩國軍隊及文武官各國外交官等其他人民等皆歡迎之博文步行詣其前以

1

23　大韓季年史 卷之七

次行握手禮向日本人列立處忽自俄國軍隊整列便我國人安重根裝七連發拳銃第一次彈丸三個中博文第二次射中日本領事右腕胷部第三次射中秘書官森槐南右腕胷部最後射中滿洲鐵道理事日本人田中右足鐵道總裁中村是公抱起博文而俄國官人等救護還歸汽車內日本醫生小山以繃帶纏束之與他醫生共赴俄國病院與其醫師共為急治之過三十分後遂死卽午前十時也重根着洋服其放銃凡六發而僅不過一分三日前博文語小田技師曰余則被人暗殺本望也果如其言中丸時第一丸自右腕上膊二分之一通右肋部留於心臟下部第二丸自第五肋骨貫通胷部留於第六肋骨第三丸貫通上膊中部博文

24

中丸後坐汽車内曰多中彈丸也俄大藏大臣來慰問博文曰呀呀為韓國未結語而呻吟聞森槐南亦中丸曰森亦中耶遂死俄國官人卽拿重根嚴查後送于日本領事時博文所乘列車嚴為警戒二十五日夜過西河時見禹延俊曹道先二人持拳銃卽為捕縛重根自元山由浦塩斯德二十五日午後七時至哈爾賓云被拿時顏色從容自若博文之屍二十六日午前十一時發哈爾賓午後五時到長春俄公使以下諸官員皆以喪服弔送至于長春日本國人聞博文之死莫不驚愕日帝遣其侍從及侍從武官而急送軍艦赴大連湾迎其屍我皇太子(時在日本東京)亦使附武官金應善往大磯博文家弔于其妻梅子(時博文子博邦往于大連)又使之赴大連湾自

3

是日卽二十六日日本憲兵一名把守李完用私邸之門統
監府亦嚴爲警備宋秉畯時在日本東京請巡查三名于日本
政府護其旅館二十七日帝以電弔博文之喪于日皇
遣侍從院卿尹德榮太皇帝遣承寧府摠管趙民熙爲
勅使赴大連灣慰問之摠理大臣李完用以內閣代表
亦往漢城府民會長俞吉濬以府民代表亦赴之二十
八日午前十時義王赴統監府下午二時各府部院廳
奏任官亦赴統監府弔博文之喪下午三時帝幸統監
府慰問之詔停坤元節三十日也之賜宴諸臣賜博文諡文
忠詔停朝市三日內部大臣朴齊純奉旨發訓于十三
道是日完用等午前十時到大連載博文屍之軍艦已
發急追至三山島冲於船上傳勅弔午後一時歸航十二

九日歸國俞吉濬同還 日本贈博文從一位詔以國葬禮葬之同
日博文屍歸其國二十九日我內閣以二十萬圜贈博
文之喪葬又贈祭祀費三萬圜三十日帝遣勅使宮內
府大臣閔丙奭太皇帝遣承寧府副摠管朴齊斌往會
博文之葬于大磯農商工部大臣趙重應以內閣代表
往焉重應以銀製花瓶一箇贈博文家三十一日俞吉濬亦赴之十一
月一日舊曆九月十九日帝國新聞社光武二年京城人民所設者長鄭雲
復是行也雲復對日本人日日本當合併韓國日本人即揭于新聞後國民大演說會聲討其罪而於衆中
演說之雲復又受日本人之金而為其偵探人至國亡亦如之國民新報社所設者一進會員
一人以各新聞代表亦往焉一進會前副會長洪肯燮
以其會摠代亦赴之肯燮以銀製花瓶一個贈博文家與宋秉畯密議韓日合邦聲明書
布告事同日即十一月一日丙奭等至日本東京以倉猝無所準

備以電話通于其宮內省借所乘馬車而進見日皇留
于洋製旅店時市民輿論沸騰以爲暗殺博文之事出
於韓國貴顯人則當雪忿於今番特派使之文字以鄭
遞來于旅店者不許其數其警察官吏保護極嚴大関
係事以外不許外出丙奭等如在死地我皇帝之親國
書亦傳於其宮內省大臣而僅參博文之葬九日丙奭等還四
日博文葬日帝幸統監府參博文公葬追悼會皇太子在日本
服喪往會其葬同日帝下詔褒美博文之功內閣及府
民設官民大追悼會于奬忠壇發起人李完用及各部
大臣與諸官吏義王永宣君李埈鎔諸皇族及宮內府
大小官吏漢城府民會長代辦副會長尹孝定時俞吉濬以會
博文之葬留日本往會之孝定勤使京城內外各坊曲任員及

議員與人民往參之學部大臣李容植發訓勸令官私立學校職員率其學徒來參之各新聞社停其刊報而往會之警視廳令五署人民揭半旗於門首纏麻布於旗桿以表弔意內部大臣朴齊純發訓於漢城府及十三觀察道使學校休學一日又禁歌曲音樂獎忠壇南麓設白布帳內安博文之位牌書曰太子太師大勳位文忠公(以上我朝所賜)公爵伊藤博文殿下神位其前排祭物床及香卓祭物則以我國舊禮設飯羹酒果脯盤麵餅蔬菜魚肉等物前後左右羅列或懸揮紅紋燈籠皇后命女官六人往參之官民及軍隊學徒來者七八千人完用及閣　院廳官吏詣位牌前樂作完用鞠躬焚香獻爵祭文委員讀完用等祭文後完用及各大臣與官

29 大韓季年史 卷之七

吏行鞠躬禮而退義王及李埈鎔以下諸皇族官吏等就位牌前樂作侍從院卿尹德榮鞠躬焚香獻爵讀德榮等祭文後德榮及諸皇族官內官吏行鞠躬禮而退尹孝定及士民就位樂作孝定鞠躬焚香獻爵讀孝定等祭文後孝定及士民行鞠躬禮而退樂作軍隊行敬禮于位牌而退樂作各學校職員及學徒行敬禮于位牌而退執事者焚其位牌撤床祭文頗多而為除其煩複只用三通而皆極讚博文之功德五日分送其祭物於各官廳

8

30

十一月日本送安重根於旅順関東都督府高等法院

自哈爾賓日本領事並憲兵十一名巡查四名護送之

二日夜重根及連累者八人過奉天而送旅順重根體

9

幹短少面目秀麗慷慨之氣溢現於顏色有疸痕背着洋服坐於特别護送第二等列車其車內日本憲兵巡查充溢而過去之每停車塲多數日本憲兵巡查圍繞車室嚴爲警戒日本大阪每日新報據大連湾電三日朝重根到旅順巡査三名各從重根等一名背後執縛繩二名在左右扶其腕特重根與一人又有各憲兵附從分載於一臺之馬車不經市街迂廻山路直送于該地監獄署沿路巡査等擔銃嚴爲警戒重根有自若之態大阪每日新報據旅順電以日本關東都督府高等法院長平石檢事溝口等尚滯在哈爾賓不得行正式豫審而只行警察調查此則參謀長明石政務局長倉知立會云十三日大連電重根弟定根年二十六歲迄于今春受業於京城養正義塾上村人所

32

設而教法律也恭根年二十二歲官拜鎮南浦公立普通學校判任四等訓導以七級俸支過一家之計活聞其兄之事不安在官而辭其職十六日（舊曆十月初四日）遞重根自哈爾賓護送大連灣時於汽車內罵日本巡查輩曰汝等當以志士待我勿以汝輩手近於我神聖之體其在獄中泰然熟聽人皆吃驚其大膽無敵遜順假法庭日夜嚴爲審問閱其審查之書類漢俄日文積置數架將一一翻譯調查又費金多額自國內各地及海蔘威哈爾賓上海等地蒐集電報照會文字而自各地每日幾十枚來到（日本之朝鮮日日新聞所揭者而十二月初二日謄載我皇城新聞）諸人或談論之際及妻子事則有戚然流涕思故鄉者獨重根以爲憂國志士不思妻子行刺事無他關係者唯自己一人

11

33 大韓季年史 卷之七

之意思素性嗜酒自二三年前誓以韓國獨立前不飲而(大阪每日新聞所以揭載者 十二月五日謄皇城新聞)重根以下八人連累者終其豫審地方法院長真鍋手自審查其書類其犯跡甚廣北韓方面尚今繼續取調(十日日本 東京電)重根兩弟與在滿洲之陜井統監府警視一人在我國之通譯平服巡查一人在大連灣之平服巡查三人十八日夜赴旅順以與其兄商會事為其兄在獄外周旋事為養其老母率其兄之妻子帰國事請於在旅順之日本官吏聞其兄之妻及子在俄國布克羅尼支那耶地二人雖其地二人皆精通日本語而留於日本人旅店(大阪每日新 報二十三日)(皇城新 聞謄載)是時京城人士以重根事嫌疑者被捉於警視廳者甚多皆以無罪得釋惟平壤人安昌浩被囚於龍山

34

日本軍司令部以其有病二三日間保放昌浩見時入於耶穌新教留京城後遊米國知天下之大勢、及國家之將亾不勝忠憤慷慨元年帰國或赴社會、而演說或對人言論必激切勸諭以扶宗國之傾危、日本人甚憚之以是因之昌浩大聲叱責曰汝輩以無緣由欲殺韓國之志士乎仍仆地氣絶日本人招其友人使舁之以去稱以保放昌浩保放事揭于十五日皇城新聞二、日本辨護士紀志英國辨護士都克羅斯皆願爲重根辨護而都克羅斯誓以正當重根亦許之揭二十八日皇城新聞以連累重根事滯囚於旅順日本之監獄人七、名先以無罪釋之金麗水金成玉金衡在卓公圭二十四日以無罪得放而日本巡查二人護送向哈爾賓四人以本國人移駐于哈爾賓者重根聞其兩

13

35 大韓季年史 卷之七

弟之來乃言曰彼若欲見我則見之我則決無欲見之
心及得監獄官之許可而相見恭根失聲哭泣重根亦
不抑制其心思颯然赤氣現於顏色少頃三人皆以靜
穩之態相對兩弟先以其母所寄十字架重根母入耶穌舊教置
於重根之頭上傳母之言曰余於現世難期再會汝面
汝就今後神妙之刑速洗現世之罪惡必為來世善良
天父之子再為出世也汝受刑之時神父按重根洗禮之法國宣教
師為汝而特遠路跋涉代汝身而捧懺悔矣汝於其時
依神父手下之教式從容辭去現世重根答曰誓依教
其後兩弟問其兄嫂母子帶歸後如何措置之意重根
冷答曰區區妻子汝等從便處理按大阪每日報謄載二十八日皇城新聞
○先是南宮億為皇城新聞社長與主筆記者張志淵

14

36

議如金永準李容翊李根澤之流極悪大慾事一不揭載于新聞人莫不唾罵其諂附于政府檍素與一進會負韓錫振最親善雖不入其會而密通其聲息及申箕善之爲叅政(事在光武八年也)箕善亦密通於一進會錫振遂薦檍於箕善得拜官制釐定所委員志淵素貪鄙受人之賄賂而載其事於新聞當五條約締結之時社員劉在護(前度支部主事)勸志淵載條約顚末於新聞志淵恐㤼不敢在護及其他社員屢言之乃揭之而題曰是日也放聲大哭以此志淵被囚於警務廳不久得釋遂辭其主筆劉瑾(前度支部主事)代志淵凡載義兵之事必稱暴徒(時他新聞揭之曰義兵或曰義匪) 若安重根李在明(事詳見下)必揭之以行凶者或凶犯世人唾罵之曰雖書以行刺者或刺客未爲不

15

可而何其諂附日本人與李完用輩之甚也瑾略解文字性本倩險凡國人之稍有稱譽而無勢力者必揭於新聞而論其疵○時一進會員大邱郡地方委員（元年度支部置地方委員一人於各郡）尹大變及其同黨金榮斗新寧（屬慶尚北道距京城六百四十里）地方委員黃應斗受宋秉畯李容九之密囑發告急書于各道各郡略曰凶徒安重根暗害伊藤太師大傷韓日兩國交誼我人民當渡日本以謝罪之意上書于日皇陛下倍加親睦兩國友誼矣各郡選民衆代表各一人速赴京城於是十三道七十餘邑地方委員十一月三十日會于京城大寺洞臨時會議所選十三人稱以謝罪團以渡日本之意請願于內部及警視廳十二月六日警視捴監若林賚藏招大變榮斗問其

38

意諭之以皇室勅使政府特派社會代表己問喪慰弔於伊藤公爵則君輩無煩再往大變等固請之賫藏只許其往弔伊藤墓前諸會員以為謝罪二字不得施則只設追悼會為可以此致函于統監府大變與其女婿清河屬慶尚北道距京城八百十里地方委員郭太仁謀而誘會員六人夜竊會中文簿而去諸會員始知大變之為一進會員卽為黜其會十六日宣川屬平安北道距京城九百十里地方委員桂膺奎等三人往見應斗叱責之奪其代表人民謝罪團委任狀而來大變應斗等只携慶尚道人民代表委任狀十八日赴日本二十一日膺奎等十三人以謝罪事無委任於一進會員揭于皇城新聞二十七日膺奎等七人以各道人民代表行伊藤博文追悼會於興仁

17

39 大韓季年史 卷之七

門外永道寺四月一月六日夜大變應斗二人到日本新橋驛八日往拜博文墓告謝罪文博文家人邀而宴待之十四日二人乃還○十一月一日商務組合所長先是負商餘黨設立此所前都事李學宰以立碑頌伊藤博文之功德事設頌德碑建議所發文於各大臣及他卿宰請捐金以助五日前判書閔泳雨與李敏英等二十餘人設東亞讚英會以鑄博文銅像表彰其功德事發文于各大臣及紳士而亦請捐金以監查院卿張錫周張博本以咸鏡道賤人慕兩班絜其父祖以上神主爲繼后於嶺南故儒賢旅軒先生顯光之繼后子孫改名錫周人皆嗤笑之爲捻裁錫周極力於是事十六日警視廳招學宰泳雨問其經費與立碑鑄像處所之事二人答以收金期限定以十個月經費則十四萬圜處所則北部順化坊

18

40

內碑閣將建築以八十餘間銅像將委鑄於日本而價
金預定以四萬圜十八日學宰等更議定以鑄銅像

19

安重根爲日本人所殺

一月初日本旅順法院豫查重根而其連累者爲二十餘人訊問調査及他關係書類至三千餘件平壤辨護士安秉瓚爲重根之辨護以書告于內閣而得許傾其家產備旅費百圜金致書于日本理事廳得旅行劵十一日發向旅順同郡紳士宋在爗自辨其旅費而同往十七日秉瓚到旅順歷訪見日本關東都督府與高等法院地方法院旅順民政署警察署官人及其他諸辨護士說以安重根裁判辯護事來到之意待法院長之来法院長在日本時安定根寄旅費五十圜于京城辯護士會

109 大韓季年史 卷之七

請送辯護士一人其會議定以遣卞榮晚(前駐韓而辯最久者)二月二日(舊曆十二月二十三日)定根發電于榮晚曰日本不許我國辯護士則勿為煩来時為辯護重根事請願于日本旅順高等法院之各國辯護士俄國人二名英國人二名西班牙人一名我國人二名一則安東瓚一則東瓚之事務員高東殷二十七日法院長自日本帰来以為各國人皆不能精通日本語有所不便於裁判只許日本人辯護二月一日正午東瓚東殷重根弟定根恭根欲面重根日本檢察官典獄通譯生等立會而檢察官對東瓚曰公願為重根之辯護自我法院不許外國人之辯護士遂我國人矣公於裁判時使我辯護士陳君之意東瓚曰夫人有防衛己之身體及名譽之權故任

意定其辯護今重根以重罪願遂其辯護何故不許而
遂其不願之辯護乎曰西洋辯護士亦不許則不必長
提仍使見重根東瓚傳其母之言曰此世君之母子不
得更相見則其情當何如哉又曰余來此而不得遂我
之願是所慨歎重根曰君爲我遠來甚感而請公裁判
前勿爲還國其弟又言日本人不許東瓚之辯護重根
曰非余求生此滿腔所懷有誰明言又謂兩弟曰我死
後埋于哈爾賓公園近地東瓚問曰君之名爲應七時重
根之名以應七稱之何也答曰我生三日後祖父壽名仁見胎內黑
痣有大如碁子者七以爲應七星命以小字余在外國
時稱之以此曰其痣尚存乎曰然東瓚贈重根以六法
全書一卷午後三時與東般等退至旅館東瓚泫然下

111 大韓季年史 卷之七

淚仍吐血氣塞同留人（卽東般定根恭根時日本巡查一人來守其旅館）驚惶卽請日本醫士而治之同日法院公布以安重根殺人禹連俊曺道先殺人豫備劉東夏殺人幫助罪名不經豫審直付公判其第一回公判定以七日午前九時開于高等法院第一號法庭而連日開庭每日發傍聽劵三百枚於鄭大鎬大鎬於重根行刺之翌日以帶重根妻子到哈爾賓事被逮而竟以無罪午後五時釋之還哈爾賓重根從弟明根自鄉上京城五日至南門驛六日上午八時乘汽車向旅順西部警察署為察其動靜使日本刑事巡查一名追往之七日（舊曆十二月二十八日）日本人始開重根等公判至十二日凡五回（十一日以日本紀元節故止之）願傍聽者甚衆故警察官吏等一行整列給傍聽劵七

23

日午前八時三十分許其入場各國人約二百八十名普通傍聽席人有相磨我國人辯護士安秉瓚同事務員高秉殷英國辯護士賓居尼嘶通譯日本人西川玉之助俄國辯護士米哀伊路于通譯我國人韓基東特列坐於辯護人席側一椅子而構內婦人席日本文武官夫人及俄國領事夫人新聞記者席各新聞記者裁判官席背後日本中將税所少將星野經理部長湯本高等法院長平石警視揔長佐藤俄國領事等列席被告安重根一名應七禹德淳一名連俊曺道先劉東夏一名江露四人載新着馬車典獄看守長二人看守十人警衛巡查及憲兵騎兵擁護復巡查憲兵列置於沿路處處警戒極嚴密八時三十分頃馬車至法院門前四十分入庭裁

113 大韓季年史 卷之七

判長真鍋十藏檢察官溝淵孝雄書記渡邊良一通譯生岡本末喜等出席官選辯護士水野吉太郎鎌田正治亦出席後典獄一人看守長二人看守六人警視警部各一人巡查四人嚴重戒護去重根等手錠解其縛腰之繩後十藏告開庭之旨問被告等氏名年齡住所重根年三十一原籍韓國平安南道鎮南浦出生地黃海道海州德淳年三十三原籍韓國京城東部養士洞在興仁門內附近出生地忠清北道堤川道先年三十七原籍韓國咸鏡南道洪原距京城九百二十里鏡浦面出生地同地東夏年十八原籍咸鏡南道元山港出生地同地其後孝雄起立陳起訴事實曰被告安重根決意以殺害樞密院議長公爵伊藤博文及其隨行員明治四十二年十

25

月二十六日午前九時於露國東清鐵道哈爾賓驛
豫準備之拳銃使公爵致死且使公爵隨行員總領事
川上俊彦宮内大臣秘書官森泰二郎南滿洲鐵道株
式會社理事田中清太郎之各手足胸部負銃創右三
名不到於死者被告禹德淳及曺道先與安以共同的
目的欲殺害伊藤公爵留於東清鐵道蔡家溝驛為豫
備之事為露國衛兵之所妨未遂其目的者劉東夏知
安等之決意當通信通譯之任幇助其行為者孝雄陳
述其犯罪事實後十藏先審問重根答曰重根本名三
年前離鄉里赴浦盐時以小字應七行世父泰勳登進
士第五年前棄世母趙氏也生於海州移居信川(屬黃海道)
(距京城四百六十里)四年前復移住鎮南浦有弟二人名曰定根

115 大韓季年史 卷之七

恭根十六歲娶妻生二男一女十七歲入耶穌舊教受
洗禮於法國宣教師洪神甫又習若干法語舊學問則
幼時受千字文童蒙先習孟子書于家庭生活則初依
故鄕之財產後賴友人之補給又問曰離本國後三年
間做何事昂然對曰計達我之目的一教育在外之我
同胞一義軍之經營又問曰獨立思想起自何時曰自
數年前抱此思想仍勵聲曰曩者日露戰爭當時日本
天皇陛下宣戰詔勅中有扶植韓國獨立維持東洋平
和之言韓國一般人民感激祝日軍之勝利數千里長
程運輸軍粮器械修治道路橋梁而日露媾和成立結
果日軍凱旋韓人歡迎之如自國軍之凱還確信鞏固
韓國之獨立不意至於千九百五年十一月伊藤以大

27

使来韓國以多数金額與國賊一進會頭領幾名而嗾
使之發表所謂宣言書且以兵力威脅皇室及政府
倡提五條約我皇帝陛下不爲裁可叅政大臣亦不調
印但世所謂五賊即五大臣捺章似此無効條約稱以
完全成立剝奪堂堂之我大韓帝國國權四千年國家
二千萬生靈未免邱墟魚肉寧不憤慨自是全國人民
一切懷慷慨之志共唱不服有志紳士痛論時事或上
疏或長書忠憤攸激或自刎而死或飮藥而死或被幽
而死或却食而死如此殉節者不知幾十人四方義兵
蜂起與日兵交戰死者亦不知其幾十萬名猶且不滿
足强制締結七協約解散軍隊太皇帝廢位司法權稱
以委任而奪去國内各般利益盡数攫取故韓國人民

117 大韓季年史 卷之七

不問上下其痛怨愈久愈甚達於骨髓腐心切齒此非但韓國之不幸抑亦東洋全局之不幸伊藤之罪惡如斯貫盈尚且以其奸猾手段謂以韓國人民樂從日本之保護政策發表各國欺瞞世界於是乎韓國有志者輩為發表伊藤之残忍行為與韓人不服之意思多數出遊於外國余則思惟伊藤原来以日本第一流人物恃其有非常之權力對我國暴惡行動最甚者則為先誅之後認定以韓國獨立可以恢復東洋平和可以維持三年前離本國常懷此志往来海蔘威即浦塩也今達其目的主辱臣死乃是當然底事且余三年間於北間島附近募集義兵與日兵屢已交戰今番以義兵參謀中將資格開獨立戰爭於哈爾賓襲擊敵將伊藤欲獻其

白髮頭於我軍決非以個人之資格行之者大韓帝國叅謀中將今日爲賊之捕虜此地所謂公判之取調大爲不可又曰今番伊藤行路軍隊護衛如何嚴重余爲國家獻身的思想三年間恒有者決心以必行其宿志故有志者事竟成又曰余之出遊外國目的如已上略述且遊說在海外之我國同胞常鼓吹其忠君愛國之思想近恢復國權雖當如何之困難苦楚忍耐而見機而作用意從事於戰鬪壯年者以義兵與日軍戰鬪老者勵其職分與供軍粮其他助力幼者就教育補充後備勸勉實業農者農商者商或以釼或以舌或以筆救援國家之危急是國民之義務每努力於恢復大韓國權維持東洋平和十藏曰質問外注意陳述重根大言

119 大韓季年史 卷之七

曰彼伊藤之行爲以何等方法聲明於世界信以捷徑
余之目的彼之行爲何無一次說明又問當時實行之
事答曰認得其事實又曰發砲後不知伊藤之爲如何
時則午後零時十五分十藏公布以一時間休憩當時
傍聽人有自大連及他處昨夜來到者二百名傍聽券
旣盡尚有數百人待於門外以午時前後交替入場之
際雖日本人檢査其身邊法庭內外巡査憲兵嚴重警
戒午後一時半再開公判復問重根答曰余到哈爾賓
之前二日自烟秋至海蔘威閱遠東報及大東共報始
知伊藤之來滿洲與禹連俊相議直發向哈爾賓於途
中布句羅尼薺耶野下車與通譯劉東夏到哈爾賓欲
南下以旅費不過三十圜往在哈爾賓入籍於俄國者

31

本國人金成博之家而留宿二日與禹連俊曺道先出
蔡家溝有未備之事中兼以在哈爾賓劉東夏之不分
明電報屢到使禹曺二人留待於蔡家溝更還哈爾賓
留宿於成博家知翌日(十月二十六日 舊曆九月十三日)卽伊藤之將来
到決意以不失機會卽整頓準備早朝七時往哈爾賓
停車塲入驛內茶店休憩餘茶苦待伊藤之来到心内
思究以擧事於乘馬車時倘於下汽車時之中特別列
車到着音樂隊先奏樂露國兵丁行敬禮余以決行事
之意卽出茶店赴露國軍隊整列之後面伊藤已下車
受多数出迎者之擁護歡迎過露國兵丁之前進向領
事團之方面余不知伊藤之面目嘗見新聞紙上所揭
之寫眞又於當塲不着軍装而衣平服又其為老人而

立在先頭推知以伊藤潜行於露兵之後求其機會伊藤返於領事團之際行過余之面前数三歩在於十歩相距之地時乎時乎突入露兵列立之間約十歩所隔地點以七連發拳銃向伊藤之右側而狙撃之三發三中則露兵驚動於砲聲退散逃走於後面余於此時自然現出於前面然此若輕率而誤撃則不可故更連射三發於是露國憲兵来到捕縛投其短銃於地以世界普通使用之羅丁語三呼古里牙后羅(大韓帝國萬歲)其後不知伊藤之生死十藏問曰其時無自殺抑逃走之思想乎答曰裁判官以為我既達目的然余以此非為惟一能事姑不思之以遂成捴目的此一成功不過作為我黨大目的韓國獨立之一機會余以韓國獨立

122

義軍參謀中將完全韓國獨立與平和作平生事業者則其時雖持洋刀不為如自殺逃走之卑劣舉動雖一刻生存永為公表日本之暴舉于世界也且殺伊藤非惡事也何故企自殺抑逃亡乎十藏曰伊藤公爵三十分後絶命隨員三人負傷則為所感何如答曰隨員負傷實所不安伊藤之死達余之願望十藏問其斷指之理由答曰昨年春間在露領地烟秋附近之一寒村哥里會故國同志者(一作我單同志者)義金基烈白樂吉朴根植金泰連安啓麟李周天黃化炳姜斗瓚劉坡弘(三人忘其姓名)等十一人以為吾輩雖千辛萬苦恢復大韓獨立維持東洋平和誓告于上帝一齊斷左手之藥指(第四同指也)盟後以其鮮血大書獨立自由四大字於大韓國旗又

34

123 大韓季年史 卷之七

以其血寫趣旨書該同志者各散令不知其去處又曰義軍摠大將江原道金斗星其部下各地有李範允等副將而余則金大將之直屬特派獨立隊長爲露領地一帶司令官受大活動之命或演說糾合同志待機會而若伊藤之來滿洲差遲時日不急率我獨立隊義勇兵若干而出哈爾賓堂堂攻擊之又集資力購軍艦進向對馬海峽要伊藤所乘汽船而砲擊之唱凱歌之計畫余爲四千年我祖國爲二千萬我同胞爲東洋大局之平和殺蹂躪我民國權利攪亂我東洋平和之奸賊一擧此則余之目的如斯正大故余以國民之一大義務欲殺身成仁十藏曰汝之所持拳銃刻十字形於其彈丸之尖端此適中於人身一度則與以非常傷害者

35

重根不答十藏曰以決行今番此事之意思有自作之詩乎答曰有之此陰曆九月十日夜於蔡家溝為略叙余之所懷而作詩曰丈夫處世兮其志大矣時造英雄兮英雄造時雄視天下兮何日成業東風漸寒兮壯士義滅忿慨一去兮必成目的豈度至此兮時勢固然鼠竊伊藤兮豈肯措此命同胞同胞兮速成大業萬歲萬歲兮大韓獨立萬歲萬歲兮大韓同胞十藏問與禹連俊為關係之事實若干後以八日午前九時續行審問公佈閉庭於四時五分當日只審問重根故他被告及辨護士不為發言重根以兩手執懸前之横木正視十藏時時取出其洋服挾囊之手巾拭其顔極平靜答辯其審問而自己事少不掩置其各處同志者之事似有

125 大韓季年史 卷之七

庇護此日傍聽者為滿員八日午前九時五分開第二
回公判十藏問禹連俊答曰余本名德淳於露國得旅
券時通譯誤書以連俊父士永現住於忠清道堤川郡
四五年前移住京城受通鑑孟子等書於私塾後於東
大門外營雜貨商四年前來海蔘威以烟草行商為業
宗教則五年前奉耶穌新教以不為信仰故不受洗禮
與安重根始相知於海蔘威其時重根為藥商迄今無
談話政治上事曹道先劉東夏今始初面其謀殺伊藤
事在陰曆九月八日重根來訪請同往自己旅館發殺
害伊藤之論而余亦以大韓國民仇視伊藤者故即同
其意準備急速發行十藏問其仇視伊藤之原因答曰
光武九年十一月伊藤以大使來韓國提出五條約之

時以多數日兵擁圍宮城百般威嚇強請該條約之裁可於我　皇帝陛下上曰朕確信貴皇帝宣傳詔勅中扶植韓國獨立之句語今此說果是意外朕自祖宗以來有大事則諮詢於大小官吏與在外儒賢而決處且至於國內紳士採訪施行故朕以自意不可擅斷終不裁可參政大臣亦不調印但誘引韓國所謂五賊輩使捺章則此無効之條約伊藤反韓日兩國皇帝陛下之聖旨專恃其權勢恣意決行蹂躪韓國民之輿論一朝剝奪四千年我國家神聖之國權韓國二千萬同胞無一人不憤激者余亦大韓國民之一分子何不痛憤乎余於當時在京城以老母在堂不得入參於反對運動自是獻身於國家之思想斗起代表二千萬國民欲誅罰

127 大韓季年史 卷之七

元惡伊藤未得其機會陰曆本年九月七日夕重根專来曰今次伊藤漫遊於滿洲乘此機而狙擊之仲雪國耻民辱如何即帶以護身用前於米哥列地方以八圜買於露人之八連發拳銃與重根同行乃更大言曰大抵有志者事竟成男兒奮發一次勇心必無何事不成之理伊藤之護衛雖嚴密狙擊一個人如反掌今番若重根不決行此事吾決心以獨力決行又曰九月到哈爾賓一宿後十日與安胄二人同赴蔡家溝其夜以嘲罵伊藤之意作歌以國文即叙述余之目的者其歌曰逢矣乎逢矣乎逢仇敵之汝欲一度之逢汝一平生之願兮何相見之晚也欲一番之逢汝水陸幾萬里或輪船或火車盡千辛萬苦經露清两地之時坐之時立之

128

時仰天而祈禱察之主耶穌察之東半島 大帝
國依我願而救之嗚乎奸惡彼老賊我等民族二千萬
迄于滅亡錦繡江山三千里無聲而欲奪窮凶極惡彼
手段大公無私至仁極愛我之主大韓民族二千萬如
均為愛憐使逢彼老賊於如此停車場千萬番祈禱忽
晝夜而欲逢竟逢伊藤今日汝之命懸於我之手至今
汝之命絕汝亦冤痛矣乙巳年新條約後不知有今日
耶今日汝之北向我亦是不知修德則德來犯罪則罪
來莫知以只汝汝同胞五千萬自今日為始一個二個
逢着以我手殺之嗚呼我同胞一心團結後恢復我國
權圖富國強兵世界有誰壓迫我等之自由為下等之
冷遇速速為合心持勇敢之力盡國民之義務又曰於

40

129　大韓季年史 卷之七

同地三人聯名寄書於大東共報社翌日重根還歸哈爾賓余與道先共探伊藤之来意其現露不被問於人如是問答之際時鍾報上午十藏公布休息當日午前重根兩弟與安東瓚髙東殷(爲東瓚通譯而来者)同入傍聽席開塲前見重根之入来定根高聲呼之曰吾等爲面會兄主而如此来旅此後難爲對面則兄主以一次面會弟等請求於法院如何因叫號哭泣法官令兩人退塲不得傍聽英國辯護士魯克露嘶同日自上海来旅順欲爲重根辯護日本法院不許往法院對其不許陳不平之所懷求重根公判之中止法院拒之午後一時四十分復開庭問德淳答曰在蔡家溝留宿於露國人茶店翌日重根稱以旅費不足正午搭車還哈爾賓余於其

41

130

時借得弾丸五六發金四圜於重根同夜與道先同宿翌月自未明停車場附近人馬頻繁往来喧囂之聲甚極問於道先則答以日本大官過去準備其歡迎於是知伊藤之將過去時乎到矣重根不在余一人當擊殺之如此決心後以無心容態問其仔細於道先則道先本不知我等經營之大事者故聽而答語屋外露兵整列至於茶店主不許一步之外出大為失望躑躅中汽車已過去不勝落膽頹臥場上笑其後方針中至午前十一時頃露國憲兵二人突然入来搜索吾等之身押收所帶短銃同時捕縛余於當時重根之行事于哈爾賓漠然不知怪其捕縛之理由十藏次問豫備犯人曹道先時則午後三時道先答曰余十五年前離鄉里移

42

轉露領亜羅几滞伊妻句嘶克及其他数處營洗濯業、及通譯等事兩親業農於咸鏡南道洪原郡妻露人名露齊無子余年今二十四文不鮮一字然露語則甚熟昨年八月自海參威来哈爾賓寄留於露國人家九月十日無曾前一次相面之安重根来言自己家族從本國而来為出迎急行至于寛城子不解露語以通譯同行云故應之翌朝同安禹兩人赴蔡家溝為二人之通譯在哈爾賓之劉江露電報于重根即有明朝来着之意味而所持短銃数年前為護身用而買置者決非今番新購而毫無関係於重根等之事同時閉庭卽午後四時三十分九日開第三回公判傍聽者自早朝會集如前兩日充滿於庭内中英國辯護士荼克露嘶帯其

通譯與安東璜着席於同列重根兩弟及高秉殷亦在
於傍聽席午前九時三十分被告四人出庭同四十分
開庭十藏問補助犯人劉東夏答曰余本咸鏡道元山
人二年前與母共離鄉里漂泊逢其父業藥局其後来
於現住所露領布夫羅尼茁那耶地方亦業藥局受若
干書籍學識不足少無関係於宗教十六歲娶妻而無
子本名東夏楠以江露在哈爾賓被逮於露兵時之僞
名與安重根自昨年陰四月以来相知日常往来于余
家而禹德淳素不知者昨年九月八日夕刻重根来訪
請以通譯同往哈爾賓適其時余亦以買来藥品次欲
赴該地之際卽諾而同行其時重根只言出迎其家族
故不知其他事實九日夕刻到哈爾賓三人同宿於金

成博家翌日三人同撮寫真以重根之所托請貸金五
十圜於成博而不見許其夜又與重根德淳同宿以兩
人之所請書給露文於寄大東共報之書函外封不知
其內之文意翌十一日朝重根與德淳及曺道先同赴
蔡家溝夕陽重根在蔡家溝送電報而有何時來耶之
文意余於重根發行前有聞其出迎家族之同時亦為
出迎大官伊藤之談話事故余思之以此必問伊藤之
来着而據同地之所聞傳說答電以明朝来着翌日重
根藉托以電文不明来帰于哈爾賓余又以重根之名
義打電求金五十圜於在海蔘威之李珍玉如重根之
所陳而無過乎確知其金子之送與不送十藏即呼重
根問関於此之事重根曰余欲使東夏借金於金成博

之際自李珍玉處有送金通知故使東夏確問之也於是重根等四人審問畢其全部上午十一時三十分十藏於午後以調查證據書類之意公布後告其休息午後一時十五分更開庭朗讀其引受於露國官憲之哈爾賓地方裁判所判事及同地警察署長之審査書蔡家溝駐屯軍曹及其他二三取調書類日本檢察官調查則有證人古谷久綱小山善德之書類總領事川上滿鐵理事田中之陳述又讀鑑定人小山善德軍醫正岡博士尾見等之診察鑑定書其他各証人十三名取調書及聞取書至一千十八枚之長文起訴狀則省略後指摘其公判所陳與檢察官調查相反之點問鄭大鎬同來之重根妻子與重根面會時重根答以其妻子

無互相關係之不知人及出示重根之寫真於五歲小兒則此是余之父也之事其後鄭大鎬陳供以確是重根之妻子之事自蔡家溝獨還哈爾賓為三人待於一處為非詐且因警戒嚴重云者全為㨾費關係之事重根與連俊彈丸之處所相違之事。後對審曺劉兩人以同謀與否兩人不但極辯其不參謀議而否認檢察官之所取調之關於電報往復金錢授受等事十藏調查其證據物重根短銃夫羅輿寧式長五寸四分柄二寸五分鋼鉄所製德淳短銃夫羅輿寧式尼乞製其長短及形狀與重根銃同道先銃夫羅輿寧式尼乞製長六寸二分柄二寸重根所寄於東夏電報則露文故使東夏以露語朗讀出示重根德淳在蔡家溝一作在哈爾賓金成博家表將

殺害伊藤之目的以慷慨激烈之音調唱和之詩歌二首(詩歌見上)並與決行暗殺之意寄海蔘威大同共報社編輯長李剛(入籍俄國者)之書(詩歌並書寄于剛者)其文曰敬啓者本月九日(陽十月二十二日)午後八時安着當地(卽哈爾賓也)滞留于金老爺聖伯(卽成博)氏宅中接見當地着遠同報則伊藤本月十二日(陽十月二十五日)二發程於寬城子搭乘露國鉄道摠局之特別列車同日午後一時到着哈爾賓弟等(一作吾等)與曺道先稱以共出迎家族事前往(一作赴)寬城子驛距同驛約十里(一作數驛)地蔦布停車場待此(一作伊藤)擧事心筭(一作決定)以此諒之事之成否在天(一作在天遲)幸望同胞善禱之援助(一作幸望待同胞之善禱而與援助)且借用金五十圜於當地金聖伯氏以充旅費則至急還償千萬切望大韓獨立萬

137 大韓季年史 卷之七

歲九月十一日午前八時投呈禹德淳 印 安重根 印 浦塩斯德(即海參威)大東共報社李剛座下追白今朝八時出發南行故向後事當地到着後更報其後十藏對被告等曰有利益於被告之事陳述於此際又有請求之事求之重根德淳曰別無何等請求然吾等對殺伊藤事期無世人之誤解欲陳自來懷抱之三大目的道先曰別無所請東夏曰別無所言早為帰家矣滿堂哄笑於是辯護士以為許陳述安禹二人之三大目的為可十藏曰然則簡單陳述而若有妨害公案之語禁傍聽因以此公布重根以己於獄中所書殺害伊藤理由十五條為骨子乃言曰余殺伊藤於哈爾賓以伊藤奪韓國之獨立哈爾賓之暗殺韓國獨立戰爭之一部分又我

49

等立於日本法庭受日本之裁判敗北於戰爭而為捕虜內地義兵常與日本軍衝突事以獨立戰爭見之可也又曰余非以個人之資格行此事而以韓國義軍參謀中將為國家為東洋平和而行之如前日之所說明而日本背日露開戰當時之宣言以強壓締結韓日協約則日本攪亂東洋者又伊藤往年弒害閔后時為首謀者且為韓國外臣欺我皇帝陛下廢立皇位伊藤非但韓國之逆賊日本天皇之大逆賊日本先帝孝明天皇重根將言伊藤博文弒孝明之事言未畢十藏中止其陳述以被告之陳述為妨害於公安禁公開使傍聽人退庭時則午后四時十分其後安禹兩人之陳述無處可聞開庭於午後四時二十五分十日午前九時三十分開第四回

139 大韓季年史 卷之七

公判檢察官滿淵孝雄起立先言事實論曰先察被告之性格劉東夏未成年者中無以侍下人無政治之思想者其性質頗猛悍曹道先無學問中無以迄今履歷不生政治的思想意志極薄弱到底非經營獨立的人物禹德淳有多大學問又於浦塩非但執大東共報之集金役察其時時與同社員往復被告依新聞明白有政治的思想其性質實難化之物安重根以韓國人便非但有善美之性格其父有相當之財產以生活上中流以上無愧乎為地方名族宗教信天主教至於受洗禮然則安以其地位上比較的少學問其性質剛直其意志強硬且富政治思想其動機安營石炭商而失敗聞安正根為名者之政治演說其思想熱沸因離鄉里

後遊浪四方叅加義兵以犯罪動機言之劉曺兩人不足論至於安及禹被告等陳供以基因政治思想據露國官憲之調査明白因於私嫌以犯罪決意言之安自曽前熟思聞伊藤渡滿之事後決定而禹自被誘於安之時曺及劉似是犯罪前二日而有意本文背略故不得戴然則劉曺犯罪豫備禹幫助者安現行犯時當正午十藏公布休息午後一時二十分復開庭孝雄陳述其関於訴訟法上裁判管轄權限之法律論數百言略曰被告犯罪處所東清鐵道所屬其領土權在於清國則裁判權不在於露國者明白又叅照千八百九十九年韓清條約第五款日本明治三十二年三月法律第七十號同三十八年十月十七日韓日協約第一條同四十一年

141 大韓季年史 卷之七

法律第五十三號及関東都督府法令第七十三號裁判權在於當地方法院者當然次據實體法論之被告適用日本刑法至當故被告安重根謀殺人現行犯則依刑法第百九十五條處於死刑對安有死刑猶三之未遂以為結局合併罪依四十五條帰於結局死刑限於存國法為維持社會秩序保護人之生命不容恕於天下之罪故思此以正當禹及曺之刑就量情中唱法律之不備不得已明文所許之範圍以內信以處極刑即懲役二年以內一年十一個月二十九日禹之所行與曺同刑太輕依現行法豫備犯二年以内故此以上不得請求禹與曺難得其權衡思料以重為安當有明文於法律故不得已相同之事劉東夏不無察其事情與性格年齡

53

而見之應於人之誘惑又於安之前不敢反抗之狀況
不敢云強制而從安命令之人以其事情於容恕有餘
以第百九十九條三個之主刑中三年以上懲役用本
刑照第六十三條第六十八條第三號減輕二分一又
酌量於一年六月以上七年六月以下範圍以內以其
最短期一年六月爲望且安之犯罪供用拳銃禹曺之
欲供用拳銃依刑法第十九條第二號望沒收事十藏
問被告以有益陳述之有無辯護士曰事係重大不啻
有慎重究思之必要時刻不足則本日止之明日申請
午後四時閉庭十二日舊曆正初四日月午前九時半開第五
回公判官遞辯護士鐮前起立曰本事件傾動世界視
聽之重大事件則望慎重裁判使世界知爲模範的公

143　大韓季年史 卷之七

判因曰以裁判權管轄問題論之本件之犯罪當地清
國領土被告韓國人日本人之犯罪日本領事有裁判
之權利難應用此於韓國人又對光武三年韓清條約
及光武九年韓日保護條約等論之韓國之外交權非
為消滅但日本不過代理則韓國臣民以日本刑法治
之不可適用韓國刑法為可同刑法無如本事件関於
海外犯罪之條項故不可罰被告今假令罰以日本刑
法被告非但悞解伊藤政策如檢事論告施以極刑非
伊藤公之所希望者其薨去後至今所明瞭推察者以
事實論言曰對安與禹其自由及證據皆别無他意曺
及劉有全然反對之意見劉全無政治的思想法庭陳
供之時聞其速為帰家之言認定彼為不係入重大事

55

件者曾觀其態度及舉事前二日發送呼來其妻之書
面等三四事實與安不共謀爲的實曾劉二人論以從
犯不可云十藏使通譯以右辨護事實言及於彼告正
午半時旣過命休息午後一時半繼開公判官選辨護
士水野論述刑之量定曰被告安智識不足故悞解盡
忠國家之方針者則實有同情之點又韓國現狀如日
本喧論尊王攘夷之維新以前日本其排日黨亦類似
當時之憂國志士安殺害伊藤悞解韓日保護條約比
較於日本維新以來暗殺櫻井門外之事馬關事件之
小山大津事件之津田星亨事件之伊庭等處刑被告
安有一層同情之點或者以爲此等罪人處於輕刑此
等事件續出然此不足採用之妄論科重刑於賭生命

145 大韓季年史 卷之七

而犯罪者作何等警戒又被告者伊藤亦在地下不快
於被告之處虧刑矣何者伊藤公其少壯時燒燼品川
英國公使館主唱尊王攘夷說而酷似被告安之事頗
類行之又此事特列國之所注目則若過重處刑未免
日本情伊藤公之同時以惡被告之感情上判決之批
評然則依刑法一百九十九條處最輕刑罪卽役三年
可也又於禹德淳應用以上論告施以比較的輕刑曺
劉二人不知情者則論以無罪為望其後十藏向被告
求最後陳述曺劉二人曰原來少無關係於安空然受
嫌疑者為遺憾禹德淳曰余參加於此事件乃素志故
其目的業已陳述則不必架疊惟寄一言破韓日兩國
間之障壁今後奉遵日皇陛下之宣傳詔勅韓國人民

57

勿過虐待復韓國之獨立是所希望安重根氣色自若
滔滔雄辯数時間大聲陳述皆是悲憤慷慨之言不忍
盡記略曰伊藤五條約締結後為韓國統監虐待韓人
廢立皇帝故余為東洋平和韓國獨立賭一命而行此
事則余決非如彼檢事官及辯護士等之言而誤解伊
藤之政策又余非以一個人之怨恨行事乃國民之義
務則於余不可行以普通刑事被告人依國際公法行
審判於列國人立會中為至當且韓國辯護士為辯護
而專來不許可而只以日本辯護士塞責則不無偏頗
之感因向檢察官及辯護士一場論駁最後曰余祈韓
國獨立外全無所望時己午後四時二十分十藏以十
四日判決公布而閉廷十四日開第六回公判定期時

147 大韓季年史 卷之七

刻前傍聽者如堵中俄國法學博士耶夫親嘶箕夫妻辨護士米何伊露富及俄領事館官員我國辨護士安東瓚安重根兩弟定根恭根及其從弟明根明根二月十三日到旅順參席焉午前十時半開庭滿庭數百人皆注眼於裁判長眞鍋十藏新聞記者等執筆而竢於是十藏對被告四人言判決宣告安重根依殺人罪處死刑禹德淳依幇助殺人罪懲役三年曺道先劉東夏依殺人幇助罪各懲役一年六個月沒収重根德淳之拳銃及彈丸道先東夏之銃丸還給後十藏對被告説明各罪犯之事實與判決之理由又曰對此判決有所不服控訴於五日以內德淳道先無言東夏但曰使余速為歸家而已重根曰尚欲陳述意見則非控訴而不得耶時重根

59

德淳顏色自若曰吾等知之已久矣道先東夏俛首而已在公判前日本法院遣日本人善我國語者間三日或間五日往說重根曰若於公判時只一言以殺害伊藤之事悞解伊藤之政策則無事放釋矣重根正色答曰余殺伊藤有三大目的豈云悞解其政策乎及宣告之時莞爾笑曰無有踰於此之極刑耶水野吉太郎往監獄中訪見重根問其控訴與否答曰余不服其裁判而行控訴似顧生命當熟思而決之吉太郎遂傳新聞所揭者重根母謂重根以勿辱家門之名之事旣公判時重根終始以為殺伊藤只自己一人之事而斷無他人之關係及幫助者德淳以為自初決行殺伊藤之事而其機會帰於重根道先東夏以為自初不知其事而

149　大韓季年史 卷之七

必無干係云先是安秉瓚病愈而欲還國安定根恭根
二人懇以待公判後發程憐其意遂止同傍聽以不得
爲重根辯護不勝憤歎時適先妻在俄領伊妻句嘶克
重根東夏妻俱在清俄國境綏芬河欲赴旅順恐被辱
於日本人而不敢十五日安秉瓚赴監獄別重根重根
以其遺言訣告我大韓同胞曰余爲回復大韓獨立維
持東洋平和三年間風餐露宿於海外竟未得達其目
的死於此地之日本監獄惟我二千萬兄弟姊妹各自
奮發勉勵學問振興實業期於回復我自由獨立則死
者無憾秉瓚十六日發旅順而歸國傳其言聞者莫不
悲之李甲安昌浩金明濬(前祕書丞)李鍾浩(容翊之孫官 至系書官)四
人以安重根之嫌疑者自去年十一月被囚於泥峴龍

山開城日本各憲兵隊十九日夕始以無罪釋之重根十七日午後一時見日本高等法院長平石托以無悞辯自己之殺伊藤事復陳其他所懷後曰余決以潔死則不爲控訴其說話之間至于四時乃以絶筆書數句曰天地翻覆義士慨嘆大廈將傾一木難支時有寄書于平石而威嚇者匿其名書曰平壤李花洞重根在獄中從容自若記述自己之生平行蹟又著東洋平和論草稿至五十餘枚以日本人之所求揮毫於書畫者甚多對獄吏以溫順之態又述懷寄友人公判時受知遇者在旅順者曰思君千里望眼欲穿以表寸誠幸勿負情庚戌正月於旅順獄中大韓國人安重根書其筆法頗巧有書家之風以已斷之無名指押捺之三月二日舊曆正月二十

151　大韓季年史 卷之七

一日黃海道信川(距京城四百六十里)天主教堂神甫洪錫九因重根之請自載寧(屬黃海道距京城四百五十里)發程九日到旅順同日重根從弟明根欲見重根自仁川乘輪船而發向旅順錫九見重根而約二時間教誨以宗教上懺悔遂訣別重根對錫九語以悑傳韓法兩國教友與同胞以平和手段復大韓獨立初灑熱淚十二日錫九發旅順明根亦與重根泣別伴錫九而回國十三日至開城十四日錫九赴鎮南浦為傳重根所托之言於其親戚故舊明根往信川日本法院將行重根死刑於二十五日至二十七日間重根以耶穌十字架受刑祭日(月二十五日二廿七日為耶穌被刑日)申請於法院而定之以二十五日十六日重根更請以方今起草東洋平和論而僅脫稿其緒言則期

限内難以竣成其全部更延以十五日又就以執刑時着血染洋服則難上天國請給新製韓國衣服一件又有所遺托事請許見其二弟日本人定重根死刑期於二十五日以其日為乾元節據統監府電報更定以二十六日舊曆二月六日重根誓以本國獨立前雖死後不歸國請埋於哈爾濱之地時重根已述其本傳而東洋平和論則只脫稿其三四節二十五日重根與其二弟訣別曰我死後汝輩萬事全受母親之指導勿怠孝養又書贈所親日本人曰人心惟危道心惟微庚戌三月於旅順獄中大韓國人安重根書二十六日重根着其從弟明根所賫来之白色明紬周衣黑色洋服袴及本國鞋從容待其執刑日本檢察官溝淵孝雄典獄栗原通

153 大韓季年史 卷之七

譯園本等臨場立會栗原朗讀執刑文問其遺言之有
無重根曰余至於此本為東洋之平和則更無遺憾而
望此處立會日本官憲今後盡力於韓日親善東洋平
和其後約三分間行最後祈禱默然登刑臺唱東洋平
和萬歲儼然受刑即十時四分乃伊藤博文被殺之時
經十一分而逝臨場日本醫士檢其屍納於厚松板棺
移安于監獄內教堂禹德淳曺道先劉東夏皆凄然叩
頭再拜行吊而德淳不勝哀痛重根之二弟懇請其屍
之歸國葬於其故鄉信川欲遵其母之命日本人不許午後一
時葬于旅順共同墓地其二弟不堪哀號痛哭五時發
車歸國是日未明洪錫九於信川教堂內會重根之親
族及天主教徒為重根行懇篤祈禱而說重根之遺言

65

在旅順之天主教堂內法國教徒亦行追吊禮時日本人撮重根寫真於葉書賣於京城人民爭買之二十八日內部以爲治安妨害而禁之南部警察署招其寫真館主人諭以妨害治安而放之日本政府賜裁判長真鍋一百五十圜檢察官溝淵二百五十圜統監府通譯園木二百圜典獄栗原一百五拾圜其他官員二十一名皆有賞金禹德淳後以內亂(謂義兵也)謀殺罪受缺席(不謂現於法庭也)裁判於咸興地方裁判所自旅順日本關東都督府派巡查二名七月十六日(舊曆六月初十日)押到于仁川警察署十八日護送于釜山而復往于咸興日本人竟殺之

福月如其道安重根殺伊藤博文于哈爾濱重根生
於中山流寓無定今乘壞於衆方是来亡欲殺博
文此寧國恥時會締構已數葉是春警國人由今秦
未能斬此賊誓當自殺夏秋間聞博文將遊滿洲自
海參威跟至適會博文至哈爾賓與露官相見於
其下車也重根混俄兵連發拳銃三發三中博文隕

專舁傘瘋隆弄北於鐘以短銃亂之連發其三丸
護衛紫驚悉博參中在腹及背部亦亡電飛東西
洋各國皆驚歎爲朝鮮尚有人重根與同謀十許人
俱被縛笑曰吾事已成死也誰知 報至京師人不
敢顯言稱快而方府齊集會自灑酒與室以相慶賀
李完用尹德榮趙民熙命去潘銜兩宮命即赴大連
弔慰 上幸統監府親弔謚博文爲文忠公賻祭奠
費三万元贈其遺族於万元 李學宰等議建博文
頌德碑閔泳丙議建銅像奔走若狂倭人令止之

奉閔丙奭伝太皇君朴齊純爲吊使金允植以元老代表弔赴日本時日本朝野大驚哀悼以國葬之博文衆怒未解如潮湧大燃及見丙奭等至其愚眠爭欲加害以淺之倭官嚴警獲免　皇太子以博文嘗爲太師爲之師服三月　重根囚于旅順倭人獄博文以前數日語其屬小山曰爲人師臣殺是吾罪也又以爲讖語[illegible]人三國博文之死

69

○以安重根連累被拘者凡九人曹道先禹連俊金麗生柳江露于大鎬金成玉鄭九澤金衡在貞公瓊年皆三十餘而惟金成玉爲四十九柳江露爲十八云

重根弟定根修學于京城養正義塾恭根爲鎭南浦普通學校副訓導聞重根事皆自免退學

70

○義將文嵛洙襲伃伊院驛停車場、火之因博文之死、
倭之通行尤頻嵛洙京機脩發達迸震擾倭大驚戒
嚴甚備

◎統監府邸緣衆廚失火旋滅騷訛頻興倭愈疑懼自
伊藤之死咸謂大憝旣斃國勢稍紓倭愈激怒政令
峻苛幾如束濕或者謂安重根救速扵亂亡十一月

太皇聞伊藤之死天顔大悅笑語移時倭警視呼子友一郎聞之大臧查其彥根審其真僞至於訊問內人或曰侍從李容漢告辭以媚倭也

73

新寧人黃應斗地方委員也倡言伊藤公之変不可
無謝罪之亂尹大變金台煥梁貞煥等和之威勒各
「郡々送委員前赴日本委員等派斂資斧地方大擾」

新寧郡守李鍾國設伊藤追悼會于樹穌琦黃應武

等太言曰往者閔泳煥崔益鉉陋漢之死爲國哀忝

娌親戚而今此恩人伊藤公之死無一人悲之者我

韓之失悲朝伊多也因擔應斗等創謝罪團東赴日

本

○閔泳翊在上海出金四万元雇法俄卞護士幫助安
重根獄案

倭人創中央福音傳道館倭以安重根李在明等皆
出於耶教悲惡之殊甚然力不能禁乃每福音傳道
之說誘人入教爲念國家興亡爲計國家艱難惟一
心信天則福音卽至蓋欲我民消鑠其忠義之氣墜
於虛寂之域也愚民頗惑焉是時倭之設教有曰神
宮敬義會曰淨土宗曰神籬教曰天照教命用此術

77

安重根弟定根恭根自旅順貽書京中辯護士會願韓人辯護一員以援重根京中人相顧莫敢發平壤辯護士安秉瓚慨然自薦以十日起程向旅順

○重根之母訪卞護士到平壤詞色毅然類烈丈夫人

謂之是母是子

安重根始到哈爾賓時作詩歌句同行禹德淳唱和
歌曰丈夫處世兮其志大矣時造英雄兮造(俠雄)時雄視
天下兮何日成業東風漸寒兮安成目的鼠窺々々
兮豈肯此命豈度至此兮時勢固然同胞々々兮速
成大業万歲々々兮大韓獨立

80

倭入關東都督府設裁判場于旅順口公判安重根
事件至是判安重根死刑禹德淳役三年曺道先劉
宗夏役一年半重根生于海州移居信川四年前又
移平壤鎮南浦

81

安重根死刑定期以本月二十六日重根聞其報辭
色寢食如平時

82

二十六日庚寅安重根被殺于旅順監獄場內外國
人無不壯而怜之始重根數伊藤十五大罪 一弑
明成皇后 二 光武九年十一月勒成五條約 三
隆熙元年七月勒成七協約 四 廢太皇帝 五 解
散軍隊 六 殺戮良民 七 掠奪利權 八 禁止韓國新
教科書 九 禁止新聞購讀 十 行銀行券
一攪亂東洋平和 十二 欺瞞日本天下 十三 禁
弃教科書 十四 保護政策名實不副 十五 關倭
人買重根像致學費

83

安重根家人欲依重根遺言歸葬哈爾濱倭人不許
使葬于旅順監獄內墓地蓋重根臨死託以國權未
復之前勿遷故山可殯于哈濱以志遺慟云京師人
買重根画像旬日得千金倭人禁之重根遺詩二句
曰丈夫雖死心如鐵義士臨危氣似雲

84

○海蔘威居留韓人慶行安重根追悼會

85

○海蔘威韓人柳承夏募金營建安重根紀念碑

86

○閣內爽募金、擬建伊藤博文頌德碑

○倭人刊行一冊曰伊藤公葬式餘韻頒給各官厅又
刊遺詩一冊曰三百詩存寄金允植使分各官

88

安重根

安重根小名應七以其胸有七黑子也因以爲字其先順興人後居黃海道海州世爲州吏至父泰勳讀書拔成均進士泰勳好奇

節 太皇中起兵擊東學亂徒之在本道者重根幼時從信川郡受經史於父十四以母趙氏命從本郡所在法國教師受天主教是時國中多各國人而日本人侵橫獨甚故國人多投西教以爲庇依焉重根既長英拔任氣不拘教律好遊獵山中善用槍射小鳥飄落光武九年日人因克俄之勢遣其大臣伊藤博文統監我國重根憤然有恢復之志以關西風氣素号勇烈乃移居平壤之鎮南浦結納豪傑散萬金之財以興學校十一年伊藤督 太皇內禪重根聞而大怒曰日人已皆有我國乎欲縱火殺日人之在平壤者其友勸止之重根乃入京往民會中流涕說國家危急狀因之江原道糾募兵殺日人數百爲日人所執困七日不得食既而用計逸歸歎曰噫井深而綆之短也因自言曰清西亞間道及俄領海參威之間本國

人不堪吏虐而逃僑者前後亡慮數十萬而統監事出之後恥而避居者亦頗往往而有教之以兵也吾可往乎及行恐爲日人所識託請教師與俱爲若宣教者歷間道入海蔘威西北間道者鴨綠江北沿江上下之地也始爲我與淸國之交界久後淸侵拓有我地致我人之居者服我服而納租稅於中國矣重根往來海蔘威間道之間結豪傑數人與誓報國爲作盟詞曰汝安出力復大韓獨立有渝此約即雷火落於汝之頭工焚燒汝之身體且累及汝之五族内衆讀訖拔刀斬左手第四指以指血寫盟詞如人之數各懷之遂激起僑衆作義兵隊推衆中一人爲大將而已爲參謀中將率兵數千人入咸鏡道俘日人千里轉鬪多所殺傷至吉州敗而退還將圖再擧時日人以間道本韓地爭于淸者有年隆熙三年以兵力脅淸責還間道

旣而讓間道于清請借清滿洲鐵路之權清畏而許之各國聞而怒相與言曰我輩亦當分清地以均沾利益清國爲之大震當是時伊藤新解統監任欲與英俄二國大臣會于清哈爾濱之港議所以操縱清國之事九月從毅人以來時重根在海參威聞而喜曰吾可以先除伊藤乎以告同盟人禹德淳或云連俊德淳頷從之德淳者京城東署銀匠也憤統監事走至海參威賣煙以爲業焉重根遂與德淳各帶槍向哈爾濱至布克拉尼察亞之車站重根計以爲哈爾濱者俄人最多之地也欲察伊藤動靜非得我國人通俄語者以爲之輔不可也乃於本站求得咸南道元山人劉東夏者秘其事語之曰伊藤人傑也聞今將至哈爾濱吾輩盍往一觀乎東夏曰諾於是三人俱至哈爾濱旣而東夏以事辭乃更求得通俄語者洗濯商曹道

先道先江原人也重根在旅舍作歌以見志歌曰丈夫處世兮蓄志當奇時造英雄兮英雄造時東風吹寒兮搖動漢水憤慨一往兮吾必反爾唯我同胞兮速恢大業萬歲萬歲兮大韓獨立德淳以俚歌和之既罷重根與德淳道先同往蔡家溝以探伊藤來信始東時以資金盡囑東夏代借金于我人住哈爾濱者既至蔡家溝東夏覆曰借金不得重根策人多資必誤事機乃謂德淳等曰公等可留此待我辦資遂獨還于哈爾濱則有報云伊藤以明日至矣重根乃晨起詣俄車站立于俄軍隊之後以待之重根本作西裝故俄人認爲日人而莫知爲我人也及伊藤至下火車觀軍容與重根相距未十步重根素未見伊藤唯嘗於報紙所載小像略識之乃從容取槍射之三丸中右腹及背伊藤遂死重根舉手而舞大呼大韓

萬歲曰人因之月餘移就于旅順府在關東法院之獄十二月法院
長眞鍋開公判我國及中國西洋人會者數百先是我國人住
海港及美洲者聞公判期爲重根募金七千請辯護士于各國
於是英國律師德雷司俄國律師米哈依洛夫及西班牙律師
等皆響應而至眞鍋許各國律師必排重根是日宣言曰不通
日本語者不得升堂由是德雷司等皆不得與於判日本律師
紀志見眞鍋所爲慷慨語眞鍋曰此判不公是墮損我大日本
令名於天下也吾請辯護眞鍋亦拒之獨用心腹律師二人爲辯
護士引出重根于庭重根爲人身長約五尺四寸曼微隆眉目清
秀楚然儒也在庭意氣安閒以兩手攢交于胸數數引巾拭面眞
鍋循律例先問姓名年籍然後次及伊藤事若何爲害我伊藤公
重根曰貴國之擊俄也貴皇宣戰書于我謂將保護韓之獨立

94

我國之人皆以心感乃克俄之後伊藤不遵貴皇之意貪功樂禍以
兵脅我而敗我獨立此我大韓臣民萬世之讐也安得不殺真鍋曰
聞爾黨有義兵參謀中將是誰也重根挽腕曰所謂參謀中將者
我也而使伊藤來積遲我當精訓義旅以圖擊于哈爾濱殺之
不幸訓未成而猝遇伊藤故吾不得已出於刺客之行豈非天哉
數日真鍋又引重根訊之重根曰夫伊藤之敗我獨立國吾讐也
而又擅廢我　太上皇夫伊藤之於我　太上皇外臣也外臣亦臣
也以臣廢君寧能免誅乎語至此聲益宏壯目光如電斥伊藤
爲亂臣而叱之曰伊藤之罪上通于天伊藤之行我大韓　皇帝之
廢立如此墜我大韓國之獨立如此敗東亞之平和如此且又訴之
昔日則我　明聖皇后閔氏之弑謀伊藤賓王之貴國之先皇帝
真鍋聞之大驚失色急揮手止之且令傍聽者退故其辭之終

無聞之者其云先皇帝者謂伊藤行弑也訊至明年正月者凡六重
根終始一辭必無屈色辯護士等曰安重根所言之主義皆是誤解
雖曰復讎而實否也且我關東法院有裁判保護國之權則安重
根當以死論論既定真鍋使人謂重根曰子若言誤解主義希生
重根叱之曰汝等所謂誤解主義者何伊藤所爲背人道滅天理
我之所爲踐正道行大義我此義明明童兒皆知而乃謂我爲誤解
乎夫汝殺我固當唯我生一刻則汝國有一刻之憂而真是昨之表
白於天下必有日矣聞者咸爲歎息至有泣下者廷罷重根出英國
德雷司重重根之爲人而惜之攬衣勸令再訴重根笑謝昂首入
于獄明日日人宣其罪重根母卒重根二弟定根恭根來訣不肯見
重根但令定根等代告之曰獨吾諭汝勿屈志汝今幸能遵守吾
他日歸見汝父於地下庶幾有報辭吾訣止此矣日人以三月縲殺

96

之重根時年三十二有二子一女初重根聞判期貽書二弟曰吾死不忍埋於日本人所監之土可埋之哈爾濱以表我之成志至是二弟如其言日人不許使瘞旅順獄內之地重根不甚涉學然能操筆疾書其在獄中作東洋平和論數萬言死後各國人爭以萬金購其札德淳東夏道先三人重根被俘後又皆爲日人所獲公判之日德淳切齒而對亦頗慷慨日人處之監禁三年道先東夏皆言不知重根之情然日人亦罪之次於德淳

論曰海州負名山面大海爲海西一大都會自高麗時出名儒崔沖號爲海東孔子而重根今又生于其地樹立天下闊大俊偉之節蓋亦地氣使云方統監事出先後立節者有閔泳煥趙秉世洪萬植許蔿李儁等諸人然或受國厚恩或承使命也若重根則一布衣耳其所爲顧不益賢哉或謂人臣之死於國者每出於志之不成而

97

今重根之死能成其志使宇內之人昏以一驚如聞雷霆於溟夜獨寢
之中此前世所未聞也雖然彼其成亦天耳若其被俘二百日之間不
屈志以生者人也斯其實難者矣

右傳中西洋辯護士一節初以辯護士不請自來爲支者因德
報之畧也近考黃梅泉所録以改之既而示朴白菴則朴又加辨
正并及他事盖朴素與安烈士同州相善又嘗見安翁所記
録故能特詳也茲依其言改印二頁甲寅正月澤榮

外傳安重根頻有辯力自幼少時有忠孝血性其居信川也父嘗借錢
於淸商至期淸商來索錢不得詬罵而去重根自外獵歸聞之曰
奴乃辱吾父耶挾槍追至安岳郡射殺之逃入京師時日本公使林權
助屢求索於我剝奪國權重根忿欲殺之乃結壯士二十人約與其
事而患其少乃往保安會見主會者通其情曰若於貴會加得三十

98

人事可得戚主會者危而謝之重根曰豎子不足與謀遂去遊海參
威久而始歸及父死徙居平壤平壤勇俠之士皆重之而来歸焉重
根素好飮酒及入閭道謀舉義慨然斷之曰待我韓恢復然後始
可飮也既殺伊藤與諸連累人同繫日獄諸人或悲歎流涕重根
笑曰諸君皆夫耳何忽自小如此每寢達夜鼾睡如平常或吟詩
以自壯詩曰丈夫雖死心如鐵烈士當危氣似雲其餘無傳者在
判場內裁判長眞鍋言曰彼連累諸人何與於伊藤之死殺伊藤者獨
我也其弟定根恭根来見于獄曰他日可與嫂侄偕来否重根揮手止
之曰區區妻子可復戀耶方其嘗五判也日人有水野者重重根而
惜其死言于眞鍋曰今韓之形與吾國改革之初相同重根之爲此
固也伊藤公有知必奇之子若殺重根是得罪於伊藤公也眞鍋不
聽竟殺之重根之在獄也各國人寫其像者常守獄門外門開輒

寫之日人亦慕其義爭買其像官司下禁令於寫真舘而不止矣

100

見於比鄰同聽樂飲酒於康鋪園有一詩贈先生曰黍離懷故國烽火老先生天意殊無定人權久未平葡萄一杯酒玫瑰十年兵又是他鄉别英倫壯此行蓋先生將以翌日離英倫也先生之特性爲每年皆具樂觀平生所歷困苦艱難之境遇非常人所能受者先生皆處之泰然數十年之全部有死難者有失望者有變節者先生則始終如一談話之次常帶笑容處極險之境亦安然出入不受其害以終成不世之業中國其終不亡乎敬祝先生萬歲

●三韓義軍參謀中將安重根傳

(白山遺民著)

緒言

昔謝文羽痛哭西臺招阜丞相之魂嗚咽淋漓歷千古而不滅黃梨洲竄身南雷收殉難諸人之蹟表章不遺餘力是蓋天理人情之不容已者徵此則天地之正氣絕矣顧余無狀亦抱二氏之痛者也自肯遁蹤異域飄零瞻望故國禾黍蕭條吾所愛兄弟之死於異族之手者殆不知其幾千百滔滔黃海寃血長流凡平日稍以志氣才識現其頭角者無一能逃其網羅每一念及五內如焚天乎天乎胡寧忍斯西臺之哭招忠魂南雷之收拾遺蹟誠有不能已於情者而東西奔竄無暇把筆負我忠義之兄弟多矣至若沸屑滄溟屠巨鯨聲震寰宇光爍古今者惟吾安君重根轟轟乎烈烈乎固有不待後死者之表章而平之無聞也然自余之來華也凡官紳學生農工商賈之人問不問安君之遺事者以吾韓人而不能舉其歷史則亦烏可謂之有人心者耶旅館寒燈邊風颯颯援筆述此以副天下人之所求也

蓋據安君之歷史而論之曰捨身救國之志士也曰爲韓報仇之烈俠也是猶未足以盡安君矣安君其世界之眼光而自任平和之代表者也蓋以天下之大勢言之全歐一統據亞洲之中心而關係大局之平和擾亂者中國也以唇齒之密接而關係中國之安危者韓國也日本海中之島國島人之性每馳思域外銳於進取又其地處東洋之要衝而始之東來者先泊於此其受西人之觀感較早於中韓故做傚西法驟臻富強遂突然先進矣苟其維持大局對於隣邦不取侵略主義爲互相扶將之計則東亞之平和可企而世界之戰禍可弭也乃其政策不出乎此以爲不侵佔隣疆據爲領土則不可以發展其勢力也由是數十年來以韓滿經營四字爲惟一無二之方針甲午之役已有要索遼東半島之問題矣及夫戰勝俄人以爲天下莫余附也得隴望蜀益見其野心之勃勃所謂韓滿經營之目的不達則不止以區區島中之生活馳突於大陸方面不亦榮哉然而蕃蕃神州不察彼之獨自橫行而列强眈眈逐鹿紛紛若是則不止中國之擾亂而抑亦各國之競逐無時可已將億兆之生命財產委棄於砲火世界是豈人道之所許者耶然則甘爲戎首破壞大局之平和者誰實尸之彼伊藤日本之代表而侵略主義之主動者也安君對於世界希望平和者故認彼爲平和之公敵而以爲不除此

則天下之禍不可弭也擲吾一已之生命購得世界之平和則無上幸福也主義相反勢不俱生乃其結果之至此者也以是論之安君具世界之眼光而自任平和之代表者豈僅曰爲韓報仇者哉

第一章　家庭之遺傳

安重根者韓國黃海道海州人父泰勳進士善詩文爲人慷慨有氣節甲午（西歷一千八百九十五年）東學黨倡亂氣焰甚熾舉國擾騷泰勳召募鄉兵以討之重根年十七後父軍擊賊重根幼有器才通經史工書藝及長善騎射胸下有棋子者七狀如北斗故初名應七軀幹長大氣宇軒昂以膽勇爲鄉人所慴服家素饒財以父子俱尙任俠故揮霍而盡討東學時宰相有買公穀者誣有私資泰勳奪爲兵餉亂定買迫之急遂入天主敎敎中人素聞其盛名懽迎稱其由是重根亦爲天主敎人時國政日紊官吏競爲貪婪以剝民膏泰勳藉敎會團體以抗官吏雖得人民之懽心而大被官吏之仇嫉幾危其身中歲徙黃海道信川又徙平安道鎭南浦而居焉吾邦人民積狃昇平不習武事陷於文弱之極點而泰勳敎子弟兼治文武故重根射藝絕倫能於馬上射落飛鳥此其後來活動之原因也

第二章　日人併韓之時期

我國與日本隔一海峽彼之監我遠則豐臣秀吉有壬辰之入寇近則西鄉隆盛有丙子之征韓論前後經營何其慘哉也甲午中東之役彼欲分離中韓關係聲言朝鮮之獨立而其干涉內政攫取利權之手段何嘗以獨立之實與之也況乙未八月我國母之被弑出於彼人之凶手則我國民忍共戴一天乎甲辰日本與俄國開戰日皇又宣言于天下曰扶植韓國之獨立矣及其戰勝而議和也俄人認日本於韓國事軍政事經濟上有卓絕之利益於是伊藤博文以統監來矣乙巳十一月十七日伊藤與公使林權助大將長谷川好道等率兵入闕勒締保護條約元老閔泳煥趙秉世等死爭不得遂自殺以殉國爲人民之反對者併被逮捕或遭慘殺嗚呼四千二百餘年歷史之舊國遂隸伊藤統治之下矣

第三章　獻身國家之思想

時重根在鎭南浦聞大韓每日申報則保護之約成矣不覺放聲大哭卽告于母氏曰國家糜爛至此兒不敢自愛其身也遂與弟恭根正根入漢城使之肄業于法律學校以求學界之同志往來平壤漢城之間糾合志士獎勵敎育以爲回復國權之準備嘗在鎭南浦對衆人痛論時事略無顧忌日巡兵詰其過激重根怒毆日兵仆地曰爾何干涉我家事乎其不畏强禦多有如此者

此時吾國志士界有安昌浩者理想家也雄辯家也事業家也早歲遊歷美洲吸取文明其還國也在統監政治之日痛祖國之沉淪慨民智之幼穉每對衆演論詞氣激烈心血怒湧聽者莫不雪涕其組織會社建設學校皆井井有規模合文明制度爲全國之模範所至男女塞道懽迎爭呼安先生其爲國人信之仰之如此重根往從之遊

聆其言論尤深佩服焉。

第四章 去國出洋

嗚呼日人倂韓之機漸熟。至丁未七月而海牙密使問題又起矣。是歲荷蘭海牙府開萬國平和會議。前議政府參贊李相卨前平理院檢事李儁前駐露公使參書官李瑋鍾三人走海牙府。控日人强壓毒害之狀各國公使置之不問。日政府乘此爲最好機會。伊藤及長谷川好道林董等帶兵入闕。逼皇帝禪位太子。要結七條協一切行政司法官吏任免均由統監處分。解散各軍隊侍衛第一大隊隊長朴勝煥痛哭自刎。部下兵士激忿與日兵接戰射殺大尉梶原日人大怒開大砲轟擊。煙焰漲天是日兵士人民死者千餘人。于時重根自平壤入漢城。想觀此狀不勝粹憤顧瞻四方網羅彌天揮腕無地乃與同志金東億入俄領海參威以其爲韓人移住最繁之地而係日人勢力範圍之外可得行動之自由故也。

第五章 斷指同盟

年來韓人移住俄領沿海州及各處者至數十萬戶。就中有志者開設學校及報館。鼓吹祖國思想。重根往來各地備嘗艱苦忍耐飢渴大聲疾呼唇焦舌枯。得同志者禹德淳曹道先柳東夏等七人斷指結盟血書大韓獨立爲國報仇八字。約以同死陰蓄義旅將乘機舉事寄書大韓每日申報館其書略曰修身齊家治國爲人之大本也心肺和合而保其身家族和合而保其家人民和合而保其國其理一也今我國家陷敗至此國民之不和合卽其一大原因不和之病由於驕傲種種害毒皆萌於此蓋優於已者猜弱於已者侮與已埒者爭俱不相下烏得和合哉醫驕傲之病者謙遜是也卑已敬人甘人責已寬於責人又能以已功讓人何患不和合哉昔寬國王使諸子折一條鞭。個個斷折。更與以一束鞭使之折。不能折。條王曰汝等若各自爲心必爲人所折合爲一心人不敢折吾人當念此言也惟我民族不能一心故疆土爲倭奴所弊而猶爲倭奴鞭我內情樂爲彼倀借彼毒手陷我忠良抑獨何心思之及此痛恨骨冷此蓋驕傲二字所害也苟能打破此二字而持和合二字父詔其子兄勗其弟決死以圖復國高建太極旗同我眷屬相見獨立館唱大韓獨立萬歲震動六大洲是吾願也貴社亦宜以是鼓勵我同族則區區之望也。

第六章 伊藤之赴哈爾賓 一

異哉伊藤之來非游也鬢髮衰颯稜稜瘦骨驅馳海陸觸冒風雪爲營何事蓋韓滿經營卽彼惟一目的韓國經營十分完滿洲進取行將繼續與彼俄國捐棄宿憾聯結新好協商滿洲問題非元老宿望代表一國者不可是以北滿此役不委之於他人而矍鑠老翁自任之矣醉卧美人膝醒握天下權卽此老之自負語也然而使此老不死於鋒鏑而死於美人膝上則烏足爲丈夫之價値哉此日之行殆天所以成就其人也以已酉十月視察滿洲將會俄國大藏大臣

於哈爾賓。於是韓國義士安重根禹德淳躍然而起矣。重禹作詩而歌之曰。丈夫處世兮。無國何歸。時造英雄兮。英雄造時。雄飛天下兮。障我者誰。東風漸寒兮。成功之秋。一擧猶賊兮。快雪國讎。同胞同胞兮。勉成大業。萬歲萬歲兮。大韓獨立。德淳亦作歌而和之曰。逢兮逢兮逢讎。仇兮我欲逢爾。奔走四方。惟爾求兮。今日相逢。天假其使。快報國讎兮。

第七章　天降霹靂

伊藤以十月二十五日宿寬城子。朝發鐵道午至哈爾賓。日官吏駐滿者憧迎甚衆。露大藏大臣亦至。兵衛甚盛。重根着洋服。懷挙銃混入俄兵間。伊藤纔下車。狙伏發丸三發。皆中伊藤胸腹肩脅。更發三丸。傷射日人川上總領事森秘書官田中理事。均被重傷。重根見伊藤倒地。以拉丁語大呼大韓萬歲。露憲兵即行捕縛。重根笑曰。我豈逃者。此報一播。天下之人莫不動色吐舌曰。韓國有人。韓國有人。露國寫眞師欄重根射伊藤狀。爲供世界演劇觀。日人以六千圓購之云。朝鮮詩人金澤榮遊淮南。聞此報。有詩曰。平安壯士目雙張。快殺邦讎似殺羊。未死得聞消息好。狂歌亂舞菊花傍。海參港裏鶻摩空。哈爾賓頭霹大紅。多少六洲豪傑客。一時匙箸落秋風。從古何嘗國不亡。纖纖一例壞金湯。但令得此擎天手。却是亡時也有光。

第八章　旅順公判

於是俄人以重根交付日人。押致旅順監獄。將行公判。韓國律士及俄國英國荷蘭律士倂爲辯護。及開公判。不許各國人辯護。只許傍聽。日裁判官行審問。重根抗辯曰。苟欲恢復韓國獨立。維持東洋平和。則必先除伊藤老賊。然後可圖也。又主辱臣死分耳。我以死決心爲國家獻身。出遊海外。遊說我民族。鼓起忠君愛國之心。募集壯士爲兵。教育幼年。爲後備。一以勉實業。一以勵義務。以圖大事。是我之目的也。裁判官曰。伊藤公爵。實奉天皇陛下命令。撫爾國民。語未終。重根厲聲曰。曩者日俄戰爭。日本皇帝宣戰詔勅有曰扶植韓國獨立。維持東洋平和。我韓人民用是感激。祝日軍勝利。修治道路。運輸兵餉。及日軍凱旋。我韓人喜躍和賀曰。自此吾國獨立益鞏固矣。乃伊藤迫我政府。締結五條七條等約。大加不利於我國。移我外部。奪我通信機關。廢我法部。解散我軍隊。至於廢立我皇帝。勒藉兵力。專行強壓。國內義兵由是激起。屠殺焚燒。忠志之士。殺戮殆盡。於是乎我韓人視統監爲仇敵。日本皇帝詔勅所謂韓國獨立東洋平和。皆歸於網我韓民而已。伊藤之陰謀詭計。不可復掩。乙未弑我皇后。亦由伊藤之凶謀陰嗾。彼伊藤者。違反日本皇帝詔勅。陰虐我韓民。不憚我皇室之逆賊。亦日本皇帝之逆賊。我用是讎視伊藤老賊。到處遊說我民族。激起義兵。我自以參謀中將。激起韓日戰爭。今自殺伊藤老賊。認以韓國獨立戰爭。自處以義兵參謀中將資格。今此法庭引出。亦以戰爭被虜認之。不當以刺客問我也。意氣益厲。辯詞滔滔。愈逼近彼國陰事。裁判官色變。遽麾退傍聽。遂止公開。與明年庚

戊三月二十六日覺以殺人律處絞。禹德淳曹道先柳東夏以帮助殺人處役。重根在獄中。頗閒暇。述東洋平和論數萬言。蓋發表其平日所抱主義。而莫之傳。爲可憾焉。日人之索書者。踵門不絕。寫至數百餘幅。辯護士安秉瓚歸國。重根囑之曰。爲我告同胞。我不過爲急激一着者。願我同胞熱心敎育。擴充實力。以復我國權。則死者當蹈舞泉下矣。臨刑神色自若。連呼東洋平和。先是謂弟恭根等曰。我死願埋哈爾賓路傍。使天下之人。知其爲亡國民之骨也。恭根等欲從其命。爲之請屍。日人不許。遂埋之旅順之邱矣。各國人爭購其肖像寫眞。師有致厚者富云。

第九章　禹德淳之小史

昔鄭商人弦高以販牛爲業。能救鄰國之難。此商界之傑。而國民之範也。今韓國義士禹德淳。亦雜貨商耳。其愛國血忱。直與安重根並耀青史。天下之商業同胞。其亦有感發興起者乎。禹德淳忠淸道堤川人。家貧業商。轉至漢城。開雜貨店。僅支生活。無暇學問。然愛國之忱。出於天性。嘗讀新聞。至時勢危迫。國權損失。輒涕泣不食。乙巳保護條約成。擧國人士。慈憤若狂。莫知所出。德淳然曰。吾國存然後民存。若國之不存。則吾之產業。非吾有也。吾之妻子。非有也。吾之生命。非吾有也。吾寧毀吾產業。棄吾妻子。捐吾生命。以救國家可也。然三千里山河。擧在羅網之中。一言一動。不能自由。則尙何事之能爲哉。吾聞海參威多吾同胞之移住。亦有志士創辦學校報館等事業。而係在日人範圍之外者。求吾活動方面。舍此焉往。遂入海參威。訪求同志。與安重根斷指結盟。至是聞伊藤之來哈也。欲於要路擊之。而未知何處與彼相遇。於是兩人決計。一在蔡家溝。俟之一往哈爾賓。臨之。德淳乃留蔡家溝。送重根赴哈。淚涔涔欲墮。不異蕭蕭易水白衣冠送別時也。見者頗怪之。及夫伊藤之來也。遇兵閉其客店。不許出。視德淳從窗隙窺之。伊藤已過矣。忿極氣塞。顚臥炕上。良久乃起。及其對簿。辭氣激厲。與重根所對無異。傍聽諸人。莫不壯之。此時公判。處三年役。日人又恐其將來有如何行動。乃加以他罪。移囚咸興監獄。德淳遂自殺。雖其目的所就。讓於重根。而其志氣之犖犖。則無愧爲天下之烈士也。

第十章　安李金三義士之小史

嗚呼悲夫。四千二百餘年歷史之韓國。至(西曆一千九百十年)庚戌八月。並其空名而去矣。日本陸軍大臣寺內正毅以總督來韓。宣布日韓合併。廢隆熙帝爲昌德宮王。各處兵巡警備甚嚴。重根從弟明根。陰結壯士。謀殺寺內。欲於火車中以炸彈擊之。事洩被捕入法庭。對簿辭氣亢厲。傍聽者皆曰。眞無愧爲安義士之弟也。以謀殺未遂。處終身役。連累受刑者至數百人。先是平壤人李載明金貞益聞日人將締合併條約。以爲急先除賣國賊黨。則彼之勒約。或可阻之也。載明刺李完用。完用被重傷不死。載明乃以殺人律處絞。貞益欲刺李容九被捕。以謀殺處役。載明耶蘇敎人。幼失父。十三歲從西洋

赴敎師宜美洲以勞動得盤資回國貞益至貧寄傭人家服役之暇就勞動夜學堂受業語其情蹤皆至微者乃爲國討賊之舉出人意表驚動一世由此觀之市販傭微之間未嘗無奇男子也

結論

著者見華人之論安君事者曰斯人也一日顯朝鮮一日顯中國可見其崇拜之至矣夫此崇拜英雄之思想實爲振興國家之要素而據英雄之蹟大書特書屢書不一書表章之闡揚之則執筆者之責也若執筆者之俛下是則非所以啟發國民之良心也非所以培養國民之元氣也烏在其爲精神敎育乎況對今日現狀此種歷史尤爲對症之良劑何以言之國家之興替在乎國民之心理其國民富於義俠心者重公德愛公益急公義遇有患難爭瀝肝腦以赴救之衆志團結國力健全若其乏於義俠心者祇知有私不知有公國家休戚付諸膜視不痛不癢麻木不仁竟陷於腐敗之極點而已然則今日國民敎育非宗尙義俠以風勵之恐不能救此麻木不仁之症以成强健活潑之體也進而言之道德家救世之勇亦何嘗不有是哉墨子摩頂踵放利天下則爲之楚欲伐宋墨子之門人爲諫楚救宋之楚而死者七十餘人此其義俠之宗也王陽明黃梨洲亦皆有義俠之風者故其爲道也富於自信勇於實行發揚蹈厲最有功於世敎矣世之志於精神敎育者其爲注意于是哉

編者曰安氏者三韓之奇男子也論者或日之爲刺客據其供辭則認爲韓國獨立戰爭而以義兵參謀中將自任者也又或稱之爲韓報仇據其供辭則以恢復韓國獨立維持東洋和平自命者也素以恢復韓國獨立維持東洋和平自命者乃終出於狙擊暗殺之一途反以成彼扶桑驕兒伊藤梟傑之名此必有其大不得已者存也夫物不得其平則鳴異族陵侮受有種族革命政治黑暗受有政治革命顧革命之同慘淡經營非旦夕功於是狙擊與暗殺乃嘗爲其導火綫與急先鋒焉此亦愛國義士不得已之用心而可爲後人所諒諒者也是編爲白山遺民氏所著寄交本社發略爲詮次以公諸世並附載安昌浩、金澤榮、禹德淳、安明根、李載明、金貞益、諸氏事略俾知三韓大有人在人心不死卽國魂不亡之徵云爾鐵甕陳冗逋識

●中州烈士張鍾端傳

張鍾端字鍠厚別號鴻飛河南許州人爲人慷慨不羈好大言乙巳年遊學日本入宏文學院習普通科後入中央大學校專工法政其種族思想堅固不拔而一切進行常主張用激烈手段在東同人創辦河南報鼓吹革命公大與有力焉去年夏卒業返國適武漢起義全國響應公遂卽赴汴與周維屏、王庚先等糾合兩河豪傑共謀光復被舉爲河南軍政府司令長常誓於衆曰今茲革命成敗卽漢人存亡關鍵諸君當以決心從事努力進行毋貽漢族羞且人生自古雖無死惟取義成仁方能不朽彼飽食煖衣醉心利祿逸居待斃者

安重根 海州

安重根小名應七以其胷有七黑子也因以爲字生於黃海道海州其先本順興人
及家海州世爲州吏至父泰勳讀書爲上舍生爲人雄傑好奇畧 太上皇三十一
年於所寓居信川地遇東學賊之侵擾起兵擊走之重根自幼少時讀書之餘必
挾弓矢弄鎗械習馳馬能於馬上射落飛鳥泰勳之擊賊常爲先鋒以成功弱冠有大
志慨然歎曰國家文弱甚而外憂日深此非尚武時哉家故饒多食指而不肯治產
業出遊傍郡邑交結俠勇遇兵器之良者輒購之光武八年日本攻克俄羅斯因侵

107

韓奪國權重根告父曰我國恃俄羅斯爲援今也日本旣克俄羅斯則何所憚而不咋我然則我之可與爲唇齒者中國而已往遊中國交結才俊與圖維持兒之願也遂行歷遊上海等地居數月聞父喪還時日本伊藤博文已統監我矣重根旣葬以平安道三和甑南浦爲中國往來之要地徙居之傾家財起學校于平壤城中廣募生徒以育之閒與平壤大俠安昌浩等入京師聚西北學校等諸生數說國家危急狀以聳動之十一年伊藤脅太上皇內禪隨散京外兵重根忿憤思恢復以國中無可措手地俄羅斯海參崴之港韓人多僑居可與有爲遂往海參崴於僑衆中得俠士關東金斗星堤川禹德淳等十二人相與斫指誓救國遂以忠義激勸僑衆一歲間得丁壯三百人授以戰藝以義兵大將讓于斗星而已爲義兵參謀中將其餘諸人亦各分署其職隆熙三年六月重根聚兵誓曰昔文天祥以鄉兵八百圖元趙憲以七百儒生而擊倭今我衆雖少何畏日本況我國中之義士在在蜂起與京外兵

士之罷散者相合以困日本者三年矣鼓行而前響應必多公等其各盡力遂引兵渡豆滿江入慶興郡襲擊日本戍兵斃五十人進至會寧焉日本人大軍所逆擊衆皆潰散重根與二人逸而免十二日僅得再食而歸時伊藤解統監任自以旣得韓可以進圖清國十月陽託遊覽來清滿洲與英吉利俄羅斯二國大臣相約會談於哈爾濱之港重根聞而喜曰天其送此賊予乃言于德淳曰亡我韓者非伊藤耶聞今將至哈爾濱願與子圖之德淳曰諾遂各懷槍向哈爾濱至吉林重討以爲哈爾濱者俄羅斯人最多之地也欲察伊藤動靜非得我國人通俄羅斯語者與之俱不可也乃求得劉東夏曹道先二人與俱至哈爾濱是夜重根在旅舍意慷慨以憤作歌述其志以唱之 歌曰丈夫處世兮蓄志當奇時造英雄兮英雄造時北風其冷兮我血則熱慷慨一去兮必屠鼠賊凡我同胞兮毋忘功業萬歲萬歲兮大韓獨立 德淳以俚歌和之明日重根與德淳道先同至寬城子以探伊藤來信旣而欲辦資金留二人而還哈爾濱則有報云伊藤明日至重根晨起詣車站立乎俄羅

109

斯軍隊之後以待之重根本作西裝故軍隊認為日本人而莫知為我人也及伊藤至下火車與俄羅斯大臣握手作禮禮畢徐步向各國領事所與重根相去未十步重根素未見伊藤惟嘗於報紙所載之小像竊識之乃披軍隊而入舉槍射之三丸中胸腹伊藤遂死又射伊藤從者三人亦皆仆於是重根大呼大韓萬歲軍隊執而縛之重根大笑曰我豈逃者哉遂被囚于俄羅斯裁判所月餘日本人移囚于旅順所在日本關東法院之獄始日本之統監我也宣言於各國以為韓人感悅於日本之保護至是恐各國人有嘖言令法院長真鍋遣通韓語者境喜明園木次郎就獄説重根曰子未喻伊藤公統監韓之主義耳伊藤公之施於貴國皆以造國家生民之福也子何為害之今若幡然悔悟以過悟自首日本政府必將憐君之志奇君之才而立予寬釋如此子之前途功業可量也哉重根笑曰好生惡死人之情也然吾若苟生豈至於此乎毋誘我二人色沮而退明日復往誘説百端重根不肯聽真鍋

聞之決意殺之十二月開公判我國中國及西洋人會觀者數百人先是重根第定
根恭根以將有公判請律師之辯護於眞鍋眞鍋慮他國律師必直重根然又難逞
各國之律例陽許之於是我人之往美利堅及海參崴者募金七千請辯護士於西
洋英吉利律師德雷司俄羅斯律師米罕依洛夫等紛紛相繼而來韓律師義州安
秉瓚亦慷慨自薦而至眞鍋皆諉爲不通日本語而拒之獨用日本律師二人爲辯
護士引出重根于廷重根爲人身長約五尺四寸神彩飄飄然在廷意氣安閒以兩
手橫交于胸間數數引巾拭面眞鍋循律例先問姓名年籍然後次及伊藤事曰若
何爲害我伊藤公重根曰貴國之擊俄羅斯也貴皇宣戰書于我謂將保護韓之獨
立我國之人胥以心感乃既克俄羅斯之後伊藤不遵貴皇之意貪功樂禍以兵脅
我而敗我獨立此我大韓臣民萬世之讎也安得不殺眞鍋曰聞爾黨有參謀中將
是誰也重根扼腕曰所謂參謀中將者我也曩者吾欲與義兵大將金斗星提兵過

海擊殺伊藤適遇伊藤之來故遂以一身先行以行復讎而至於此則我於貴國卽一敵將之被擒者也而貴國待之以刑獄之一囚何哉夫伊藤之敗我獨立固吾讎也而又擅廢我　太上皇夫伊藤之於我　太上皇外臣也外臣亦臣也以臣廢君寧能免誅乎語至此聲益宏壯目光如電數伊藤而罵之曰伊藤之罪上通于天伊藤之行我大韓皇帝之廢立如此隳我大韓國之獨立如此壞東洋之平和如此且泝之昔日則我明成皇后之弑謀伊藤實主之貴國之先皇帝眞鍋聞之大驚失色急揮手止之且令傍聽者退故其辭之終無聞之者其云先皇帝者謂伊藤行弑也判至明年正月者六重根終始一辭辯護士曰安重根謬解伊藤公保韓之主義雖曰復讎實否也當以死論眞鍋又使人謂重根曰予今將死矣若言謬解者生重根叱之曰汝等所謂謬解者何伊藤所爲之背人道滅天理童孺之所知也而乃謂我爲謬解乎夫汝殺我固當惟我生一日則汝國有一日之憂而眞是非之表白於天

下也必有日矣竟不之撓屈焉眞鍋遂以辯護士所論之罪宣之三月二十六日縲殺之重根時年三十二始宣罪之後二弟就訣重根曰我死不忍埋於日本所監之土可姑埋哈爾濱公園之傍以待國權之復也至是二弟欲如其言日本不許使葬獄內之地重根平生不甚涉學然聰明過人操筆能疾書在獄中作東洋平和論數萬言亦或吟詩以自遣日本及各國人爭出金購其札前後在獄二百餘日飲食如常每夜鼾睡至明死之日脫西裝改著新製韓衣服笑語以就刑德雷司語安秉瓚曰吾閱天下人及天下之獄多矣未嘗見如此烈士吾歸當爲天下誦之德淳東夏道先三人伊藤死後亦尋皆被捕公判之日德淳切齒而對亦頗激昂日本人處之監禁三年東夏道先自言不知重根之情然日本人亦罪之次於德淳

★ 安重根義士따님의手記 ★

安重根義士따님의手記

(안중근의사 따님의 수기)

獨占特種

혁명가(革命家)안중근의사(安重根義士)에 대해서는 지금까지 기사(記事)로 혹은 전기(傳記)연극(演劇)등으로서 적지않게 소개되었으며 이와같은 「기사」나 「전기」「연극」에 있어서 사실과 다소 어긋나는 점도 없지않았다.

그러나 지금까지 소개된바와는 달리 안중근의사의 따님되는 안현생(安賢生)여사의 이번 이 회고담(回顧談)은 새로운 사실이 허다히 밝혀짐으로해서 독자 여러분에게 새로운 관심을 주리라고 믿는다.

원래 안중근의사에게는 二남一녀의 자녀가 있었다. 그러나 불행히도 안현생여사의 다음으로 태어난 장남 안준생(安俊生)씨는 피난 부산에서 온갖 고생끝에 신병으로 타계(他界)의 몸이 되었고 만동생은 서울서 세상을 떠났다.

그리하여 안중근의사의 직계로서는 안현생여사 한분만이 남아있고 그밖에 안중근의사의 질녀(姪女)되는 사촌으로서 안미생(安美生)씨 안명생(安明生)씨가 있다. (편집부)

擧事後에 우리家族이 더듬어온 길

(거사후에 우리가족이 더듬어온 길)

安義士夫人이만난 無言의 伊藤博文

세상 떠나신 선친에 대해서 여러분이 쓰신 글들은 많이 보았읍니다만 제자신이 붓을 들기는 이것이 처음입니다.

이렇게 청을받고 붓을 드니 하고싶은 말도 많고 머리위에 떠오르는 지난날 일들도 많습니다만 무엇으로부터 말을 시작해야 좋을런지 모르겠읍니다.

그러나 생각나는대로 대충적어보기로 하겠읍니다.

선친이 돌아가신 것은 지금으로부터 四十六년전 三월二十六일이었읍니다. 그때 제 나이

— 53 —

114

여덟살이고보니 큰 가억이라고는 있을 수 없었읍니다만 지라면서 조모님을 비롯하여 어런

厚生住宅에서…安賢生女史

선생님으로부터 말씀을 들었읍니다。

원래 저의 집 고향은 황해도이었읍니다만 조부모님 때부터 진남포(鎭南浦)에서 살았읍니다。

선친께서는 일찌기 집을 떠나 망명(亡命)길에 나섰고 숙부 한분은 서울 법정학교에 다녔고 한분은 진남포에서 일찌기 선친이 창설(創設)한 학교 교원으로 있었읍니다。

이러하여 어머님과 어린동생은 조모님과 함께 살고 있었읍니나만 선친께서는 의거(義擧)하신 해에 노령(露領)「버그라니쓰」에 살림을 장만했으니 은 집안식구더러 오시라고 편지를 보내왔읍니다。

그러나 살림살이로 보든지 식구로 보든지 솔가할수는 없었지요。 그래서 조모님 말씀이 비록 망명길을 떠나기는 했으나 가족이 그리울 것이며 그날 그날이 적적할테니 저의 어머님과 어린애들만이라도 보내는 것이 좋겠다고 하셨읍니다。

그러시면서 장녀로 태어나 조모님의 지극한 귀여움을 받아오던 저까지 보내면 쓸쓸하서서 견딜 수 없다고 저만은 조모님께 남게 되었읍니다。

이와같은 조모님의 말씀대로 어머니는 어린동생을 데리고

— 53 —

길을 떠났읍니다。

딱딱한 사회적 환경과 딱딱한 집안에서 자란 어머니는 이때 처음으로 기차를 타시게 되었고 처음으로 얼굴을 가리우고 다니던「장옷」을 벗고 구두를 신었읍니다。

이와같이 여장(旅裝)을 꾸미시고 집을 떠나 기차가 장춘(長春=新京)에 이르렀을때 정거장에는 총을 메고 칼을 찬 헌병이나 경찰을 비롯하여 유달리 일반사람이 흥성대고 있었답니다。

그래서 처음 길떠난 어머니도 의아스럽게 생각하였지만 주위사람들도 저마다 의아스럽게 보고 였었는데 나중에 알고보니 바로 이등박문(伊藤博文)의 시체를 실은 기차가 어머니가 탄 기차와 마주 서있었읍니다。

그러나 어머니는 이와같은 중대한 사건이 일어난줄도 모르고「할빈」에 도착하여 선친이 연락하신대로 그곳 김성백(金聖伯)씨 집을 찾아 갔읍니다。

헌데 김성백씨를 비롯하여 집안사람들이 조금도 반가워하는 기색도 없을뿐더러 거의 무표정으로서 아무런 말도 없었읍니다。

그러나 아는이라고는 한분도 없는「할빈」이라 어머니는 그대로 그집에 들어갔읍니다。

그때 어머니는 그곳에 선친하고 함께 계시는 모씨의 집안식구와 같이 진남포를 떠나 김성백씨집까지 가셨는데 얼마후 모씨가 들어오더니 선친께서 이등박문이를 죽였다는 소식을 전함으로서 비로소 알게 되었읍니다。

더구나 그분 말씀이 곧 일본경찰이 잡으려 올텐데 절대로 안중근씨의 아내라고 말해서는 안된다고 주의하셨읍니다。

그분 말대로 얼마후 칼소리 요란스럽게 일본경찰이 와서는 어머니와 어린것을 잡아갔읍니다。

어머니로서는 객지에 나선것도 이것이 처음이요 경찰에 가보기도 처음이였읍니다。

일본경찰은 선친과 ×××씨의 사진을 내보이면서 잘 알지않느냐하고 묻기 시작하였읍니다。

그러나 순간 어머니는 선친의 사진은 모

★ 安重根義士따님의手記 ★

르는 사람이라」고하면서 한편쪽에 밀어내고, 모씨는 오빠되는 분이라고 말하였읍니다。

어머니가 이처럼 고집해도 이미 알아번 일본경찰은 「안중근의 아번줄 알고 있는데 왜 거짓말을 하는거야」하면서 욕설을 퍼부었읍니다。그러나 어머니가 끝내 부인하자 그들은 어머니와 어린것을 유치장에 가두었읍니다。 평소 어떻게 생겼는지 생각조차 해본 일이 없는 어두컴컴한 유치장에서 어머니는 어린 동생보고 울라고 시켰읍니다。

아마 그렇게하면 시끄러워서라도 곧 내보내리라 믿었는지 모르지요 그것은 어쨌든 어린 동생이 자꾸 울기만하자 일본경찰은 나오라고 하면서 다시 조사를 계속하는데 그때 어머니는 어린동생보고 인젠 울지 말라고 했더니

「엄마 아까는 울라고하더니왜 인젠울지 말라고 해요」

이렇게 말하였고 이것을 들은 일본경찰은 또다시 욕설을 퍼부었답니다。결국 어머니는 삼일동안 유치장 생활을 하시다가 나왔읍니다。

어머니의 외로웠을 심정은 누구던 이해할 수 있는 일이지요 그후 선친이 의거하신 소식이 널리 알려지자 이곳 저곳에 흩어졌던 여러분들이 「할빈」에 모이기 시작했고 그분들의 추선으로서 선친이 마련하신 「버그라니스」에서 고독한 살림을 시작하게 되었읍니다。

李王의 密使라고
謀計하는 日本警察、

한편 일본경찰은 진남포 저

의 집을 수색(搜索)하고 서울에서 공부하시는 숙부도 조사하고 야단이였지요。

일이 이렇게되니 저의 집안 사람들이 국내에서 마음 편히 살수는 없는지라 조모님 숙부님 모두 조국을 떠나게 되었읍니다。 낮에는 여관에 묵고 밤이면 걸어서 함경도|만주로해서 노령인 「버그라니스」에 이르렀고 그곳에서 다시 동청천도(東淸鐵道)연변에 있는 「물링」에 집을 옮겼읍니다。

그후 한사람 두사람 숙부님의 가족도 한곳에 모이게 되었고 그리하여 그곳에서 우리 집안 사람들이 살게되었는데 그곳을 지나오고 지나가는 혁명가되시는 분들은 꼭 들려서는 위로해 주곤 했읍니다。

◇

한편 선친의 의거에 대해서 말하면은 일찌기 의용군(義勇軍)을 조직하고 두만강에서 일본사람과 접전(接戰)하시던 선친은 다시 해삼위(海參威)에서 동지들과 함께 의거할 계획을 세우고 있었읍니다。

그리하여 이등박문이 온다는 소식을 듣자 구체적으로 준비하기 시작하였읍니다。

동지의 한분인 우덕순(禹德順)씨는 본래 은방을 한 경험이 있는 지라 총알도 몸에 박힌후 한층 괴로움을 당하도록 모가 나게 만들었다고 합니다。

그리하여 「할빈」까지의 거리를 따져 우덕순씨, 유동하(柳東夏)씨、그리고 선친 세분이 세곳에 대기하고 있었지요。 그러나 우덕순씨도 그와같은 의거의 기회를 만나지못했고 유동하씨도 그러했읍니다。

그리하여 마지막 기회인 「할빈」에서 선친이 이등을 죽였지요。 선친은 이등이 온다는 소식을 듣고 그와같이 동지들과 계획을 세운 다음 쏘련에서 자라

★ 安重根義士따님의手記 ★

쏘련말 중국말에 능통한 유동하씨와 함께 「할빈」에 도착해서는 위에서 말한바있는 「김성백」씨 집에 투숙하였읍니다。

그리하여 二十일 가까이 대기하고 계시다가 마침 十월二十六일! 그날이 왔읍니다。

이등을 맞이하기 위해서 「쏘련」의 고관들도 많이 나왔고 경비도 준엄했읍니다만 선친께서는 용의주도하게 이등 가까이까지 뚫고 들어가셨읍니다。

그리하여 총을 뽑기 시작했는데 이에 앞서 「해삼위」에서 동지들과 약속하기를 이등에게는 총 세발을 발사할것 그렇게 함으로서 절명(絕命)을 보장할수 있으며 나머지 총탄도 주의해서 발사하되 쏘련사람이 맞을 경우 국제적인 문제도 있으니 주위에 있는 일본 고관에게 발사하기로 했답니다。

그래서 선친께서 이등을 향해 일발을 발사했으나 워낙 군악(軍樂)소리가 요란스러웠기 때문에 주위 사람들은 총소리를 듣지못했고 이발을 발사하자 그때 비로소 주위사람들이 총소리를 알아 듣기는 했으나 순간 당황해서 어쩔줄을 몰랐답니다。

삼발을 발사하자 이등은 땅에 쓰러지고 선친은 계속해서 주위에 있는 일본고관들을 난사(亂射)하여 팔에 맞은、놈 머리가 깨지는 놈이 속출했답니다。

이제 뜻했던바 일에 성공하신 선친은 권총을 내던지고는 비로 그장소에서 「대한민국」만세를 힘있게 외쳤지요。

이리하여 일본경찰은 대한민

국만세를 외치는 선친을 마차에 실어 여순구(旅順口)에 이송하였읍니다。

이제 취조가 시작되었으나 선친께서 자기의 일거일동을 명백히 하는지라 고문할 필요도 없었고 길게 조사할 것도 없었읍니다。

그러나 그들은 하나의 모계(謀計)를 꾸미기 시작했읍니다。그것은 선친더러 목숨을 살려줄테니 공판정(公判廷)에서 이왕(李王)의 명을 받고 이등을 죽였다고 진술할 것을 강요한 것입니다。

이때 선친께서는

『목숨을 애낄 내가 아니요 그렇게 목숨을 애끼는 내라면 이런 중대한 일을 하지도 못했을 것이다』

이렇게 말씀하시면서 천부당 만부당한 말을 그만두고 빨디 사형해 달라고 했읍니다。

선친의 태도가 그와같이 확고하고보니 일본경찰도 그와같은 그들의 계획을 단념하지 않을수 없었지요。

「나라를 찾거던故國에 묻어달라!」고 遺言

그리고 일본경찰도 선친께 대해서는 극진한 대우로서 음식은 요구하는대로 제공했답니다。

의거하신 十월二十六일에서 사형당하시던 다음해 三월二十六일까지의 만五개월동안 추운 형무소 생활을 계속하신 선친의 고생이야 이루 말할수 없을만 했겠지요。선친께서 사형언도를 받자 그때 서울에 와있던 불란서「홍신부」(洪)님은 선친의 마지막 길에「연미사」를 올리고 유언을 듣기 위해서 「여순구」로 왔읍니다。

그러나 홍신부님은 정식으로 주교(主敎)의 승낙은 얻을수 없는 일이요 그래서 그것은 주교에게 비밀에 부치고 개인적으로 행했기 때문에 나중「신부」자격을 잃게 되었지요。

즉 홍신부님은 선친을 위해서 희생된 것인바 그후 홍신부님은 비록 신부의 자격은 잃었어도 고국인 불란서에 가서 그대로 신부의 복장을 하시고 아침 저녁으로 기도를 계속했답니다。

사형을 집행하기전에 홍신부님은「연미사」를 올리고 마지막 유언을 들을때에는 저의 숙부 두분도 참석하였읍니다。선친의 유언은 간단했지요

『나라를 찾거던 나의 시체를 고국에 묻어달라:』

는 한마디 이었읍니다。그들은 三월二十六일 오전 열시 정각에 정기장치로서 사형을 집행했고 그때 숙부님 두분은 일본경찰에게 시체를 내달라고 요청하였읍니다만 일본경찰은 이를 거절하면서 숙부님을 밖으로 떠밀어 냈읍니다。

★ 安重根義士따님의手記 ★

숙부님 두분은 워낙 어버신 때라 눈물이 앞을 가로막아 그대로 여관에 돌아가 밤새 붙잡고 울기만 했답니다。

아침에 배달되는 신문을 보고 선친을 ××에 매장한 것을 알게 되었지요 한편 선친의 의거가 있기전에 제정노서아(帝政露西亞)에서는 교포七만명을 노령으로부터 퇴거(退去)하도록 명령을 내린바 있었읍니다。

그러나 선친의 의거가 있자 한국에 이와같이 훌륭한 분도 있느냐고 하면서 퇴거명령을 철회했을 뿐만이 아니라 좋은 땅을 제공하기까지 했답니다。

또한 저이들을 감격케한 것은 해마다 선친이 돌아가신 三월二十六일이면 중국 사람을 비롯한 외국사람들까지도 그 묘지를 찾아 주었다는 사실입니다。 일본 사람들도 그날이면 분향을 했읍니다。 얼만전 향항(香港)을 거쳐 중국에서 돌아온 사람이 전하는바 지금도 그 묘지를 찾아주는 사람이 많다고 합니다。

八·一五해방이 되면서 선친의 유언대로 고국에 모시려고 했읍니다만 국제정세가 미묘했던 판계로 뜻을 이루우지 못했읍니다。

셋째 숙부님은 일찌기 중국에서 세상을 떠나시고 둘째 숙부님은

『형님이 그렇게 유언하셨는데 어찌 나만이 고국으로 돌아갈수 있느냐』고 하시면서 고국에 돌아올 것을 거부하고 국제정세가 좋아지면 선친의 유언대로 선친을 모시고 고국에 돌아가겠다고 말씀하셨읍니다。

그후 공산당이 정권을 잡게 되었고 숙부님은 상해와 대만을 오고가고 하시다가 중국에서 세상을 떠났읍니다。

한편 제가 고국으로 돌아온 것은 해방된 다음해 十一월十一일이었읍니다。 이렇게 늦게 돌아오게된 것은 물론 선친님을 모셔야 한다는데도 이유가 있었지만 다른 하나의 돌발사건이 있었읍니다。

그것은 해방당시 중국 상해에 우리교포 몇천명이 살고 있었는데 주인이 한교민단(韓僑民團)단장으로서 일을 보아오다가 그해 十二월四일 나쁜 사람들로부터 저격을 당해 세상을 떠나게된 불행한 사실이었읍니다。

그리하여 저는 주인의 유골을 모시고 돌아와야 하였기때문에 그처럼 늦게 돌아오게 되었지요

두 딸과 함께 고국에 돌아온 저는 당장 의지하고 찾아갈 곳이 없었읍니다。 오직 있다면

— 59 —

제가 어린때 울면서「까이떼나」수녀님과 약 자번간 있은 일이 있어 그 계통을 찾는 일이었읍니다。

그리하여 명동 성모병원(聖母病院)으로 갔더니 마침「鄭의레시나」수녀님이 저를 알아보고 고맙게 대해주셨읍니다。 수녀님은 추운날씨라 제손을 잡고 자기의 입김을 불어주시면서 방으로 안내 하였읍니다。

그리하여 그곳에 위선 짐을 맡겨두었지요。 상해에 있을때 듣기에 입을 옷이며 가구가 귀하다고 하기에 중요한 것만 꾸려 가죽「가방」다섯개와 보통 짐 다섯개로 만들어 수녀님댁에 보관시킨거지요。

祖國을 찾은 첫날에 當한 智能的 詐欺!

헌데 고국에 돌아오자 또다시 예기치 않았던 불행을 당하게 되었읍니다。제가 상해를 떠날때 저와 별 둘인 여자들만이라 이웃사람의 조개로 어떤 청년과 같이 오게 되었읍니다。

그 청년은 짐을 꾸릴때에도 거들어 준다고하면서 어느속에 무엇이 들고 어느속에는 어떠한 것이 들어있다는 것을 저만큼 알고 있었지요。

그리하여 함께 돌아와 성모병원까지도 같이 왔었고 저는 짐을 그곳에 맡겨두고는 아는사람들을 찾기 위해서 밖으로 나왔지요。

다음날 옷을 갈아입기 위해서 수녀님을 찾고 그 뜻을 말했더니 짐을 둔 방문을 열어주셨읍니다。

헌데「가방」다섯개가 눈에 띠이지 않기에 제생각으로는 수녀님께서도「가방」다섯개만은 중요한 것이 들었으리라 믿고 자기방에다 따로히 보관했으라 믿었지요。

그래서

『수녀님 가방은 방에다 보관하셨군요』

하마디 하자 순간 수녀님의 표정은 매우 당황해 지면서 잠시 말이 없었읍니다。

다음 순간 말씀하기를 전날 저와 그 청년이 나간

★ 安重根義士따님의手記 ★

지 한시간후 청년은 다시 돌아와서 지금「호텔」방을 하나 얻고 당분간 그곳에 투숙키로 되었기 때문에 제가 시켜서 왔다고 하면서「가방」다섯개를 갖고 갔다는 것입니다。

실로 어쩔줄을 몰랐읍니다。수중에 돈은 없고 이제 입을 옷까지 잃었으니 앞으로 어떻거나 생각해바야 별 도리가 없었옵니다。

그 청년은 처음부터 계획적으로 한일이라 다시 찾을수도 없으리라 단념하고 세사람 우리 모녀는 막연한 생각에 사로잡혀 있었지요。

헌데 고마웠던 것은「李神父」님이 신학교 기숙사 방 하나를 빌려주셨읍니다。

비록 「다다미」방이기는 했으나 의지할곳없는 우리 모녀에는 사랑스러운 복음자리이었지요。

이제 방은 얻었으나 먹을 것이 문제이였읍니다。그래서 하루는「鄭의례시나」수녀님의 소개로 금강전구주식회사(金剛電球株式會社) 사장인 박정근(朴定根)씨를 방문하고 그곳에서 생산되는 전구장사를 하기로 했읍니다。

이와같이 장사하기로 이야기는 됐읍니다만 위선 전구를 백개 받아오려면은 넘은 전구 백개를 가지고 가야 하는데 제주위에서는 그것을 구할 도리가 없었지요。

이것 역시 교회안에서 모아가지고는 전구를 받아서 팔기 시작했읍니다。어집저집 이 가게 저 가게 찾아다녔지만 그리 잘팔리는 장사도 못될뿐더러 아는 사람을 만날까바 퍽 어색

— 61 —

123

했읍니다。그러나 하루 이틀이 지나면서 다소 익숙해 지기도 했고 밥세끼를 먹을만한 최소한도의 수입은 있었읍니다。

전구 하나를 팔면 이십전이 이익으로 남았고 그리하여 하루 이삼백원의 수입으로서 세식구는 그날그날을 보냈지요。

그러나 전구가 제대로 생산되면 백개건 이백개건 받을 수 있었으나 생산이 제대로 되지 못할때에는 최소한의 수입마저 끊어지는 날도 있었읍니다。

더구나 전구를 잘못 받아오면 몇개씩 손해를 보게되는 지라 공장에서 하나하나 시험을 해가면서 백개 이백개를 받는 수고――그것이 추운 겨울이라 이루 말할 수 없었읍니다。

그러나 이와같은 최소한의 생활도 다시 풍파를 만나게 되었으니、그것은 학교에서 기숙사를 수리하여 학교에서 써야 하는지라 저와같이 방을 얻어 쓰고 있던 몇사람들은 부득히 방을 비어드려야 했읍니다。

이와같이 방은 꼭 비어드려야 했으나 우리 세사람 모녀는 당장에 갈곳이 없었지요。

그래서 저는 며칠을 두고 생각했답니다。누구를 찾아가면 꼭 도움을 받을 수 있을까? 하고 이 사람 저 사람을 머리위에 그려보면서 하나하나 판단을 내렸지요。

그러던 끝에 선친을 잘 아시고 저와도 중국에서 학교시절 가까이 지냈던 주모씨를 방문하고 사정이야기를 했더니 그분이 그때 돈으로 적지않게 주셨읍니다。

그래서 위선 안국동에 방하나를 얻고 나머지 돈을 미천으로해서 우리모녀의 살림을 확립(確立)하기로 했읍니다。

그리하여 김모씨의 말이 「된장」「간장」을 받아서 군부에 납품하면 생활은 유지할 수 있다기에 그사람 말대로 안국동에 「안생공사」(安生公司)라는 간판을 걸고 그사람과 함께 장사를 시작했읍니다。

또다시 詐欺當하는 溫情의 巨金

그것이 一九四七년 七월이었읍니다。헌데 그 김모씨는 장자는 말할것도 없거니와 고국사정에 어두운 저를 속이고 장사미천을 고스란이 사복을 채웠지요。

속았다는 괫심한 생각은 물론이거니와 주씨로부터 얻은 그 적지않은 돈을 이렇게 헛되

★ 安重根義士마님의手記 ★

게 없애버린 미안스러운 생각이 앞서 몹시 괴로웠읍니다。

이제 또다시 생활이 곤난한데다가 방세도 다시 내야 할텐데 제 힘으로서는 도저히 감당할수가 없었읍니다。

또다시 어느 누구를 찾아 동정을 바랄생각은 없었읍니다。그래서 우울히 지내는 어느날 저의 사정을 잘아는 신모씨가 퍽 동정하시면서 八군단에서 지은 후생주택 하나를 주선하여 주셨읍니다。

그것이 지금 살고있는 집이지요(編輯者註=北阿峴洞끝)서울시에가서 집열쇠를 받아들고 우리 세모녀는 너무도 기뻐서 손을 마주잡고 눈물을 흘렸읍니다。

이제 좋든 나쁘든 집은 장만이되고 남은 것은 먹고 살아나갈 생활방도 이었읍니다。

그당시 저는 인사를 드리기 위해서 민정장관(民政長官) 안재홍씨도 방문하고 경무부장 조병옥씨도 방문하였던바 조병옥씨 말씀이 모자 모두 경무부에 나와서 일을 하면 어떠냐고 하셨읍니다。

그러나 주위 사람들의 만류도 있고해서 양자로 있는 사람을 경위(警衛)로 취직시켰읍니다만 이러니 저러니해서 두달인가 석달후에야 비로소 발령을 받았지요。

— 63 —

근무는 인천이라 추운 겨울날 북아현동 산밑에서 새벽일찌기 출근하여 밤늦게야 돌아오고 그렇게 지내다가 마침내는 폐가 나빠서 신음하기 시작했읍니다。

그래도 그 수입으로 근근히 살아오기는 했으나 여순반란사건(麗順叛亂事件)때 전투대에 참가하여 부상을 입고는 병상에 눕게 되었지요。

이래서 생활은 이루 말할 수 없을만큼 참혹 했읍니다。장여사(張女史)가 때때로 쌀을 갖다주셨고 찻값도 이삼천원식 주셨읍니다。

그러다가 그때 신한공사(新韓公司)총재로 계시던 C씨가 영등포에 있는 땅 천평을 주셨읍니다。

그래서 그곳에 도야지를 치두고 집에서는 닭을 쳤읍니다。이것이 六·二五직전까지 도야지 서른다섯마리、닭 백수가량으로 늘었읍니다만 六·二五동란을 맞이하여 양자되는 사람이 경찰이라해서 영등포에 있는 도야지는 그들이 죄다 가져갔읍니다。

집에 있던 닭은 파편을 맞아 죽기도하고 나머지는 생활이 궁할때라 잡아먹기도하고 이러하여 모다 없어졌지요。

六·二五때 공산당 사람들이 여러차 찾아오기는 했으나 양자는 병으로 누어있고 집안 살림도 말씀이 아닌지라 별반 해롭게 굴지는 않았읍니다。

더구나 九·二八수복때 제가 살고 있는 북아현동은 최전선으로 화해 이웃집들은 적지않게 피해를 입었읍니다만 저의 집「장독대」와「우물」에는 파편하나 떨어지지 않았읍니다。

一·四후퇴때 양자는 끝내 세상을 떠나고 저와 딸들은 대구에 내려가 저는 천주교에서 세운 효정여자대학(曉星女子大學)에서 불문학(佛文學)을 가르쳤읍니다。

대구시장께서 쌀배급을 주셨고 그러하여 그럭저럭 생활은 유지되었고 큰 딸은 육군중령으로 있는 지금의 사위와 결혼을 하였지요。

제가 효성대학에 나가다가 하루는 어름판에서 너머져 절골을 당하고 그때 고혈압(高血壓)二백三十도로서 몹시 신음한바 있었는데 지금도 그 병세때문에 적지않는 괴로움에 잡겨있읍니다。

이렇게 모진 고생을 하면서도 저는 늘 선친의 교훈을 잊지않습니다。고생하고는 모진 고생이기도 하지만 선친에 비해 이것이 무슨 고생이 될까 자탄하면서 지내왔읍니다。

서울로 환도할때에는 그곳 학생들이 모아준 고마운 전별금도 있었고 그리하여 다시 옛집으로 들어왔읍니다。

★ 安重根義士따님의手記 ★

安重根義士를 逆利用하는 사람들?

생활은 사위몫으로 배급나오는 쌀로서 그럭저럭 유지를 해왔고 해가고 있읍니다。

둘째딸은 「디—더스·다위제스트」사에 근무하여 집안살림도 조금씩 도우면서 저금을 계속해 오다가 이제 시집갈 나이가 되었으나 좀더 공부를 해야한다고 지난 一월 二十일 「로스안·젤스」로 떠났읍니다。

서울에 환도했어도 생활때문에 四、五명의 개인교수(個人敎授)도 했으나 혈압이 자꾸 높아가고 그래서 그것도 그만두었지요。 다만 집주위에 꽃을 재배하는 것을 일삼고 그날그날을 보내왔읍니다。 저의 앞으로의 오직 하나의 큰 희망은 선친의 유언대로 선친을 고국으로 모셔오는 일입니다。

그러나 지금의 이와같은 국제정세에 있어서는 당분간 어려우리라 생각되어 퍽 마음이 괴롭습니다。

또한 제가 불쾌하게 생각하는 것은 선친의 이름을 이용하는 사람들입니다。

「나는 안중근의사의 어떻게 되는 사람이요」하면서 이곳저곳을 찾아다니며 불미한 일을 하고 있다는 풍문을 허다히 듣고 있읍니다。 풍문만이 아니라 실제 만나본일도 있읍니다。 지난번에 「안히자」라는 여성이 저를 찾아와서는 언니라고 하면서 자기도 선친의 따님이라고 해요。

그래 세상에 이런 일이 어데 있읍니까! 저는 하두 어처구니가 없어서 말은 저 혼자뿐이라고 간단히 대답해 주었지요。

그랬더니 그 사람말이 자기는 어렸을때부터 홀로 객지에 나왔기 때문에 기억이 확실치는 않으나 그렇다면 질녀(姪女)가 되는지도 모른다고 엉뚱한 말을 하지 않아요。

그래 질녀가 있기는 해도 이미 세상사람들이 아시는 비와같이 「안미생」「안련생」 두 사람밖엔 없어요。

또 자기가 일본에서 자랐다고 하기에 그럼 일본 어디서 자랐느냐고 물었더니 기억할 수 없다고 대답을 해요。

우리 집안 사람은 일본에 갈리도 없고 갈수도 없다는 것은 누구던 이해할 수 있는 일이애요

저는 길게 말할 흥미조차 없어 저를 찾아온 목적이 뭐냐고 했더니 대연스럽게도 다음과 같이 말하는에거요。

지금 땅도 얻게되고 그러하여 학교를 짓고 저를 교장으로 모시겠는데 다만 필요한 것은 자기가 선친의 따님 혹은 질녀가 된다는 것을 증명해달라고 하지 않아요。

세상이 혼란하기로서니 이런 일이야 어찌 꾸며질 수 있겠읍니까。 저는 다시는 찾아오지도 말라고 하면서 돌려보냈지요。

평소 하고싶은 말도 많았고 느낀바도 않았던지라 두서없는 말 길게 느려놓은 것 같습니다。

저는 하루바삐 선친은 고국에 모실 수 있는 그날이 돌아오기를 빌면서 끝을 맺습니다。

— 65 —

127

安重根義士 傳記編

一、 救國之士誕生에 瑞兆의 三重奏!

鐵血의 愛國者이며 抗日의 英雄인 安重根義士의 誕生地는 伯夷、叔齊의 百世淸風碑로 有名한 黃海道海州、首陽山下 廣石川畔에 자리잡은 安門世居의 一古家이다。 이 由緖깊은 邸宅은 韓日合併以後에 倭僧들로 하여금 이를 改修하여 東本願寺라는 一個 寺刹로 冒用하였으니 이 또한 우리 韓民族에 對한 倭政의 蔑辱的施策의 하나인 것이다。

人傑은 地靈이라 함은 傳來의 古說에 不過하나 이 絶世의 救國巨星 安重根義士의 誕生에 많은 異蹟과 瑞兆가 隨伴하였음은 假飾없는 事實이다。 그의 父親 泰勳이 祖父(義士의 曾祖)의 墓를 海州錦山面冷井洞塋域으로 移葬時에 壙穴內에서 五色이 燦然한 古代磁甁 一雙이 發掘되었다。 地師가 『이는 高僧道詵의 埋標라』하므로 이를 槨內에 넣어 埋安하였다。 이런 일이 있은後 未幾에 妻趙氏(義士의 母)꿈에 乾方에 七座의 奇星이 나타나 瑞彩燦然한 夢兆있더니 그날부터 胎氣가 있어 西紀一八七九年七月十六日 마침내 男兒를 出産하였다。 그가

바로 後日에 韓末의 國運庇塞을 痛嘆하여 祖國侵略의 倭魁 伊藤博文을 射殺하여 倍達의 넋을 萬邦에 宣揚한 安重根義士이다。

背部에 七個의 黑点이 있어 北斗七星과 彷彿하므로 『應其七星』이라 하여 應七이라 이름하니 이는 義士의 幼名이다。 또 『도마쓰』라고도 부르니 이는 天主敎神父가 命名한 敎名이다。

二、 天才的射擊術에 萬人이 驚歎!

義士는 幼時부터 氣骨聲色이 出衆非凡하고 眉目이 炯秀하여 後日에 萬人을 號令領率할 人物이 되리라는 것은 足히 疑心할 餘地가 없었다。 賦性이 豪邁早達하여 三歲에 能語하고、四歲에 能讀能算하며、七·八歲에는 能射能騎하여 神童이라고 불리었다。

儒家의 子孫으로 태어난 그는 일직이 家庭에서 四書와 通鑑等의 儒籍을 修習하였으나 그 豪放不羈한 性格은 尋章摘句만을 能事로 아는 文章學說에는 秋毫의 興味도 느끼지 못하였고 다만 山野를 달려 守獵을 하며 弓術、石戰、炬戰等을 즐기는 것만이 唯一한 趣味이었다。

每年正月이면 年中行事의 一種처럼 施行하는 大洞對壘坊、猪洞間 石戰炬戰의 對抗戰에는 義士가 參加한 大洞部落이 恒時 勝利의 榮冠을 獨占하였다。

義士의 操銃術은 可謂 入神의 妙法을 習得하였다 하리만치 그 當代의 火繩銃이라는、構造며 性能이 오늘날 一種의 玩具에 不過한 우리나라 在來銃으로도 一發必中하는 妙技를 發揮하였다。 萬人이 傍觀하는 試射場에서 韓末의 鑄貨『葉錢』을 數三十步前方에 매달고서 그 中央角孔을 命中하여 傍觀者들을 感歎케 하는 事例는 義士의 射擊術로는 그리 어려운 일이 아니었다。

三、 黃海道名門으로 由緒깊은 家系

義士의 先代는 黃海道地方의 班門、豪族들과 比肩하면서 累代를 海州에서 世居하여 相當한 德望과 財力을 兼備한 道內에서도 屈指의 名門이었다。 義士의 高祖父때에 至하여는 鉅萬의 資產을 마련하여 海州、鳳山、延安 一帶에 많은 私有田畓을 買收하여 黃海道에서 二、三位를 다투는 富豪家門으로 有名하였다。 이때부터 물려받은 家產을 그대로 持續하면서도 無產層들

一六

로부터의 德望이 높았으니 이는 그 當時의 致富家들의 通念이라고도 할 수 있는 守錢意識에 汲々하지 아니하고 恩惠를 廣施한 證左이다。

義士의 祖父인 仁壽翁은 일직이 鎭海縣監의 官職을 歷任한바 있었으므로 地方에서는『安鎭海宅』으로 通稱하였다。翁은 末年에 難治의 痼疾 中風病으로 오랜 歲月을 病床에 누워 當代의 名醫들을 招聘하여 靈藥이라면 무릇 求하지 못한 것이 없었으나 壽命이란 어길수 없는 것인지? 마침내 回癒하지 못하고 新居地 淸溪洞에서 終命하였다。

四、景福宮重修와 安門沈衰의 禍端

西歐文明의 導化를 封鎖하고자 鎖國政策을 强力히 實施한 韓末의 大院君은 景福宮 創建의 大工事를 設案하였다。 當代의 官僚들은 誰何를 莫論하고 擧皆가 買官賣職으로 自我榮達과 自家致富에만이 汲々하였고 國政을 올바로 보살핀 者는 거이 없었다。 그러므로 國家政策은 亂脈相을 不免하였고 國家財政은 貧弱함이 그 極度에 達하였다。 民生苦는 日益加重하여 塗炭속에서 해여나갈 수 없었으나 政府로서의 救民濟世의 길이란 東手無策하였다。 如斯한 國

131

家財政狀態로서는 景福宮創建이라는 巨大한 工費의 支出은 實로 不可能한 現狀이었다。 大院君은 工費全額을 民間들로부터 捻出한 허울좋은 願納金으로 이를 充當하기로 決定하고 全國官僚들에게 命하여 願納金募金政策에 專念하도록 하였다。 그러나 이 願納金制度의 副作用으로 貪慾官僚들의 搾取의 弊端은 더욱 民生苦를 塗炭속에 빠트리게 하였고 列强勢力의 韓國에 對한 侵略的野慾만을 誘發胎動하게 하였다。 特히 黃海、平安、咸鏡의 西北 三道에 對한 李氏朝鮮建國 以來 中央政權으로부터의 差別施政은 이루 形言할 수 없었다。 그것은 三道에 居住한 그들自身이나 그들先代에 中央要路에 起用된者가 極히 少數였기때문에 官衙에서 如何한 施政不均의 苛酷한 橫暴을 加하더라도 이를 反撥・抗議할 아무런 實力對決을 못하였기때문이다 따라서 景福宮創建願納金制度의 被害는 어느地方보다도 가장 尤甚하였다 所謂地方에서 食粟에 支障이 없을程度의 中流層以上의 家門이라면 누구나 그힘에 過重한 巨額의 願納金納付督促에 不得已 住宅과 家財를 放賣하고 流離四方하는者가 적지않았다。

累代의 富豪家門으로 이름을 떨친 義士一門에도 銀七千兩이라는 巨額의 願納않인 願納金이 黃海監宮으로부터 割當賦課되었다。 銀七千兩이라면 當代의 換物價値로서는 可驚할만한 巨額이다。 그러나 이처럼 强徵한 願納金은 그 全額이 中央政權으로 納付되어 景福宮創建費에 充

用되는 것이 아니고 그 殆半額이 中間官僚들의 搾取의 好餌가 되고 만 것이다。 그러므로 民生의 怨聲은 日益高潮하였다。

五、世居의 海州에서 後圖의 淸溪洞으로 移住

義士의 祖父 仁壽翁은 이 어이없는 願納金賦課通知를 接하고서 長男 泰鎭 以下 六兄弟를 한자리에 合席시키고 앞으로 擇해야 할 家庭問題를 討議하였다。 性稟이 强硬한 義士의 父親 泰勳과 泰健 兩兄弟는 橫暴無比한 黃海監營의 願納金賦課를 斷乎拒絶抗議하자고 極口主張하였으나 長男 泰鎭 以下 餘他兄弟들의 『民不勝官』 이라는 封建意識에 사로잡힌 隱退自重論에 歸結되어 마침내 累代를 繼承한 延安郡에 있는 俗稱 『나포루』 大農場과 其他 家財等을 放賣하여 眞實로 願하지 않는 이러한 假飾된 허울좋은 願納金의 巨額을 完納하였다。 民生問題를 都外視한 이러한 貪虐政策에 對한 不滿과 憎惡感은 마침내 遁居의 決意를 하게 되었다。 仁壽翁은 世居의 地 故山海州를 버리고 새로운 後圖의 適地를 擇하여 移住하기로 內定하고 아들 六兄弟를 各己 分派하여 道內全域을 周遊遍踏하게 하였더니 그中 貳男 泰鉉의

眼目에 發見된 곳이 바로 信川郡斗羅面淸溪洞이라는 곳이다。

淸溪洞은 李朝의 義賊 鄭來秀의 舊據地로서 九月山에 버금가는 海西의 峻嶺인 天峰山脈으로 둘려있는 倒笠形態의 盆地로서 自然의 要地이다。 三面은 山麓으로 周遙되었고 東쪽만은 天然的으로 關門을 이루고 있다。 關門앞에 望台山이라는 險惡한 山이 가로막고 左右로 狹路가 있으니 所謂 『一夫當關에 萬夫莫開』 하는 天險의 要塞地로서 軍略的要地이기도 했다。 洞內中央에는 天峯山谷에서 흘러나린 淸溪川의 맑은 물이 畵幅처럼 潺流하여 그 勝景은 遁居處士의 興趣를 더욱 돋구어주고 있다。 한편 天峯山谷一帶는 天日도 볼 수 없는 原始林으로 白晝에도 猛獸가 소리쳐 우는 險山幽谷이기도 했다。 居住民이라고는 겨우 十二、三戶의 火田民들이 原始 그대로의 生計를 營爲하고 있었다。

仁壽翁은 이곳 淸溪洞에 後圖의 보금자리를 마련하기로 決定하였다。 먼저 家垈와 山林을 買收하고 次男 泰鉉으로 하여금 木工等 役夫들을 다리고 入洞하여 二十餘間이나 되는 住宅三棟을 新築하라 하였다。 그런 後에 來客 四·五十名을 能히 收容할 수 있는 巨大한 舍廊과 婢僕들이 寓居할 行廊一棟도 附設하였다。 三個處에 食水우물을 마련하였고 아울러 淸溪川의 맑은 물을 舍廊앞으로 引水하여 蓮池를 만늘고 玩月吟風의 觀賞樓台도 建築하였다。

洞口岩壁에는 『清溪洞天』이라고 大書刻字하였다。 이처럼 工事가 終了되자 海州에서 待機中이던 安門一族 百名가까운 大家族이 累代를 情들어 世居한 故山海州를 버리고 新圖地 清溪洞으로 移住하였다。

幽谷의 새소리를 비롯하여 潺々한 물소리며 簫瑟같은 바람소리만이 大自然의 音律인양 單調로운 寂寞을 깨트리던 原始部落 清溪洞이 安門一族을 마지하여 一朝에 活氣充滿하였다。 따라서 『清溪洞天』의 이름도 俄然히 世間에 알려지게 되었다。

六、砲手群의 營舍化된 新營住宅一廓

義士의 一發必中하는 天才的操銃妙術은 所聞에서 所聞을 퍼트리며 遠播하였다。 當代의 砲手들은 서로 그 射擊術을 겨누어 볼려고 모여드는 者가 많았고 清溪洞 安邸一廓은 그들의 集結地처럼 되었다。 年中 어느때를 莫論하고 普通 十餘名、많으면 四·五十名程度의 食客砲手群들이 먹고 있었다。 그들 砲手의 頭目으로는 盧濟錫、任道雄、朴致範、韓重錫、韓在鎬等이 가장 錚々한 人物들이다。 이들은 體力의 向上과 技術의 鍊磨를 目的으로 個人射擊高點競技

며 甲乙紅白으로 分班하여 實施하는 對抗競技等을 隨時로 施演하였다。

少年 砲手로 이름을 떨치였든 義士는 그때마다 拔群의 成績을 擧揚하여 參觀者의 感歎을 받았다。 特히 十四歲때의 秋期分班對抗競演에서 義士의 所屬인 紅班의 成績이 不振하여 到底히 挽回할 可望이 없었다。 그러던 것이 紅班最終射手인 義士가 指定試彈 五發을 最優点으로 어김없이 命中시키어 紅班이 勝利를 거둔 事實은 當代의 砲手들間에 오래토록 傳해진 話題이다。

七、韓末의 庇政과 列强勢力의 角逐

大院君의 天主敎徒大量虐殺과 斥洋鎖國의 一貫政策도 滔々히 波及되는 國際的時代潮流는 막아낼 道理가 없었다。 結局은 門戶開放、通商修好、信敎自由等으로 施政策의 一大轉換을 아니할 수 없었다。 列强諸國은 使節의 派遣、軍隊의 駐屯、宗敎의 宣布等으로 間斷없이 自國勢力을 우리 韓半島에 扶殖할려고 努力하였다。 그리하여 十九世紀 末期의 韓國情勢는 宛然히 列强勢力의 角逐場化됨을 難免하여 어느때 그들의 食餌가 될려는지 알 수 없는、實로 風前

殘燭의 危急狀態에 直面하였다。

그러나 當代의 執政官僚들은 四百年來의 因襲된 派爭觀念에 사로잡혀 一黨一家의 安逸과 榮達만을 專念하여 貪虐搾取만을 能事로 하였고 國家社稷의 興廢에 對하여는 아무런 關心이 없었다。 民生은 날로 塗炭의 惱苦가 加重하여 官에 對한 怨嗟의 소리가 漸高하였다。

金樽美酒는 千人血이오
玉盤佳肴는 萬姓膏라
燭淚落時에 民淚落이오
歌聲高處에 怨聲高라

이 貪官汚吏를 諷刺한 詩句는 南原의 鄕愁에 젖은 古代傳說로만 보아넘길 것이 아니라、古今 全体官員들에 對한 警醒名句이다。

八、 東學亂의 勃發과 淸日開仗

一八九四年甲 正月에 全羅道古阜郡에서는 當時의 貪官輩의 典型的人物이라고 할수 있는 郡

守 趙秉甲의 虐政에 郡民들의 憤怒는 極度에 達하여 一觸即發의 險勢에 놓였다。 이때 僧侶出身인 東學黨員 全琫準은 『나는 東學開祖 崔濟愚로부터 靈感을 繼承修道하였다』하고 無智한 大衆을 扇動하여 郡衙를 掩襲하니 郡守 趙秉甲은 脫走하고 其他 官員들은 敎徒들에게 逮捕投獄當하였다。

이것이 이른바 東學亂의 發端이며 後日의 淸日開仗의 導火線이 되었던 것이다。

全琫準의 東學敎理에 曚昧한 民衆의 雷化附同한 者가 날로 激增하여 그들은 非常한 組織体系로서 官軍에 對抗하므로 官民의 被害는 이루 말할 수 없었다。

朝廷에서는 中央의 精銳官軍을 總動員하여 一方討伐과 一方宣撫의 恩成並行하는 兩面政策으로 鎭壓하려 하였으나 跋扈하는 東學徒들은 그 勢力이 沸騰하여 瞬息間에 湖南、湖西、嶺南의 各地方을 席捲하다싶이 하였다。 朝廷에서는 마침내 自國兵力으로는 到底히 鎭壓할수 없음을 自認하고 淸國으로 援兵을 要請하였더니 淸廷에서는 오래 前부터 肚裏에 或種의 奸計를 품은바 있었으므로 기다렸다는 듯이 이를 快諾하고 馬玉昆을 陸路平壤으로 派遣하고 葉志超、聶士成은 數千의 軍兵을 引率하여 水路牙山으로 上陸하게 하였다。

朝廷에서는 李重夏를 迎接使로 하여 이를 歡迎하였다。 이러한 事實을 알게된 日本은 淸

國에 對하여 天津條約의 違反이라고 指摘抗議하므로 兩國間의 情勢가 險難하더 結局 淸日戰爭을 開端하고 말았다。 淸軍은 意外의 變에 逢着하여 大敗의 盃를 마시게 되고 戰禍는 翌乙未年四月八日에 終戰되었으나 淸國은 日本에 對하여 台灣과 東半島를 割讓하며 三億의 戰費를 賠償하고 韓國의 獨立을 保障한다는 所謂 馬關條約이 締結되었으니 一個無名僧侶 全琫準으로부터 發源한 副作用으로는 너무나 巨大한 反響이라고 할 것이다。

東學亂 鎭壓을 目的으로 派送되었던 淸軍은 不意의 逢變으로 撤軍하였고 主客이 轉位되어 日軍 森尾、鈴木等의 一部兵力이 官軍을 應援하여 東學徒 討平戰에 參加한 奇現象을 誘致하였다。

九、東學亂의 西北飛火와 安山砲軍의 鎭壓作戰

東學亂의 禍는 破竹의 形勢로 물밀듯이 黃海道까지 波及하였고 倡獗하는 黨徒들로 情勢가 자못 險惡하게 되었다。 監司 鄭顯奭은 成均館進士에 及第한 以來 吟風咏月로 閑日月을 보내고 있는 義士의 父親 安泰勳을 招請하여 道內의 山砲手들을 統合하여 焦眉의 急難인 東

學亂의 鎭壓戰에 同調하여주기를 懇請하였다。

安進士는 國內騷亂으로 말미암아 外侵이 있을 것을 恒時 憂慮하고 있었다。 그러므로 于先 國內情勢의 安定이 무엇보다 時急하다고 生覺되어 監司의 要請을 卽席에서 躊躇없이 快諾하였다。 鎭壓戰에 必要한 銃器와 彈藥은 監營으로부터 補給해주기로 하고 여러가지 作戰機密이 謀議되었다。 鄭監司는 滿足히 여겨 그 뜻을 朝廷으로 詳細히 奏報하였더니 卽時로 職牒이 下令되어 安進士는 海西地區召募官으로 그의 仲兄 安泰鉉은 別軍官으로 各々 任命되었다。

安進士는 淸溪洞自宅으로 도라와서 于先 自己집 舍廊에서 食客으로 起居中인 砲手 二十名에게 東學鎭壓의 必要性을 力說하였더니 全員이 從軍하기를 志望하였다。 安進士는 遠近各地의 山砲手들에게 東學鎭壓戰에 從軍하기를 要請하는 檄文을 一齊히 發通하였더니 그뜻에 呼應하여 淸溪洞으로 趨合하는 砲手가 八十餘名이나 되었고 從軍하기를 自願한 一般壯丁이 四百餘名에 達하였으니 이는 實로 安門一族의 平常時에 배푼바 積德에 對한 報答의 發顯이라 할 것이다。

安進士는 一般壯丁 四百餘名에게 操銃、射擊의 妙法과 軍事訓練을 超速成的으로 實施한 바

음 山砲軍과 合勢하여 全員을 三個中隊로 編成하여 第一中隊長에는 韓載鎬、第二中隊長에 任道雄、第三中隊長에 盧濟鎬、作戰參謀에는 親弟 安泰健을 各々 任命하고 安進士 自身은 總指揮官이 되였다。

그의 長子 安重根은 當時 十五歲의 少年이었다。 그러나 性稟이 豪放하고 射擊의 名手인 그는 이 壯嚴한 鎭壓軍의 隊列에 參加하여 戰火가 交接하는 一線前方으로 從軍하기를 率先志望하여 그 뜻을 굽피려하지 않았다。 安進士는 처음에는 이를 頑强히 拒絶하였으나 마침내 아들 重根의 善意의 固執에 依한 굳은 決意에 感動되어 結局 從軍하기를 許諾하였다。 이때 義士의 同僚 朴致範、韓重善 兩少年砲手도 같이 出戰하기로 許容되었다。 이때까지 守獵이나 試合에서만이 射術을 誇示하였던 義士는 實戰에서 그것도 또한 自己의 父親 앞에서 實力을 發揮할 機會를 얻고보니 기쁨 마음 어데다 比할바가 없었다。

海西의 東學徒 都接主元容日과 副接主任宗鉉의 兩人은 淸溪洞山砲軍의 出戰急報에 接하고서 크게 憤怒하여 安門一族과 그에게 同調從軍한 砲手群을 한사람도 남김없이 殲滅할 兇暴無道한 計劃을 樹立하여 應戰態勢를 完備하였다。

甲午年 陰十一月十三日 東學徒들은 一千七百餘名을 動員하여 武裝을 整齊한 後 淸溪洞北方

十里許에 位置한 俗稱 『박석골』 까지 肉迫하여 夜陰을 기다려 破竹의 氣勢로 淸溪洞을 掩襲하려고 하였다。 이 不時의 急報에 接한 淸溪洞에서는 總司令인 安泰勳進士의 指揮下에 精銳兵力 三百名이 이에 對戰하게 되었다。

義士는 東學鎭壓의 첫번째 싸움인 이 對戰에 參戰하기를 率先志望하여 父親의 許諾을 받고서 騎馬에 軍裝을 갖춘 다음 突擊部隊의 先鋒이 되어 時々刻々으로 물밀듯이 肉迫해오는 東學徒의 陣中에 一齊射擊을 加하였다。 東學徒들은 自己들의 先鋒隊가 모조리 倒壞함을 目睹하고서 對抗할 수 없음을 自認하고 魂飛魄散하여 四分五裂 爭先 逃走하였다。 安山砲軍은 한사람의 戰死者도 내지않고 士氣旺盛하게 凱旋하였으니 이것이 初陣對戰에서 擧揚한 戰勝이었다。

一〇、 累卵의 海州監營을 救援

淸溪洞 『박석골』 싸움으로부터 數三日이 지난 後 約三千餘名의 東學徒들이 海州郡翠野市에 出現하였다。 黃海監司 鄭顯奭은 官軍을 領率 對戰하였으나 東學의 衆勢를 崩壞하지 못하고

二八

後退의 길을 擇하였더니 東學徒들은 首府海州까지 直衝할 攻勢로 追擊을 繼續하였다。

鄭監司는 情勢가 官軍에게 不利함을 豫測하고 即時 清溪洞 安進士에게 急報를 發하여 援兵을 보내주기를 要請하였다。 安進士는 親弟 泰健과 令息 重根을 先鋒으로 韓載鎬、盧濟錫 鄭洸等 가장 勇名을 떨친 砲手軍 百八拾餘名을 選拔引率하고 一路海州로 向하여 進軍하였다

海州와 翠野의 中間에 集結한 東學軍을 發見하고 一齊히 布陣하여 猛射擊으로 奇襲을 加하였으나 衆勢를 自恃하는 東學部隊를 擊退하기는 容易한 일이 아니었다。 東學軍은 도로혀 數日前의 『박석골』 作戰에서의 慘敗의 雪辱을 挽回하고저 安山砲軍을 向하여 反擊態勢를 强化하고 限死應戰하므로 한때는 形言할 수 없는 苦戰狀態에 빠졌다。 義士는 家親을 補佐하며 如前히 最先鋒騎馬部隊에서 突擊 또 突擊으로 一發必中의 猛射擊을 加하기 實로 二十四時間을 繼續하였고 積屍如山、流血成川의 文字 그대로의 苦戰을 展開하였다。 그러나 安山砲部隊의 臨戰無退의 猛擊에는 그토록 頑强하였던 東學徒들도 士氣가 挫折되어 支離滅裂의 慘敗를 當하여 四分五裂 退脚하였고 風前殘燭의 危機一髮의 累卵에 놓였던 海州監營을 無事히 救援安保하였다。

一一、 信川郡守一家의 清溪莊避難

甲午年 陰十二月七日 黨魁元容日、 任宗鉉等은 앞서 二次에 亘한 敗戰의 苦盃를 맛보고도 다시 捲土重來를 꿈 꾸며 敗殘의 隊伍를 收拾再整齊하여 千數百의 黨徒들을 糾合統率하고 正方山城안에 있는 官軍武裝器庫를 襲擊하여 在庫品全部를 奪取하는데 成功하였다。 그들은 이 奪取한 武器以外에도 낫、광이等 一種原始的 代用武器를 携帶하고 陰十二月十三日 未明을 期하여 信川郡衙를 猛襲하여 守備官軍을 駈逐하고 獄門을 開放하여 囚徒들을 釋放하는 한편 錢穀等을 掠奪하고 官衙에 放火하며 官吏들을 逮捕監禁하는等 가진 暴虐한 行爲를 餘地없이 敢行하였다。 郡守仝某는 僥倖히 虎口를 脫出하여 九死一生으로 家族들을 帶同하여 徒步로 斗羅面清溪洞安邸로 避難하여 三冬한철을 지낸後 翌春三月에 還衙하였다。

一二、 黨徒의 南栗侵攻과 魚允中의 貯穀被奪事件

黨徒들은 一時 信川을 占有하였으나 官軍의 反擊을 두려하여 數日後에 隣郡載寧으로 移動

二九

144

하여 그들의 常習手段인 放火掠奪을 敢行하였다。 載寧邑內를 襲擊占領한 黨徒들은 數個部隊로 하여금 郡下南栗面까지 進擊하여 都宣撫使 魚允中軍庫에서 貯穀三百餘石을 掠奪하여 信川邑龍頭里 閔泳龍倉庫로 運搬하여 一部는 賣却하고 一部는 軍需米로 使用하고 있었다。 安泰勳總司令은 令息重根과 같이 精鋭部下 百五十名을 거느리고 信川邑龍頭里의 東學陣을 急襲하여 이를 潰滅시키고 그들이 遺棄한 軍糧과 軍器中 一部는 被害者에게 還付하고 一部는 山砲軍의 軍糧으로 充用하였다。 後日 이 軍糧米使用事件이 魚氏誤解의 基因이 되어 安門一族에게 큰 禍端의 發源이 되었다。

一三、 生擒된 遂安郡守以下의 間一髮의 救命

『박석골』 初陣에서 勝利를 거둔 義士는 實戰에 어느 程度의 自信과 公算을 갖게 되었다。 遂安、伊川方面으로 敗退한 黨徒들이 跋扈하여 民禍가 滋甚함을 傳聞하고 마음깊이 뜻한바 있어 心腹의 人物인 松禾郡 鄭洸以下 五十餘名의 隊員을 領率하고 意氣軒昂하게 遠征의 壯途에 오르게 되었다。 이 遠征部隊가 遂安邑에 到着한 날은 때마침 그곳 장날이었다

數日前 鳳山郡正方山城으로부터 移動한 黨徒들 一團 約 二百名이 바로 前날 밤에 邑內에 侵入하여 郡衙를 襲擊하고 武器와 金品을 掠奪하며 郡守尹某와 座首를 逮捕한 後 갖은 酷刑을 肆行하고도 또한 不足하였는지 兩人을 馬背에 結縛한 後 市內를 廻示하며 空砲를 亂射하는等 蠻行을 敢行하므로 그들은 實로 半生半死의 危境에 臨迫하였든 것이다。 斥候로부터 이 急報를 받은 義士는 하늘이 마련하여 주신 千載一遇의 好機會를 잃어서는 아니된다 決心하고 士氣衝天하여 全隊員을 督勵하며 破竹一氣로 邑內에 突入하였다。

黨徒들이 集結한 郡衙와 指呼之間이 되는 北方高地에 攻擊據点을 布陣한 後 急霰과도 같이 猛射를 加하였다。 無人之境처럼 放心하고 暴虐을 恣行하든 黨徒들은 千萬意外에 山砲軍의 突襲을 當하여 將卒이 모다 蒼黃罔措하여 對抗할 餘裕도 없이 諸般軍裝備는 勿論 自己의 衣裳裝備品 마저 버리고 四散五裂 逃走하여 버렸다。 首魁 二、三名은 中丸負傷하여 뒤늦게 逃走하려는 것을 逮捕하여 海州監營으로 押送하고 黨徒들에게 雷同한 卒徒와 農民들은 將來를 嚴戒하고 所持한 銃器等을 沒收한 後 全員 歸鄕就農케 하였다。

九死一生의 危機一髮에서 救命된 尹郡守와 座首는 感激無比하여 눈물을 흘리며 再三再四 義士에게 뜨거운 感謝를 올리였다。

三一

146

其後 戰勢는 逆轉하여 伊川邑冲店村에서는 大部隊의 東學徒들에게 包圍를 當하여 一時 危險한 狀態에 빠져 二晝夜를 山谷에서 露營하였으나 義士의 奇略으로 黨徒의 重圍網을 突破하고 다시 優勢한 黨徒를 反攻擊破하여 多數의 捕虜와 鹵獲品을 얻는 大勝을 거두었으므로 同地駐居 天主敎佛人 姜神父는 義士의 武勇을 絶讚하여 犒軍用軍服과 酒菓를 贈送하였다는 美談은 아직도 當該地方 父老間에 傳하고 있다。

一四、 九月山營幕의 劇的會見

東學軍八峰包에는 金昌洙라는 當年 十八歲의 總角接長이 있었다。 그가 바로 後日 臨政首席인 白凡金九이다。 그는 獨特의 訓練을 받은 包軍部隊를 領率하고 東閃西忽 黃海道一帶에 出沒하며 官軍을 惱殺하여 山砲軍의 安重根과 같이 好一對의 神童隊長이라고 驍名을 날렸다 그는 相貌가 英秀하고 氣骨이 寧馨하여 赫々한 眼光은 一種 犯하기 어려운 것이 있었다 當時 政治의 腐敗를 極度로 痛歎한 金靑年은 湖南全琫準의 堂々한 聲明에 깊이 魅力을 받아 時弊를 醫救함에는 東學中心의 大衆運動 밖에는 方策이 없다고 生覺하였다。

그는 果敢히 黨의 頭領 元容日을 訪問하여 所信을 披瀝하고 指導를 請하였다。 元은 그 迫力찬 氣魄에 感動하여 即席에서 加黨을 快許하는 同時에 特別히 八峰包接長의 責任을 주었다。 總角接長의 令名이 높아지자 遠近 各地에서 그 傘下로 進叅하는 包軍이 續踵하여 未幾에 六百名의 部下를 擁有하게 되였다。 그는 檀君의 聖地로 由緖 깊은 唐莊京의 舊地 九月山 檀君窟幽谷을 包軍의 根據地로 奠하고 神出鬼沒한 行動을 展開하여 官軍部隊로 하여금 束手發歎케 하였다。 新任 黃海監司 趙熙一은 再三 密使를 派하여 온갖 好餌甘說로 懷柔와 脅喝을 試하였으나 그는 一笑不動할 뿐이므로 監司는 百計窮策하였다。 이때에 山砲軍隊長 安重根은 自身이 挺身馳叅하여 包軍接長 金青年과 親히 促膝談判을 行하기로 決心하고 金青年을 九月山窟營으로 訪問하여 勇敢率直한 態度로 胸襟을 披瀝하여 來意를 通하였다。 金도 安의 意氣에 感動되어 即席에서 清溪山莊으로 安進士를 進訪키로 快諾하였다。 安의 九月山行이나 金의 清溪莊訪問이 當時의 情勢로는 모두 冒險的 行動으로 오늘날 國軍將校가 單身으로 平壤을 訪問한다는 것과 다름이 없는 일이다。 一片靈犀가 서로 通하는 사이가 아니고서는 어찌 實行할 수가 있으리오 安進士는 金青年을 引見하고 大義名分과 順逆得失을 드려 慈父가 愛子를 誨諭함과 같이 諄々히 情理를 諭示하였다。 金青年은 豁然大悟하고 斷

然히 無益한 抗戰을 清算하고 大義의 旗幟下에 趨叅하기를 發誓하였다。 爾來 安·金 兩人은 無二의 極交가 되어 光復大業에 獻身하게 되었다。

日本의 朝野는 對韓侵略 政策에 虎視耽々하던 때이다。 하루는 金青年이 大同江岸鵄河浦地方을 旅行中 行色이 怪異한 日人二名이 徘徊함을 보고 그 行裝을 搜索한즉 地方地圖와 秘密文書가 發見되었다。 다시 그 文書를 調査한즉 意外에도 閔妃弑害의 下手人의 一名인 日兵中尉 土田讓亮임을 發見하였다。 金青年은 義憤이 爆發하여 即時에 그中 一名을 打殺하고 나머지 一名을 屠戮코자 한즉 그者는 平壤方面으로 逃走하였다。 事件이 惡化되어 金青年은 日官憲에 逮捕되어 當時의 最高審인 平理院公判에 廻付되어 死刑宣告를 받았다。 그는 行刑前夜에 高宗皇帝의 秘命으로 執行을 延期하고 仁川監獄에서 待期中 金青年은 그 慈堂의 舐愛로 脫獄의 機會를 얻었다。 一時 全羅地方으로 避하여 托鉢行脚의 乞僧生活을 하다가 다시 歸鄕하여 育英事業에 全精力을 傾注하기 數年 마침내 韓室의 社稷이 顚覆되고 日將 寺內가 韓國半島에 侵駐함을 보고 同志安明根(義士의 從弟) 韓淳稷 韓載鎬等으로 더부러 이를 誅除할 計劃을 推進中 事前에 脫露되어 또다시 囹圄生活을 하다가 海外로 脫出하여 民族陣營의 巨星으로서 祖國光復을 爲하여 血鬪하였음을 아는者는 모두 알고 있는 事實이다。

一五、 道內의 平復과 山砲軍의 解散

暴威를 다하여 道內를 戰慄케 하든 東學黨의 亂도 淸溪洞山砲軍의 必殺的 砲擊에는 對抗할 施策이 끊어져 黃海道 全域이 平定되었다。 一八九五年 九月末 六百名의 山砲軍部隊는 過去 一年有餘의 偉大한 功績을 남기고 解散키로 되어 淸溪洞 本部에서 그 解散式을 擧行하였다。 安泰勳總司令의 눈물겨운 謝辭와 黃海監司代理 및 隣近守令들의 感祝辭가 있은 後 特釀特選의 酒肉으로 六百名의 全隊員을 犒慰하였다。 一同은 感極揮淚하며 後日 國家有事之秋에는 언제든지 命令一下에 다시 獻身하겠다는 굳은 誓約을 하고 그들 山砲軍은 一應解散하였다。

一六、 魚大臣의 貯穀供用問題 緊迫化

安泰勳進士는 一八九六年 丙申四月에 黨亂討平과 砲軍部隊 解散의 經過를 中央에 報告하기 爲하여 上京하였다。 먼저 親交가 깊은 判書 金宗漢을 그 私邸로 訪問하고 經過를 報告한

三五

150

측 金判書는 安進士의 殊勳을 激賞하며 酒宴으로 鄭重히 待遇하였다。 翌日에 다시 海西巡撫使로 討撫業務의 直接 責任者인 度支大臣 魚允中을 訪問하고 地方召募官으로서의 經過報告를 하였더니 意外에도 一言의 致辭도 없을뿐 아니라 自家秋收穀인 載寧租 三百石의 辦納을 要求하였다。 安進士는 그 貯穀의 太半이 旣히 東學徒들의 消費한바 되었고 殘餘 在庫穀은 山砲軍의 軍糧等으로 供用된 事情을 委曲히 陳述하여 그의 諒解를 求하였으나 魚大臣은 頑强히 이를 拒絶하므로 그대로 退歸하였더니 魚大臣은 自己의 權勢를 逆用하여 安泰勳一族이 不軌의 異圖를 품었다고 高宗皇帝에게 密奏하여 이를 逮捕코자 武裝한 訓練隊兵 十二名을 同年 六月二十四日에 淸溪洞으로 急派하였다。 金宗漢判書는 이 事實을 傳聞하고 大驚失色하여 親友인 魚大臣을 訪問하고 事理不當한 處事임을 力說納得케하여 派送隊兵을 慕華舘附近에서 呼還하였다。 風雲이 將急한 超重大事態를 危機寸前에서 阻止한 것은 오직 金宗漢判書의 義俠的 周旋의 힘이라 하겠다。

一七、 丁鎭祥의 「上宰相書」와 安進士의 天主教歸依

安泰勳進士는 滯京時에 友人 李悆奉의 紹介로 「上宰相書」라는 小冊子를 入手翻讀하였다。

이 冊子는 李朝의 碩學 茶山 丁若鏞의 親侄인 夏祥이 一八三九年 天主敎徒大迫害 當時 獄中에서 執筆한 閣臣宰相에게 보낸 一種의 陳情文같은 記述이다。

夏祥은 京畿道楊根出身으로 代々名儒의 後裔이다。 父親若鍾 叔父若鏞 季父若銓이 모두 天主敎篤信者로서 流配逮囚等 無數한 迫害를 받으면서도 마침내 敎義를 背棄치 아니하고 全家가 熱烈한 信仰을 維持하였다。 夏祥은 天性이 溫厚純潔하였으며 學德의 敎養이 깊어 一般의 聲譽가 蔚然하였다。 宣敎師의 招聘과 敎籍의 輸入을 爲하여 當時 至嚴한 國禁을 무릅쓰고 變裝徒步로 北京密行이 勿驚前後 七回에 亘하였다。 마침내 官憲에 逮捕되어 長期投獄中에 要路宰相에게 보내기 爲하여 執筆한 一文이 바로 이 『上宰相書』인 것이다。 其冒頭一節에 『伏以孟氏之攘闢楊墨者恐其肆害於儒門也韓愈之攻斥佛老者恐其惑亂於黔首也古之君子立法設禁必考其義理之如何爲害之如何然後當禁者禁之不當禁者不禁云々』하였으니 그 論旨가 凱切하고 文章이 또한 雄渾하여 一覽에 令人推服할만한 迫力을 含蓄한 一代의 名作이다。 當時立朝大官中에도 그 至當한 理論에 感動되어 彈壓緩和를 主張한 者도 있어서 結局 誅戮의 刑禍를 免하고 赦免의 恩典을 얻은 것도 이 偉大한 文章의 힘이라 할 것이다。 聰明한 儒者安進士는 이 冊子를 再讀三讀하는 동안에 好奇的興味는 一步 前進하여 信仰의 發心이 되었다。 다시 『天

三八

主實義」「七克」「聖敎受難事蹟」等의 敎籍을 求得하여 敎理硏究에 精進하게 되였다。 그가 鍾峴聖堂에서 처음으로 相從한것이 洪神父인데 同神父는 佛國 알싸쓰出身의 獨逸生 佛人으로 巴里聖바우로大學에서 神學과 史學을 專攻한 在韓宣敎師中의 가장 異彩있는 人物이다。 그리고 그의 本國에 있는 父親은 有力한 海運業者로 鉅億의 資產家라고 한다。 洪神父는 이 新求道者를 爲하여 慇懃한 應對를 하며 公敎의 要理뿐 아니라 燦然한 泰西文化의 現狀과 世界의 大勢를 縷縷詳明하게 說示하였다。 이에 安進士는 孔孟의 儒學外에는 모두 異端視하고 東洋禮儀의 나라 外에는 모두가 夷狄이라고 自斷하는 孤陋한 管見을 버리고 世界的 新文化輸入의 媒介가 되는 天主敎徒의 一員으로서 正式洗禮를 받고 『베두루』라는 敎名을 얻었다。 安進士는 入敎의 紹介者인 李叅奉을 同伴하고 鄕里 信川郡斗羅面淸溪洞에 돌아와 獨力으로 聖堂을 建築하고 佛國人 主敎閔德孝師에 懇請하여 洪神父를 淸溪洞敎會의 主任神父로 請聘移駐케 하였다。 洪神父는 淸溪洞聖堂으로 赴任後 重根 및 그의 從兄弟間인 安明根과 合力하여 私立進明學校 (後海星學校로 改稱)를 創設 經營에 注力하여 本務인 宣敎事業以外에 育英啓蒙運動에도 莫大한 貢獻을 하였다。

153

一八、 萬人契出 問題로 버러진 慘劇을 奇智로 阻止

一九八四年 여름 安氏一家의 主催로 信川邑에서 萬人契를 設行하였다。 抽籤의 方法으로 一等壯元 一萬五千兩을 筆頭로 以下數等級의 當籤金을 交付하는 것이다。 主催者以下 關係者들은 抽籤臺上에 올라 成規의 方法대로 抽籤을 執行한 것이 抽籤器의 어떠한 故障으로 一等札이 二個가 同時 出甬되었으므로 이를 取消하고 再抽籤할 것을 宣言하였다。 群衆中에서 抽籤方法에 弄奸挾雜이 있다하여 主催者를 때려 죽이라고 怒號하매 興奮한 數萬의 群衆들은 事理를 不問하고 附和雷同하여 鐵拳이 亂舞하며 風雲이 甚急하였다。 借力王이란 別名을 가진 松禾壯士 許永泰가 이를 制止코저 한즉 群衆은 더욱 興奮하여 永泰는 瞬息間에 그들의 鐵拳下에 昏倒되고 말았다。 옆에서 이 光景을 보던 安義士는 大膽하게 壇上에 올라서며 주먹으로 卓子를 두드리고 『萬一 出甬方法에 弄奸이 있다면 이 銃으로 自殺을 할터이니 暫間만 기다리라』고 銃을 보이며 唐突하게 一唱하였다。 물 끓듯 하던 數萬의 群衆은 奇異하게도 平靜하였다。 義士는 代表者數名을 壇上에 불러 올리고 抽籤의 方法과 構造를 徹底하게 說示한 後 代表者로 하여금 群衆을 向하여 다시 說明케 하였더니 그처럼 激憤하였

群衆들도 이를 諒解하고 無事히 抽籤을 進行하였다는 豪壯한 男性的 逸話가 있다。

一九、傲慢無雙한 淸醫 曲主簿에게 頂門 一針

安岳邑內에 通稱曲主簿라는 淸人漢方醫가 있었다。 當時는 淸將袁世凱가 서울에 駐屯하여 國士를 號令하던 때이다。 따라서 淸人들의 對韓人態度는 傲慢不遜하기 짝이 없던 것이다。 安進士는 宿患의 再發로 曲醫의 診察을 請하려 安岳의 曲家를 往訪하였다。 曲의 態度가 너무도 傍若無人하므로 그 不親切함을 指摘하였더니 曲은 도리어 無禮한 辱說을 하고 診察을 拒絶하였다。 虛行한 父親으로부터 이 말을 들은 義士는 크게 憤慨하여 疾驅하여 曲家門前에 다다르자 騎馬한 그대로 曲을 불러서 나오자마자 가[illegible]던 長銃을 내대며 『無禮한 되놈을 죽여버린다』고 大聲一喝하니 曲은 그자리에 俯伏하여 謝罪하므로 이를 容恕하였다。 事件은 淸領事로부터 抗議를 提出하여 一時 國際問題化 되었으나 그後 부터 地方在留淸國人들의 態度는 顯著히 改善되었다。

二〇、 長淵富豪金泰革家와의 確執

長淵郡屈指의 富豪이며 多年間 同郡鄕長으로 一郡을 號令하던 金泰革은 平素自身의 富力과 權勢를 恣恃하고 專橫이 無雙하였다。 金은 鄕長의 他位를 奇貨로 隱結、虛結을 濫發하여 郡民에게 誅求를 恣行코저 하였다。 安義士는 長淵郡下에 居住하는 親戚이나 小作人들에게 對하여 이런 無理한 苛歛誅求에는 一切服從할 必要가 없다는 것을 說明하였더니 金鄕長은 安家小作人 某를 公納不應한다는 理由로 이를 投獄하였다。 義士는 憤慨하여 自身이 長淵邑에 直接 出馬하여 金을 會見하고 그 無理不當을 指摘하여 卽時로 釋放할 것을 嚴談하였으나 金은 그 要求를 一蹴不應할뿐 아니라 『이 乳臭兒가 무슨 僭越된 言辭를 하느냐』하고 侮辱을 加하므로 大怒한 義士는 後患을 不顧하고 金을 捕縛하여 馬尾에 結付하고 淸溪洞까지 一氣에 拉致하였다。 이 지나친 勇猛이 問題化되어 安・金兩門의 一大 確執事件으로 까지 發展되었다。 이로 因한 訴訟事件은 平理院最高審까지 올라가 數年間 其歸趨가 世上에 큰 注目거리가 되었다。 이는 過勇이 가져온 千慮의 一失이라고 할만 한 古代의 武勇傳의 一節을 그대로 實演한 것이라 하겠다。

二一、 惠民穀制와 尹監司의 逆鱗

新任黃海監司 尹德榮은 到任後 첫 政事로 惠民穀制度의 實施에 着眼하였다。 이 制度란 것은 그字義와 같이 秋收期에 民穀을 蒐集入庫하였다가 窮春期貧民에게 惠賑하는 制度인데 表面의 目的과 名目은 좋았으나 名實이 相反되어 貪官汚吏의 한 搾取方法으로 內容이 變質되었던 것이다。 清溪洞 安門一族에서는 이 制度의 民弊가 至大함을 列擧하여 監司의 施政策을 極力反對하였다。 尹監司는 王室의 外戚으로 地方의 一土班에 不過하는 安門一族이 그 眼中에 있을 理가 없다。 그러나 東學亂討平의 特別한 功勞等을 生覺하여 腹心의 部下 監營主事 安致三을 清溪洞으로 派遣하여 諒解를 求하였다。 安進士父子는 安致三의 說明에는 傾耳치 아니하고 惠民穀制度의 弊害와 그 動機의 不純等을 指摘하여 이를 痛罵하고 安致三을 面迫하여 보냈다。 監司는 憤慨하여 捕吏를 불러 安門一族을 逮捕하라고 嚴命하였다。 五名의 捕卒이 信川清溪洞으로 急赴하여 安門一族의 家宅을 搜索하고 安進士父子를 逮捕코자 하였으나 山砲軍의 殘留部隊 十餘名이 實力으로 對抗하여 이를 容許치 아니 하였으므로 捕卒들은 하염없이 退歸하였다。

二三、安進士의 咸從避難과 詩文風流의 半歲

當面한 敵手 尹德榮은 權門의 巨頭이오 一方前年 魚度相과의 倉庫穀發用問題도 懸案中에 있어서 安門一族은 一難去 一難來의 受難期에 當面하였다。 雪上加霜으로 安進士는 宿痾인 神經痛으로 醫師로부터 轉地療養의 勸告를 받았다。 安進士는 從來生死를 같이하던 同志 韓在鎬를 찾아 南浦港을 訪問하고 韓在鎬 李在杰 李喜潭等의 舊友들과 療痾의 適地를 相議한 結果 咸從邑外桂洞에서 有力한 敎友 郭廷學邸를 選擇하게 되었다。 郭氏는 咸從邑에서의 一流名門이며 食客이 盈門한 大家이었다。 朴俊八의 同伴으로 馬背에 托身하고 三和邑을 지나 八十里 路程인 咸從邑外桂洞의 郭氏舍廊에 到着하여 旅裝을 풀었다。

主翁郭氏는 失意의客安進士를 가장 慇懃하게 맞이하여 食供과 寢宿에 온갖 友誼를 極盡히 하였다。

咸從邑은 東으로 鷹岩嶺을 등지고 西距十里許에 鳳凰浦의 舟泊地를 鄰接하여 그밖은 茫茫한 大黃海에 臨面하여 甘栗과 米鰕로 有名한 西海岸의 一小邑이다。

魚氏 및 郭氏가 世居의 豪族인데 李朝의 戚臣으로 一時 國政을 料理하던 魚有鑑도 이곳

出身이오 軍用殺事件으로 安進士의 當面한 敵手格인 魚允中度支大臣도 其先이 咸從임은 一奇緣이라 하겠다。 海陬의 小邑으로서는 比較的 名流人物이 多出한 곳이다。

安進士는 文武가 兼全한 豪快한 人物이다。 一發必中하는 銃弓의 至藝는 말할것도 없거니와 詩人으로서도 黃海道內에서 三飛八走라는 十一大家中 飛의 一人이다。

安進士의 人格에 欽服되어 遠近 各地로부터 來叩하는 文人墨客은 一々히 列擧할 수 없었다。 主人郭翁과 隣洞崖峴敎會의 會長인 裵鉉舒翁은 모두 當代의 李白으로 自處하는 詩酒의 大豪이다。 每週 日曜日에는 敎會의 儀式이 끝나면 이들 詩文客들은 安進士를 中心으로 性理의 講究와 詩酒詠酌으로 자못 餘念이 없었다。 그들은 一盃를 기우리며 一句를 읊어 이른바 吟風詠月의 淸閑한 日月을 보내기 무릇 半歲를 보낸 後 安進士는 風流의 桂洞生活을 마치고 故里淸溪洞으로 돌아갔다。

二三、 祖國光復의 大志품고 第一次亡命길 上海로!

우리 國權掠奪을 虎視耽々 노리던 倭魁 伊藤博文의 侵略的 魔手는 마침내 明成皇后의 謀

弑等으로 積極的 行動으로 露骨化하였다。 一九〇五年 芳年 二十七歲의 安重根義士는 洪神父를 從容히 訪問하고 國權伸長을 爲하여서는 侵略의 倭魁伊藤博文을 비롯하여 長谷川好道等 몇々 魁首를 屠戮치 않으면 아니되겠다 하고 暗々히 胸中깊이 품고있던 救國의 決意를 表示하였다。 洪神父는 敎理의 許諾치 못할것을 力說하며 自重할 것을 要求하였기 때문에 一場의 激論을 演出하였다。 硬骨一徹의 激情家인 그는 激昻한 나머지 卓上에 놓인 玉硯을 들어 卓面을 두드렸다。 玉硯은 세쪼각이 되고 말았다。 洪神父는 溫容으로 慰諭하며 다른 正常的 方法으로 祖國을 爲하여 健鬪하라고 激勵하고 굳은 握手로 相別하였다。

洪神父는 그 玉硯의 破片을 還國後까지 記念品으로 珍藏中 後年 安鳳根이(義士從弟) 獨逸留學時 佛國으로 洪神父를 訪問하였더니 結着한 破硯을 내보이며 三十年前의 追憶談으로 感懷 깊은 數時間을 보냈었다는 逸話가 있다。

隣邦淸國이 所謂 馬關條約에 依하여 日本에게 强割되었든 遼東半島를 三國干涉의 힘으로 無難히 收復한 事實을 想起할때 마다 救國一念에 불타는 義士는 다음과 같은 聯想을 거듭하였다。

『우리 祖國의 國權을 光復伸長하는 方法도 이들 第三國의 뜨거운 同情과 協援을 얻지아

니하면 안될 것이다。 天主敎의 有力한 外國人宣敎師를 通하여 國內情勢의 緊迫한 事態를 急速히 그들의 本國政府에 傳達하여 外交的 援助를 發動케 하는것이 무엇보다도 가장 有効한 方法이 되리라』고 着想하여 그 實踐의 第一步로 東洋의 第一國際都市인 淸國上海로 渡航하였다。 그는 蓄髮韓服하고 佛租界內某大호텔에 投宿하였으나 言語의 不通으로 困澁한 境遇가 많았다 한다。

天主敎聖堂으로 佛國人大主敎를 訪問하고 筆墨으로 來意를 通하던中 意外에도 載寧駐在佛人郭神父와 相逢하여 同神父의 通譯으로 國情의 不安과 日本의 侵略狀況을 委曲히 陳述하고 同情있는 斡旋을 懇請하였다。 主敎는 安義士의 救國熱意에 깊이 感動되어 가장 親切히 應對하며『天은 自助者를 助한다』는 格言을 引例하여 速히 還國하여 敎育과 遊說로 民族啓蒙과 實力培養에 盡力하라고 諄々然勸告하였다。 主敎는 特別히 滯在旅費를 惠助하며 郭神父와 同伴歸國을 勸하였으므로 義士는 結局豫期하였던 別다른 아무런 成果도 얻지 못하고 芝罘、牛莊을 經由하여 三朔만에 歸國하였다。

二四、 安進士의 載寧客逝와 盛大한 返葬儀式

安泰勳進士는 一九〇五年 가을 長男重根이 上海로 떠난 直後 載寧郡新換浦 重根夫人親庭인 金能權宅에서 宿痾의 再發로 因하여 마침내 不歸의 客이 되었다。 그 遺骸는 淸溪洞으로 返葬하였는데 信川、載寧의 佛人宣敎師外 山砲軍關係의 舊同志等을 비롯하여 數千의 會葬者가 있어 地方에서는 보기드문 盛葬이었다。

二五、國債報償運動과 裝身具獻納

日本의 對韓侵略의 陰性手段인 國債政策에 起因한 數次의 賠償金과 借款金等으로 政府는 莫大한 債權을 負擔하고 있었다。 具眼達識의 愛國者들은 國債亡國論을 高唱하며 國債報償會를 組織하고 國民의 淨財를 鳩合하여 償債資源에 充當하자는 大々的 國民運動을 展開하였다

義士는 上海에서 還國한後 償債運動의 必要性을 痛感하고 在大邱國債報償會本部 徐相敦會長에게 自請하여 關西支部를 開設하고 自身支部長이 되었다。 하루는 夫人金氏에게 國債報償의 趣旨를 說明하고 家族全部의 裝身具一切을 獻納할 것을 要求하였다。 夫人은 躊躇함이 없이 金銀指環、비녀、月子等 自身의 裝身具全部를 提供하고 母堂과 弟嫂들 分만은 다시 本人들과

相議할 것을 提議하므로 義士는『國事는 公이오 家事는 私이다。 支部長인 우리 家庭이 率先示範치 아니하고 他를 指導할 수 없다。』하여 全家族分을 沒數히 獻納케 하였다。 이 消息이 傳播됨에 一般은 크게 感動되어 各家庭이 爭先願納하는 愛國美擧가 各處에 展開되었다。

二六、償債運動을 冷罵한 倭漢을 打伏

平壤에서 償債報國의 大演說會가 있었다。 그 席上에서 群衆에 섞였던 倭人一名이 『너희들이 무슨 꿈을 꾸느냐』하고 冷笑하는 暴言을 發하였다。 司會者의 一人인 安義士는 憤氣絶頂에 達하여 그 者를 即席에서 打伏하여 瀕死의 重傷을 加하였다。 日官憲은 刑事를 動員하여 逮捕코저 하였다。 義士는 南浦로 避身한後 熟面인 日人銃砲商 相內鎭吉家에 火藥을 購入하려 갔더니 俠男 相內는 미리 平壤에서 發生한 事件을 알고서 『여기서는 身邊이 危險하니 斷髮을 하라』고 勸하여 相內의 손으로 처음으로 斷髮을 하였다는 것은 속임 없는 事實談이다。

二七、 敦義學校長就任과 南浦移住

南浦敎會의 主任宣敎師 佛人方神父는 身病으로 南浦를 떠나게 되었다。 그가 經營하던 敦義學校는 一定한 基本財產도 없고 經營費의 援助를 받을만한 協力者도 없이 方神父個人 經營이나 다름이 없는 形便이었다。 後任으로 온 佛人申崇謙神父는 三十未滿의 青年이였으나 敎育事業에는 別로 熱意를 갖지못한 便이었다。 經營의 主人公을 喪失한 學校의 運命은 解體의 危機에 逢着하였다。

安義士는 이를 引受하여 獨力으로라도 維持經營할 決心을 가지고 其意思를 申神父以下 學校關係者들에게 表明하였다。 學校의 運命을 憂慮하던 關係者와 學父兄들은 義士의 快擧에 歡喜와 感謝를 禁치 못하는 同時에 急速히 實現되기를 要望하였다。

그는 敦義學校長就任과 同時에 擧家가 南浦로 移住할 것을 決定하고 먼저 龍井里聖堂構內에 住宅一棟을 買收하였으나 二十名가까운 大家族의 收容은 困難하므로 住宅前空地를 利用하여 木造平家一棟을 增築한後 全家族이 移居하였다。

그는 校長就任即時로 經營訓育의 方針을 一新하여 校舍를 增築하며 敎師를 增員하고 生徒

를 增募하여 學校面目을 새롭게 하였다。
敎練에는 木銃과 나팔、북을 使用하여 純軍隊式訓練을 實施하였다。
翌 一九〇六年 가을 南浦에서 平南北・黃海三道의 公私立學校聯合大運動會가 開催되어 六十餘個校의 生徒 約五千名이 一場에 集合하여 學科・術科等의 聯合競技가 展開되었는데 이때에 敦義學校가 斷然第一位의 壓倒的 成績을 獲得한것은 오직 義士의 熱烈한 敎育熱의 結實 그대로의 發顯이었다。

二八、頑悖한 倭職工을 膺懲

一九〇五年 敦義學校長職을 受任後 移住次 南浦龍井里 天主敎堂構內에 住宅增築工事를 施工當時에 工事의 大部分은 邦人業者에게 맡겼으나 鐵板蓋覆工事만은 熔接技術關係로 日人職工을 使用키로 하였더니 該 日人職工은 約束대로 工事를 하지 않으므로 다른 工事進行에도 障碍가 많았다。 不得已 平壤에서 邦人職工을 招請하였더니 日人職工은 이를 理由로 工人들에게 亂暴한 行動을 하여 工事進行을 妨害하려 하므로 安義士는 그者를 鐵拳으로 制裁하여 惡德

行爲를 膺懲하였다。

二九、安島山의 大獅子吼와 日官憲의 暴壓

一九〇六年 南浦紳商會社에서는 當時 美國으로부터 還國한 島山安昌浩先生을 마지하여 世界情勢에 關한 一大講演會가 開催되였다。

平素 그의 人格과 雄辯에 欽仰하던 南浦港民들은 開會前부터 殺到하여 會場內外는 立錐의餘地가 없이 超滿員을 이루었다。島山은 主催者인 紳商會社長元容德의 紹介로 壇上에 오르자萬雷와 같은 會衆의 拍手喝采는 暫時間 發言을 不許하였다。

當日의 演題는『促二千萬同胞之奮起』이었다。島山은 侵略政策의 巨頭 伊藤博文이 韓國侵略의 致命劑인 五條約을 成案하여 韓圭卨內閣에 提示하며 調印을 强要함에 韓參政以下 閣臣들은 唐慌失色하여 晝夜閣議만을 重復할뿐 確答을 못하였다。伊藤은 威嚇手段으로 武裝한 日兵을 要所에 配置한後 長谷川好道大將과 小山憲兵司令官을 帶同하고 夜半에 慶運宮에 侵入하여 御前會議中의 元老大臣들을 脅迫하며 韓參政의 退席을 强制로 抑留하는等 온갖 暴壓으로

締結된 所謂五條約調印까지의 事實을 一々히 白日下에 暴露시키고 다시 말을이어 이 强制威脅으로 調印된 侵略條約이 發表되자 閔泳煥、趙秉世、李相卨、李漢應、尹斗炳、洪萬植、宋秉濬等의 愛國烈士들이 接踵하여 或은 仰藥、或은 割腹等으로 壯烈히 自決한 顚末을 暴露하고 다시 伊藤은 韓國統監이라는 職名으로 來韓하여 皇上을 威脅하여 宮中警察權을 强奪하고 恣意로 親日派賣國內閣을 組織하여 國權의 完全剝奪을 圖謀하고 있다는 事實을 白日下에 喝破하였고 繼續하여 『興韓亡韓이 正在今日하니 우리 二千萬兄弟姉妹는 猛省一番하여 今日 今時로 奮起하지 않이하면 國家社稷의 運命은 朝夕에 있다 云々』 滔滔數千言의 熱辯을 叫吼함에 滿場의 男女老少는 感極無比하여 欷歔하는 劇景을 展開하였다。

剛腹不動하기 鐵石과 같은 安義士도 島山先生의 言々吐火하는 大熱辯에 感奮되어 誓死復仇의 굳은 決意를 鞏固히 하였다。

午前에 開催되었던 第一回 講演은 南浦開港以來 未曾有의 大盛況으로 終了하였고 午後에도 繼續하여 다시 第二次 講演會를 열게 되었다。

이번에는 場所를 龍井里所在 五星學校校庭으로 變更하여 殺到하는 聽衆을 可能限 한사람이라도 더 많이 收容하려고 하였다。

島山先生은 演題를 『在海外同胞의 現情과 內地父老의 覺悟』라는 平凡한 題目으로 돌였다 먼저 北美本土、布哇地方에 在留하는 韓僑들의 現狀을 報告한後 內地父老諸氏의 發奮을 促求한다는 意味로 發言을 繼續하는 途端에 臨席하였던 倭警은 突然히 發言을 中止시키고 聽衆의 解散을 命하였다。 數萬의 聽衆들은 意外의 解散命令에 激昂하여 解散理由를 指摘하라고 質問이 續發하여 混亂狀態에 들어갔다。 倭警은 許可한 場所를 任意變更한것이 不法集會라는 理由로 即時 解散할 것을 主催者側에게 再次 命令하였으나 聽衆들은 喧々嘵々 抗議와 質問만을 續發하므로 倭警은 拔劍하여 群衆을 强制解散 逐出하였다。

主催者들은 理事廳에 同行되어 治安妨害、不法集會等의 名目으로 威脅的 訊問을 當하였다。結局 理事官秋本豊之進에게 直接 談判을 하여 今後로는 注意하라는 一言으로 無事히 結末되었으나 一般의 激昂은 絶頂에 達하였던 것이다。 安義士에게 哈市擧義의 굳은 決意를 하게 한 큰 動機는 實로 이때에 胚胎된 것이라 할 수 있다。

三〇、 晩餐同卓의 失約에 固執의 抗議!

島山先生이 南浦滯在時에 發生한 넌센스의 一幕이있다。 來南當日 一行의 晩餐은 安義士宅

에서 接待하기로 先約이 되었던 것이다。 主催者의 失念으로 島山一行은 後浦里某氏宅의 招請을 받아 演說會場에서 後浦里로 直行하였다。 安義士宅에서는 食卓萬端의 準備를 完了하고 來賓一行의 到着을 기다리고 있었으나 約束한 時間이 經過하도록 아무 消息이 없으므로 異常히 生覺하여 事情을 알아본즉 一行은 後浦里某氏宅에 招請되었다는 事實이 判明되었다。 安義士는 烈火같이 發怒하여 酒宴이 方濃한 某氏宅을 急訪하여 單刀直入的으로 辛竦한 抗議를 暴注하며 起席을 催促하므로 一行은 食事半途에 安義士宅으로 同伴되어 二次晩餐會를 接待받았다는 事實은 當時의 有名한 話題꺼리었다。

三一、 飼犬의 咬兒에 얽킨 人情美談

安義士는 守家와 銃獵을 爲하여 大概 二、三頭의 飼犬을 두는것이 常例이었다。 하루는 鄰家의 兒童이 飼犬을 戱弄하다가 脚部에 咬裂傷을 받았다。 義士는 自身이 親히 二、三次나 그 兒童의 家庭을 訪問하고 懇曲한 慰問을 하였다。 微傷한 兒孩를 病院에 入院시켜 傷部가 快復된 後에도 旬日을 지나서 退院케 하였다。 그 父兄이 固辭하는 것을 金品을

厚贈하여 慰藉의 誠意를 表하여 一般을 感激케 하였다。」

三二、高監理의 斷酒動機

一九〇六年 여름 敎義學校附設 英語講習會의 修了式이 있었다。 監理高永喆은 修了式에 參席하여 祝辭를 할約束이었다。 定刻이 지나도록 監理는 臨席치 않으므로 疑訝하여 事情을 알아 본즉 때마침 休日이었으므로 監理는 約束을 忘却하고 友人들과 某料亭에서 酒宴이 배푸러져서 醉興이 陶々하였다。 監理가 臨席치 않은채 修了式은 그대로 進行하였으나 安義士는 翌日에 高監理를 訪問하고 前日의 失約을 嚴責하였다。 高監理는 自身의 無信을 衷心으로 謝過한後 이를 契機로 一生斷酒를 決行하였다。

三三、橫暴한倭商輩에게 痛棒一幕

一九〇六年 故鄕인 黃海道地方에서 安義士를 來訪한 知人 몇 사람이 南浦日人雜貨商인 鬼頭商店에서 洋仐外數点을 購買하여 義士宅에 도라온 後에 비로소 洋仐에 破孔이 있음을 發

五五

見하고 換品하여 줄것을 要求하였더니 店員은 이를 拒否하였으므로 서로 是非끝에 辱만 受하고 도라왔다。 安義士는 이말을 듣고 憤慨하여 店主鬼頭에게 嚴重한 抗辯을 하였더니 鬼頭는 도리어 『野蠻人들의 所行이라 云々』의 暴慢無禮한 言辭를 發하므로 이에 激怒한 安義士는 그者를 所持하였던 短棒으로 猛打하여 流血이 浪藉하였다。 一行은 日警에 끌려가서 百方으로 威嚇을 當하였으나 謝罪의 要求를 一蹴拒否하였다。

그뿐만 아니라 理路一貫하게 鬼頭의 商道義에 背違된 行爲임을 指摘抗議한 結果 破옷은 代品으로 交換키로 하고 事態는 無事히 解決되었다。

三四、 祖國臨發의 告別人事와 一言千鈞의 慈堂訓告

一九〇七年 統監伊藤博文의 韓國侵略의 魔手는 縱橫無比하여 暴壓政策은 尤甚하여 졌다。 安義士는 이러한 國家危急之秋를 當하여 가슴깊이 重大決意한 바 있어 國權回復의 自由活躍의 新天地를 擇하여 國際港인 海參威로 亡命脫出할 것을 決定하였다。

勿論心身을 바쳐 訓育事業에 從事하였던 敦義學校長의 職도 自然辭任하게 되어 하루는 全

校職員과 生徒를 校庭에 集合케하고 『斧鉞當前臨亡必踐、鼎鑊在後見義必往』이라는 題下에 意味深長한 告別辭를 남기고 學校運營問題는 任安當・李在杰 兩氏에게 任託하고 訣別하였다。

그는 最後臨別에 老慈堂前에 俯伏하여 不孝의 謝罪를 올렸다。 慈堂은 『家事는 生覺지말고 最後까지 男兒다웁게 싸우라』하고 一言千鈞의 激勵를 주었다。 그는 慈堂의 簡單한 訓戒에 百萬의 援兵을 얻은것과 같이 勇氣百倍하여 祖國을 떠나갈 수 있었다。 이 老慈堂이 나리운 訓戒는 出國後 그의 一擧手、一動足에 큰 推進力이 되었다는 것은 그의 獄中述懷記로 證明되고도 남은바 있다。

三五、 光復倡義의 策源地 海蔘威로 드디어 亡命!

愛國愛族의 鐵石같은 信念은 마침내 海外亡命의 길을 擇하게 되어 一布一杖의 輕裝으로 陸路元山으로 들어가 船便을 기다리고 있었다。 侵略者 日本의 勢力은 旣히 陸海交通輸送方面에까지 侵透되어 露領方面旅路에 對하여는 日本官憲의 警戒가 더욱 嚴重하였다。 前番 一九〇五年 上海渡航時에 쓰라린 苦難을 體驗한바 있으므로 安義士는 萬一의 失敗가 없도록

周到綿密한 計劃下에 沿岸寄航의 小型船舶을 擇하지 않고 露籍韓僑崔鳳俊經營의 俊昌號에 便乘하기로 하였다。 同船舶은 海參威로 向한 途中 城津、淸津의 兩地寄港은 있으나 同船事務長 朴應相은 남다른 氣槪와 義俠을 갖은 愛國靑年으로 同族의 亡命者密船에 많은 貢獻을 한바 있었다。 그런 關係로 義士는 海參威亡命에 特別히 同船을 選擇하였다。 航海三日만에 淸津에 到着하였다。 寄航中 不幸히도 日本臨檢警官에게 密航事實이 發覺되어 下船하게 되었다。 倭警에게 여러가지 까다로운 調査를 當한 然後 釋放된 몸이 되었으나 亡命救國의 一片丹心은 變함이 없었다。 密航亡命이 失敗하자 이번에는 陸路로 會寧을 經由하여 鍾城郡上三峰으로 豆滿江을 건너서 間島和龍縣地坊曲에 到着하였다。 龍井村局子街를 經由하여 目的地인 海參威에 得達하기 까지에는 實로 一個月餘의 苦難의 結晶이었다。 舊知인 新韓村李致權宅에 旅裝을 풀고 얼마동안은 各國人士를 訪問하여 內外情勢의 探知硏究等으로 日課를 보냈다。 이리하여 往來交遊하게된 人物로는 同地發行唯一의 韓字紙인 大同共報의 社長俞鎭律、同紙主筆 李剛氏를 비롯하여 尹能孝、金成武、郭在實、禹德淳、金萬植、民長楊成春、金致甫、金學萬、車錫甫 崔鳳俊、宋成春等 諸氏이었다。

그때 露領居住韓僑를 大別하면 對日武力派와 自重派의 兩派로 分類할 수 있었다。 武力派의

主要人物로는 前駐露佛公使李範晋、李緯鍾의 父子와 李範允、徐一、金斗星等인데 在內外各地義兵의 巨頭 關北의 金佐鎭、吳東振、洪範圖、李康英、許蔿、李奕錫、李運瓚、李鎭龍、田乙龍、柳相敦、蔡應彥等과 內外呼應하여 日軍과 直接武力抗爭을 하자는 主張派이며 後者의 自重派는 在露韓僑中 比較的恒產의 基礎를 가지고 있는 有產階級에 屬한 者들로서 崔鳳俊、崔在亨等은 其中代表格의 人物이라 할 수 있다。 그들의 主張한바는 勝利의 公算이 없는 對日武力抗爭으로精神的 物質的 犧牲을 내는 것보다는 敎育과 產業方面에 注力하여 民族實力을 養成하는 것이 得策이라고 力說하였던 것이다。

安重根義士는 入露한지 日淺하였지마는 武力派中에서도 가장 錚錚한 人物로 指目되어 李範允一派와는 密接不離의 關係를 맺고 있었다。

三六、 啓東青年會總會에서 司察執務中 意外의 鐵拳洗禮

一九〇七年 여름 어느날 在海港 唯一의 韓僑團体인 同港新韓村 啓東青年會에서는 同地韓國人團事務室로 使用中인 啓東學校講堂에서 臨時總會를 開催하게 되었다。

安義士는 아직 新入會員이었으나 그 人格의 片鱗이 一般에게 널리 認識되었던 所致로 八十餘名의 會員中에서 滿場一致로 司察이라는 役員으로 選出되어 會議가 進行되고 있었다。會議가 進行中 『애골崔』라는 靑年은 會則과 司會者의 制止를 無視하고 無軌道한 質問을 反覆할뿐 아니라 雜談、喧噪를 함부로 하므로 安義士는 數三次 『애골崔』에게 注意와 制止를 加하였더니 이에 不滿을 품은 崔靑年은 安義士에게 無理한 詰難을 始作하여 마침내 安義士의 左便뺨을 强打하였다。 平素에 이길줄만 알고 질줄을 모르는 安義士의 先天的氣禀을 잘 아는 사람들은 鐵拳亂舞의 殺風景一幕이 展開될 것으로 斟酌하고 滿場의 視線이 總集中되었으나、그는 豫期하였던 바와는 正反對로 泰然히 微笑를 띄우며 諄諄히 崔靑年을 說諭하였다。 그 襟度넓은 雅量에 感激한 崔靑年은 깊이 自己의 輕擧를 謝過하고 悔改함에 安義士는 이를 寬恕하여 會議는 豫定대로 進行되어 大同團結을 더욱 굳건이 하였으니 이는 오직 大義를 取하고 小我를 不顧하는 男兒氣魄이라 할 것이다。

三七、騎銃懸賞의 試射 一發即中

安義士의 入神한 射擊術과 銃器에 對한 지나친 愛着心은 때로는 脫線行脚을 演出하는 事

例도 없지않았다。 그가 入露한 다음해(一九○八年)『하바로우스크』에 在住한 露籍韓僑 李大雄宅을 訪問하였을 때에 舍廊에 露式騎銃이 걸려있으므로 이를 求見하다가 그 構造가 特異함에 만지고 만지며 놓으려하지 않으므로 主人 李氏는 弄談으로 옆에놓인 小斧를 보이며 『이 小斧를 二百步밖에서 命中시키면 그 騎銃을 그저 주겠다』고 하였다。 安義士는 正色으로 이를 受諾하고 그 자리에서 裝彈試射하여 一發에 命中시켰다。 李氏는 하는 수 없이 約束대로 그 騎銃을 安義士에게 주었다。 이 銃은 性能이 特殊하여 取扱이 가장 簡便할뿐만 아니라 命中率이 優秀하였으므로 安義士는 그 銃을 恒時 身邊에 帶携하여 愛之重之하였으며 義兵擧事時마다 이 銃을 使用하였다。

三八、白頭山의 義兵將 洪範圖와의 連絡企圖 水泡化

安義士는 咸北茂山郡三社面西頭水 上流地帶에 駐陣한 義兵將 洪範圖와 軍事連絡을 取하기 爲하여 白頭山下 農事洞까지 冒險進入하였다가 마침내 倭守備部隊에게 發見이 되어 白頭山下 南西密林中에서 草根木皮로 連命하며 九死一生으로 海參威로 돌아오는 苦難을 當한바 있였으나

그 鬪志는 더욱더 强化一路로 驀進하여 大規模의 擧義計劃을 實踐化하고저 專念할뿐이였다。

三九、義兵部隊의 編成과 倭守備軍과의 接戰

露國과의 國際事情 其他 地理上關係로 義兵部隊의 根據地는 煙秋附近으로 決定하고 同地에 本部와 訓練所를 設置하고 新募한 千二百名의 兵員을 收容한後 晝夜로 猛訓練을 繼續하였다 訓練主任으로는 禹德淳 및 嚴寅燮、姜鳳翼、葛花春、金榮鎭、金載益、李昌道等의 幹部가 있었다 武器、彈藥、服裝等의 調達에는 嚴寅燮、李致權、俞鎭律、李剛等 諸同志의斡旋努力으로 露官憲의 援助가 많았고 軍資金、糧秣等은 煙秋의 朴春、桂澤健과 水靑의 金浩春、趙淳應、李泰雄、金學浩、尹三星、金千華等의 斡旋援助로 充當하였다。

一九〇八年四月初旬頃 어느날 밤 夜陰을 利用하여 同志 嚴寅燮과 같이 二個小隊의 精銳를 選拔하여 이를 引率하고 豆滿江 最下端인 慶興郡蘆面上里에 駐屯中이던 倭軍守備隊本部를 急襲하였다。 때마침 鏡城駐屯憲兵隊長 中佐陳軍吉이 韓人警視 金江龍雄 以下 十數名의 部下를 引率하고 國境地帶守備狀況을 巡視次 出張中이였다。 安義士는 千載一遇의 好機라 하고 猛攻을 加하여 彼此銃火를 交接하기 數時間 敵兵二名을 射殺하고 數名의 重輕傷을 加하였으나、義兵部隊에는 一名의 落伍도 없이 全員 無事히 煙秋本營으로 凱旋하였다。

茂山地方에는 洪範圖將軍이 部下 三千을 領率하고 晝夜로 神出鬼沒하며 게리라戰術로 倭軍守備隊를 惱殺하던 때이다。 그러나 洪將軍部下 三千兵員中에는 武器가 不足하여 木銃과 農具같은 原始的兵器로 從軍하는 者가 殆半이었다。 이들에게 武器를 供給하여 兩軍이 合勢하면 四千名 以上의 裝備를 完備한 精銳를 얻을 수 있으므로 이 基幹兵力으로 咸南北地方의 倭軍을 充分히 擊破할 수 있으리라는 것이 安重根義士의 胸算이었다。 裝備、糧秣等의 萬端의 出動準備를 完了하고 同年七月二十三日 禹德淳、嚴寅燮等의 幹部와 같이 八百의 精銃兵力을 領率하고 訓戎鎭對岸에 布陣하여 數十回의 斥候戰을 交戰하면서 本隊는 和龍縣太立子를 經由하여 豆滿江을 渡江 會寧郡雲頭面으로 進攻한 것이 同年八月五日이었다。

附近一帶는 天日이 보이지 않는 密林險山이므로 糧秣、宿營等 大部隊의 行動이 至極히 困難함을 알게 되었다。 全隊員中에서 百五十名의 決死隊를 選拔하고 餘他 隊員은 三三伍伍의 遊擊班을 編成하여 國境一帶에 散開시켜 出沒自在의 行動을 展開키로 方針을 決定하였다。

安義士는 選拔한 決死隊員을 領導하여 茂山郡三長、三社、延社方面으로 繼續 進擊하였다。 途中 意外에도 密林中에서 倭軍大部隊의 埋伏邀擊에 遭遇하여 數時間의 接戰이 展開中 彼我의 死傷이 不少하였으나 特히 決死隊員中 十二名의 高貴한 犧牲이 있었음은 安義士一生을 通하

여 不雪의 千秋痛歎事이었다。 禹德淳同志도 이 交戰에서 倭軍에게 被捕되어 咸興에서 死刑의 判決을 받고 受刑中 그後 破獄脫出하여 다시 露領으로 亡命하였던 것이다。

安義士는 部下를 收拾·再整軍하여 處處의 倭軍部隊를 奇襲하면서 洪範圖將軍과의 接線連絡을 企圖하였으나 苦戰만을 거듭할뿐 마침내 成功치 못하고 四圍의 情勢 또한 我軍에 不利하므로 萬斛의 長恨을 품고 다시 豆滿江을 건너서 胸裏깊이 捲土重來의 再起를 圖하며 光復의 策源地海參威로 孤影寂寞하게 쓸쓸히 歸還하였다。

四〇、新營溝僑民들의 無謀한 暴擧는 後日 祭典으로 變貌

前後 二回의 武力戰失敗以來 在海韓僑의 大多數는 自重論에 기울어져 安義士의 即時血戰說에는 擧皆 反對하였다。 入營以來의 同志며 第一回武力戰 當時의 戰友이던 慶源出身의 崔在亨같은 사람은 安義士의 再起即行論에는 正面으로 反對하였다。 어디까지나 剛腹한 安義士는 하루밤을 崔와 激論한 뒤에 變節歎化한 그에게 피로써 肅淸을 斷行하겠다고 五·六回나 裝彈한 長銃을 드는 것을 同席者들의 制止로 겨우 無事하였다。

安義士는 自身에게 集中되는 衆難群謗에는 귀를 기울이지않고 單身으로 募兵、軍資金의 調達、遊說等으로 東奔西走하여 寧日이 없었다。 一九〇九年 이른봄 어느날 煙秋를 떠나 水青으로 向하던 途中 新營溝앞山을 單身 넘게 되었다。 이를 傳聞한 新營溝村民中 粗暴한 青年 五•六名이 作黨追跡하여 不意의 闇襲을 加하여 顔面部에 全治 數週日을 要하는 重傷을 加한後 昏倒한 틈을 타서 어디로인지 逃走하였다。 安義士는 數時間 後에 正氣를 回復하여 目的地인 水青에 到着하였다。 이러한 暴擧事件이 있은後 數個月이 經過하여 安義士의 哈爾濱擧義事實이 傳播되자 新營溝住民들은 크게 前日의 輕率하였던 暴擧를 悔改 自責하고 全洞民의 總意로 두터운 祭物을 前日 暴擧하였던 場所에 陳設하고 敬虔嚴肅한 祭典을 修行하여 삼가 義魂의 冥福을 祈願하였다 한다。

四一、 凄壯! 煙秋月夜에 同志들과 斷指血盟!

隊伍堂堂하게 發足하였던 國境進攻 作戰도 거듭當한 쓰라린 槍痍와 受難으로 同志中에는 再起할 勇氣마저 喪失하고 悄然히 抗戰陣營을 떠나간者 한두사람이 아니었다。 安義

士를 中心으로 氣慨있는 同志들은 이 情勢를 보고 痛歎함을 마지않았다。 하루는 煙秋郊外下里 某同志家에 中堅同志 金基龍、白樂金、姜斗燦、黃火炳、對致弘、朴鳳錫、姜基順、金伯春、金春華等을 招請하고 今後의 光復大業推進方策에 關하여 가장 眞摯熱烈한 論議가 展開되었다。

『祖國이 있고서야 名譽도 있고 財產도 있으니 區區한 一身一家의 安逸幸福에만 熱中하고 祖國光復을 度外視하는 守錢奴輩와 灰色無熱分子들은 此際에 斷乎肅清의 鐵鎚를 내리는 것도 不得己하다』고 座中의 어느 同志가 提議한즉 一同은 雙手喝采로 熱贊의 뜻을 表하였다。

『前番 擧義結盟式席上에서 自身의 一命을 祖國에 받친다고 率先 誓約한 盟友中에 些少한 感情問題로 途中에서 公誓를 忘却하고 光復陣營을 저버린 薄志弱行의 分子가 얼마나 많았읍니까。 이러한 無義無恥의 徒輩들은 斷乎肅清臺上에 올리지 않으면 안될 것이다』라고 어느 同志가 發言함에 一同은 一致贊同하였다。 그 方法과 範圍一切은 安義士에게 一任하고 새로운 同志糾合과 軍資金의 募金、遊說方法의 徹底、部隊進攻의 再決行 等等의 提議案件을 모두 滿場一致로 可決한後 安重根義士는 여러 同志들 앞에 端襟正坐하고서『今夜 우리들 盟友들의 굳은 結約을 天地神明에게 告하고 其實踐을 더욱 鞏固히 하는 意義에서 各自가 이자리에서 血證을 行하자』하고 安義士 自身이 左手無名指 第一關節部를 一刀로 斷切하니 指端은 뜨거

운 鮮血을 뿌리면서 卓上에서 生動하였다。 義士는 恒時 胸中에 깊이 간직하고 있었던 太極旗를 펼쳐들고 敬虔한 十字聖號를 옆에 놓은後 『大韓獨立萬歲安重根』 의 九字를 血書하고 國權回復에 誓死復仇의 決意를 더욱 굳세게 하였다。

이 凄壯無比한 光景을 目擊한 餘他同志들도 相互爭先하며 切指하여 흐르는 鮮血로 차례차례 各自의 姓名을 太極旗面에 連署하였다。 때마침 仲秋의 明月은 皎皎하게 窓밖에 비치어 煙秋南部의 閑寂한 農村은 救國男兒의 感淚에 얼켜 凄壯한 一幕劇景을 展開하였다。

四二、 義兵活動은 마침내 한마리의 巨鯨을 凝視!

煙秋下里에서의 血盟以後로 義勇兵 再擧의 計劃은 本格的으로 推進되고 있었다。 血盟同志들은 各地를 遊說하며 兵員과 資金의 獲得에 全力한 結果 僑胞는 勿論 露•淸兩國의 一部人士들까지도 援助해주겠다는 約束을 하였다。 韓僑唯一의 財閥家로 義勇兵軍資金後援에 굳은約束을 한바 있는 崔在亨은 途中 무슨 心境의 卒變인지 資金援助의 約束을 實踐할 誠意를 보여주지 않았다。 그뿐만아니라 다른 韓僑들에게까지 義兵計劃의 無謀함을 力說하여 發効하

六八

였음인지? 軍資金後援의 前約을 解消하는 人士가 不少하였다。 確固한 資力과 地盤을 가지고 있는 崔在亨 한사람의 向背如何는 義勇軍이 計劃하였던 事業 全体의 推進에 至大한 影響을 波及케 하였다。 安義士는 뜻한바 있어 崔氏를 訪問하고 事理를 다하여 懇曲한 說明으로서 義勇軍活動에 積極 協援해주기를 要請하였으나 崔는 終始 冷淡한 態度로 이를 拒絕하였다。 韓僑中 가장 財閥家인 崔在亨의 이처럼 無誠意한 態度로 말미암아 義兵再擧의 大事業은 中途에서 挫折되어 實現의 可望性이 薄弱하게 되었음을 自歎하고 極度의 激憤을 禁치못하여 數日을 煩悶한 結果 最後의 重大한 決意를 하였다。『이런 反祖國的守錢輩는 第一着으로 肅正囊上에 올려야 할 人物이라』고 規定을 내렸다。 그리하여 在海參威中堅同志의 意見을 打診하고자 義兵再擧計劃案과 長文의 不純分子聲討書稿案을 作成 携帶하고 海參威로 急行한 것이 一九〇九年十月二十一日(陰九月八日)이었다。

同夜 海參威에 到着한後 第一 먼저 訪問한 곳이 大東共報社主筆 李剛이었다。 그는 聲討書와 義兵再擧計劃案의 尨大한 原稿를 내놓으며 新聞에 發表하여 줄 것을 要求하는 同時에 胸中의 斷乎한 決意를 披瀝하였다。 그러하였더니 李剛은 意外에도『昨日 兄에게 來海를 促하는 電報를 놓았는데 받아보았는지요』하며 前日 發刊된 遼東報와 大東共報를 내 보였다。

第一面 外電欄에 三段標題로 『日樞相 伊藤公 露滿視察』이란 東京特電이 揭載되어 있었다。 電文內容은 가장 簡單하였으나 在海港 各言論機關에서는 이 問題를 重大視하여 超特種記事로 取扱하였다。 大東共報社에서도 伊藤博文의 露滿旅行使命에 對하여 長文의 社說을 揭載하였다

伊藤의 露滿訪問의 使命에 對하여 三種의 觀測이 傳하고 있다。 其一은『英美의 신지케ㅣㅌ團이 計劃하는 錦齊鐵道敷設問題에 對하여 日露의 機會均等的參加를 要求키로 露藏相과 會見하려는 것이라』는 것과 其二는『首相 桂太郎의 內意를 받아 韓國合併에 關한 露側의 事前諒解를 求하기 爲함이라』는 것이오 其三은『印度에 對한 優越權을 認定하는 代償으로 淸滿大陸에서의 特殊地位를 日本에 認定하라는 交涉을 露國當局에 折衝하려는 것이라』고 한다 左右間 伊藤의 이번 滿洲旅行이 單純한 玩景視察의 平凡한 漫遊가 아닌 것만은 틀림이 없었다。

安義士는 得意의 微笑를 보이며 『한그물의 雜魚보다 한마리의 고래가 낫다』하고 무릎을 쳤다。 이것은 勿論 國境에 進攻하여 倭軍의 守備兵卒、雜輩를 幾十名이나 幾百名을 屠滅하느니보다 伊藤이라는 큰 고래 한마리를 잡은 것이 優勢하다는 意味이다。 李剛에게 伊藤의 滿洲視察의 正確한 日程과 發着의 時刻 同伴人物等의 調査를 依託하였다。 靈犀가 相通하는

唯一의 知己 李剛은 미리 安義士의 意中을 豫期하였던 것이다。

四三、哈[illegible]擧義決行의 謀議！

安義士의 굳은 決意와 實行力을 누구보다도 잘 알고있는 李剛은 義擧推進의 積極的後援을 盟約하고 그날밤 大東共報社長 兪鎭律、民長 楊成春을 訪問하고 이 重大한 事案을 吐露하였더니 兩人도 積極 贊成하였으므로 即時 在海韓僑同志中 光復運動에 熱烈한 美國歸來의 金成武、禹德淳、鄭在寬、尹能孝等이 大東共報社長室에서 密會하여 伊藤狙擊의 實行策에 對하여 重大한 謀議가 極秘裏에 論議되었다。

哈爾濱義擧實行의 總帥에는 安重根義士 自身이 그 任에 當하기로 하고 補助役으로 禹德淳、千完一을 決定하여 千에 對하여서는 李剛이 交涉하기로 하여 即夜로 그를 訪問하였으나 千은 旅行不在이었으므로 代人을 求하기로 하였다。

무엇보다도 必要한 武器의 入手는 마침 同席하였던 兪鎭律、楊成春 兩人이 護身用으로 一挺式 携帶하고 있었으므로 이를 使用하기로 即席에서 決定하고 伊藤의 寫眞은 金成武가 갖

고 있던 日本雜誌에서 三枚를 切拔하고 旅費로는 尹能孝가 雜貨를 팔아 모은 二百圓을 提供하여 그中에서 十六圓으로 外套 두벌을 露人 競賣市場에서 購入하기로 하였다。 不足金은 李剛이 그 知人인 在哈露籍韓人 金聖伯에게 便紙를 하여 融通하기로 衆議一決하였다。

四四、 雄志안고 壯途에 登程! 露語通譯者求得에 配慮!

安・禹 兩人은 十月二十一日午前八時五十五分 兪鎭律과 同途 海參威驛을 出發하여 壯途에올랐다。 世間의 視線을 回避하기 爲하여 驛에는 李剛・楊成春 두사람만이 代表로 餞送나왔으며 壯擧의 必成을 남모르게 激勵하였다。 兪鎭律 한사람만은 途中 「뽀꾸라니치나야」 驛까지 同行하여 굳은 握手로 그들의 武運을 祈願하고 歸海하였다。 「포驛」 에 下車한 두 사람은 漢方醫 劉敬緝을 訪問하고 「家族을 마지하기 爲하여 蔡家溝方面으로 旅行하게 되었다」 라고 僞說한後 그의 아들 劉東夏를 露語通譯兼 同行하기를 懇請하였더니 劉는 마침 「哈爾濱」 에서 漢藥材를 購入할 用件도 있었던 참이라 即席에서 이를 快諾하였다。

翌十月二十二日 安・禹 兩人은 當年十八歲의 劉東夏少年을 同伴하고 「哈爾濱」 으로 直行訪

七二

여 劉東夏少年의 姉兄인 金聖伯家에 投宿하였다。 金氏에게는 勿論이고 劉東夏에게도 義擧直前까지 伊藤狙擊이라는 目的用件은 極秘에 붙이고 家族出迎이라고만 말하였다。 그곳에서 在露 二十年의 經驗으로 露語와 露國事情에 精通한 僑胞 曺道先을 맞나서 安義士는 그에게도 家族出迎을 憑藉하여 露語通譯을 付託하였더니 同行하기를 快諾하였다。 四人은 露人寫眞師를 請하여 記念撮影을 하였다。

四五、 義擧地 哈爾濱에 到着後 大事必成을 期하여 猛躍!

十月二十四日 安義士는 劉東夏를 仲介하여 金聖伯에게서 旅費로 金五〇圓을 借用하려 하였으나 求得하지 못하고 劉東夏만을 哈爾濱에 남겨두고 禹德淳·曺道先을 同伴 蔡家溝驛으로 直行하여 露人이 經營하는 同驛 構內地下室 洋食店에 投宿하면서 構內의 地形과 列車의 發着時間、 貴賓列車의 通過與否 等을 秘密히 調査하며 大事의 必成을 目的으로 萬般準備를 하고 있었다。 二十五日 在哈爾濱 劉東夏로부터 『명조래차』 라는 電報가 왔으므로 蔡家溝驛의 擔任은 禹·曺 兩人에게 付託하고 安義士 自身은 哈爾濱으로 急歸하였다。

187

이제까지 極秘로 하였던 一行의 眞使命을 二十六日아침 劉東夏에게도 비로소 通情하여 끝까지 大事完成을 爲하여 協力하기를 請하였다。 劉少年은 처음 瞬間은 意外의 發言에 驚愕한듯 하였으나 劉도 또한 一個 平凡한 少年이 아니었다。 勇敢聰明한 天稟의 所有者였으므로 即席에서 이를 快快히 承諾하고 大事完遂를 爲하여 一身을 犧牲할 것을 盟誓하였다。 安義士는 萬一의 準備로 金聖伯에게서 百七十圓을 借用하여 海參威 李剛、兪鎭律、楊成春등에게 其間의 經過報告兼 將來의 行動方針을 詳記한 書信三通을 劉東夏에게 주면서 即時 郵送할 것을 付託하였다。

目標人物 伊藤博文이 搭乘한 特別列車의 哈爾濱驛 到着時間은 刻一刻가까워왔다。 安義士는 通譯이며 助手格인 劉東夏少年을 滯同하고 八時 以前에 驛으로 나가서 驛前茶房에서 情勢를 살피고 있었다。 驛構內外는 文字 그대로 鐵筒같은 警戒網을 벌려 飛鳥도 侵入할 수 없으리만치 森嚴한 光景이었다。 露·清 兩國의 高官 陸海軍將星 各國外交官 在留日本人들이 續續히 모여드는 光景으로 보아 伊藤이 來到한다는 것은 틀림이 없다고 生覺되었다。 安義士는 意中快哉를 부르면서 劉東夏와 같이 日本人群衆에 混入하여 驛構內로 進入하는데까지는 無難히 成功하였다。 그러나 露憲兵은 一部群衆에 對하여 嚴重한 身分檢索을 實施하였다。 順序

에 依하여 安義士를 檢索코자 한즉 機敏한 劉東夏少年은 露憲兵에게 流暢한 露語로 이분은 日本人新聞記者라고 代辯하였다。 그리하여 危機一髮의 場面을 無難히 通過한後 劉東夏는 金聖伯宅으로 돌아갔다。 安義士는 得意의 微笑를 띄우며 가슴깊이 간직한 拳銃을 어루만지면서 伊藤 到着을 기다리고 있었다。

四六、祖國侵略의 倭魁 伊藤博文 드디어 義彈一閃下에 殂落!

이보다 앞서 伊藤博文(當時 日本樞密院議長)은 十月十二日 朝野顯要의 盛大한 餞送을 받으면서 多數의 隨行員을 滯同하고 東京驛을 出發하였다。 途中 大磯、滄浪閣에서 二泊하고、十六日 下關發旅客船 鐵嶺丸便으로 大連으로 直行하여 十八日 東洋第一이라는 大連埠頭에 上陸하였다。 二十一日에는 旅順의 戰蹟을 視察하고 奉天으로 들어가 二十四日 撫順炭坑을 巡視하고 二十五日 奉天에서 長春으로 向하여 北行하였다。 同夜 長春에 到着하여 淸國道臺主催의 歡迎宴에 參席한 後 露國側에서 보내온 貴賓列車에 同地까지 出迎나온 東淸鐵道民政部長 『아푸아나시에』 및 同營業課長 『이낀스에』 少將以下 警護士官들과 同乘하고 二十六日 아

침 九時에 哈爾濱驛에 到着하였다。 伊藤은 出迎나온 『고고훗오』 露大藏大臣과 列車 內에서 約三十分間 重要會談을 하였다。 이 會談이야말로 當時 列國注目의 焦點이었던 亞細亞大陸에서의 露·日 勢力範圍分野에 關한 重大會議의 序幕이였을 것이다。 伊藤은 同大臣과 會談을 맞친 後 그의 先導로 『푸랫트훔』 에 나와서 出迎나온 內外官民과 人事를 交換하고 警護軍名譽軍團長인 同藏相의 要請에 依하여 構內에 堵列한 同軍團兵을 査閱한 後 數步를 逆行하여 貴賓馬車로 向하던 瞬間에 堵列軍部隊의 後方에 자리잡은 日本人群衆中으로부터 猛虎처럼 뛰어나온 洋服차림의 一靑年이 있었으니 그가 바로 安重根義士이었다。 安義士는 千載一過의 好機를 놓칠세라 拳銃을 높이들어 轟然連續 發射하였다。 伊藤과의 距離 不過 十數步內外이였다。 처음 三發은 伊藤에게 命中되어 그자리에 쓰러지는 것을 滿鐵總裁中村是公이 扶護하였고 隨行中이던 川上 哈爾濱總領事와 秘書官 森泰二郎、森槐南、田中 滿鐵理事는 第四·五·六彈에 各各 一發式 命中되어 重輕傷을 當하고 最後 一發의 殘彈은 露國人『미호후ー로』에게 制止當하여 逸射되었다。

伊藤은 露國將校와 隨行醫師 成田、小山等에 依하여 列車內로 搬入된 後 繃帶等으로 止血應急措置를 取하려 한즉 携帶用 短杖을 휘두루면서 洋酒 『부란듸』를 가져오라 하여 두잔

七五

을 마신 後 絶命할 瞬間에 『森槐南도 다쳤느냐』는 最後의 一言을 남기고 번거러웠던 그의 一生은 韓民族 怨恨을 代表한 安義士의 義彈一閃下에 드디어 殂落하였다。

壯嚴凄烈！ 見危授命！ 安重根義士는 唐荒한빛 하나없이 雙手를 높이 들고 呵然失色한 官憲 群衆 앞에서 『코레아우라』(大韓萬歲)를 連唱한 後 從容自若한 態度로 露國東清鐵道警察署長 『니기포로추』에게 就縛되었다。

四七、擧事直後의 露憲兵과의 一問一答

露國憲兵은 安義士를 哈爾濱驛의 一室로 引入한 後 다음과 같은 一問一答을 하였다。

憲兵·그대는 何國人인가。 住所와 姓名은?

安·나는 韓國人이다。 本籍은 大韓國平安南道鎭南浦龍井洞一八三番地、姓名은 安應七이다

憲兵·職業과 年齡은?

安·職業은 韓國義勇兵參謀中將、年齡은 三十一歲이다。

憲兵·現住所는?

安・海參威港新韓村에도 살고 煙秋郊外下里에서도 살고 있다。

憲兵・무슨 理由로 日本人 伊藤公爵을 殺害하였는가?

安・伊藤은 우리 大韓의 獨立主權을 侵奪한 元兇이며 東洋平和의 攪亂者이므로 大韓義勇軍司令의 資格으로 銃殺한 것이며 安應七 個人의 資格으로 射殺한 것은 아니다。

憲兵・伊藤狙擊의 目的을 達成한 後 自殺이라도 할 生覺은 없었던가?

安・그런 生覺은 없었다。 나는 東洋의 平和와 祖國의 獨立을 爲하여 倭魁를 打倒한 것인즉 伊藤 한놈만을 죽이고 죽을 生覺은 없다。 萬一에 내가 失敗할지라도 第二・第三의 後續斬奸勇士가 續出할 것이다。 伊藤은 韓國의 獨立을 保護한다고 再三・再四公約을 하고도 五條約과 七條約을 强締하여 韓國의 外交・內治・國防權을 모조리 侵奪하고 侵略의 魔手를 뻗치는 우리의 公敵이다。 貴國에 對하여도 不義、無名의 戰爭을 誘發하여 侵略戰端을 이르킨 것도 伊藤一派의 侵略主義者들의 計略에서 나온 것이며 이번 貴國을 訪問한 目的도 우리 韓國을 併貪하려는 奸惡한 野圖를 實現하려는 準備行動에 不過한 것이다。

憲兵・同志는 몇名인가?

安・同志는 二千萬이다。 그러나 이번 義擧는 나의 單獨行動이었다。 이後에도 斬奸의 義勇隊는 續出할 것이다。

憲兵・『코레아 우라』를 三唱한 理由는?

安・目的人物 伊藤이 殂落되는 것을 보고 痛快함은 勿論이오、또한 大韓男兒의 義擧임을 여러 사람에게 알리기 爲하여 『코레아우라』(大韓萬歲)를 連唱하였던 것이다。

이 事件으로 在留同胞로 露官憲에게 逮捕된 사람이 三十名 以上이나 되었으나 調査한 結果 大部分은 釋放되고 旅順倭獄까지 押送된 사람은 二十五日 蔡家溝驛에서 短銃所持 理由로 逮捕된 禹德淳、曺道先 兩人과 哈爾濱에서 安重根發 李剛宛의 書翰 三通을 郵送코자 懷中하였던 關係로 逮捕된 劉東夏等이며 劉東夏의 父親 劉敬緝과 卓公奎等 數人은 證人으로서 露日 兩國官憲에게 嚴重한 訊問을 받은바 있었다。

四八、夫人의 萬里旅程에 驚愕事만 重複!

偶然한 靈感이라 할가? 抑或 神의 啓示라고 할가? 義士夫人 金亞麗女史는 令息 俊生과

令孃 賢生을 帶同하고 夫君을 찾아 十月二十六日午前七時에 『뽀구라니지나야』 稅關에 勤務中인 鄭大鎬의 歸任을 契機로 그에게 同行을 依託하여 南浦驛을 出發하였으니 向發 二時間後에 夫君이 擧義한 事實은 全然 몰랐던 것이다。 親家오빠 金能權은 平壤까지 同乘 餞送나왔었다。 一行이 奉天을 지나 寬城子驛에 到着하니 露國官憲들이 韓人旅客에 對하여는 男女老幼를 莫論하고 嚴重한 檢問·檢索을 實施하였다。 夫人의 出發驛이 鎭南浦였기 때문인지 何等 理由도 말하지 아니하고 警察署로 引致하여 收監하였다。

同房에 收監中이던 어떤 婦人이 다른 婦人에게 向하여

甲· 哈爾濱에서 伊藤이를 죽인 사람이 누구라던가요?

乙· 平壤사는 安書房이라던데요。

甲· 銃으로 쏘앗다지요?

乙· 拳銃 여섯發中에 伊藤에게 세發맞고 세發은 다른 日本사람 세名이 맞었다 하오。

金女史는 이말을 옆에서 듣다가 或이나 主人의 身上에 무슨 異變이나 생기지 않했나하여

夫人· 언제 그런 일이 생겼읍니까?

丙· 二十六日 아침에 哈爾濱 停車場에서 야단법석이 있었지요。

夫人·쏜 사람은 平壤사람이라지요?

丙·平壤사람이 아니라 鎭南浦 사는 安應七이라는 三十歲가령 되는 사람이랍데다。

金女史는 氣絶하리만치 놀랐다。 그러나 內心 快哉를 부르면서도 一面 驚愕한 빛을 抑制하면서

夫人·그사람은 잡혔나요?

丙·即時 그자리에서 露國憲兵에게 被捕되었답데다。

金女史는 또한번 失神하리만치 놀랐다。 夫君의 身上에 생긴 怪變임에 틀림없었다。 時時刻刻으로 推想한 豫感은 제대로 適中하는 것이다。 極度의 不安과 焦燥로 片時도 몸을 鎭靜할 수 없었다。 極力 平靜을 維持하려고 努力하였으나 對談하던 同房婦人들은 좀 異常하게 注目하는 것 같았다。

一刻一瞬이라도 速히 現地로 가서 事實如否를 確認해야 되겠다는 一念뿐이었다。

焦燥의 하루밤은 지나고 날이 밝았다。 아침 給食이 들어왔다。 兒孩들은 空腹이 甚하여 한술식 먹었다。 食事後에 金女史는 刑事室로 呼出되어 昨日 留置한 日人刑事에게서 訊問을 받았다。

刑事・本籍、住所、氏名、年齢은?

夫人・本籍은 載寧、住所는 平壤、氏名은 金亞麗（一名 召史）、年齢은 三十二歲라고 對答하였다。

刑事・鎭南浦驛에서 車票를 산 것은 무슨 理由인가?

夫人・鎭南浦龍井洞에 親戚 鄭大鎬氏가 있으므로 同行하기 爲하여 같이 鎭南浦에서 乘車하였다。

고 對答한즉 刑事는 別房에 收監中인 鄭氏를 불러 물어보았다。 答辯이 서로 符合하므로 釋放되어 當面한 虎口는 脫出하였다。

金女史는 鄭大鎬와 同途 哈市로 急行하였다。 그곳에서는 伊藤殺害事件으로 天地가 騷動하며 民心이 凶々하였다。 擧事의 張本人이 夫君임에 틀림없었다。 進退維谷에 빠진 夫人 金女史一行은 旅館을 定한 後 南浦本宅으로 急報를 打電하여 令弟의 入露를 要求하였다。 아버지를 그리워 우는 兒孩들 때문에도 一刻이라도 時急히 夫君을 對面코자 하는 마음 泰山과 같았으나 到底히 目的을 達할 方法은 없었다。

四九、遺家族에 對한 日官憲의 暴壓!

南浦港 本宅에는 每日과 같이 理事廳 日本警察이 찾아와서 甚至於 天井과 溫突까지 뚫고 搜索하여 寫眞과 便紙를 押收하고 刑事隊가 附近一帶에 埋伏하여 一切 外部와의 連絡을 遮斷하고 있었으므로 金女史가 哈市에서 打電한 急報도 그들 倭警의 손에 領置되었다가 十餘日이 지나서야 비로소 配達되었던 것이다。

本宅에서는 그 電報를 받기 前에도 무슨 큰 異變이 생긴 것이라고 斟酌은 하였었다。

그러자 伊藤博文이 殺害當하였다는 것과 그 下手人이 安應七이라는 新聞記事가 報導되었으므로 事件의 片貌만은 充分히 推測하고 있었던차에 兄嫂인 金女史로부터의 電報를 받고 令弟恭根은 公立普通學校 敎員의 職을 辭退하고 舍兄 定根과 家族一部를 帶同하여 哈爾濱에 到着한 것이 一九〇九年十一月中旬頃이었다。 기다리던 兄嫂와 相會하여 눈물겨운 經過談을 交換하고 寓接할 場所를 穆陵으로 決定하였다。

그러나 그때는 旣히 事件이 露官憲으로부터 日官憲의 손으로 移管되어 安義士外 關係者一同은 旅順의 關東都督府 地方法院檢察局으로 이미 押送된 後였다。 穆陵草廬에 旅裝을 푼 後

定根・恭根의 兩人은 다시 旅順으로 轉行하여 同地에 根據를 定하고 接見、差入、交信과 辯護人의 選任等에 汲汲하였으나 日官憲의 暴壓으로 萬事가 如意하지 못하였다。

五〇、事件管轄에 關한 露・日 兩國間의 交涉

日官憲은 露當局에 對하여 事件의 引渡를 要求하였으므로 現地의 露國官憲은 그들의 本國政府의 指令도 없이 安義士를 비롯한 四名의 身柄을 關係記錄과 共히 當日午後十時 日本總領事館 警察署로 引渡하였다。

露國側 中央政府에서는 事件의 重大性에 鑑하여 自國側에서 直接 處理할 것을 嚴命하였다。

在哈 露國官憲에서는 다시 日本官憲에 交涉한 結果 即日로 露監獄으로 移監케 되어 國境第八區始審裁判所 判事『스트라로푸』로부터 訊問을 받게 되었다。 一面 日本政府에서는 警護粗漏의 責任을 追窮하며 事件의 引渡를 嚴談하여 왔으므로 露側은 當時 對日國交의 微妙한 事情에 立脚하여 이를 强硬히 拒否하지 못하고 唯唯應諾하여 事件은 또다시 日本總領事館으로 移管하게 되었다。

八四

事件引受에 成功한 日本政府에서는 在韓統監 曾彌荒助에게 命하여 警視 永谷隆造志外 檢事 一名을 派送시켜 事件의 眞相을 調査케 한 後 同年十月三一日 關東都督府 旅順地方法院으로 送致하여 溝淵檢察官 및 眞鍋判官의 審理를 받게 하였다。

安重根義士는 溝淵檢察官에게 『自身의 이번 擧義는 大韓國義勇隊 參謀中將으로서의 戰鬪行動을 單獨實行한 것이며 決코 어떠한 個人으로서의 伊藤博文 一個人을 暗殺한 行爲가 아니므로 一般凡人과의 同一한 裁判取扱은 받을 수 없다』하고 强硬히 主張하며 裁判管轄權의 不當性을 指摘 抗辯하였으나 何等 効果도 없이 裁判審理는 日本側의 一方的意見만으로 進行되었다。

五一、民選辯護人의 拒否와 一方的暴壓裁判

檢察官의 法定 拘束期限은 滿十四日임에도 不拘하고 無法하게도 滿三個月 以上을 留置한後 翌年(一九一〇年)二月五日에 비로소 豫審도 經由하지 않고 直接 起訴節次를 取하였다。

이러한 不法措置와 對韓侵略陰謀의 大秘密이 世界列國에 白日下에 暴露될 것을 두려워하여

日本政府에서는 이러한 國際的大事件의 公判임에도 不拘하고 民選辯護人의 選任을 一切 拒否하고 自國辯護士 鎌田·水野 兩人만을 官選으로 辯護케할 뿐이었다。

民間辯護人으로서 一切의 費用을 自擔하고 自進하여 法廷에서 辯論하기를 出願한 安秉瓚辯護士를 筆頭로 海參威 大東共報社長 兪鎭律·李剛 兩人의 斡旋으로 在留韓僑가 招聘한『李하일노부』及 上海英人辯護士 一名、露國辯護士 一名等 八名의 辯護申請이 있었으나 日本政府側에서는 이를 全的으로 拒否하였으므로 世界法曹界의 非難이 藉々하였다。 이러한 國際的輿論을 勘案하여 日人辯護士 紀志같은 者는 眞鍋裁判長을 直接 面對하여 公判의 不當性을 指摘抗辯한 바 있었다。

一九一〇年二月七日 午前十時 公判 初日에 傍聽席에 있던 安義士의 令弟 定根은 憤慨莫甚하여『이러한 不公正한 裁判은 받을 必要가 없다』고 絕叫하였으나 眞鍋裁判長은 廷吏로하여금 이를 制止케 한後 公判은 一方的으로 進行되었다。 其間 五回의 公開公判과 一回의 非公開公判만으로 同月十四日 結審을 告하였으니 世紀的重大한事件의 疎漏取扱에 列國 法曹界의 輿論은 沸騰하였던 것이다。

八五

200

八六

五二、溝淵檢察官의 起訴概要

(一) 被告의 性格

前略 被告 安重根은 被告 四名中의 頭目이다。 祖父는 安仁壽라 하며 鎭海縣監를 歷任한 바 있고 父親은 安泰勳이라 불러 進士이였다。 財産도 相當히 있어 安 自身의 말하는바에 依하면 元來는 千石 至今도 數百石의 土地가 있다 한다。 두 아우가 말하는 바에는 現在는 豊年이면 百石 凶年이면 四·五十石이라 한다。 左右間 黃海道信川의 名家이다。 그 地位는 高官大爵의 班에 屬치 않는다 하여도 明治二十七年 東學黨亂이 일어나자 父泰勳은 觀察使의 命을 받아 이를 討伐하여 名聲이 높았다。 一家一門은 일직부터 佛國의 天主敎에 歸依하여 그 信仰이 堅固하다。 安의 領洗받은 것은 十七歲 때이라는 것은 被告와 그 二弟가 陳述하는 바이다。 집에 餘財가 있으므로 兄弟 三人은 모두다 敎育을 받아 그 二兄弟는 中等敎育을 마쳤다。 그러나 安은 正規의 學業을 받지 않았다。 그런 집에 誕生하여서도 다만 經書와 通鑑第九卷까지와 漢譯萬國史와 朝鮮史를 읽을 따름이라 한다。 韓國의 大韓每日·皇城新聞·帝國新報·桑港의 共立新聞 浦鹽의 大東共報 等에 依하여 政治思想을 涵養하였다。

201

또 鎭南浦에 移舍한 後 排日演士 西北學會의 安昌浩의 演說을 듣고 크게 感動한 바 있다는 것은 그 二弟의 陳述하는 바이다。 鎭南浦에서 他人과 石灰商을 經營하였으나 失敗하고 多大의 負債를 지게 되었다。 氣質이 硬直하여 事々件々 父母兄弟와 意見이 不合하였다 함은 安自身과 兄弟들의 陳述하는 바이며 妻子에 對하여도 極히 冷靜하고 自己를 믿는 힘이 强하여 先入感이 主가 되어 容易하게 他說을 容納치 않는다。 前述의 新聞과 安昌浩 其他의 演說에 依하여 한번 政治思想이 注入되자 兄弟妻子를 버리고 故鄕을 出奔하여 排日派들이 集合하고 있는 北韓과 露領으로 가서 漸進派 또는 急進派와 交際하여 처음에는 敎育事業을 일으키려 하였으나 成功치 못하고 義兵에 몸을 던져 放縱無賴의 徒輩에 伍하기에 이른 것이다。 (下略)

(二) 罪犯의 動機

決意를 함에 이른 模様은 伊藤公에 對하여 私慾私怨이 있는 것이 아니라 個人으로서 生命을 빼앗는 것은 하지 못할 일이지마는 東洋平和와 韓國獨立을 爲하여서는 이것을 滅亡시키지 않을 수 없다。 이것을 爲하여 父母兄弟도 버린 것이다。 云云 (下略)

(三) 犯罪의 機會 及 行爲의 狀態

安·禹는 九月八日(陽十月二十一日)午前八時五十五分 浦鹽을 出發하여 三等의 郵便列車로 蘇王嶺에 이르러 同地에서부터는 二等으로 바꾸어 타고 哈爾濱에 到着하였다。 이것은 『뽀쿠라니―치나야』에는 稅關이 있어서 三等乘客의 調査가 嚴重하므로 發覺을 念慮한 까닭이다。 途中부터 劉를 同伴하고 九日(陽二十二日)午前 九時 哈爾濱에 到着하여 金聖伯方에 投宿하고 十日(陽二十三日)曺를 데리고 와서 通譯할 것을 委囑하고 十一日(陽二十四日)午前九時 蔡家溝로 向하였다。 安이 蔡家溝에서 哈爾濱에 돌아온 것은 露曆九月十一日(陽二十四日)附、劉의 電報에 明朝即十二日(陽二十五日) 朝 伊藤公이 來着한다는 內容이 있었으므로 蔡家溝에서는 未明에 通過하는 列車가 없으므로 安은 이것으로 말미암아 큰 不安을 일으킨 것이다。 安이 蔡家溝에서 돌아온 것은 路費의 不足을 補充할 目的이였다고 하나 決行目前에 이르러 餘分의 金錢이 何等의 用을 하랴。 그 遁辭임을 알 것이다。

또 三人이 그곳에 있는 것보다는 서로 分散하는 것이 利便이 있다는 意見을 갖고 있었다는 것은 安이 一旦 自陳한 바이다。 또 그 禹·曺와 離別할 때에 臨하여 『哈爾濱의 模

樣에 依하여 다시 돌아오겠다。汝等은 機會가 있으면 이곳에서 決行하라」고 말하여 두었다는 것은 安·禹의 供述을 綜合하면 明白하다。 安은 哈爾濱으로 돌아가 그 準備計劃이 틀림을 보고 劉를 叱責하기까지 하였으나 그 錯誤가 오히려 好機를 얻게 된 것이다。 露曆九月十三日(陽十月二十六日) 아침에 哈爾濱 停車場 內에는 日本人의 自由入場을 許可하게 되었다。 日本人과 類似한 韓國人은 日本人과의 區別取締가 없으므로 安은 큰 활개를 치며 歡迎人의 集團에 들어가 그를 狙擊하여 伊藤公을 죽이게 된 것이다。

그 模樣은 露國大藏大臣의 證言으로서 믿을 수 있다。 安이 使用한 銃器는 銳利한 「부르닝」式 七連發로 또 餘分의 一發을 裝塡하여 있었다。 被告는 拳銃에 老練한 者다。 一彈이라도 空彈이 없고 三發은 伊藤公에 命中하였다。 被告가 必成을 期한 恐怖할 十字切截가 있는 彈丸은 人體의 堅部에 抵觸하면 鉛과 「니겔」包皮의 分離를 促成하는 效用이 있어 創傷을 크게 한 것이다。 肺를 貫通한 二個의 彈丸은 胸腔內의 大出血을 일으켜 十數分後에 絶命하였다。 어느 證人의 말에 依하면 伊藤公이 兇漢은 韓國人이라함을 듣고 「어리석은녀석」이라 하였다지만 事實은 그렇지 않다。 伊藤公은 兇漢의 國籍取調가 있기 前에 絶命한 것이다。 公을 狙擊한 副作物로 公과 被告의 사이에 있던 川上總領事는 他의 一彈에 依하여

八九

左上膊에 一彈을 받아 負傷한 것은 關係者의 證言과 鑑定에 徵하여 多言을 不要한다。 被告는 公爵이라고 想像한 先頭의 人物에 銃口를 向하여 丁寧하게도 錯誤없이 하려고 方向을 轉하여 三彈을 發射하였다。 二彈丸은 森・田中 二氏를 負傷시킨 것이다。 그 負傷은 鑑定과 같이 別로 列擧할 必要가 없고 남은 一彈은『푸랫트홈』에 있었다고 十字形切截의 切目에 羅紗毛가 들어가 있는 것을 露官憲으로부터 送致하여 온 것이다。 이 彈丸이 中村 及 室田 兩氏의 바지를 貫通한 것일 것이다。 禹・曺는 蔡家溝에서 決行하려고 하였으나 露曆 九月十二日夜 以來 十三日(陽十月二十五日・二十六日) 伊藤公 搭乘의 列車通過時는 勿論 其後의 警戒가 嚴重하여 用便을 憑藉하여 外出하려고 하였으나 成就치 못하여 萬障을 排하고 大事를 決行하려고 한 禹도 如何한 手段도 行치 못하였다。 內容으로는 前日부터 安에게서 分配된 十字形 截痕이있는 彈丸을『부르닝』七連發銃에 裝塡하고 裝彈中의 一彈은 上部銃身 內에 進出하고 있어 安全裝置를 解하고 『방아쇠』를 누르면 即時 連續 發射할수 있었지마는 마침내 發射할 機會가 없었고 曺도 亦是 그 五連發에 五發을 裝塡하면서도 怨恨을 품고 逮捕되어 그 目的을 達치 못한 것이다。 劉는 如何한 點으로 加功하였느냐 하면 通信連絡機關이 되어 安을 來哈케 하여 다시 蔡家溝로 가지 않고 도리어 成功의 機會를 얻게 한 것

이다。 安으로 하여금 萬若 蔡家溝에 그대로 있게 하였다면 伊藤公의 生命은 빼앗지 못하였을 것이다。 그 結果에 對하여 劉의 行爲는 幇助임은 論을 기다릴 바 없다。 曺의 加功이라 함은 實行을 같이 하려고 하였으나 禹와 同樣으로 旣遂에 이르지 못하고 豫備에 머무른 것이다。

一、本事件의 訴訟法上의 問題

(1) 本件을 取扱하는 것이 當法院의 管轄인가 또 그 手續이 適法한가 않는가는 先決問題이다。 이 問題가 否定된다면 그 以上 實體法上의 有罪・無罪刑의 種類程度를 論할 餘地를 볼 수 없다。 또 이 問題의 性質은 訴訟當事者의 主張을 얻을 것이 아니다。實로 裁判所의 職權調査의 事項에 屬한 것이다。

(2) 本職은 本件이 本院의 管轄인 것을 宣明하려고 한다。 그 理由로는

(가) 哈爾濱은 清國領土로서 東清鐵道附屬地인 同時에 公開地이다。 清國에 對하여 治外法權을 所有한 各國은 同地에 있어서 自國臣民에 對하여 法權을 所有하고 있다。日本 及 韓國은 清國에 對하여 各自國民에 對하여 治外法權을 所有함은 條約上 明瞭하다。 따라서 本

九一

206

條에 對하여 露國 또는 淸國에 裁判權이 없음은 明瞭하다。

(나) 哈爾濱駐在 帝國總領事는 明治三十二年三月 法律第七〇號 明治三十三年四月 勅令第百五十三號에 依하여 日本臣民을 管轄하므로 單只 此條約만이라면 日本官憲에서 外國人인 韓國臣民의 管轄權을 有할 수 없지만、

(다) 明治三十八年十一月十七日 日韓保護協約第一條에 依하여 韓國外에 있는 韓國臣民의 保護는 帝國官憲이 此를 行하게 되어 있다。 帝國에 있어서 法原의 하나로 認定된 學說 及 實例가 있으면 이 日韓協約에 依하여 帝國總領事의 職務管轄에 關한 法令은 擴充된 効力을 有함으로써 總領事는 日本臣民外에 韓國臣民도 管轄함은 當然하다。 故로 訴訟法上 本件 被告事件이 哈爾濱 帝國總領事의 管轄에 屬함도 亦是 明白하다。

(라) 다시 明治四十一年 法律第五十二號 第三條는 外務大臣의 領事裁判權의 管轄移轉에 對한 命令權을 承認하였다。 그래서 本件은 明治四十二年十二月二十七日의 同大臣의 發令에 依하여 管轄이 決定됨은 異論의 餘地가 없다。

(3) 또 同日로서 法院에 管轄이 移送된 後로는 法院의 手續法인 明治四十一年九月二十二日 勅令第二百十三號 關東州裁判事務取扱令에 從하여 取한 手續은 合法한 것이다。 同令에 依하면

重罪事件은 반드시 豫審을 經함을 要치 않음은 同第七十二條에 明記한 바이다。本件은 被害者 犯人 犯罪의 場所 其 方法等이 天下의 耳目을 聳動하였으나 其 事實은 簡單하여 檢察官에 있어서 當然 强制力을 加할수 있던 現行犯이였으므로 調査의 結果 即時 公判을 求한 것은 我內地에 施行되는 刑事訴訟法과는 다르지만 何等의 違法이 있는 것이 아니다。要컨데 管轄이 다르다。또는 公訴不受理論의 餘地가 없음을 言明한다。

二、實體法上의 問題

被保護國臣民에 對하여 保護國官憲의 管轄 及 手續은 明確하나 其 適用될 實體法의 如何한 것인가에는 議論의 餘地가 있다。反對說을 想像함에 韓國臣民에 對하여서는 日本官憲에서 韓國法을 適用해야 된다고 할 것이다。어찌하여 그런가 하면 日韓保護條約第二條에서는 日本은 韓國이 他國에 對한 條約을 執行할 責任에 任한다고 明記되어있다。또 光武三年九月十日 淸韓通商條約第五款은 韓國臣民에는 韓國法을 適用한다는 明文에 比照하여 本件에 適用할 實體法은 韓國法 即 刑法大全이 아니면 안된다고 할 것이나、그러나 本職은 이에 反對하여 前顯保護協約에 所謂 保護는 其 形式的實質같이 帝國法에 準據할 것이라고 믿는다。어찌하여

그런가 하면 韓國이 淸國에 對하여 權利만을 所有할 때에는 淸國에는 何等 負擔이 생기지 않는다。 이 範圍內에 있어서는 韓國의 治外法權의 內容은 日韓保護協約에 依하여 自然 變更을 許하는 것이고 또 日本이 協約의 精神에 따라 外國에서는 保護協約아래에서 準日本人으로써 帝國의 法令에 從할 것이라고 解釋함이 相當한 바인데 韓國民의 身分 能力에 屬한 法律關係는 我法令第三條에 依하여 그 內容으로써는 韓國法令에 從할 것이지만 法理上으로 말하면 사람의 身分能力은 그 本國法에 從한다는 帝國法令에 準據하는 것이다。 本件과 같은 犯罪 及 刑罰關係에 있어서 韓國人에 適用되는 것은 即 帝國刑法이다。 帝國刑法의 適用上에 對하여서도 議論이 있을 것이다。 或은 特別適用 即 刑法第二條・第三條第三項의 保護主義로써 列擧한 때에 限한다는 說이 없지는 않겠지만 本職은 全部 適用을 主張한다。 即 保護協約의 正統解釋上 淸國에 있는 韓國人은 日本臣民에 準하여 各法令 所定의 犯罪全部를 刑法에 依하여 論할 것이라고 믿는다。

한국인 집필 안중근 전기 Ⅲ

원본(原本)